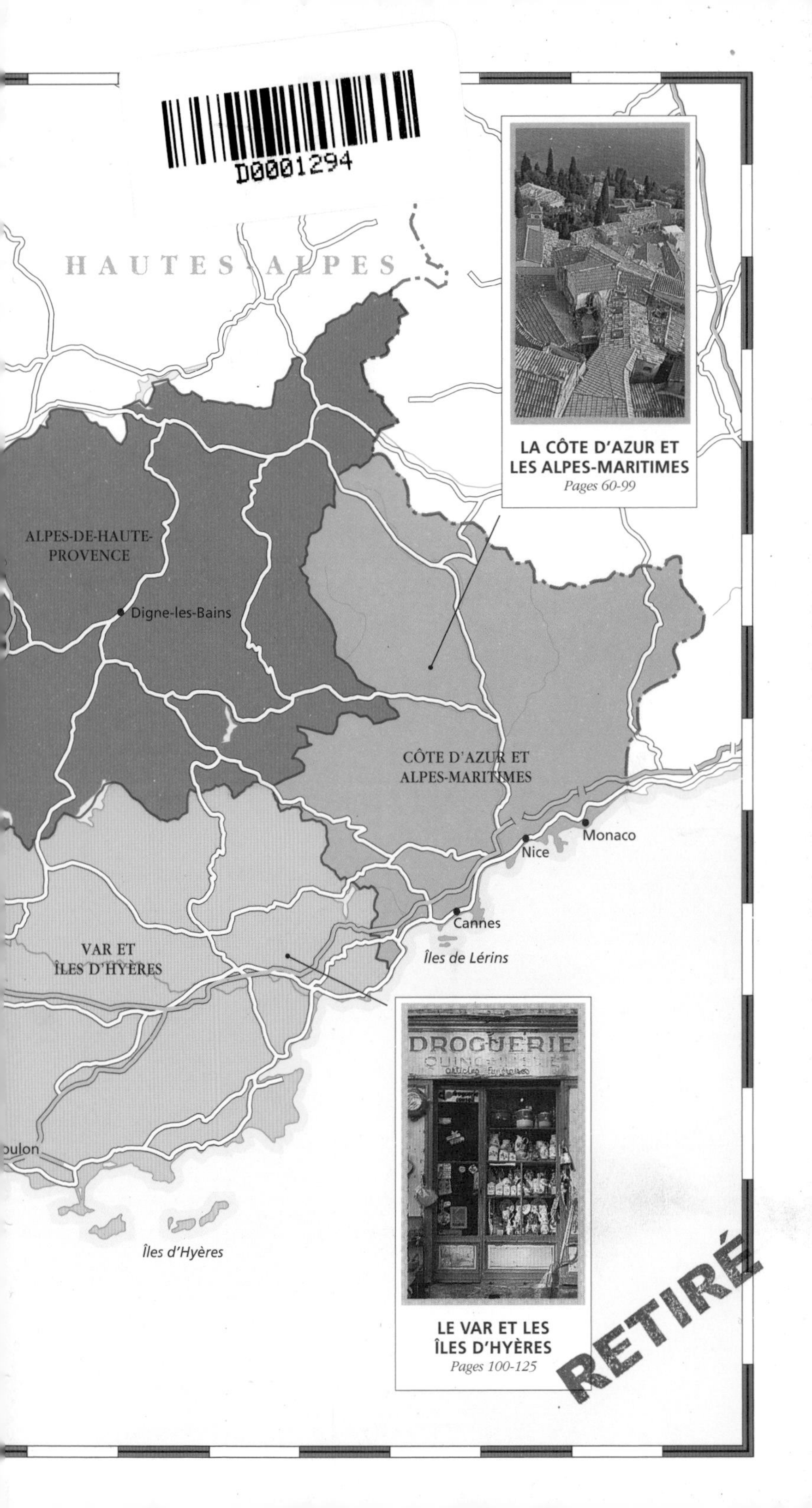

LA CÔTE D'AZUR ET LES ALPES-MARITIMES
Pages 60-99

LE VAR ET LES ÎLES D'HYÈRES
Pages 100-125

GUIDES VOIR
PROVENCE
CÔTE D'AZUR
NEGRESCO

RETIRÉ

GUIDES VOIR
PROVENCE
CÔTE D'AZUR
Libre Expression
Une compagnie de Quebecor Media

Une compagnie de Quebecor Media

DIRECTION
Nathalie Pujo

DIRECTION ÉDITORIALE
Cécile Petiau

RESPONSABLE DE COLLECTION
Catherine Laussucq

ÉDITION
Adam Stambul et Émilie Lézénès,
avec la collaboration
d'Émilie Chavanon et d'Anne Prévost

TRADUIT ET ADAPTÉ DE L'ANGLAIS PAR
Dominique Brotot, avec la collaboration
de Cécile Giroldi et Catherine Pierre-Bon

MISE EN PAGES (PAO)
Maogani

CE GUIDE VOIR A ÉTÉ ÉTABLI PAR
Roger Williams

Publié pour la première fois en Grande-Bretagne en 1995,
sous le titre : *Eyewitness Travel Guides : Provence and the Côte d'Azur*

Aussi soigneusement qu'il ait été établi, ce guide
n'est pas à l'abri des changements de dernière heure.
Faites-nous part de vos remarques, informez-nous de vos
découvertes personnelles : nous accordons la plus grande
attention au courrier de nos lecteurs.

IMPRIMÉ ET RELIÉ EN CHINE

Les Éditions Libre Expression
Groupe Librex inc.
Une compagnie de Quebecor Media
La Tourelle
1055, boul. René-Lévesque Est, Bureau 800
Montréal (Québec) H2L 4S5
www.edlibreexpression.com

DÉPÔT LÉGAL : Bibliothèque et Archives nationales du Québec
et Bibliothèque et Archives Canada, 2010

ISBN 978-2-7648-0496-4

◁ Abbaye de Sénanque, Vaucluse

SOMMAIRE

Champs en fleurs près de Sisteron

La plage de Pampelonne dans la presqu'île de Saint-Tropez

Pêcheur marseillais sur le Vieux-Port

Le château de Tarascon

Fromage à l'ancienne

Parfum provençal

Exemple de paysages typiques entre Castellane et Grasse

La Fondation Maeght à Saint-Paul-de-Vence

COMMENT UTILISER CE GUIDE

Ce guide a pour but de vous aider à profiter au mieux de votre voyage en Provence. La *Présentation de la Provence* situe la région dans son contexte historique et culturel. Dans *La Provence région par région*, plans, textes et illustrations présentent les principaux sites, villes et monuments. *Les bonnes adresses* vous fourniront des informations sur les hôtels, les restaurants, les boutiques, les marchés, les spectacles et les distractions, et les *Renseignements pratiques* vous donneront des conseils utiles dans tous les domaines de la vie quotidienne.

LA PROVENCE RÉGION PAR RÉGION

Ce guide décrit Provence et Côte d'Azur en cinq chapitres : un pour chacun des départements figurant sur la carte de la première couverture intérieure. La section **Bouches-du-Rhône** inclut la description de Nîmes et d'une partie du Gard.

Un repère de couleur correspond à chaque chapitre. Le premier rabat de couverture en donne la liste complète.

1 Introduction
Mettant en lumière l'empreinte de l'histoire, elle dépeint les paysages de chacun des départements et présente leurs principaux attraits touristiques.

Une carte de localisation situe le département dans la région.

2 La carte départementale
Elle offre une vue du département et de son réseau routier. Les sites principaux sont répertoriés et numérotés. Des informations pour circuler en voiture ou en transports en commun sont également fournies.

Des encadrés soulignent des faits marquants.

3 Renseignements détaillés
Les localités et sites importants sont décrits individuellement dans l'ordre de la numérotation de la carte départementale. Pour chaque ville ou village, les notices présentent en détail ce qu'il y a d'intéressant à visiter.

4 Les grandes villes

Une introduction présente l'histoire et la personnalité de la localité. Situés sur un plan de la ville, les principaux monuments possèdent chacun leur rubrique.

Un mode d'emploi vous renseigne sur les transports publics, les bureaux d'information touristique, les marchés et les manifestations les plus marquantes.

Le plan de la ville montre les principales artères et les rues d'intérêt touristique. Il situe les sites et monuments, les gares ferroviaires et routières, les parcs de stationnement, les offices de tourisme et les églises.

5 Plans pas à pas

Ils offrent une vue aérienne et détaillée de villes ou de quartiers particulièrement intéressants. Des photos présentent les principaux sites et édifices.

Le meilleur itinéraire de promenade apparaît en rouge.

Un mode d'emploi vous aide à organiser votre visite. La légende des symboles figure sur le dernier rabat de couverture.

6 Les principaux sites

Deux pleines pages, ou plus, leur sont réservées. La représentation des édifices en dévoile l'intérieur. Les pages des musées vous aide à localiser les plus belles expositions.

« Suivez le guide ! » vous explique la disposition des expositions.

Des étoiles signalent les œuvres ou les sites à ne pas manquer.

PRÉSENTATION DE LA PROVENCE

DÉCOUVRIR LA PROVENCE

Avec ses paysages intemporels baignés de lumière, la senteur de sa garrigue et de ses oliveraies, le goût de ses fruits et raisins gorgés de soleil, le doux clapotis de la mer et l'agréable sensation laissée par le soleil sur la peau, la Provence est un régal pour les sens. C'est aussi une terre de contrastes réunissant les stations balnéaires enchanteresses de la Côte d'Azur et des îles minuscules, des villes animées et des citadelles perchées, de magnifiques ruines romaines et des villages ensoleillés et pittoresques, sans oublier les étendues sans fin de lavande violette.

Parfum à la lavande

Une vue spectaculaire sur la luxuriante Côte d'Azur

LA CÔTE D'AZUR ET LES ALPES-MARITIMES

- **Nice, Cannes et Monaco**
- **Grasse, capitale du parfum**
- **La vallée des Merveilles**

La Côte d'Azur fut un terrain d'expression pour les peintres, compositeurs, écrivains et célébrités durant plus d'un siècle. Ses superbes paysages, qui enchantèrent les plus grands impressionnistes français, demeurent éblouissants.

Tentez votre chance au casino de **Monte-Carlo** *(p. 92-93)*, essayez d'apercevoir les vedettes du Festival du film de **Cannes** *(p. 68-69)*, flânez sur la promenade des Anglais à **Nice** *(p. 80-81)*, la plus grande ville de la Côte d'Azur, suivez les traces de Picasso dans la charmante vieille ville d'**Antibes** *(p. 72)* ou profitez de la douceur de **Menton** *(p. 98-99)*, ville réputée pour ses citrons, qui jouit d'un des climats les plus agréables de France.

De belles cités médiévales s'étirent sur les collines, comme **Mougins** *(p. 66)*, réputée pour sa gastronomie, ou **Grasse** *(p. 66-67)*, qui est devenue, grâce à ses champs de roses et de jasmins, la capitale du parfum.

Avec ses vertigineuses gorges, ses rivières limpides et ses pics enneigés, l'arrière-pays niçois, encore méconnu, ne pourra que vous ravir. Au milieu des montagnes escarpées peuplées de chèvres, la **vallée des Merveilles** *(p. 97)* rappelle les temps préhistoriques de la région.

LE VAR ET LES ÎLES D'HYÈRES

- **Saint-Tropez la branchée**
- **Les vignobles des côtes-de-provence**
- **Îles d'Hyères, îles d'Or**

Saint-Tropez *(p. 118-122)*, « Saint-Trop' » comme disent les habitués, est la station balnéaire la plus chic de la Côte et attire les vedettes et les fêtards. De superbes plages se déploient le long de la côte : celles de **Fréjus** *(p. 125)* sont propres et sans danger ; les anses de **Bandol** *(p. 112)* sont, elles, abritées par des montagnes boisées.

C'est près de cette ville que s'étirent les vignobles dont sont issus les **côtes-de-provence** *(p. 108-109)*. Ces vins sont excellents, surtout les rouges, et les occasions de les goûter foisonnent.

Les **îles d'Hyères** *(p. 114-115)*, aussi appelées « îles d'Or », sont les plus belles de la Côte et constituent le joyau de la baie d'Hyères. Verdoyantes et paisibles, elles sont surtout l'occasion d'une baignade dans une mer d'un bleu étincelant.

La vieille ville et le port de Saint-Tropez, haut lieu de la jet-set

◁ ***Le port de Marseille*** **(1754) de Joseph Vernet**

Les maisons ocre du village perché de Roussillon, au nord du Luberon

LES BOUCHES-DU-RHÔNE ET NÎMES

- **L'histoire naturelle étonnante de la Camargue**
- **Les ruines romaines de Nîmes et d'Arles**
- **Marseille, Aix-en-Provence et les petits ports**

Les paysages lumineux de cette partie de la Provence ont été immortalisés par Van Gogh et Cézanne. La **Camargue** *(p. 136-139)*, l'une des plus belles réserves naturelles de France, s'étend à l'ouest. Sur leurs chevaux blancs, les gardians surveillent les taureaux, les ornithologues amateurs observent la diversité des oiseaux, tandis que les amoureux de la flore et de la faune admirent des spécimens uniques.

Nîmes *(p. 132-133)*, aux lointains accents espagnols, abrite quelques-uns des monuments romains les mieux conservés d'Europe. Avec ses 49 m, le **pont du Gard** *(p. 131)*, merveille d'ingéniosité, est le plus haut pont jamais construit par les Romains. Enfin, **Arles** *(p. 144-146)* est considérée par certains comme la perle de la Provence.

Marseille *(p. 150-152)*, la plus grande ville de la région, est aussi le plus grand port et la plus vieille ville de France. Profondément rénovée ces dernières années, la cité étincelle au soleil et semble plus dynamique que jamais. Ne manquez pas non plus **Aix-en-Provence** *(p. 148-149)*, élégant centre culturel, et **Cassis** *(p. 153)*, ravissante petite station balnéaire.

Légumes de saison colorés sur le marché d'Aix-en-Provence

LE VAUCLUSE

- **Villages perchés du Luberon**
- **Avignon, joyau de Provence**
- **Châteauneuf-du-Pape**

Dominée par le sommet rocheux du **mont Ventoux** *(p. 160)*, cette jolie région fleure bon le romarin, la sauge, le thym, la lavande et le pin. Les villages perchés sont souvent accessibles uniquement par des routes sinueuses. Spectaculaire, **Gordes** *(p. 169)* se dresse de manière pyramidale au sommet d'une colline, tandis que **Roussillon** *(p. 169)* sommeille au milieu des falaises d'ocres.

Avignon *(p. 166-168)*, sur les rives du Rhône, est une fascinante cité médiévale entourée de remparts. C'est aussi un haut lieu de la culture française avec son Festival de théâtre.

Dans cette région très fertile, goûtez les vins de **Châteauneuf-du-Pape** *(p. 164)* ou les melons de **Cavaillon** *(p. 170)*, capitale maraîchère de la France.

LES ALPES-DE-HAUTE-PROVENCE

- **La Provence secrète**
- **Les spectaculaires gorges du Verdon**
- **Les champs de lavande du plateau de Valensole**

Cette partie de la Provence, moins connue et moins peuplée, jouit d'un climat plus frais. Ses paysages sont parmi les plus spectaculaires de la région : gorges profondes, vallées reculées, formations rocheuses étranges et lacs étincelants que surplombent les Alpes.

Les **gorges du Verdon** *(p. 184-185)*, profondes de 700 m, constituent l'un des plus beaux sites de Provence. L'endroit est un paradis pour les amateurs de randonnées, de canoë-kayak et de deltaplane.

Le **mont Pelat** *(p. 179)*, le plus haut sommet des Alpes provençales, se trouve au nord et le **plateau de Valensole** *(p. 182-183)* au sud. Admirez ses splendides champs de lavande en été, au moment où ils sont particulièrement beaux.

Le mauve distinctif des champs de lavande du plateau de Valensole

La Provence dans son environnement

De la frontière italienne, à l'est, jusqu'au Rhône, à l'ouest, l'ensemble géographique traité dans ce guide regroupe les Alpes-de-Haute-Provence, les Alpes-Maritimes, les Bouches-du-Rhône, le Var et le Vaucluse. À ces cinq départements correspondent cinq sections. Le guide inclut aussi Nîmes et une partie du Gard qui sont rattachés à la section Bouches-du-Rhône. La région ainsi présentée s'étend sur plus de 25 000 km² et compte plus de 4 millions d'habitants.

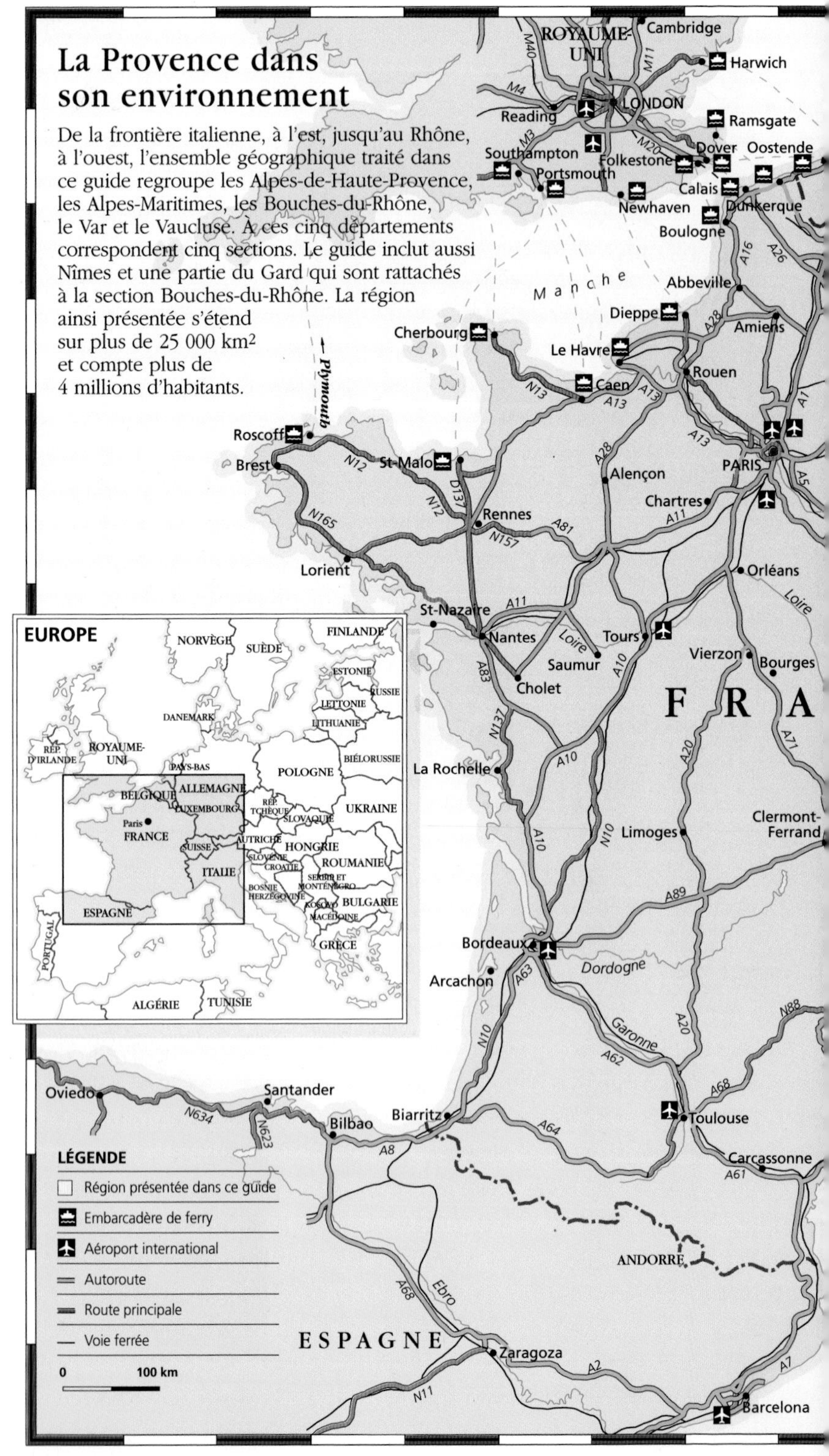

Pour les autres symboles de la carte, *voir le rabat arrière de couverture*

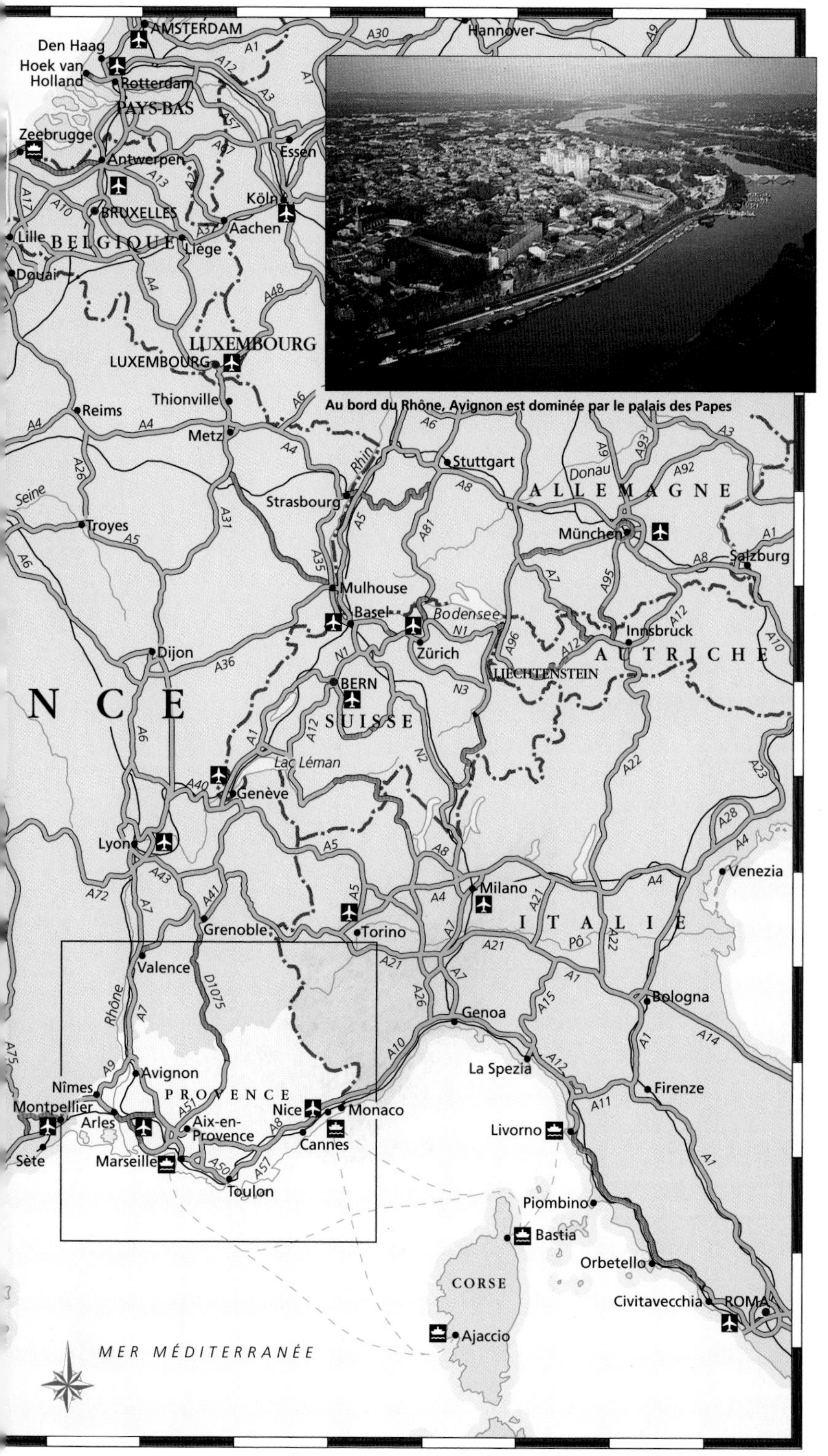

Au bord du Rhône, Avignon est dominée par le palais des Papes

UNE IMAGE DE LA PROVENCE ET DE LA CÔTE D'AZUR

Une lumière et un ensoleillement exceptionnels, des paysages sublimes entre mer et montagne, un patrimoine roman et une richesse artistique incomparables : autant d'atouts qui expliquent l'incroyable pouvoir d'attraction qui caractérise la Provence, sur les travailleurs, les estivants ou les retraités.

Conjugué à une tradition de tolérance et d'hospitalité, ce pouvoir d'attraction explique que la population de la région Provence-Alpes-Côte d'Azur ait quasiment doublé depuis la fin de la Seconde Guerre mondiale – une augmentation presque uniquement due à l'immigration. Les étrangers comptent cependant pour moins de 10 % dans ce phénomène. Pieds-noirs ou ch'timis, retraités ou actifs, ouvriers, ingénieurs, peintres ou garçons de café, ce sont des migrants de nationalité française qui sont à l'origine de cette explosion démographique. Leur installation s'est pliée aux contraintes de la géographie et de l'économie.

Sport et tourisme

La Provence est en effet constituée de paysages très diversifiés. À l'ouest, le Rhône a créé de grandes plaines alluviales : Comtat Venaissin, Crau et Camargue. Sur le littoral, les massifs rocheux et les petites plaines côtières se succèdent. Au nord et à l'est se dressent les Alpes du Sud (plus de 3 000 m), où coule la vallée de la Durance. Au centre, collines et plateaux s'élèvent depuis la Méditerranée jusqu'aux sommets enneigés de la haute montagne. Malgré l'ensoleillement, l'hiver est âpre hors de l'étroite bande maritime comprise entre Saint-Raphaël et Menton que protègent du mistral les Maures et l'Estérel.

Partie de pétanque à Châteauneuf-du-Pape

◁ Ambiance italienne dans une rue du vieux Nice

Boulangerie traditionnelle à Ville-sur-Auzon, Vaucluse

Le vent souffle jusqu'à 150 jours par an, et il gèle parfois encore au printemps, comme en ce mois d'avril 1956 où périrent tant d'oliviers. Sécheresse et chaleur règnent partout en été.

Étals colorés d'un marché provençal

Malgré le manque d'espace, les villes provençales se sont considérablement développées, en particulier sur la côte. Vues depuis une hauteur, Nice et Marseille, les deux plus grandes cités, semblent s'agripper aux collines pour ne pas glisser dans la mer. Un aspect que donne souvent le littoral, où plus de la moitié des habitants de la région et la majorité des résidences secondaires se concentrent sur un étroit territoire. En comparaison, l'arrière-pays, très boisé, paraît vide, bien que sa population soit elle aussi en augmentation. La désertification rurale se poursuit cependant en montagne, et l'agriculture n'emploie dans tout le Sud-Est que 3 % des actifs (4 % en moyenne nationale). Malgré l'image campagnarde de la région qu'ont laissée des auteurs comme Marcel Pagnol ou Jean Giono, 88 % des habitants vivent désormais dans les villes, principalement dans deux grandes agglomérations aux caractères très contrastés.

Important port marchand depuis 2600 ans, Marseille développa dès le début du XIXe siècle des usines de transformation – des savonneries notamment. La création du complexe pétrochimique de l'étang de Berre a renforcé cette vocation commerciale et industrielle, aujourd'hui en quête d'un second souffle. Italienne jusqu'en 1870, Nice a quant à elle bénéficié très tôt de la venue de riches étrangers. Ce n'est pourtant qu'après la Seconde Guerre mondiale que le littoral des Alpes-Maritimes a connu son véritable essor démographique, profitant des activités liées au tourisme, mais aussi de l'implantation d'entreprises de pointe attirées par la réputation du complexe industriel et scientifique Sophia-Antipolis.

S'il est né sur la Côte d'Azur, le tourisme concerne aujourd'hui toute la région, qui accueille 10 millions de vacanciers chaque été , dont 2 millions d'étrangers. Il génère 10 % des emplois régionaux. Les séjours en zone balnéaire ne représentent cependant que 55 % du total, car les plaisirs de la haute montagne, en été comme en hiver, et la beauté du moyen pays, avec ses lacs, ses cours

Récolte des fleurs de tilleul

Les spectaculaires colonnes des Pénitents des Mées, dans les Alpes-de-Haute-Provence

d'eau et ses superbes reliefs, attirent de plus en plus de visiteurs. Sept parcs (deux nationaux – Port-Cros et le Mercantour – et cinq régionaux) protègent ces richesses naturelles. La Provence intérieure dispose aussi d'un remarquable patrimoine architectural, qu'il s'agisse de villes chargées d'histoire telles Aix ou Avignon, de superbes monuments comme les abbayes cisterciennes, ou encore ses dizaines de villages perchés datant du Moyen Âge. Ce patrimoine n'est pas figé. Partout, la vie culturelle et artistique, la plus intense du pays après celle de l'Île-de-France, en tire parti et lui donne vie, que ce soit à l'occasion des grands festivals, des manifestations prestigieuses ou lors des fêtes traditionnelles.

Si la langue d'oc a pratiquement disparu depuis deux générations, les traditions connaissent un renouveau depuis quelques années. Les activités artisanales ont repris leurs lettres de noblesse, notamment la céramique et la fabrication de tissus imprimés et de meubles. Les crèches vivantes se multiplient à Noël, des célébrations campagnardes comme la Saint-Jean renaissent, des danses telles la farandole et la volte retrouvent des adeptes. Et parmi ces membres de groupes folkloriques, combien avaient des parents alsaciens ou lyonnais ? C'est là l'un des mystères et sans doute le plus grand charme de la Provence : sa capacité à transformer les nouveaux arrivants. Quelle que soit leur origine et même s'ils ne viennent que pour un bref séjour, ils se sentent soudain méditerranéens. Et s'ils s'installent, l'accent leur monte aux lèvres ou au moins au cœur. Ils trouvent leur rythme et leur place dans une histoire et un paysage dont ils transmettront eux-mêmes le sens aux prochains arrivants.

Sur le cours Mirabeau à Aix

La faune et la flore

Chirraxes jasius

Des sommets des Alpes du Sud jusqu'aux lagunes de Camargue ou aux criques écrasées de soleil de la Côte d'Azur, une grande variété de lieux abrite une vie animale et végétale d'une fascinante diversité. Certains des mammifères, oiseaux, reptiles et insectes sont particuliers à cette région de France. Pour les protéger, la plupart des zones les plus sauvages ont été transformées en réserves naturelles particulièrement agréables à découvrir au début du printemps, époque de la floraison.

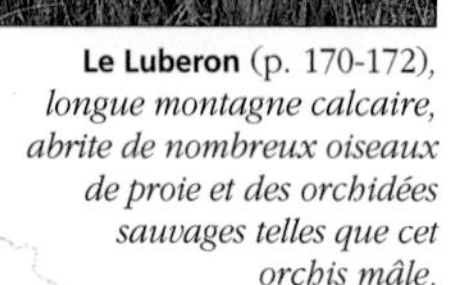

Le Luberon (p. 170-172), *longue montagne calcaire, abrite de nombreux oiseaux de proie et des orchidées sauvages telles que cet orchis mâle.*

Le mont Ventoux *(p. 160)* se couvre de fleurs au printemps.

Les Alpilles (p. 141), *collines calcaires dominant la Crau, sont peuplées de nombreux oiseaux, notamment des rapaces comme l'aigle de Bonelli ou le percnoptère d'Égypte mais aussi ce guêpier.*

Orange
Carpentras
Avignon
VAUCLUSE
Rhône
Arles
BOUCHES-DU-RHÔNE ET NÎMES
Marseille

La Camargue (p. 136-139), *vaste étendue de lagunes et de marécages formés par le delta du Rhône, est célèbre pour ses échassiers, hérons, aigrettes ou ses flamants roses, mais on y trouve également, comme dans le reste de la Provence, le lézard ocellé.*

La côte Bleue abrite dans ses rochers une riche faune marine.

La montagne Sainte-Victoire est une longue chaîne calcaire qui attire les randonneurs et les alpinistes. Elle fut l'un des sujets favoris de Cézanne.

La plaine de la Crau *étale 50 000 ha de prés et de steppe caillouteuse au sud-est d'Arles. À l'instar de cette huppe, de nombreux oiseaux y nichent, dont certaines espèces rares comme la gandourle.*

Les calanques *(p. 153),* creusées dans les falaises entre Marseille et Cassis, offrent un refuge à de nombreux oiseaux, tels que le hibou. Elles devraient bientôt devenir le 9e parc national du pays.

Le parc national du Mercantour (p. 97) *est une superbe réserve peuplée de marmottes, de chamois, de bouquetins et de mouflons. Gorges et montagnes offrent de nombreux itinéraires de randonnée.*

La réserve géologique de haute Provence, près de Digne *(p. 180)*, protège notamment une accumulation spectaculaire d'ammonites géantes.

Il n'est pas rare de voir des chamois au **col de la Bonette** *(p. 179)*.

Les gorges du Verdon (p. 184-185) *creusent un canyon impressionnant dans un plateau calcaire situé au cœur d'une réserve naturelle. Un sentier permet de suivre une partie du cours du torrent et de découvrir d'en bas ce site exceptionnel.*

Barcelonnette

ALPES-DE-HAUTE-PROVENCE

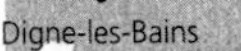

Digne-les-Bains

Durance

Verdon

Var

CÔTE D'AZUR ET ALPES-MARITIMES

Nice

VAR ET ÎLES D'HYÈRES

Fréjus

Toulon

Les gorges de la Vésubie (p. 95) voient s'installer en été des oiseaux migrateurs comme les hirondelles.

Les gorges profondes des **Préalpes de Grasse** se situent à l'est des Alpes-Maritimes.

Le massif de l'Estérel *(p. 124)*, aux pentes couvertes de maquis, abrite de nombreux reptiles.

Dans le massif des Maures (p. 116-117), *pies-grièches, huppes et guêpiers hantent les maquis et les forêts de chênes-lièges et de châtaigniers, qui offrent aussi leur dernier sanctuaire aux tortues d'Hermann.*

Le massif de la Sainte-Baume prend des couleurs éclatantes en automne.

Les îles d'Hyères (p. 114-115), *couvertes de maquis et de bois, forment un chapelet près de la côte. Protégées de la pollution automobile, elles abritent une faune riche et variée. Les poissons, telle cette vieille, prolifèrent dans leurs eaux.*

LÉGENDE

- Parc national
- Parc naturel régional
- Site protégé
- Réserve

0 25 km

Les villages perchés

Accrochés au rocher avec lequel ils se confondent, entourés de remparts et généralement surmontés d'un château, les villages perchés constituent l'un des traits les plus caractéristiques et les plus élégants de l'habitat méridional. Construits pour la plupart au Moyen Âge pour résister aux incursions de nombreux pillards et envahisseurs, notamment des pirates sarrasins, ils montent la garde sur les terrasses dont les cultures nourrissaient les habitants. Au début du XXe siècle, l'exode rural a chassé ceux-ci des maisons dominant les ruelles pavées. Elles connaissent aujourd'hui une nouvelle jeunesse grâce aux touristes ainsi qu'aux artistes ou artisans qui les ont rénovées.

Peillon (p. 95), *accroché à son piton, se fond parfaitement dans le paysage.*

GRANDE PLACE
RUE DE LA POURTOUNE
RUE DES DORIERS
RUE DES BAUQUES
RUE CASSETTI
RUE DE LA CASTRE
RUE GRANDE
COURTINE ST PAUL
BASTION ST REMY
REMPARTS

SAINT-PAUL-DE-VENCE

Ce village perché typique *(p. 75)* a conservé ses remparts médiévaux. C'est l'un des villages les plus visités de France.

Une chicane, à l'entrée, compliquait la tâche d'éventuels attaquants.

L'église, ou la chapelle, constituait le cœur du village.

Les portes, *étroites et fortifiées, donnaient, comme celle d'Èze* (p. 88), *sur des ruelles sinueuses. Parfois, une deuxième porte, ou une chicane à l'intérieur des murs, renforçait le système de défense.*

Un château, *parfois même une église fortifiée, offrait l'asile aux habitants du village en cas de crise grave. Nombreux sont ceux qui sont maintenant en ruine après avoir subi de multiples assauts, tel le château d'Èze* (p. 88).

L'église, *centre de la vie religieuse de la communauté, se dressait souvent, comme aux Baux* (p. 142)*, près du donjon du château. Elle était parfois fortifiée. La cloche appelait à l'office mais sonnait également le tocsin en cas de menace.*

Des arcades, *comme ici à Roquebrune* (p. 98)*, soutenaient les maisons, enjambant les ruelles et protégeant les piétons du soleil et de la pluie.*

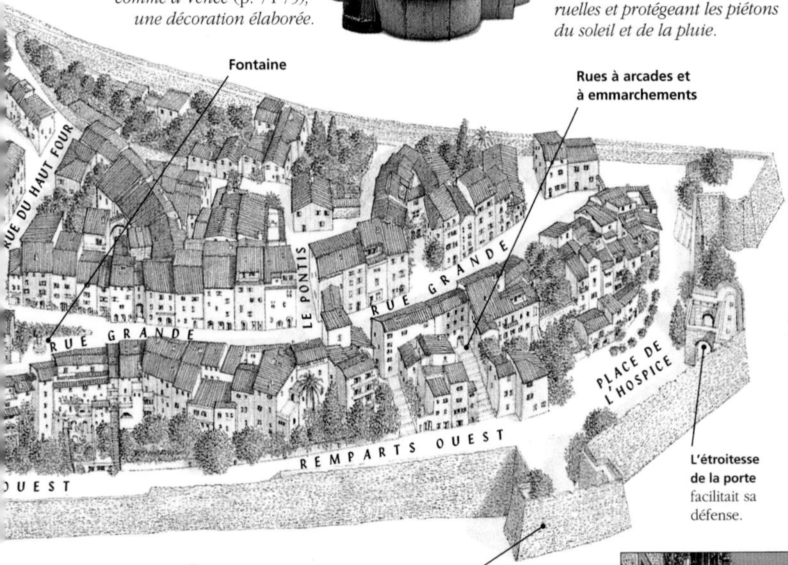

Souvent seules sources d'eau du village, les **fontaines** *présentent parfois, comme à Vence* (p. 74-75)*, une décoration élaborée.*

Fontaine

Rues à arcades et à emmarchements

RUE DU HAUT FOUR

LE PONTIS

RUE GRANDE

RUE GRANDE

PLACE DE L'HOSPICE

REMPARTS OUEST

OUEST

L'étroitesse de la porte facilitait sa défense.

Remparts et bastions formaient une solide enceinte.

Des remparts, *auxquels s'incorporaient souvent des habitations, entouraient tout le village. Les défenses de Saint-Paul-de-Vence* (p. 75) *furent renforcées par François Ier au XVIe siècle. Commandant de superbes panoramas, elles constituent aujourd'hui d'agréables promenades.*

Les portes principales, *comprenant généralement une herse, restaient étroites pour en faciliter la défense. Cette porte est l'une des quatre construites au XIIe siècle dans les remparts du village varois de Bargemon* (p. 106).

L'architecture rurale

Des volets protègent du soleil et du vent

Les caractéristiques des habitations rurales rappellent que le climat n'est pas aussi clément qu'il en a la réputation. Orientée au sud ou sud-est, la façade principale est à l'abri des rafales glaciales du mistral. La petitesse des fenêtres protège en été de la chaleur et du soleil, mais également, en hiver, du froid qui règne à l'intérieur des terres. Les matériaux de construction (bois, pierre, argile) sont d'origine locale. Les tuiles canal ont gardé la forme que leur donnaient jadis les potiers en les moulant sur leur cuisse.

Les bories (p. 169)*, cabanes de pierres sèches empilées, se multiplièrent dans les collines provençales au XVIe siècle.*

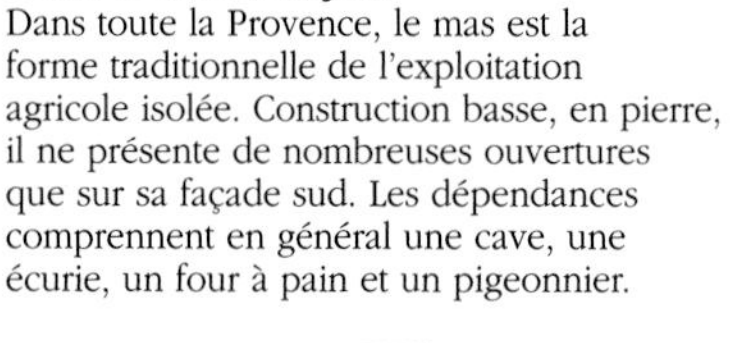

LE MAS PROVENÇAL

Dans toute la Provence, le mas est la forme traditionnelle de l'exploitation agricole isolée. Construction basse, en pierre, il ne présente de nombreuses ouvertures que sur sa façade sud. Les dépendances comprennent en général une cave, une écurie, un four à pain et un pigeonnier.

Les tuiles canal *sont typiques du Midi.*

Les pierres des murs *ne sont que grossièrement taillées.*

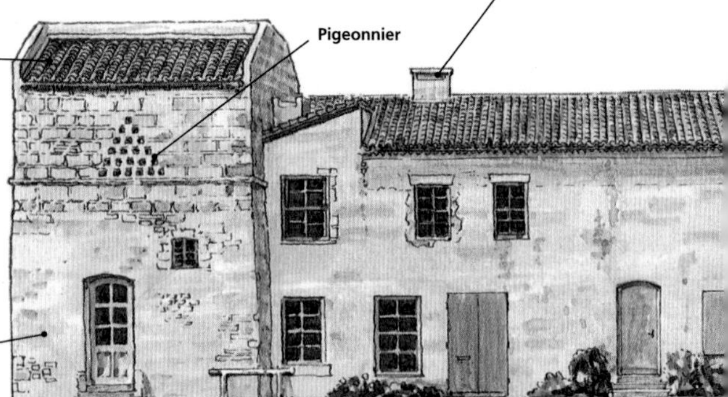

Pigeonnier

Les cheminées, en pierre, dépassent peu du toit.

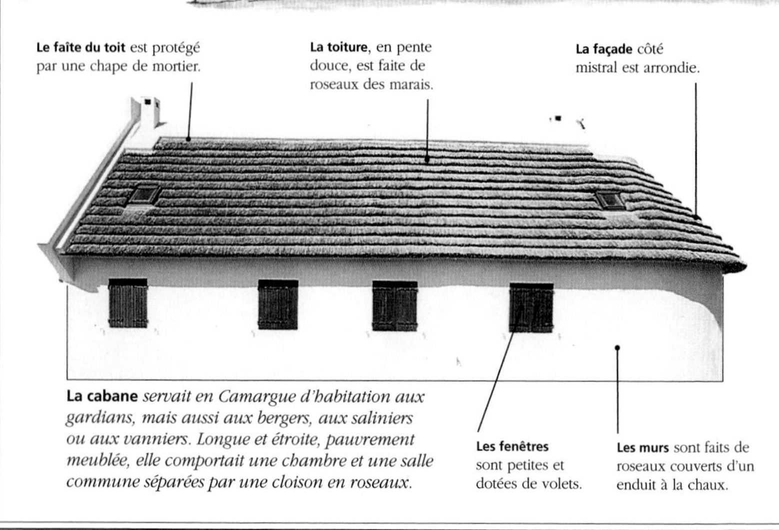

Le faîte du toit est protégé par une chape de mortier.

La toiture, en pente douce, est faite de roseaux des marais.

La façade côté mistral est arrondie.

La cabane *servait en Camargue d'habitation aux gardians, mais aussi aux bergers, aux saliniers ou aux vanniers. Longue et étroite, pauvrement meublée, elle comportait une chambre et une salle commune séparées par une cloison en roseaux.*

Les fenêtres sont petites et dotées de volets.

Les murs sont faits de roseaux couverts d'un enduit à la chaux.

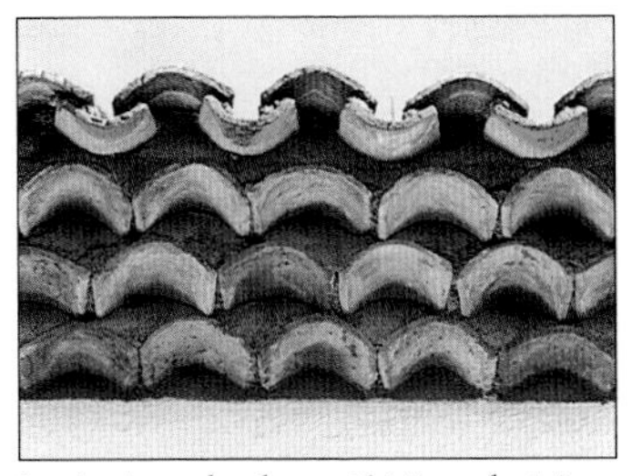

La génoise, *rebord caractéristique des toits provençaux, traditionnellement dépourvus de gouttières, servait à écarter des façades les eaux de pluie ruisselant sur les tuiles canal. La pente douce du toit empêche celles-ci, simplement posées les unes sur les autres, de glisser.*

Aucune fenêtre *ne perce au nord-ouest la façade exposée au mistral. Mais, même sur les autres façades, elles restent petites et dotées de solides volets afin de limiter les déperditions de chaleur en hiver.*

Les tuiles forment des canaux qui guident l'eau de pluie jusqu'à la génoise qui la projette loin de la façade.

Le mistral, qui souffle du nord ou du nord-ouest, est un vent si violent, et si froid en hiver, qu'il détermine toute l'organisation de la maison. Celle-ci s'enterre ainsi souvent du côté où il arrive et tourne vers le sud sa façade principale.

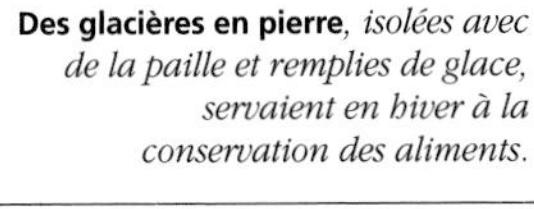

Un enduit recouvre les murs.

Des glacières en pierre, *isolées avec de la paille et remplies de glace, servaient en hiver à la conservation des aliments.*

LES CAMPANILES

Depuis le XVIe siècle, les Provençaux coiffent leurs clochers de campaniles en fer forgé. Résistantes et aérées, ces structures laissent passer le vent et permettent au son des cloches de porter au plus loin. Leur complexité dépend de l'importance de l'édifice et de l'habileté des artisans locaux.

Campanile très ouvragé à Aix-en-Provence

Campanile de Saint-Jérôme à Digne

Campanile de l'hôtel de ville d'Orange

Campanile de Notre-Dame à Sisteron

Les styles architecturaux

Depuis les vestiges grandioses laissés par les Romains jusqu'à l'immeuble d'habitation où Le Corbusier appliqua en toute liberté ses théories, la région offre à l'amateur d'architecture un très large éventail d'édifices à découvrir. Du Moyen Âge subsistent de nombreuses églises romanes et trois superbes abbayes cisterciennes, tandis que les XVIe, XVIIe et XVIIIe siècles virent s'élever châteaux et hôtels particuliers. À partir du XIXe siècle, les développements urbain et touristique n'ont pas engendré que des réussites, en particulier sur le littoral. Plus récemment, ils ont permis la restauration de villages vidés par l'exode rural.

Fontaine du XVIIIe siècle à Pernes-les-Fontaines

ARCHITECTURE ROMAINE (20 AV. J.-C. - 400 APR. J.-C.)

Édifiés en blocs de calcaire provenant de carrières locales, arènes, arcs de triomphe et thermes témoignent dans toute la région des qualités de bâtisseurs des Romains.

L'arc de triomphe de Glanum (p. 141) *servait à l'origine d'entrée à la plus ancienne des villes romaines de Provence. Des sculptures représentent la victoire de César sur les Gaulois et les Grecs.*

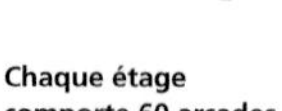

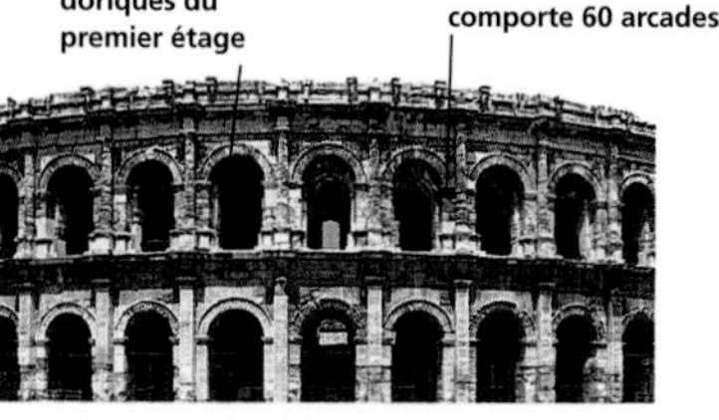

Les arènes de Nîmes, bâties au Ier siècle *(p. 132)*

La Maison Carrée de Nîmes *(p. 132)*

ARCHITECTURE ROMANE (XIe-XIIe SIÈCLES)

Au sortir de la période la plus noire du Moyen Âge s'élevèrent des édifices religieux aux formes pures inspirées de l'architecture antique. Les moines cisterciens, en particulier, créeront des chefs-d'œuvre de simplicité mettant en valeur l'harmonie des volumes et des jeux de lumière.

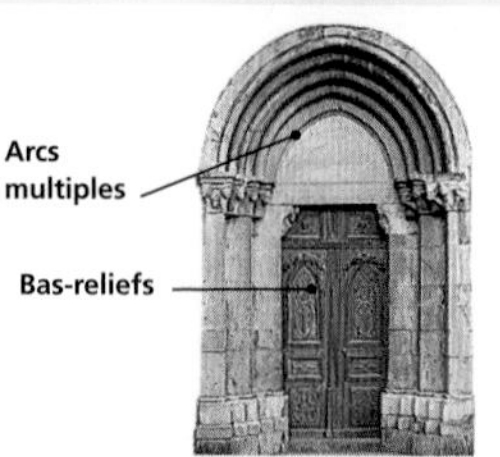

Ce portail d'église à Seyne-les-Alpes (p. 178) *offre un bel exemple d'architecture romane du XIIIe siècle, bien que la forme légèrement brisée des voussures s'éloigne déjà de la tradition la plus pure.*

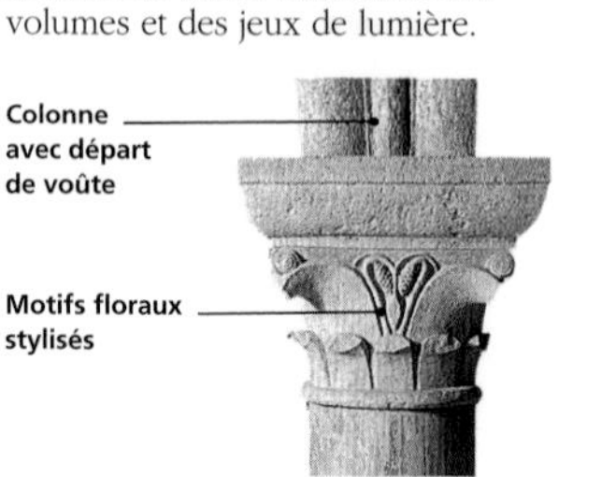

Chapiteau, abbaye du Thoronet *(p. 108)*

L'abbaye de Sénanque, fondée en 1148 *(p. 164-165)*

LA FIN DU MOYEN ÂGE (XIIIe-XVIe SIÈCLES)

Les guerres féodales et les guerres de Religion conduisirent les Provençaux à se replier derrière les murs fortifiés de leurs cités, aux rues grossièrement pavées à caniveau central. Souvent, des passages souterrains reliaient les maisons.

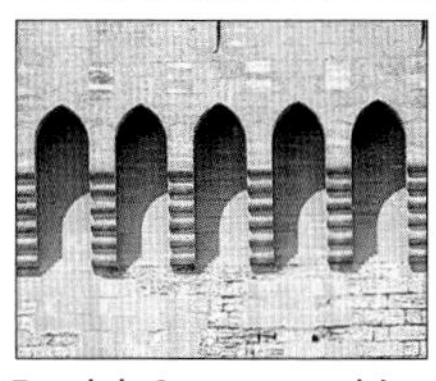

Tour de la Campana au palais des Papes à Avignon *(p. 44-45)*

Rue dotée d'un caniveau central à Saint-Martin-Vésubie *(p. 95)*

Aigues-Mortes (p. 134-135), *construite par saint Louis au XIIIe siècle pour servir de base navale aux Croisades, obéit à un plan géométrique.*

ARCHITECTURE CLASSIQUE (XVIIe-XVIIIe SIÈCLES)

La richesse des ornements de portes et de fenêtres adoucit en Provence la rigueur du style classique né en Île-de-France au Grand Siècle.

Le château de Barbentane (XVIIe siècle) et son jardin à la française *(p. 130)*

Symbole de l'autorité
Arche ouvragée
Porte de style Régence
Pilier néoclassique

Le musée des Tapisseries d'Aix (p. 148) *possède une entrée richement sculptée.*

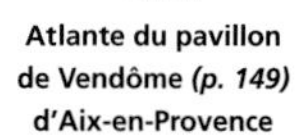

Atlante du pavillon de Vendôme *(p. 149)* d'Aix-en-Provence

ARCHITECTURE MODERNE (1890-AUJOURD'HUI)

Si l'extravagance des villas et des hôtels de la Belle Époque a cédé la place à la simplicité d'édifices plus fonctionnels, certaines réalisations, en particulier musées ou édifices publics, font honneur à l'architecture contemporaine.

La Cité radieuse de Le Corbusier *(p. 151)*

L'hôtel Negresco à Nice *(p. 84-85)*

Le musée d'Art moderne et d'Art contemporain de Nice (p. 85) *date de 1990. Des passerelles vitrées relient ses tours imposantes.*

La Provence des peintres

La limpidité et l'intensité de la lumière du Midi donnent aux couleurs un éclat qui a inspiré et fasciné les artistes les plus créatifs des XIXe et XXe siècles. Cézanne, natif d'Aix-en-Provence, puis Van Gogh ont tout deux tenté de saisir l'âme de ses paysages. Renoir s'installa en Provence dès 1883, Bonnard, Signac et Dufy suivirent, avant les deux géants du XXe siècle, Picasso et Matisse. La région compte des musées de grand renom, mais aussi de nombreuses petites galeries, privées ou publiques, qui entretiennent cette tradition picturale.

Jean Cocteau *(1889-1963) passa plusieurs années sur la Côte et créa son propre musée à Menton* (p. 99). *La* Noce imaginaire *(1957) décore un mur de la salle des mariages.*

Victor Vasarely *(1908-1997), maître de l'« op art », restaura le château de Gordes. Ses œuvres sont exposées à Aix-en-Provence* (p. 149).

Hans Van Meegeren *(1889-1947), génial faussaire de Vermeer, vivait à Roquebrune* (p. 98) *quand la supercherie fut découverte.*

Vincent Van Gogh *(1853-1890) passa à Arles* (p. 144-146) *et à Saint-Rémy* (p. 140-141) *les deux années les plus prolifiques de sa vie. C'est pendant cette période qu'il peignit* La Chaise de Van Gogh *(1888).*

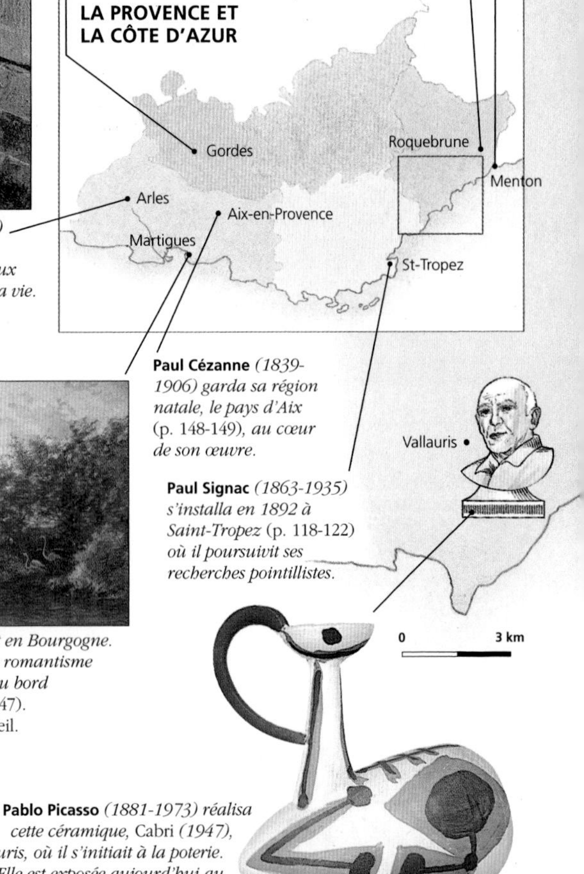

Paul Cézanne *(1839-1906) garda sa région natale, le pays d'Aix* (p. 148-149), *au cœur de son œuvre.*

Paul Signac *(1863-1935) s'installa en 1892 à Saint-Tropez* (p. 118-122) *où il poursuivit ses recherches pointillistes.*

Félix Ziem *(1821-1911) naquit en Bourgogne. Ce grand voyageur retrouva le romantisme de Venise, chère à son cœur, au bord des canaux de Martigues* (p. 147). *Il y peignit* Camargue, côté soleil.

Pablo Picasso *(1881-1973) réalisa cette céramique,* Cabri *(1947), à Vallauris, où il s'initiait à la poterie. Elle est exposée aujourd'hui au musée Picasso d'Antibes* (p. 72).

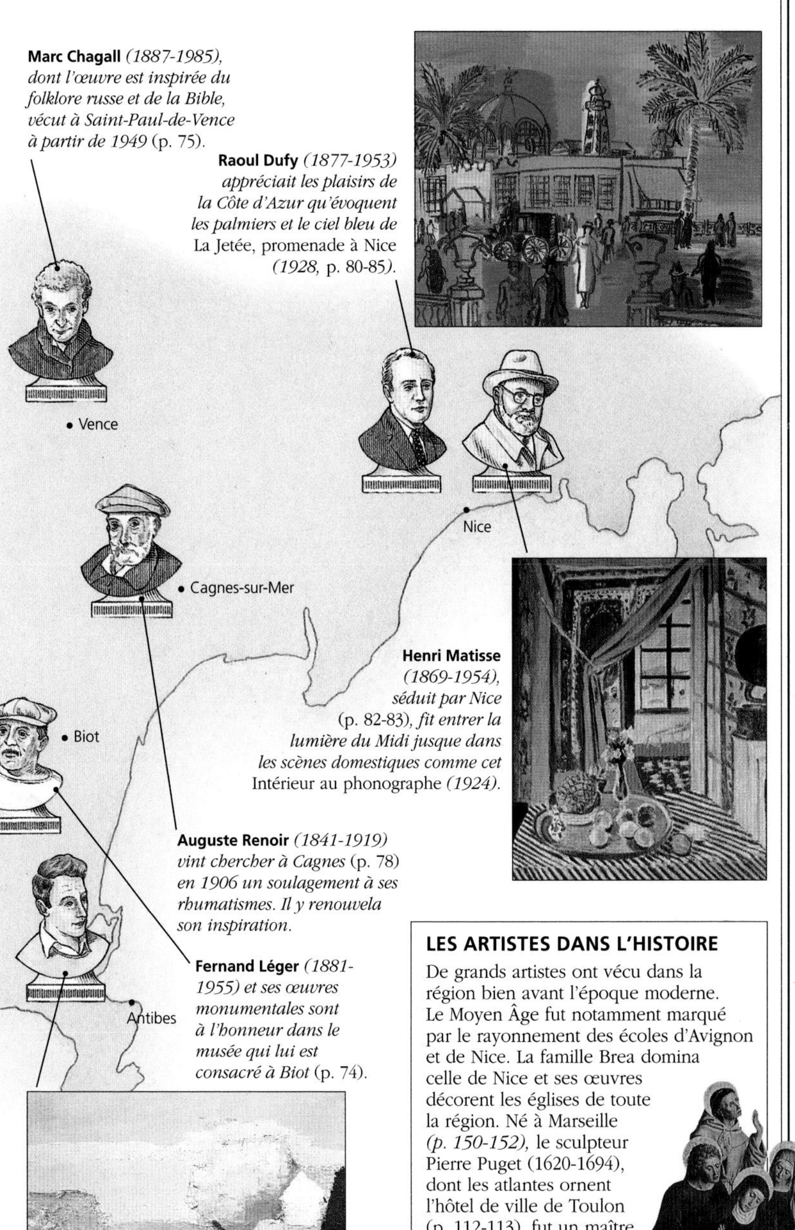

Marc Chagall *(1887-1985), dont l'œuvre est inspirée du folklore russe et de la Bible, vécut à Saint-Paul-de-Vence à partir de 1949* (p. 75).

Raoul Dufy *(1877-1953) appréciait les plaisirs de la Côte d'Azur qu'évoquent les palmiers et le ciel bleu de* La Jetée, promenade à Nice *(1928,* p. 80-85*).*

Henri Matisse *(1869-1954), séduit par Nice* (p. 82-83)*, fit entrer la lumière du Midi jusque dans les scènes domestiques comme cet* Intérieur au phonographe *(1924).*

Auguste Renoir *(1841-1919) vint chercher à Cagnes* (p. 78) *en 1906 un soulagement à ses rhumatismes. Il y renouvela son inspiration.*

Fernand Léger *(1881-1955) et ses œuvres monumentales sont à l'honneur dans le musée qui lui est consacré à Biot* (p. 74).

Nicolas de Staël *(1914-1955), né en Russie, offrit à sa femme une maison dans le Luberon quand il connut le succès, mais préféra vivre à Antibes* (p. 72) *avec sa maîtresse. Ce* Paysage méditerranéen *date de 1953.*

LES ARTISTES DANS L'HISTOIRE

De grands artistes ont vécu dans la région bien avant l'époque moderne. Le Moyen Âge fut notamment marqué par le rayonnement des écoles d'Avignon et de Nice. La famille Brea domina celle de Nice et ses œuvres décorent les églises de toute la région. Né à Marseille *(p. 150-152),* le sculpteur Pierre Puget (1620-1694), dont les atlantes ornent l'hôtel de ville de Toulon (p. 112-113), fut un maître du baroque, tandis que le Grassois Jean Honoré Fragonard (1732-1806, *p. 66*) construisit une œuvre très sensuelle.

Crucifixion **(1512) par Louis Brea, monastère de Cimiez, Nice** ***(p. 84)***

La Provence des écrivains

Victor Hugo

En littérature, la région de Provence et de Côte d'Azur n'a pas inspiré que ses fils, tels Jean Giono, Alphonse Daudet, Marcel Pagnol ou les prix Nobel Frédéric Mistral et Jean-Marie Le Clézio. Elle a aussi attiré beaucoup d'autres écrivains français et peut-être plus encore d'étrangers. Trop nombreux pour être tous cités, ils témoignent par leur diversité de la fascination exercée par la région.

1920 Atteinte de tuberculose, la nouvelliste néo-zélandaise Katherine Mansfield vient se reposer à Menton *(p. 98-99)* où elle écrit notamment *Miss Bull* et *Passion.*

1895 Naissance à Manosque *(p. 182)* de Jean Giono, qui immortalisera la haute Provence.

1892 Publication de la dernière partie d'*Ainsi parlait Zarathoustra* de Friedrich Nietzsche. Il l'aurait conçue à Èze *(p. 88)*, sous les pins d'un sentier rejoignant la mer et qui porte aujourd'hui son nom.

Alphonse Daudet

Édition ancienne du Comte de Monte-Cristo

1869 Alphonse Daudet publie les *Lettres de mon moulin* qui ont Fontvieille *(p. 143)* pour cadre.

1904 Frédéric Mistral obtient le Prix Nobel pour son poème *Mirèio.*

Frédéric Mistral

1845 Alexandre Dumas situe au château d'If de Marseille *(p. 152)* une partie du *Comte de Monte-Cristo.*

1870 Natif de Sisteron *(p. 178)*, Paul Arène publie *Jean des Figues.*

1840	1855	1870	1885	1900	1915
1840	1855	1870	1885	1900	1915

1862 Publication des *Misérables* de Victor Hugo, dont les premiers chapitres se passent à Digne-les-Bains *(p. 180).*

1868 Naissance à Marseille *(p. 150-152)* d'Edmond Rostand, l'auteur de *Cyrano de Bergerac* (1897).

1887 Le journaliste Stephen Liegeard invente le terme «Côte d'Azur».

1907 Le poète René Char naît à l'Isle-sur-la-Sorgue.

1915 Edith Wharton, l'auteur américain du *Temps de l'innocence,* se rend avec André Gide à Hyères *(p. 115)* où une rue porte son nom.

Edith Wharton

Somerset Maugham

1926 Ernest Hemingway situe le *Jardin d'Éden* à La Napoule *(p. 124)*. Somerset Maugham, l'auteur du *Fil du rasoir*, achète au cap Ferrat *(p. 85)* la Villa mauresque où il finira ses jours.

1885 Émile Zola, ami d'enfance de Cézanne, publie *Germinal*, 13e volume du cycle des *Rougon-Macquart* (1871-1893).

Émile Zola

LES PRÉCURSEURS

Ce sont les troubadours provençaux qui inventèrent l'amour courtois dont s'inspira la littérature de toute l'Europe médiévale. Ils chantaient en provençal, langue qui berça l'enfance de grands auteurs anciens, comme Pétrarque (1304-1374), auteur du *Canzoniere* écrit pour Laure de Noves, et Michel de Nostre-Dame, né en 1503 à Saint-Rémy-de-Provence. Plus connu sous le nom de Nostradamus, il publie en 1555 ses *Centuries astrologiques* qui suscitent toujours maintes interprétations. Malgré les efforts du félibrige, école littéraire fondée en 1854 par sept poètes, dont Frédéric Mistral, le provençal n'est quasiment plus parlé aujourd'hui.

Laure de Noves

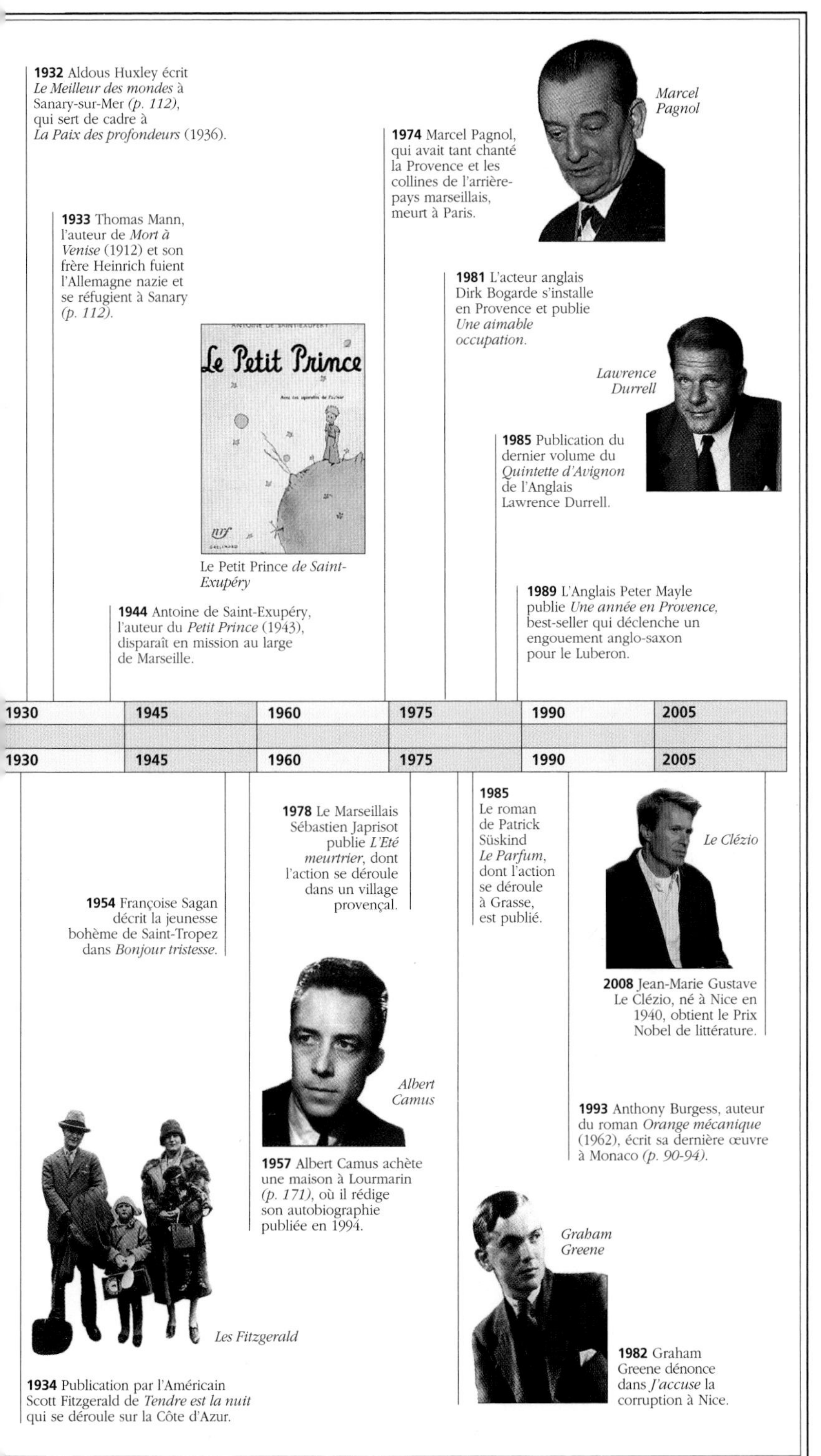

1932 Aldous Huxley écrit *Le Meilleur des mondes* à Sanary-sur-Mer *(p. 112)*, qui sert de cadre à *La Paix des profondeurs* (1936).

1933 Thomas Mann, l'auteur de *Mort à Venise* (1912) et son frère Heinrich fuient l'Allemagne nazie et se réfugient à Sanary *(p. 112)*.

Les Fitzgerald

1934 Publication par l'Américain Scott Fitzgerald de *Tendre est la nuit* qui se déroule sur la Côte d'Azur.

Le Petit Prince *de Saint-Exupéry*

1944 Antoine de Saint-Exupéry, l'auteur du *Petit Prince* (1943), disparaît en mission au large de Marseille.

1954 Françoise Sagan décrit la jeunesse bohème de Saint-Tropez dans *Bonjour tristesse*.

Albert Camus

1957 Albert Camus achète une maison à Lourmarin *(p. 171)*, où il rédige son autobiographie publiée en 1994.

Marcel Pagnol

1974 Marcel Pagnol, qui avait tant chanté la Provence et les collines de l'arrière-pays marseillais, meurt à Paris.

1978 Le Marseillais Sébastien Japrisot publie *L'Eté meurtrier*, dont l'action se déroule dans un village provençal.

1981 L'acteur anglais Dirk Bogarde s'installe en Provence et publie *Une aimable occupation*.

Graham Greene

1982 Graham Greene dénonce dans *J'accuse* la corruption à Nice.

Lawrence Durrell

1985 Publication du dernier volume du *Quintette d'Avignon* de l'Anglais Lawrence Durrell.

1985 Le roman de Patrick Süskind *Le Parfum*, dont l'action se déroule à Grasse, est publié.

1989 L'Anglais Peter Mayle publie *Une année en Provence*, best-seller qui déclenche un engouement anglo-saxon pour le Luberon.

1993 Anthony Burgess, auteur du roman *Orange mécanique* (1962), écrit sa dernière œuvre à Monaco *(p. 90-94)*.

Le Clézio

2008 Jean-Marie Gustave Le Clézio, né à Nice en 1940, obtient le Prix Nobel de littérature.

Les plages de Provence et de la Côte d'Azur

Des vastes étendues sauvages du delta du Rhône aux plages entièrement aménagées de la Côte d'Azur, en passant par les criques taillées dans les falaises varoises, le littoral provençal présente une étonnante diversité. Dans les Alpes-Maritimes prédominent les grandes agglomérations, telles Nice, Antibes et Cannes, à la fois villes animées et stations balnéaires. Plus à l'ouest, il est encore possible de trouver des lieux plus paisibles pour prendre le soleil et se baigner.

La Côte d'Azur, *vantée par cette affiche des années 1930 de Roger Broders, jouit toute l'année d'un climat doux et ensoleillé.*

Les plages de la Camargue (p. 136-139), *longues étendues souvent désertes, s'avèrent idéales pour les promenades à cheval mais sont en général dépourvues d'aménagements touristiques.*

La côte Bleue *est parsemée de ports de pêche, de pinèdes et d'élégantes résidences d'été.*

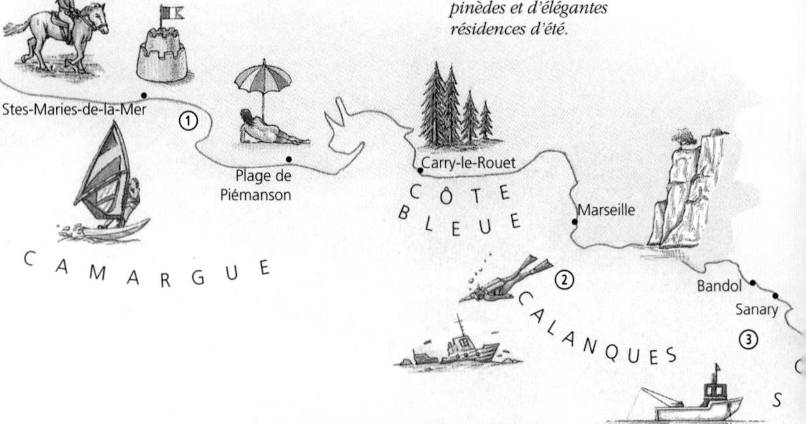

Les calanques (p. 153), *étroites échancrures dans des falaises blanches qui s'élèvent jusqu'à 400 m au-dessus de la mer à l'est de Marseille, sont restées préservées et sauvages.*

Le cap Sicié, *qui termine la presqu'île du même nom dans le Var, est le paradis des véliplanchistes à cause de la force du vent qui y souffle.*

LES DIX MEILLEURES PLAGES

Pour bronzer ①
La plage de Piémanson, en Camargue, assez isolée pour y pratiquer le nudisme.

Pour la plongée ②
Les calanques et leurs eaux profondes.

Pour la pêche ③
Bandol et Sanary où les bateaux rentrent rarement bredouilles.

Pour le confort ④
Le Lavandou, petite station proposant toutes les facilités.

Pour voir et se faire voir ⑤
Tahiti-Plage à Saint-Tropez, où se font et se défont les modes de la Côte.

Pour la famille ⑥
Fréjus-Plage et Saint-Raphaël pour leurs plages propres, sûres et bien aménagées.

Pour voir des stars ⑦
Cannes, dont le port, les casinos, les palaces et les plages privées attirent les célébrités.

Pour les jeunes ⑧
Juan-les-Pins où bars et boîtes de nuit entretiennent une intense vie nocturne.

Pour les sportifs ⑨
La plage du Rhul à Nice où se retrouvent les amateurs de jet-ski et de parachute ascensionnel.

Pour l'hiver ⑩
Menton qui jouit d'un microclimat particulièrement clément tout au long de l'année.

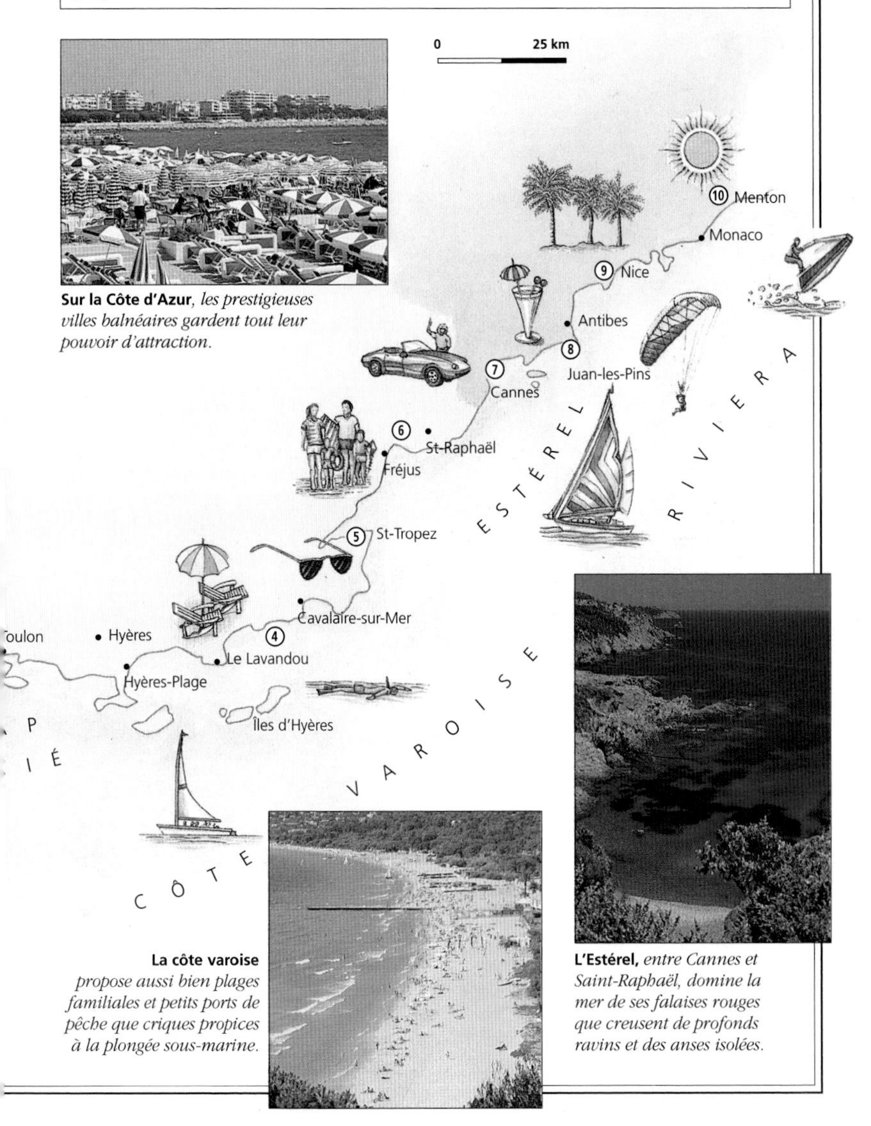

Sur la Côte d'Azur, *les prestigieuses villes balnéaires gardent tout leur pouvoir d'attraction.*

La côte varoise *propose aussi bien plages familiales et petits ports de pêche que criques propices à la plongée sous-marine.*

L'Estérel, *entre Cannes et Saint-Raphaël, domine la mer de ses falaises rouges que creusent de profonds ravins et des anses isolées.*

LA PROVENCE AU JOUR LE JOUR

Fleurs et senteurs font sans doute du printemps la saison la plus agréable pour visiter la Provence et la Côte d'Azur. Toutefois, c'est aussi l'une des plus pluvieuses. Le 24 juin, les feux de la Saint-Jean marquent le début de l'été, durant lequel des centaines de manifestations, comme le célèbre Festival d'Avignon, proposent toutes les formes de spectacles. Sur les marchés, fruits et légumes étalent leurs couleurs éclatantes, tandis qu'embaument les plantes aromatiques. Dans chaque village, la fête patronale est l'occasion d'organiser repas, bals populaires et défilés. L'automne est rythmé par les vendanges et la cueillette des champignons, tandis qu'en hiver on skie dans les stations de l'arrière-pays sous un ciel azur. Pour tout renseignement, contactez les offices de tourisme *(p. 237)*.

Vendange au Moyen Âge

Femmes à la Feria pascale d'Arles

PRINTEMPS

En mars, les amandiers perdent déjà leurs fleurs alors que les poiriers, les pruniers et les abricotiers se couvrent des leurs. Le temps ne commence cependant réellement à se réchauffer qu'en avril, quand apparaissent sur les étals les premières asperges.

Dans les vignes, on débourgeonne les ceps afin qu'ils ne s'épuisent pas en rameaux inutiles. Thym, romarin, myrte et genêts fleurissent, parfumant le maquis de leurs senteurs enivrantes.

En montagne, la neige fond et les skieurs abandonnent les alpages aux randonneurs et aux marmottes sorties d'hibernation. Les prés se couvrent de fleurs colorées. En mai, sur la côte, les plus courageux commencent à se baigner.

MARS

Exposition internationale de la fleur *(fin mars-avr.)*, Cagnes-sur-Mer *(p. 78)*. L'une des nombreuses fêtes florales de la région.
Festin des Cougourdons *(dern. dim.)*, Nice *(p. 80-85)*. La fête des Cougourdons, petites calebasses locales.

AVRIL

Procession aux Limaces *(Ven. saint)*, Roquebrune-Cap-Martin *(p. 98)*. Des coquilles d'escargots transformées en lumignons éclairent les rues où des villageois costumés retracent la mise au tombeau du Christ.
Fête de la Saint-Marc *(fin avr.)*, Châteauneuf-du-Pape *(p. 164)*. L'occasion de bénir les crus de l'année.
Fête des Gardians *(dern. dim. d'avr.)*, Arles *(p. 144-146)*. Les gardians de Camargue abandonnent leurs troupeaux pour rivaliser d'adresse dans les arènes.
Feria pascale *(Pâques)*, Arles *(p. 144-146)*. Des Arlésiennes en costumes traditionnels dansent la farandole au son du tambourin et du galoubet pour célébrer le début de la saison tauromachique.

MAI

Pèlerinage des Gitans et processions de Sainte Sarah et des Saintes Marie *(24-25 mai)*, Saintes-Maries-de-la-Mer *(p. 228-229)*.
Festival international du film *(2 sem. en mai)*, Cannes *(p. 68-69)*.
Les Bravades *(16-18 mai)*, Saint-Tropez *(p. 228)*.
Fête de la Transhumance *(fin mai)*, Saint-Rémy *(p. 140-141)*. Célébration de la marche des moutons vers les alpages.
Grand Prix automobile de Formule 1 *(week-end de l'Ascension)*, Monaco *(p. 94)*. Le seul Grand Prix couru en ville. Circuit de 3,145 km.
Feria *(Pentecôte)*, Nîmes *(p. 132-133)*. Les premières grandes corridas de l'année.

Acrobaties équestres à la fête des Gardians d'Arles

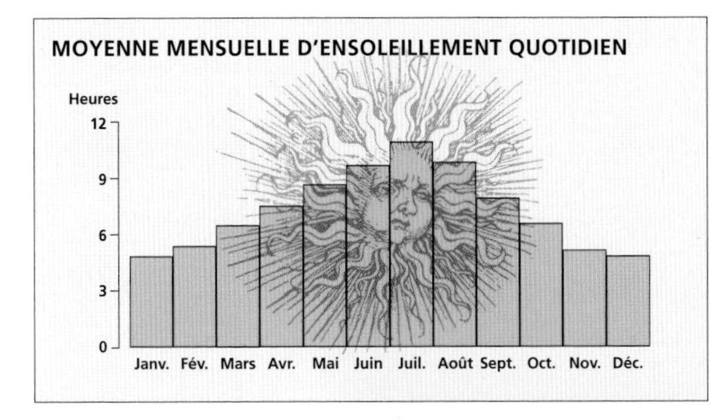

Ensoleillement
En général, l'été se passe sans un nuage jusqu'au 15 août – attention aux peaux délicates ! Les hivers sont également ensoleillés, avec une lumière exceptionnelle, surtout quand souffle le mistral. Mais il apporte le froid.

ÉTÉ

Alors que toute l'Europe se retrouve sur les plages du littoral, les plus grands artistes du monde entier se produisent dans des centaines de festivals, souvent organisés dans le cadre chargé d'histoire de splendides monuments. Lors des fêtes de villages, l'aïoli attire visiteurs et autochtones autour des tables dressées sous les platanes, notamment pour le 15 août. Les feux d'artifice illuminent les nuits d'été à l'occasion de la Saint-Jean et du 14 Juillet.

Célébration de la Saint-Jean à Marseille

JUIN

Fête de la Tarasque *(dern. week-end)*, Tarascon *(p. 140)*. Un défilé fait revivre le monstre légendaire que sainte Marthe, selon la tradition, dompta vers l'an 50.
Festival d'art lyrique *(juin-juil.)*, Aix-en-Provence *(p. 148-149)*. Prestigieux programme de musique classique et d'opéra dans le théâtre de la cour de l'Archevêché.

La tarasque

JUILLET

Festival de la Sorgue *(week-ends)*, Fontaine-de-Vaucluse et l'Isle-sur-la-Sorgue *(p. 165)*. Concerts, spectacles, courses de bateaux et marchés flottant sur la rivière de la Sorgue.
Festival d'Avignon *(au moins 3 sem.)*, Avignon *(p. 229)*.
Chorégies d'Orange *(tout le mois)*, Orange. L'acoustique d'un superbe théâtre romain *(p. 162-163)* au service d'un prestigieux festival d'opéra.
Jazz à Juan *(mi-juil.-fin-juil.)*, Juan-les-Pins *(p. 72)*. Un festival international de jazz particulièrement réputé.
Festival de jazz *(mi-juil.)*, Toulon *(p. 112-113)*. Une semaine de concerts gratuits dans différents lieux à travers la ville.
Rencontres internationales de la photographie *(juil.-sept.)*, Arles *(p. 144-146)*. Expositions, stages, débats : la photographie investit toute la ville. Ce festival a donné naissance en 1982 à l'École nationale de la photographie.

AOÛT

Corso de la Lavande *(1er week-end)*, Digne-les-Bains *(p. 229)*.
Les Journées médiévales *(week-end avant l'Assomption)*, Entrevaux *(p. 187)*. Animations de rue, troubadours et villageois en costumes d'époque.
Fête du Jasmin *(1er week-end)*, Grasse *(p. 66-67)*. Chars, musique et danses.
Procession de la Passion *(5 août)*, Roquebrune-Cap-Martin *(p. 98)*. Cinq cents figurants rappellent que le village fut délivré de la peste grâce à la Vierge en 1647.
Festival de musique *(tout le mois)*, Menton *(p. 98-99)*. Musique de chambre sur le parvis de l'église.

Une plage de la Côte d'Azur en été

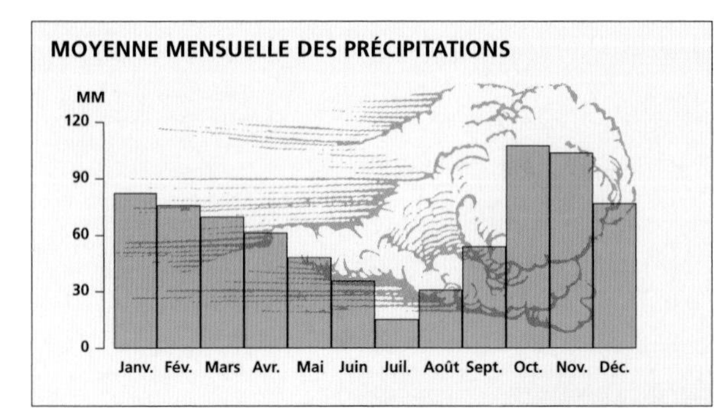

Précipitations
Le printemps, mais plus encore l'automne sont les saisons les plus humides, en particulier à l'intérieur des terres. Les orages peuvent être d'une grande violence, surtout en novembre. Il ne pleut quasiment jamais en été jusqu'au 15 août.

AUTOMNE

Bien que l'automne soit en Provence la saison des pluies, il est souvent possible de profiter pendant le mois d'octobre de la mer et des plages désertées par les estivants. Alors que les touristes se font rares, ce sont les vendangeurs qui arrivent, tandis qu'en Camargue commence la récolte du riz. Dans les Maures, les forêts se remplissent de chasseurs, de cueilleurs de champignons et de ramasseurs de châtaignes. Les plus belles d'entre elles deviendront des marrons glacés. Dans le Var et le Vaucluse, chiens et cochons dressés traquent la truffe.

Cochon truffier et son maître en haute Provence

SEPTEMBRE

Fête des Prémices du riz *(déb. sept.)*, Arles *(p. 144-146)*. La fête de la récolte du riz coïncide avec les dernières corridas espagnoles.

Pendant les vendanges, les grappes sont cueillies à la main avec soin

Feria des vendanges *(2e sem.)*, Nîmes *(p. 132-133)*. Vin, danses et courses de taureaux.
Festival de la navigation de plaisance *(mi-sept.)*, Cannes *(p. 68-69)*. Des yachts du monde entier ouvrent leur pont dans le port.
Fête du Vent *(mi-sept.)*, Marseille *(p. 150-152)*. Des cerfs-volants venant du monde entier décorent le ciel pendant deux jours sur les plages du Prado.

OCTOBRE

Fête de sainte Marie-Salomé *(dim. le plus proche du 22 oct.)*, Saintes-Maries-de-la-Mer. Procession similaire à celle du pèlerinage des gitans en mai *(p. 228-229)*.
Foire international de Marseille *(fin sept.-déb. oct.)*, Marseille *(p. 150-152)*. La plus grande foire du Sud de la France réunit des milliers de personnes pour découvrir l'artisanat, le sport, la musique ou encore le folklore de plus de 40 pays.

NOVEMBRE

Fête du Prince *(19 nov.)*, Monaco *(p. 90-94)*. Défilés et feu d'artifice sur le port célèbrent l'indépendance de la principauté.
Marché aux Truffes *(tous les ven. de fin nov. à fin mars)*, Carpentras *(p. 164)*.
Festival international de la danse *(tous les deux ans, fin nov.-début déc.)*, Cannes *(p. 68-69)*. Festival de danse contemporaine et de ballets.

Représentation lors du Festival international de la danse de Cannes

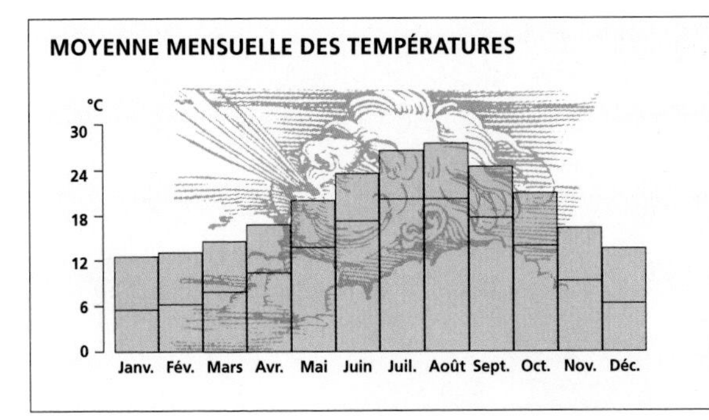

Températures
Sauf pour se baigner, la chaleur en été peut s'avérer pesante et mieux vaut profiter des matinées et des soirées. Le temps se montre très variable en hiver et au début du printemps, le mistral pouvant faire chuter brutalement la température de 10 °C.

HIVER

Aucune autre saison ne met plus en relief que l'hiver les contrastes de la Provence. Citrons et oranges mûrissent sur la Côte d'Azur tandis que fleurissent les bois de mimosas accrochés aux flancs de l'Estérel. Dans l'arrière-pays, on ramasse les olives en priant que le mistral ne se lève pas. La neige en montagne ravit les amateurs de ski comme de snowboard. Et à Noël, santons et crèches vivantes entretiennent une tradition séculaire.

DÉCEMBRE

Foire aux santons *(tout le mois)*, Marseille *(p. 150-152)*. Du plus beau au plus anodin, l'occasion de constituer une crèche, reconstituion religieuse de la nativité typique de la région.
Fête du Vin *(début déc.)*, Bandol *(p. 112)*. Dégustations gratuites lors d'une fête dont le thème change tous les ans et qui voit chaque producteur dresser son propre stand.
Noël et messe de minuit *(24 déc.)*, Les Baux-de-Provence *(p. 142-143)*. Une cérémonie vieille de plusieurs siècles.

JANVIER

Rallye de Monte-Carlo *(fin janv., p. 92-93)*. L'autre grand rendez-vous de voitures dans la principauté, avec le Grand Prix de formule 1.
Festival du cirque *(fin du mois)*, Monaco *(p. 90-94)*. Les plus grands numéros de cirque du monde entier.

Soleil d'hiver dans les Alpes-de-Haute-Provence

FÉVRIER

Fête du Citron *(fin fév.-déb. mars)*, Menton *(p. 98-99)*. Corso fleuri et reconstitutions en agrumes de monuments.
Fête du Mimosa *(3e dim.)*, Bormes-les-Mimosas *(p. 116-117)*. Chars et batailles de fleurs dans un beau village du Var.
Carnaval de Nice *(tout le mois)*, Nice *(p. 228)*.

JOURS FÉRIÉS

Nouvel An (1er janvier)
Dimanche et lundi de Pâques
Fête du Travail (1er mai)
Jour de la victoire (8 mai)
Ascension (6e jeudi après Pâques)
Fête nationale (14 juillet)
Assomption (15 août)
Toussaint (1er novembre)
Armistice (11 novembre)
Noël (25 décembre)

Un char avec le Taj Mahal en agrumes à la fête du citron à Menton

HISTOIRE DE LA PROVENCE

L'implantation humaine dans cette région est très ancienne puisque les premières traces de feu domestique remontent à 400 000 ans. Le passage à l'élevage, puis à l'agriculture s'y produit dès le VIIe millénaire av. J.-C. Les Grecs, qui fondent Marseille vers 600 av. J.-C., importent la vigne. Simples marchands, ils ne cherchent pas à coloniser l'arrière-pays que contrôlent des tribus celto-ligures. Les Romains se montreront plus conquérants. D'imposants édifices, tels que le théâtre d'Orange ou le pont du Gard, témoignent de la prospérité qu'ils surent donner à cette « province » de leur Empire.

Vierge à l'Enfant, Aix-en-Provence

Période troublée, le Moyen Âge voit le christianisme se propager et les villages s'implanter sur les hauteurs. Titulaire du comté de Provence à partir de 1246, la famille d'Anjou songe surtout à se tailler un royaume en Italie. Les villes en profitent pour augmenter leur influence. Au XIVe siècle, les papes s'installent en Avignon et leur Cour entretient une riche vie artistique. Celle du roi René d'Anjou prend le relais au siècle suivant. En 1480, le comté de Provence est incorporé au royaume de France. Une terrible épidémie de peste la ravage en 1720 et, en 1789, elle est une des premières provinces à se rallier à la Révolution.

Rendue populaire par les peintres fascinés par la qualité de sa lumière, la région développe sa vocation touristique à partir du XIXe siècle. Elle se tourne aujourd'hui vers des industries de haute technologie.

Plan de Marseille et de son port au XVIe siècle

◁ Ménestrel jouant pour une audience royale, détail d'un manuscrit enluminé du XIIIe siècle

La Provence des origines

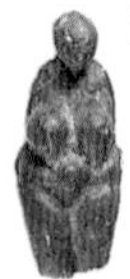
Statuette d'une déesse de la Fertilité

Des galets taillés découverts à Roquebrune-Cap-Martin attestent d'une présence humaine dans la région il y a un million d'années. Différents sites, de la grotte de l'Observatoire à Monaco jusqu'à la grotte Cosquer dans les calanques de Marseille, témoignent de l'évolution de l'homme. Au début du Ier millénaire av. J.-C., à l'âge du fer, des Celtes viennent se mêler aux populations ligures locales. Ils commercent avec les civilisations méditerranéennes, notamment les Étrusques. Vers 600 av. J.-C., des Grecs de Phocée fondent Marseille.

Têtes celto-ligures
Cette sculpture provient d'un sanctuaire du IIIe siècle av. J.-C.

Les bories de Gordes s'inspirent d'une technique néolithique.

Portique celto-ligure (IIIe siècle av. J.-C.)
Les niches contiennent des têtes humaines.

La grotte des Fées sur le mont de Cordes (près d'Arles), allée couverte de 45 m de long, est un bel exemple de sépulture collective.

Saint-Blaise a conservé des vestiges de fortifications et d'habitat grecs.

La grotte Cosquer, dont les peintures remontent à 30000 av. J.-C., ne s'atteint que lors d'une plongée sous-marine.

Les amphores trouvées dans les calanques de Marseille datent pour les plus anciennes de 1000 av. J.-C.

LA FONDATION DE MARSEILLE

Vers 600 av. J.-C., l'arrivée en Provence de Grecs originaires d'Asie Mineure se fit en paix avec les tribus celto-ligures locales puisque, selon la légende, la fille du chef de l'une d'elles, Gyptis, choisit le capitaine des Phocéens, Protis, comme mari.

CHRONOLOGIE

1000000 av. J.-C. Outils de pierre façonnés à Roquebrune-Cap-Martin

400000 av. J.-C. Le feu est domestiqué à Nice

60000 av. J.-C. Présence de chasseurs néandertaliens sur la côte

1000000 av. J.-C.	5000		4000	3500

30000 av. J.-C. Apparition de l'*Homo sapiens* ; il décore la grotte Cosquer

Peinture rupestre de la grotte Cosquer

3500 av. J.-C. Premiers villages de bories

La vallée des Merveilles
Quelque 36 000 gravures piquetées datant de 2000 av. J.-C. témoignent du dynamisme d'une civilisation de l'âge du bronze.

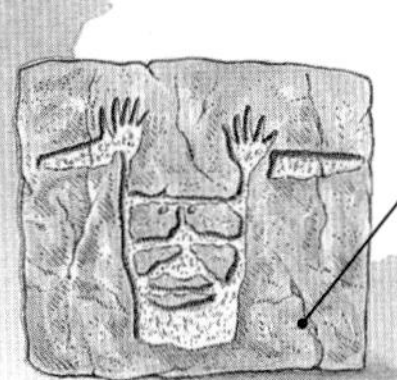

Les gravures de la vallée des Merveilles suggèrent que le mont Bego voisin était divinisé.

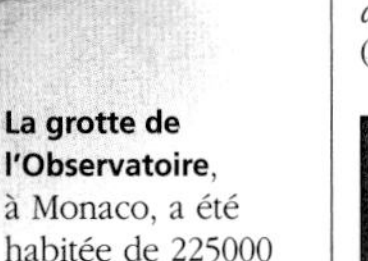

La grotte de l'Observatoire, à Monaco, a été habitée de 225000 à 25000 av. J.-C.

Le dolmen de la pierre de la Fée a suscité bien des légendes à Draguignan.

LES SITES DES ORIGINES DE LA PROVENCE

Si les traces d'habitat préhistorique les plus anciennes ont été retrouvées sur la côte, de nombreux vestiges témoignent de l'occupation de l'intérieur des terres dès la fin de l'âge de pierre.

Stèle sculptée
Nombreuses sont les stèles préhistoriques qui parsèment la Provence, telle celle-ci dressée dans le Luberon.

OÙ VOIR LA PROVENCE DES ORIGINES

La grotte de l'Observatoire, à Monaco *(p. 94)*, abrita un habitat préhistorique très ancien, tandis que les bories du Luberon *(p. 169)* offrent un bon exemple des premiers abris construits par l'homme. Des musées archéologiques, tel celui de Nîmes *(p. 132-133)*, exposent les résultats des fouilles.

Village de bories à Gordes
Les techniques de construction de ces abris en pierres sèches (p. 169) *sont millénaires.*

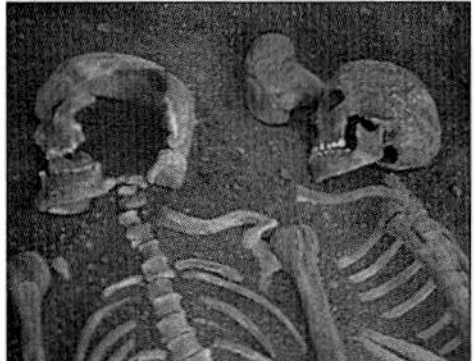

Grotte de l'Observatoire
Ses habitants présentaient des caractéristiques communes avec des tribus d'Afrique du Sud.

2500-2000 av. J.-C. Gravures rupestres de la vallée des Merveilles

Hannibal traverse les Alpes

218 av. J.-C. Hannibal traverse la région en route vers l'Italie

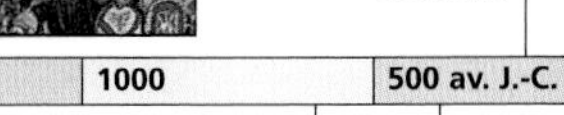

3000	2500	2000	1500	1000	500 av. J.-C.

2000 av. J.-C. Tombes rupestres près de Gordes

600 av. J.-C. Fondation de Marseille par des marchands grecs

380 av. J.-C. Invasion de la Provence par les Celtes

La Provence gallo-romaine

Mosaïque de Vaison-la-Romaine

Venus défendre leur alliée grecque Marseille, les Romains fondent en 122 av. J.-C. leur première ville en Provence : Aquae Sextiae, la future Aix-en-Provence. Un siècle plus tard, ils ont conquis toute la région, et celle-ci prospère sous leur protection jusqu'au Ve siècle. L'agriculture se développe, des villes s'élèvent : Nîmes, Arles, Fréjus ou Vaison-la-Romaine. Beaucoup ont conservé de prestigieux vestiges antiques de cette époque. Selon la légende, les premiers chrétiens accostent aux Saintes-Maries-de-la-Mer vers l'an 40.

Le pont Julien *(3 av. J.-C.)*
Magnifiquement conservé, il enjambe le Calavon près d'Apt.

Sarcophage paléochrétien *(IVe siècle)*
À Arles, l'ancienne nécropole romaine des Alyscamps (p. 146) *renferme de nombreux sarcophages sculptés.*

Les deux temples dédiés à Auguste et à ses fils adoptifs, Caius et Lucius, datent de 30 av. J.-C.

Arc de triomphe d'Orange
Les sculptures de ce monument construit vers 20 ap. J.-C. offrent un exemple typique, malgré d'importantes restaurations, de l'art de la Provence romaine.

La porte fortifiée fut bâtie par la communauté grecque qui occupa le site dès le IVe siècle av. J.-C.

GLANUM

Cette reconstitution de la ville présente son aspect après sa reconstruction en 49 ap. J.-C., mais le site recèle des vestiges grecs et romains bien antérieurs.

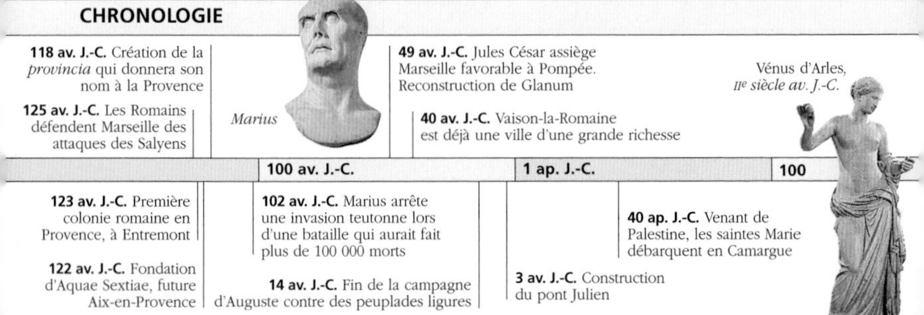

CHRONOLOGIE

118 av. J.-C. Création de la *provincia* qui donnera son nom à la Provence

125 av. J.-C. Les Romains défendent Marseille des attaques des Salyens

Marius

49 av. J.-C. Jules César assiège Marseille favorable à Pompée. Reconstruction de Glanum

40 av. J.-C. Vaison-la-Romaine est déjà une grande richesse

Vénus d'Arles, *IIe siècle av. J.-C.*

100 av. J.-C. | 1 ap. J.-C. | 100

123 av. J.-C. Première colonie romaine en Provence, à Entremont

122 av. J.-C. Fondation d'Aquae Sextiae, future Aix-en-Provence

102 av. J.-C. Marius arrête une invasion teutonne lors d'une bataille qui aurait fait plus de 100 000 morts

14 av. J.-C. Fin de la campagne d'Auguste contre des peuplades ligures

3 av. J.-C. Construction du pont Julien

40 ap. J.-C. Venant de Palestine, les saintes Marie débarquent en Camargue

Les Saintes-Maries-de-la-Mer
La ville (p. 138) *s'étend à l'endroit où, selon la tradition, accostèrent Marie Madeleine, Marie Jacobé et Marie Salomé. Elle leur rend honneur par son nom.*

OÙ VOIR LA PROVENCE GALLO-ROMAINE

Arles *(p. 144-146)* et Nîmes *(p. 132-133)* sont les deux villes qui ont conservé l'ensemble le plus cohérent d'édifices romains. Orange *(p. 161)* et Vaison-la-Romaine *(p. 158)* renferment aussi de superbes monuments et il n'existe rien de comparable au pont du Gard *(p. 131)* et au Trophée des Alpes *(p. 89)*.

Le théâtre antique d'Orange
Construit à flanc de colline, il pouvait accueillir jusqu'à 7 000 spectateurs (p. 162-163).

Cryptoportiques
Fondations du forum d'Arles, ces galeries du Ier siècle av. J.-C. servirent d'entrepôts au Moyen Âge (p. 146).

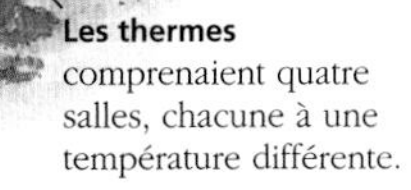

Les thermes comprenaient quatre salles, chacune à une température différente.

Le forum, centre commercial et social de la cité, était entouré d'un portique.

Bijoux de Vaison-la-Romaine
Les fouilles d'une nécropole ont mis au jour maints trésors du Ier siècle.

Flacon
L'usage d'objets en verre ou en céramique se développa à l'époque romaine.

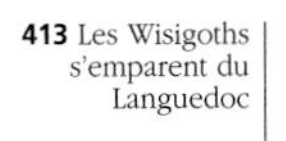

413 Les Wisigoths s'emparent du Languedoc

476 Fin de l'Empire romain d'Occident

200 | 300 | 400 | 500

300 Capitale de la province, Arles atteint le faîte de son prestige

Abbaye Saint-Victor, fondée à Marseille en 416

La Provence médiévale

Enluminure d'un manuscrit du XIIIe siècle

Passée sous suzeraineté franque en 536, la Provence connaît plusieurs siècles difficiles après la chute de l'Empire romain, subissant notamment les razzias des pirates sarrasins. À l'instigation des seigneurs, les villages perchés *(p. 20-21)* se multiplient. Jusqu'au XIIIe siècle, où la région devient un comté unique, l'absence d'un pouvoir fort favorise l'indépendance des communes. Églises et abbayes témoignent, avec les Croisades, de la vigueur du christianisme.

Saint roman
Le superbe portail du XIIe siècle de l'église Saint-Trophime d'Arles (p. 144) *est orné de sculptures représentant des saints et des scènes du Jugement dernier.*

Sainte Marthe et la Tarasque
Selon la tradition médiévale, la sainte, débarquée avec les saintes Marie, aurait réussi à dompter le monstre qui terrorisait Tarascon (p. 140).

Les remparts, achevés en 1300, 30 ans après la mort de saint Louis, formaient un rectangle presque parfait de plus de 1,6 km de périmètre.

L'armée de Saint Louis comptait 35 000 hommes.

Saint Louis

LA SEPTIÈME CROISADE

Dans l'espoir de libérer la Terre sainte du sultan d'Égypte, Saint Louis mit voile en 1248 pour la Palestine depuis le port d'Aigues-Mortes *(p. 134-135)* qu'il avait fondée quelques années plus tôt.

CHRONOLOGIE

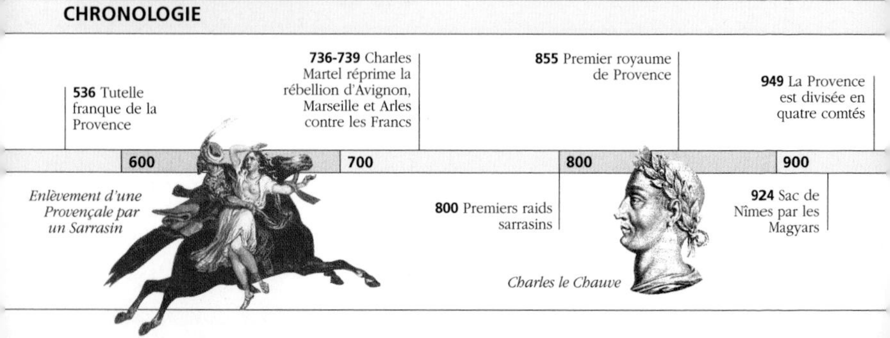

536 Tutelle franque de la Provence

736-739 Charles Martel réprime la rébellion d'Avignon, Marseille et Arles contre les Francs

800 Premiers raids sarrasins

855 Premier royaume de Provence

924 Sac de Nîmes par les Magyars

949 La Provence est divisée en quatre comtés

Enlèvement d'une Provençale par un Sarrasin

Charles le Chauve

Troubadours
Les troubadours provençaux inventèrent au Moyen Âge l'amour courtois, idéal pur et chaste des chevaliers.

Chapelle Notre-Dame-de-Beauvoir
Depuis Moustiers (p. 186), *un chemin de croix conduit à cette chapelle à la belle nef romane.*

1 500 navires levèrent l'ancre pour la Terre sainte le 28 août 1248.

Fresque de saint Christophe
Des peintures murales datant d'environ 1285 décorent la tour Ferrande de Pernes-les-Fontaines (p. 164).

OÙ VOIR LA PROVENCE MÉDIÉVALE

Églises et abbayes constituent les plus beaux témoignages de cette époque, comme les « trois sœurs » cisterciennes : Silvacane *(p. 147)*, Le Thoronet *(p. 108)* et Sénanque *(p. 164-165)*. Les spectaculaires villages perchés tels que Gordes *(p. 169)* et Les Baux-de-Provence *(p. 142)* évoquent les troubles que connut la Provence au Moyen Âge.

Les Pénitents des Mées
Une légende en fait des moines pétrifiés pour avoir regardé des Sarrasines (p. 181).

L'abbaye de Silvacane
(1175-1230) Elle fut la dernière des abbayes cisterciennes bâties en Provence.

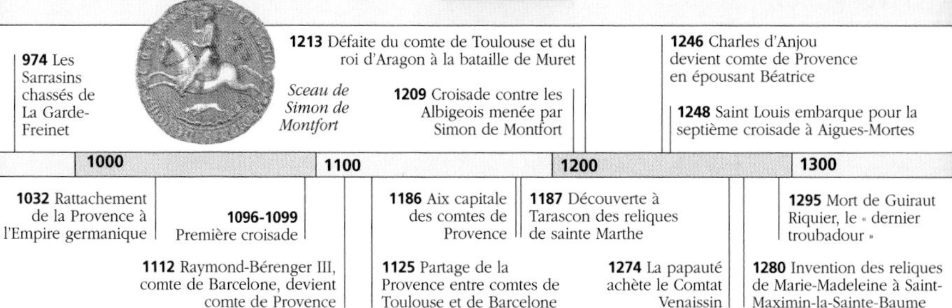

Sceau de Simon de Montfort

Avignon des papes

Sculpture du XIVe siècle, palais des Papes

Les conflits qui déchirent l'Italie au début du XIVe siècle conduisent les papes à abandonner Rome pour s'installer en Avignon. Sept souverains pontifes français, de 1309 à 1377, feront de la ville une grande capitale artistique et intellectuelle dont le rayonnement profite à toute la région. Cet « âge d'or » ternit pendant le Grand Schisme qui voit siéger deux papes à partir de 1378, l'un à Rome, l'autre en Avignon, puis s'éteint en 1417 quand la réunification de la Chrétienté se fait à Rome.

Le Palais-Vieux, à l'aspect austère et très militaire, fut bâti pour Benoît XII à partir de 1336.

Cloître de Benoît XII

Grand Tinel

Aile du Consistoire

Cour d'honneur

Bargème
Les brigands qui ravageaient la Provence forcèrent les villages à se fortifier.

Trône pontifical
La visite du palais des Papes permet de découvrir des copies du mobilier d'origine, tel ce trône en bois sculpté.

Fresque des Prophètes *(1344-1345)*
Originaire de Viterbe, Matteo Giovanetti assurera sous Clément VI le rayonnement de l'école d'Avignon.

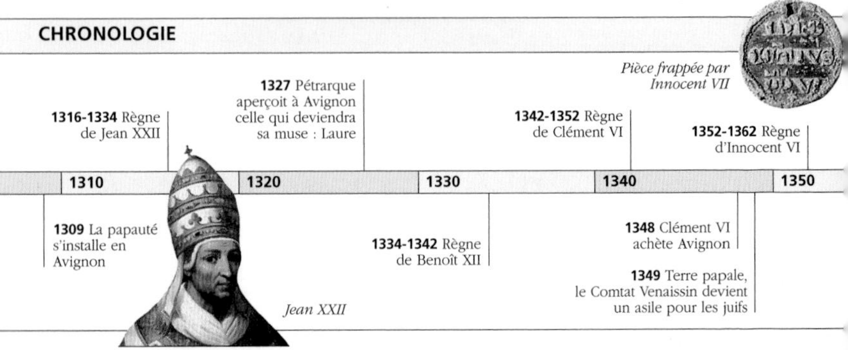

CHRONOLOGIE

Pièce frappée par Innocent VII

1309 La papauté s'installe en Avignon

1310

1316-1334 Règne de Jean XXII

1320

1327 Pétrarque aperçoit à Avignon celle qui deviendra sa muse : Laure

1330

1334-1342 Règne de Benoît XII

1340

1342-1352 Règne de Clément VI

1348 Clément VI achète Avignon

1349 Terre papale, le Comtat Venaissin devient un asile pour les juifs

1350

1352-1362 Règne d'Innocent VI

Jean XXII

Mort de Clément VI
Il acheva la construction du palais des Papes et acheta la ville en 1348 pour 80 000 florins.

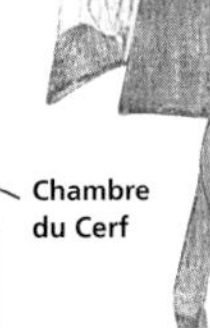

Chambre du Cerf
Des fresques datant de 1343, notamment des scènes de chasse, la décorent.

Chambre du Pape

Chambre du Cerf

La Grande-Chapelle, longue de plus de 50 m, renferme l'autel des papes.

Le Palais-Neuf fut élevé pour Clément VI de 1342 à 1352.

Salle de Grande-Audience

LE PALAIS DES PAPES

La construction de ce chef-d'œuvre gothique *(p. 168)*, résidence fastueuse à l'aspect de forteresse, dura de 1334 à 1352. De grands artistes, venus souvent d'Italie, participèrent à sa décoration.

OÙ VOIR L'AVIGNON DES PAPES

En attirant ambassadeurs, cardinaux et négociants, la Cour pontificale a suscité la construction, dans la ville et sa périphérie, de très nombreux édifices gothiques toujours debout aujourd'hui. Installé dans l'ancien palais épiscopal, le musée du Petit-Palais *(p. 168)* présente de nombreuses œuvres des artistes invités par les papes.

La chartreuse de Villeneuve
Fondée en 1356 par Innocent VI, c'est la plus ancienne de France (p. 130).

Châteauneuf-du-Pape
Il ne reste que des murs de la résidence de campagne des papes édifiée par Jean XXII à partir de 1317 (p. 164).

Pétrarque
(1304-1374)
Le grand poète de la Renaissance passa de nombreuses années dans la capitale pontificale.

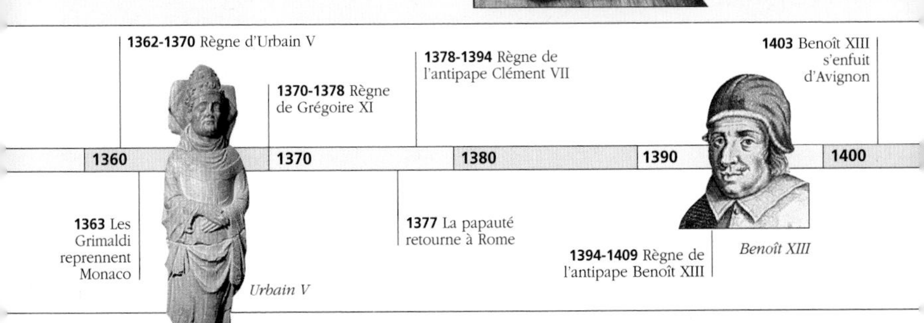

Le roi René et les guerres de Religion

***Pietà*, Notre-Dame-de-l'Assomption**

Dans la seconde moitié du XVe siècle, René d'Anjou, comte de Provence et roi de Naples, fait d'Aix sa capitale. Mécène, il entretient une cour fastueuse et permet à l'école d'Avignon de continuer à s'épanouir malgré le départ des papes. En 1481, un an après sa mort, la Provence échoit au roi de France, Louis XI – ce qui lui vaut de voir déferler par deux fois les armées de Charles Quint. En 1545, le massacre des Vaudois calvinistes du Luberon annonce les guerres de Religion, les tueries et les destructions qu'elles provoqueront de 1562 à 1598.

Détail du triptyque
Il représente le château de Tarascon (p. 140) *où le roi René aimait résider.*

Nostradamus
L'auteur des Centuries astrologiques *(1555) naquit à Saint-Rémy* (p. 140-141) *en 1503.*

Le roi René, qui était lui-même poète, peintre et musicien, favorisa les arts en Provence.

LE TRIPTYQUE DU BUISSON ARDENT

Peinte pour le roi René, représenté en prière, par Nicolas Froment vers 1476, cette œuvre marie les influences de la Renaissance italienne et de l'école flamande. Elle orne la cathédrale Saint-Sauveur d'Aix.

Massacre entre protestants et catholiques
Si les protestants furent les principales victimes des guerres de Religion, 200 catholiques périrent à Nîmes en 1567.

CHRONOLOGIE

1434-1480 Règne de René le Bon

Retable d'Avignon

1486 Les États de Provence ratifient l'union à la France

1501 Création du parlement de Provence

1425 | 1450 | 1475 | 1500

Le roi René

1481 Charles du Maine, neveu de René et comte de Provence, lègue la Provence au roi de France

1496 Construction du port militaire de Toulon

L'Annonciation
Le Maître de l'Annonciation d'Aix, nommé d'après ce tableau où l'ange Gabriel porte des ailes de rapace, faisait partie des artistes dont s'entoura le roi René.

OÙ VOIR LA PROVENCE DES XVe ET XVIe SIÈCLES

Maints hôtels particuliers de cette période subsistent dans les vieilles rues d'Avignon *(p. 166-168)* et d'Aix *(p. 148-149)*, tandis que le musée Granet, également à Aix, possède plusieurs peintures religieuses de l'école provençale. Le musée Grobet-Labadié *(p. 151)*, à Marseille, présente d'intéressantes collections de meubles d'époque.

Château de Tarascon
Commencé par Louis II en 1400 sur le site d'une ancienne forteresse, ce château (p. 140) *fut achevé par René, son fils.*

L'empereur Charles Quint peint par Titien
Entre 1524 et 1536, Charles Quint ravagea deux fois la Provence dans le cadre des « guerres d'Italie ».

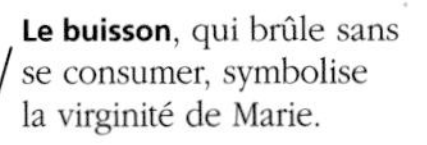

Le buisson, qui brûle sans se consumer, symbolise la virginité de Marie.

Saint Jean, sainte Catherine et saint Nicolas se tiennent derrière la reine Jeanne.

Moïse écoute la parole de Dieu transmise par un ange.

Jeanne de Laval, représentée agenouillée, était la seconde femme du roi René.

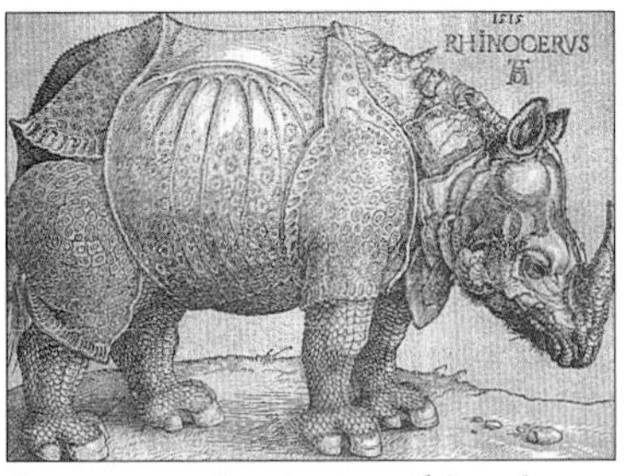

Gravure représentant un rhinocéros par Albrecht Dürer
Destiné au pape, le 1er rhinocéros à poser la patte en Europe fit escale au château d'If (p. 152) *de Marseille en 1516.*

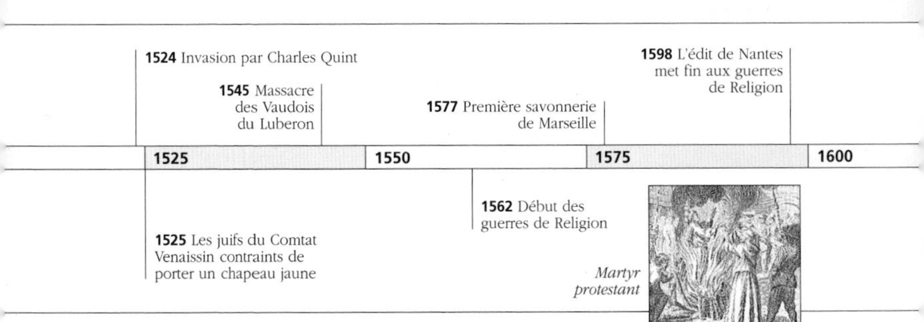

1524 Invasion par Charles Quint

1545 Massacre des Vaudois du Luberon

1577 Première savonnerie de Marseille

1598 L'édit de Nantes met fin aux guerres de Religion

1525 | 1550 | 1575 | 1600

1525 Les juifs du Comtat Venaissin contraints de porter un chapeau jaune

1562 Début des guerres de Religion

Martyr protestant

La Provence classique

Au XVIIe siècle, la Provence, soucieuse de maintenir son autonomie, se révolte à plusieurs reprises contre l'autorité royale. Louis XIV met un terme à la dernière de ces rébellions en soumettant Marseille en 1660. L'époque ne connaît pas que des troubles. Les ports se développent, et de luxueux hôtels particuliers s'élèvent sur de larges avenues nouvellement percées : les cours. La peste frappe toutefois en 1720. En 1789, la région entre en révolution avant même la prise de la Bastille.

Le pavillon de Vendôme
Élevé en 1665 à Aix (p. 148-149), pour Louis de Mercœur, duc de Vendôme.

Construction navale à Toulon
C'est Colbert qui fit agrandir l'arsenal de ce port stratégique en 1664. Le spectacle des galériens enchaînés à leur rame attirait badauds et promeneurs.

Le nombre de victimes dépassa 100 000 en Provence.

Les corps étaient transportés en charrette jusqu'aux fosses communes.

Crèche de santons
Apparus après la fermeture des églises pendant la Révolution, les santons (« petits saints » en provençal) devinrent rapidement très populaires.

LA PESTE

Vue du cours pendant la peste de Michel Serre montre les ravages à Marseille de l'épidémie déclenchée en 1720 par un navire venu de Syrie. Malgré les mesures prises pour isoler la ville, où plus de la moitié de la population mourut, la maladie se répandit jusqu'à Aix, Arles et Toulon.

CHRONOLOGIE

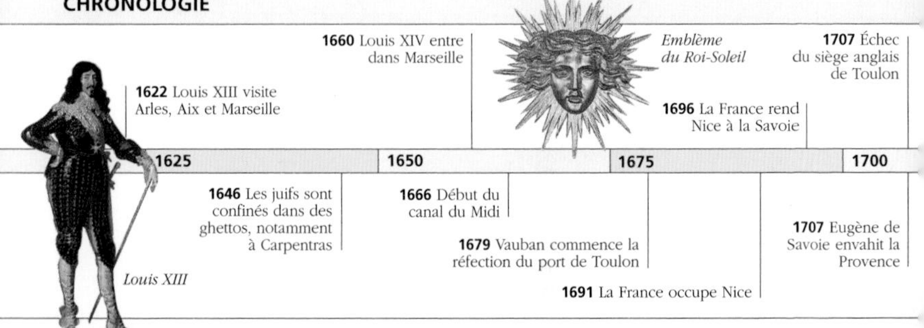

Louis XIII

Emblème du Roi-Soleil

1625 | 1650 | 1675 | 1700

1622 Louis XIII visite Arles, Aix et Marseille

1646 Les juifs sont confinés dans des ghettos, notamment à Carpentras

1660 Louis XIV entre dans Marseille

1666 Début du canal du Midi

1679 Vauban commence la réfection du port de Toulon

1691 La France occupe Nice

1696 La France rend Nice à la Savoie

1707 Échec du siège anglais de Toulon

1707 Eugène de Savoie envahit la Provence

La prise de Toulon
Simple capitaine, Napoléon Bonaparte s'illustre en 1793 lors de la prise de Toulon qu'occupaient les Anglais.

Des palais baroques bordaient le cours Belsunce, percé en 1670.

Des moines, conduits par Jean Belsunce, l'évêque de Marseille, portaient secours aux mourants.

Sébastien Vauban
Le brillant architecte militaire de Louis XIV fortifia les ports de Toulon et d'Antibes.

Faïence de Moustiers
Ses décors délicats, souvent ornés de scènes pastorales, sont célèbres depuis le XVIIe siècle.

OÙ VOIR LA PROVENCE DES XVIIe ET XVIIIe SIÈCLES

Avignon *(p. 166-168)* et Aix *(p. 148-149)* ont conservé d'élégants hôtels baroques. Carpentras *(p. 164)*, Cavaillon *(p. 170)* et Forcalquier *(p. 182)* renferment vestiges de ghettos et synagogues. Joyaux du XVIIIe siècle, les jardins de la Fontaine offrent à Nîmes *(p. 132-133)* un beau cadre de promenade.

Pots de pharmacie
La pharmacie de l'hôtel-Dieu ouvert à Carpentras en 1762 renferme une remarquable collection de pots en faïence.

Fontaine du Cormoran *(1761)*
Parmi les 37 fontaines qui justifient le nom de Pernes-les-Fontaines (p. 164), *c'est l'une des plus belles.*

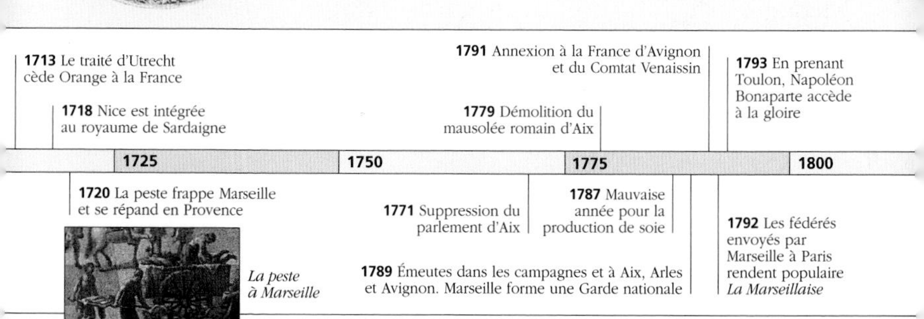

1713 Le traité d'Utrecht cède Orange à la France

1718 Nice est intégrée au royaume de Sardaigne

1720 La peste frappe Marseille et se répand en Provence

La peste à Marseille

1725

1750

1771 Suppression du parlement d'Aix

1775

1779 Démolition du mausolée romain d'Aix

1787 Mauvaise année pour la production de soie

1789 Émeutes dans les campagnes et à Aix, Arles et Avignon. Marseille forme une Garde nationale

1791 Annexion à la France d'Avignon et du Comtat Venaissin

1792 Les fédérés envoyés par Marseille à Paris rendent populaire *La Marseillaise*

1793 En prenant Toulon, Napoléon Bonaparte accède à la gloire

1800

La Belle Époque

Publicité pour le savon de Marseille, 1880

Au XIXe siècle, les hivers doux de la Côte d'Azur attirent des têtes couronnées européennes, telles que le roi Léopold de Belgique, la reine Victoria ou l'impératrice Eugénie. Cette clientèle princière et la cour qui l'entoure suscitent la construction de luxueux hôtels, de jardins exotiques et de splendides villas sur la Côte. En même temps, la qualité de la lumière en Provence et la beauté de ses paysages attirent des peintres, dont les œuvres contribuent à établir le renom de la région.

Frédéric Mistral
Défenseur de la culture et de la langue provençales, il obtint le Prix Nobel en 1904.

Imprimerie à Marseille
Main-d'œuvre bon marché et activités portuaires facilitèrent le développement industriel de la ville.

Les tables étaient recouvertes d'un drap noir quand un joueur avait fait sauter la banque.

Parfumerie à Grasse
En modernisant ses techniques de production, Grasse sut s'imposer au XIXe siècle comme la capitale du parfum.

LE CASINO DE MONTE-CARLO

État le plus pauvre d'Europe en 1850, Monaco *(p. 90-94)* attire à partir de 1856 une clientèle dont la richesse assurera, autour des tables de son casino, la prospérité de la principauté. Le tableau de Christian Bokelman révèle l'intérieur de l'édifice.

CHRONOLOGIE

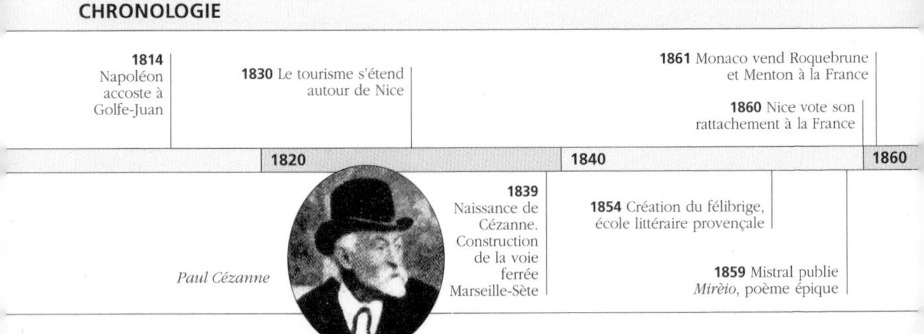

1814 Napoléon accoste à Golfe-Juan

1820

1830 Le tourisme s'étend autour de Nice

Paul Cézanne

1839 Naissance de Cézanne. Construction de la voie ferrée Marseille-Sète

1840

1854 Création du félibrige, école littéraire provençale

1859 Mistral publie *Mirèio*, poème épique

1860 Nice vote son rattachement à la France

1860

1861 Monaco vend Roquebrune et Menton à la France

Arrachage des vignes
Le phylloxéra détruisit au XIXe siècle la plus grande partie du vignoble français.

Tourisme
Les bains de mer devinrent populaires après la Première Guerre mondiale.

L'abondance de lustres ouvragés, de dorures et de marbres caractérise les décors Belle Époque.

De célèbres courtisanes appartenaient à la haute société au même titre que leurs riches amants.

La Provence de Van Gogh
Lors de son internement à l'asile de Saint-Rémy-de-Provence (p. 140-141)*, l'artiste peignit des œuvres torturées.*

OÙ VOIR LA PROVENCE DE LA BELLE ÉPOQUE

Si bon nombre des étonnantes villas bâties au tournant du XXe siècle sur la Côte d'Azur ont été détruites, quelques-unes ont cependant subsisté, telles la villa Ephrussi de Rothschild *(p. 86-87)* au cap Ferrat ou la villa Kérylos de Beaulieu *(p. 88)*. Cette ville conserve également une belle Rotonde. L'hôtel Negresco de Nice *(p. 84-85)* reste le plus remarquable des palaces de cette époque.

L'hôtel Carlton de Cannes
Construit en 1911, ce célèbre palace accueille toujours une clientèle huppée sur la Croisette (p. 68-69).

L'opéra de Monte-Carlo
Charles Garnier dessina cet opéra ainsi que le casino (p. 93) *en 1878.*

1879 Ouverture de l'opéra de Monte-Carlo

Le casino de Monte-Carlo

1909 Un tremblement de terre, ayant son épicentre à Rognes, cause d'importants dégâts

1880 | **1900** | **1920**

1869 Le train arrive à Nice. Le canal de Suez développe le trafic du port de Marseille

1888-1890 Van Gogh en Provence

1904 Mistral obtient le Prix Nobel de Littérature.

La Provence en guerre

La Première Guerre mondiale, qui dépeuple la région, accentue en même temps un mouvement déjà amorcé au siècle précédent : la désertification des campagnes. Marseille devient dans les années 1920 une grande cité industrielle, tandis que de riches Américains lancent sur le littoral la vogue du tourisme d'été. Pendant la Seconde Guerre mondiale, la région n'est occupée par les Allemands qu'en 1942, mais les bombardements préparant le débarquement allié du 15 août 1944 endommagent de nombreuses villes, en particulier Toulon et Saint-Tropez.

Tourisme
Les bains de mer et de soleil devenant à la mode, les stations de la Côte d'Azur attirèrent une clientèle plus variée et plus nombreuse. En 1931, deux frères fondent un village naturiste sur l'île du Levant.

Le Grand Prix de Monaco
Son circuit urbain fait de cette course, créée en 1929 à l'initiative du prince Louis II, l'une des plus spectaculaires et des plus dangereuses de la Formule 1.

Armes et munitions provenaient de parachutages par les Alliés.

LA RÉSISTANCE

Les maquis se multiplient en Provence à partir de 1942. Après avoir préparé le débarquement du 15 août 1944, la Résistance mènera la libération de Nice et participera activement à celle de Marseille.

Antoine de Saint-Exupéry
Écrivain et aviateur célèbre, l'auteur du Petit Prince *disparut lors d'un vol de reconnaissance le 31 juillet 1944* (p. 29).

CHRONOLOGIE

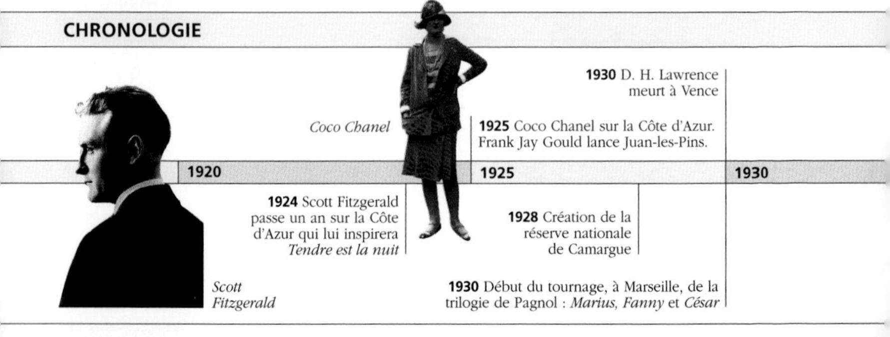

Coco Chanel

Scott Fitzgerald

1920 — 1925 — 1930

1924 Scott Fitzgerald passe un an sur la Côte d'Azur qui lui inspirera *Tendre est la nuit*

1925 Coco Chanel sur la Côte d'Azur. Frank Jay Gould lance Juan-les-Pins.

1928 Création de la réserve nationale de Camargue

1930 D. H. Lawrence meurt à Vence

1930 Début du tournage, à Marseille, de la trilogie de Pagnol : *Marius, Fanny* et *César*

Marcel Pagnol *(1895-1974)*
Dans ses pièces, romans et films, Pagnol a immortalisé la Provence et ses habitants, des villes comme des campagnes (p. 29).

Maints résistants avaient à peine quitté l'école. L'apprentissage se faisait sur le terrain.

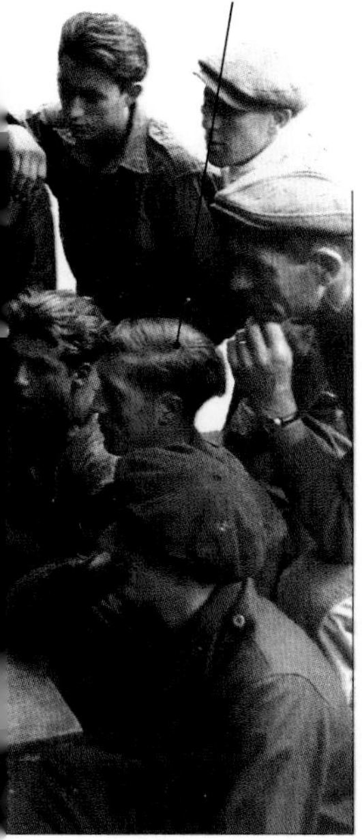

Débarquement allié
Accostant en plusieurs points de la côte varoise le 15 août 1944, les troupes alliées libèrent Toulon le 29.

Exposition coloniale de Marseille
Elle témoigne du dynamisme de la cité au sortir de la guerre de 1914-1918.

OÙ VOIR LA PROVENCE DES ANNÉES 1920 À 1950

À Hyères, la villa Noailles *(p. 115)* offre un rare exemple d'architecture avant-gardiste de l'entre-deux-guerres. Les collections du Musée de la Citadelle de Saint-Tropez *(p. 122)* et le musée d'Histoire 1939-1945 de Fontaine-de-Vaucluse *(p. 165)* évoquent la Seconde Guerre mondiale, ainsi que le débarquement des Alliés en Provence.

Les Deux Garçons, Aix
Churchill et Cocteau, entre autres, fréquentèrent cet élégant café (p. 148).

Citadelle de Sisteron
Bombardée par les Alliés en 1944, elle abrite un musée retraçant son histoire (p. 178).

1942 Les Allemands occupent le Midi. La flotte française se saborde à Toulon

1943 Les nazis font dynamiter le quartier du Panier à Marseille

1940 L'armée italienne occupe Menton

1935 | **1940** | **1945**

1939 La guerre annule le 1er Festival de Cannes

La libération de Marseille

1944 Débarquement allié dans le Var et libération de la Provence

La Provence moderne

Scooter à Saint-Tropez

La généralisation des congés payés accélère dans les années 1950 le développement du tourisme non seulement sur le littoral, mais également à l'intérieur des terres où il s'appuie sur la richesse culturelle de la région : patrimoine architectural et festivals. Vignoble et fleurs assurent la survie de l'agriculture tandis que la création de technopoles attire des industries non polluantes.

Port-Grimaud
Dessinée par François Spoerry en 1966, la « Venise provençale » du Var est un des rares exemples de reconstitution de village réussie (p. 123).

Arrêt de bus conçu par Philippe Starck
Nîmes a su marier les styles anciens et modernes.

Plage à Nice
Même les plages de galets ont leurs adeptes sur la Côte d'Azur.

Incendie
Les feux de forêt qui dévastent la région menacent parfois les villes.

CHRONOLOGIE

1946 Picasso installe son atelier au château Grimaldi d'Antibes

1950

1952 Le Corbusier achève la Cité radieuse à Marseille

1954 Mort de Matisse

Grace Kelly

1956 Grace Kelly épouse Rainier III de Monaco

1956 Roger Vadim tourne à Saint-Tropez *Et Dieu créa la femme* avec Brigitte Bardot

1959 Terrible inondation à Fréjus

1960

1961 Exposition des artistes de l'école de Nice

1962 Barrages hydroélectriques sur la Durance

1962 Indépendance de l'Algérie ; de nombreux rapatriés s'installent dans la région

1970

1970 L'autoroute du Soleil est achevée

1970 Ouverture du complexe technologique de Sophia-Antipolis

Picasso

1971 La French Connection est démasquée

1973 Picasso meurt à Mougins

1977 Inauguration de la première ligne de métro de Marseille

1980

1982 La princesse Grace de Monaco meurt dans un accident de voiture

Aux sports d'hiver
Le ski devenant de plus en plus populaire (p. 96), *la station Isola 2000 fut créée de toutes pièces en 1972.*

La Colombe d'or, Saint-Paul
Chic et cher, cet établissement qui logea tant d'artistes est un véritable musée (p. 75).

Brigitte Bardot Kim Novak

LE FESTIVAL DU FILM DE CANNES

Le premier devait commencer le 1er septembre 1939, mais il aura finalement lieu le 20 septembre 1946. Aujourd'hui, le Festival *(p. 68)* se produit en mai et le spectacle se déroule autant sur la Croisette et sur les plages que dans les salles.

OÙ VOIR LA PROVENCE MODERNE

Le MAMAC de Nice *(p. 85)*, le Carré d'art de Nîmes *(p. 132)* et la Cité radieuse de Le Corbusier à Marseille *(p. 152)* figurent parmi les plus intéressantes réalisations architecturales modernes de la région. Les programmes de reconstruction ambitieux de villes comme Saint-Tropez *(p. 118-122)* et Sainte-Maxime *(p. 123)* se sont efforcés de marier nouveaux et anciens bâtiments.

Saint-Tropez
Il est souvent difficile de distinguer les vieux édifices de ceux bâtis après la guerre.

La Fondation Maeght
Les bâtiments modernes s'insèrent avec art dans le paysage provençal (p. 76-77).

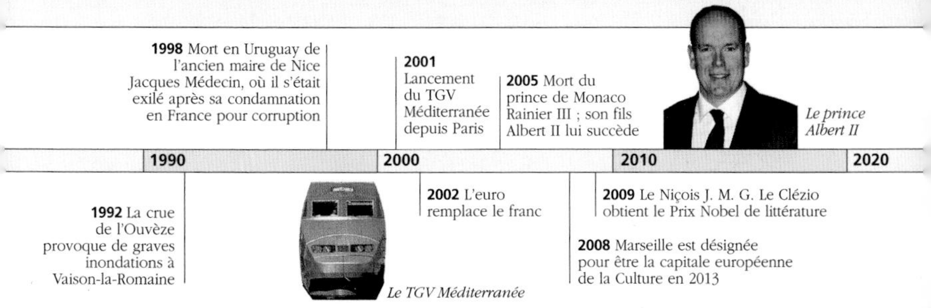

LA PROVENCE RÉGION PAR RÉGION

La Provence d'un coup d'œil

Terre d'histoire qui a séduit les plus grands peintres modernes, la région recèle tant de trésors que même les plus ardents amateurs de soleil plongent tôt ou tard dans l'ombre de ses musées ou de ses monuments, tandis que les férus de culture, attirés par ses festivals, résistent rarement à la beauté sauvage de paysages comme les gorges du Verdon ou la Camargue. Voici une petite sélection de ses merveilles naturelles, architecturales et artistiques…

Avignon, à la splendide architecture médiévale *(p. 166-168)*

Le théâtre romain d'Orange, superbement conservé *(p. 162-163)*

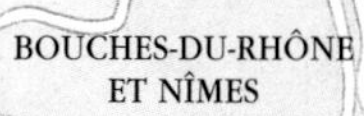

La Camargue, espace naturel protégé *(p. 136-139)*

La basilique de Saint-Maximin-la-Sainte-Baume, sobre chef-d'œuvre gothique *(p. 110-111)*

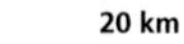

Les îles d'Hyères : un paradis pour les promeneurs et les baigneurs *(p. 114-115)*

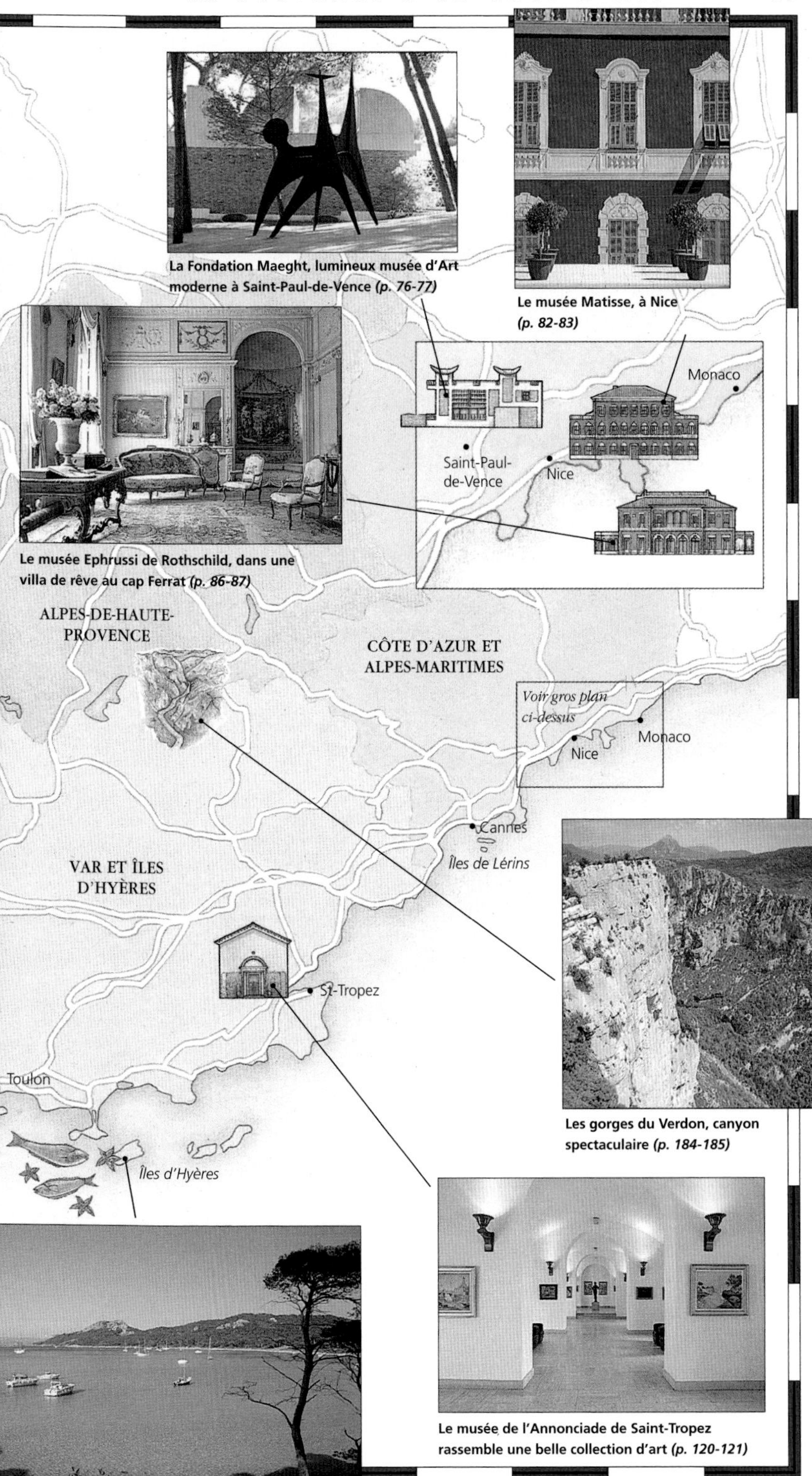

La Fondation Maeght, lumineux musée d'Art moderne à Saint-Paul-de-Vence *(p. 76-77)*

Le musée Matisse, à Nice *(p. 82-83)*

Le musée Ephrussi de Rothschild, dans une villa de rêve au cap Ferrat *(p. 86-87)*

Les gorges du Verdon, canyon spectaculaire *(p. 184-185)*

Le musée de l'Annonciade de Saint-Tropez rassemble une belle collection d'art *(p. 120-121)*

LA CÔTE D'AZUR ET LES ALPES-MARITIMES

Aucune région n'évoque autant le luxe que la Côte d'Azur. Depuis 250 ans, elle a connu toutes les formes de tourisme et a vu s'installer d'innombrables artistes et mécènes. Et autant de promoteurs. Traditions méditerranéennes, avant-garde et tape-à-l'œil s'y fondent en une composition brillante mais parfois artificielle.

Dans le cadre splendide des Alpes et de l'Estérel qui plongent dans la Méditerranée, la Côte d'Azur jouit d'un microclimat dont la douceur en hiver lui a valu d'attirer de riches étrangers dès le milieu du XVIIIe siècle. Devenu l'élément moteur de sa croissance économique au siècle suivant, le tourisme a marqué son architecture, notamment à la Belle Époque où s'élèvent de luxueux fronts de mer, comme la Croisette de Cannes ou la promenade des Anglais à Nice. Il a également marqué sa flore : importés, palmiers, mimosas et autres plantes exotiques prolifèrent.

La région n'attire pas seulement d'opulents oisifs et des retraités, mais également de célèbres artistes tels que Picasso, Matisse ou Chagall. La richesse de ses musées en fait aujourd'hui le plus grand centre français d'art moderne après Paris.

Initié par les Américains à Juan-les-Pins en 1925, le tourisme d'été connaît, grâce aux congés payés, un formidable développement après la guerre. Conjugué au « boom » immobilier résultant de l'arrivée des rapatriés d'Algérie des années 1960, il a contribué à « bétonner » le littoral, bordé désormais par une station balnéaire quasiment ininterrompue. Il suffit toutefois de s'enfoncer dans les terres ou les montagnes pour découvrir un arrière-pays plus authentique et une nature encore sauvage, notamment dans le Mercantour.

Détente sur la promenade des Anglais à Nice

◁ Vue plongeante sur le village de Roquebrune et la mer depuis le château

À la découverte de la Côte d'Azur et des Alpes-Maritimes

Comparé au littoral où se succèdent villes et stations balnéaires, l'arrière-pays paraît désert. À l'ouest, les Préalpes forment de longs gradins parallèles à la mer que surveillent, depuis leurs pitons, les villages perchés. Vers la frontière italienne, le massif alpin s'organise en plis orientés nord-sud que séparent vallées ou gorges. À deux heures de voiture de la côte, les stations de sports d'hiver proposent aux skieurs leurs remontées mécaniques. Le parc du Mercantour *(p. 97)*, quant à lui, offre aux randonneurs ses paysages protégés tels que la vallée des Merveilles.

CIRCULER

Trois grandes voies parallèles longent la côte entre Cannes et Nice : la route du bord de mer et la N7, qui traversent les villes, et l'autoroute A8, qui les contourne et rejoint Vintimille. Trois corniches relient en outre Nice à l'Italie. La Grande Corniche passe par La Turbie, la Moyenne Corniche par Èze et la Basse Corniche par les agglomérations côtières. Le train ne dessert que le littoral et Grasse, mais il existe des liaisons régulières par autocars, en particulier vers le proche arrière-pays. De l'aéroport, navettes, taxis et bus conduisent aux principales villes de la région.

Bateaux de luxe amarrés dans le port d'Antibes

LES ALPES-MARITIMES D'UN COUP D'ŒIL

- Antibes 10
- Beaulieu 20
- Biot 12
- Cagnes-sur-Mer 16
- *Cannes p. 68-69* 7
- Cians (gorges du) 1
- Èze 21
- Ferrat (cap) 18
- Gorbio 33
- Gourdon 4
- Grasse 5
- Juan-les-Pins 9
- *Lérins (îles de) p. 70-71* 8
- Lucéram 26
- Menton 35
- Mercantour (parc national du) 29
- *Monaco p. 90-94* 23
- Mougins 6
- *Nice p. 80-85* 17
- Peille 25
- Peillon 24
- Puget-Théniers 2
- Roquebrune-Cap-Martin 34
- Saint-Cézaire-sur-Siagne 3
- Saint-Paul-de-Vence 15
- Saorge 31
- Sospel 32
- Tende 30
- Turbie (La) 22
- Turini (forêt de) 28
- Vallauris 11
- Vence 14
- Vésubie (vallée de la) 27
- Villefranche-sur-Mer 19
- Villeneuve -Loubet 13

VOIR ÉGALEMENT

- ***Hébergement*** p. 194-197
- ***Restaurants*** p. 210-212

Pour les autres symboles de la carte, *voir le rabat arrière de couverture*

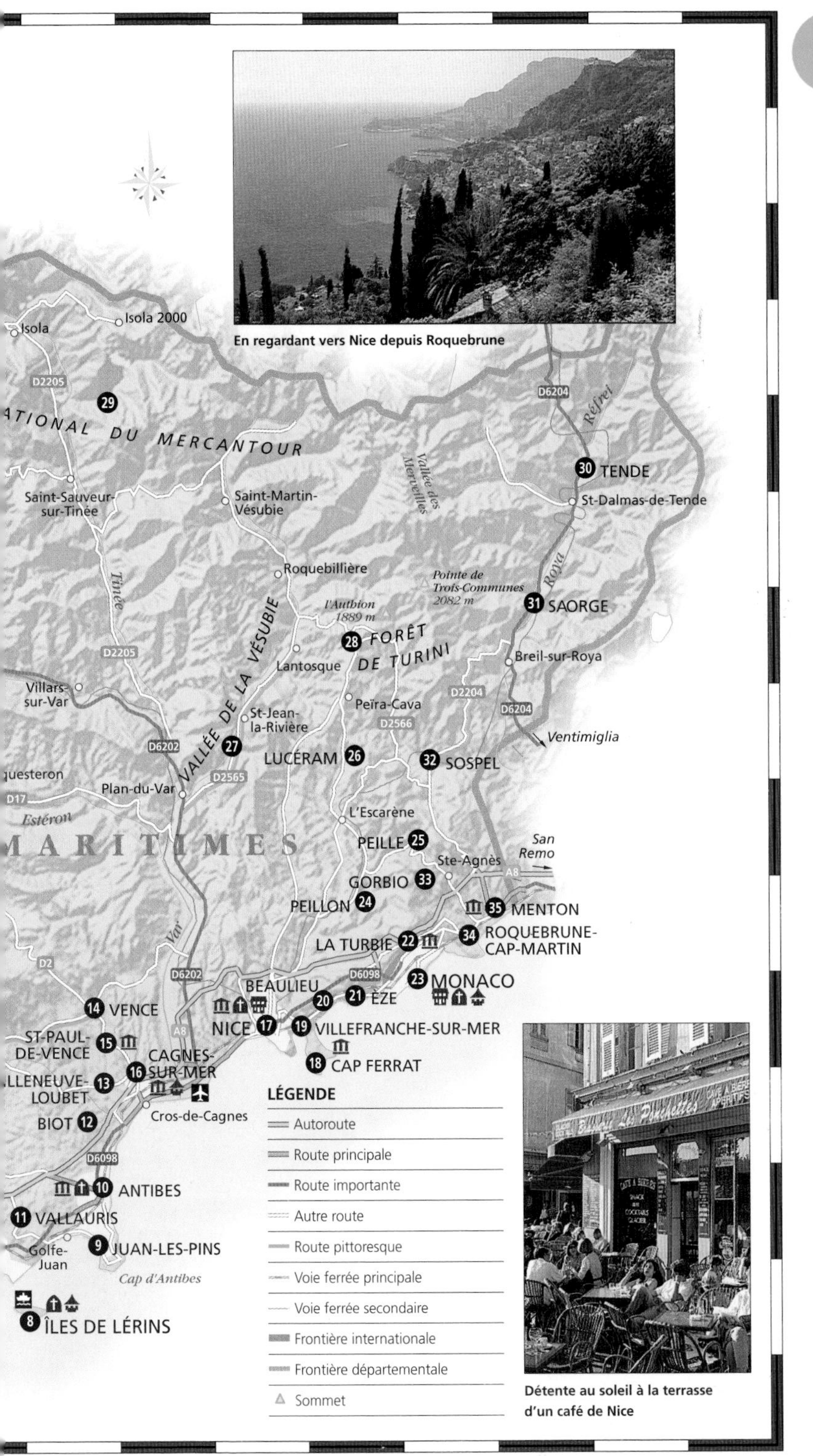

En regardant vers Nice depuis Roquebrune

Détente au soleil à la terrasse d'un café de Nice

Les gorges supérieures du Cians

Gorges du Cians ❶

Nice. Touët-sur-Var. Nice, Touët-sur-Var, Valberg. pl. du Quartier, Valberg (04 93 23 24 25).

Depuis Beuil, à 1 430 m d'altitude, le Cians dévale 1 600 m de dénivelé en 25 km, creusant des gorges spectaculaires dans les roches rouges du massif du Mercantour. Après deux cluses particulièrement impressionnantes, les sapins cèdent la place aux oliviers et le torrent atteint **Touët-sur-Var**, village fortifié accroché à flanc de montagne. Au sommet, l'église enjambe une cascade visible depuis l'intérieur par une trappe (fermée par une grille) dans le sol de la nef.

Avant de devenir une agréable station de sports d'hiver appréciée des skieurs de fond, **Beuil** fut au XVIe siècle la capitale des Grimaldi de Beuil, cousins de ceux de Monaco *(p. 91)*, seigneurs peu appréciés de leurs domestiques. L'un d'entre eux se fit trancher la gorge par son barbier et un autre poignarder par son valet. Le dernier, Hannibal, fut étranglé par deux esclaves maures.

Les pierres du château, rasé en 1621, servirent à la construction de la chapelle Renaissance des Pénitents-Blancs et de l'église Saint-Jean-Baptiste, élevée en 1687, qui renferme une belle *Adoration des Mages* datant d'environ 1640.

Puget-Théniers ❷

Carte routière E3. *1 700.* *2, rue Alexandre-Barétу, D6202 (04 93 05 05 05).*

Au confluent du Var et de la Roudoule, ce village, dominé par les ruines d'une forteresse des Grimaldi détruite en 1691, a conservé des maisons très anciennes, certaines à auvents et linteaux sculptés. C'est au XIIIe siècle que les templiers bâtirent l'église **Notre-Dame-de-l'Assomption**, mais son portail gothique date du XVe siècle et la voûte a été remaniée au XVIIIe siècle. Le retable de *La Passion* (1515-1520), placé à l'entrée, d'inspiration flamande et dont Matthieu d'Anvers dirigea peut-être l'exécution, et le polyptyque de *Notre-Dame-de-Secours* (1525), d'Antoine Ronzen, font sa réputation.

Sur une place ombragée bordant la nationale se dresse *L'Action enchaînée* d'Aristide Maillol (1905), monument à la mémoire de Louis Auguste Blanqui. Né à Puget-Théniers en 1805, ce théoricien socialiste joua un rôle de premier plan pendant la Commune. Ses idées, qui eurent une grande influence sur l'évolution du syndicalisme, lui valurent 36 années d'emprisonnement.

***L'Action enchaînée*, à Puget-Théniers**

Saint-Cézaire-sur-Siagne ❸

Carte routière E3. *3 200.* *3, rue de la République (04 93 60 84 30).* *mar. et sam.*

Dominant la vallée encaissée de la Siagne, le village s'est constitué autour de la **chapelle du Cimetière**, bâtie au XIIIe siècle. Superbe exemple de roman provençal en calcaire blanc, elle abrite un sarcophage gallo-romain découvert aux environs. Depuis la partie médiévale du village, un sentier mène jusqu'à un beau point de vue.

Au nord-est du village, les **grottes de Saint-Cézaire-sur-Siagne** s'enfoncent sous la colline de la Blaque. Portant des noms évocateurs tels que « salle des Draperies », « chambre de l'Orgue » ou encore « alcôve des Fées », leurs salles

***Notre-Dame-de-Secours* (1525) par Antoine Ronzen, Puget-Théniers**

Pour les hôtels et les restaurants de la région, voir p. 194-197 et p. 210-212.

souterraines communiquent par d'étroits couloirs, dont l'un se termine sur un gouffre. Elles renferment un ensemble étonnant de concrétions calcaires riches en oxyde de fer. Les belles stalactites et stalagmites ont créé des formes fantastiques évoquant des animaux, des plantes et même un squelette. La visite guidée vous fera apprécier la musicalité remarquable de certaines stalactites.

Grottes de Saint-Cézaire-sur-Siagne
Tél. *04 93 60 22 35. t.l.j. : fév.-mars après-midi seul. ; nov. et janv. dim. après-midi seul. déc. obligatoire.*
www.lesgrottesdesaintcezaire.com

Stalactites à l'intérieur des grottes de Saint-Cézaire-sur-Siagne

Le village de Gourdon, perché sur son éperon rocheux

Gourdon ❹

Carte routière E3. *437.*
pl. Victoria (04 93 09 68 25).
www.gourdon-france.com

Fondé au XIe siècle au bord d'une spectaculaire falaise, Gourdon est un exemple typique de village perché provençal *(p. 20-21)* avec ses ruelles bordées de boutiques de souvenirs et de produits locaux. Depuis la place dominant sur le vide, on découvre une vue superbe sur la vallée du Loup et sur la côte jusqu'à Antibes.

La terrasse du **château de Gourdon**, bâti au XIIe siècle sur les ruines d'une forteresse sarrasine, offre également un point de vue admirable. Les jardins en terrasses ont été dessinés par André Le Nôtre, lorsque le château fut restauré au XVIIe siècle. Il renferme deux intéressants petits musées privés : le **Musée historique**, qui présente notamment une tapisserie d'Aubusson, un secrétaire ayant appartenu à Marie-Antoinette et un autoportrait de Rembrandt, et le **musée des Arts décoratifs et de la Modernité**, dont la collection comprend des meubles des années 1930, des lampes de Jacques Le Chevallier et Paul Dupré-Lafon, ainsi que des sculptures de Salvador Dalí.

Château de Gourdon
Tél. *04 93 09 68 02.*
juin-sept. : t.l.j. ; oct.-mai : mer.-dim. l'après-midi seul.
www.chateau-gourdon.com

CIRCUIT DES GORGES DU LOUP

Au sortir de Grasse en direction de Nice, prendre la D3 à Pré-du-Lac jusqu'à Gourdon, qui domine, du haut de son éperon rocheux, les gorges creusées par le Loup. Après le village, la D3 les longe à flanc de colline, en offrant des vues superbes. La D6, que l'on rejoint au bout de 6,5 km, juste avant Bramafan, permet de redescendre le cours du torrent et de découvrir le saut du Loup, célèbre marmite de géants, et la cascade des Demoiselles, dont l'eau calcaire a blanchi la végétation environnante. Un peu plus loin, c'est la cascade de Courmes, haute de 40 m, puis Pont-du-Loup, d'où la N210 mène à Vence en passant par Tourrette-sur-Loup. Cette jolie cité, reconstruite au XVe siècle, a gardé son tracé médiéval. Capitale de la violette, peuplée d'artisans, elle possède une église du XIIIe siècle (agrandie au XVIe siècle), qui renferme un triptyque de l'école de Brea.

La cascade de Courmes, haute de 40 m

Grasse ❺

Carte routière E3. *45 000.*
22, cours Honoré-Cresp (04 93 36 66 66). mar.-dim.
www.grasse.fr

Au Moyen Âge, Grasse, dont l'arrière-pays est surtout tourné vers l'élevage, se consacre à la tannerie. Grâce au climat se prêtant à la culture des fleurs et plantes aromatiques, la production de parfum se développe à la fin du XVIe siècle. Devenue la capitale mondiale de la parfumerie, la ville importe désormais l'essentiel de sa matière première, mais la fête du Jasmin *(p. 33)* reste le grand événement de l'année. Depuis 1989, le **musée international de la Parfumerie** retrace l'histoire de cet art subtil. On peut aussi y voir des boîtes en papier mâché parfumé : les « bergamotes ». Chez **Molinard**, un petit musée attend les visiteurs qui pourront même créer leur propre parfum.

La **cathédrale Notre-Dame-du-Puy**, bel édifice roman, abrite une œuvre de jeunesse de Jean Honoré Fragonard (né à Grasse en 1732) : *Le Lavement des pieds*. Elle voisine avec trois tableaux de Rubens. Fragonard est aussi à l'honneur dans la **villa-musée Fragonard**, où son fils a réalisé des trompe-l'œil. Le **musée d'Art et d'Histoire de Provence**, qui expose des faïences de Moustiers, mérite aussi une visite.

Musée international de la Parfumerie
2, bd du Jeu-de-Ballon. ***Tél.*** *04 97 05 58 00. juin-sept. : t.l.j. ; oct.-mai. : t.l.j. sf mar. j.f.*
www.museesdegrasse.com

Molinard
60, bd Victor-Hugo. ***Tél.*** *04 93 36 01 62. juin-sept. : t.l.j. ; oct.-mai. : t.l.j. sf dim. 1er janv., 25 déc.*

Villa-musée Fragonard
23, bd Fragonard.

Musée d'Art et d'Histoire de Provence
2, rue Mirabeau.
Pour les deux musées : ***Tél.*** *04 97 05 58 00. juin-sept. : t.l.j. ; oct.-mai. : t.l.j. sf mar. nov. ; j.f. sur rés.* **www**.museesdegrasse.com

Façade du musée international de la Parfumerie de Grasse

Mougins ❻

Carte routière E3. *19 000.*
av. Charles-Mallet (04 93 75 87 67). **www**.mougins-coteazur.org

Village perché *(p. 20-21)* sur un site occupé depuis l'époque romaine, Mougins a conservé une partie de son enceinte médiévale, en particulier une porte à mâchicoulis : la porte Sarrasine. C'est aujourd'hui un lieu de villégiature recherché et un centre gastronomique dont la réputation doit beaucoup au **Moulin de Mougins** *(p. 211)* de Roger Vergé.

Pendant ses dernières années, Picasso habita sur la superbe colline où se dresse la **chapelle Notre-Dame-de-Vie**. Dans ce sanctuaire, les enfants mort-nés « ressuscitaient » le temps d'être baptisés ; mais en 1730, ce rituel fut interdit par l'évêché.

Le **musée de la Photographie** possède une belle collection permanente de clichés de Picasso. À 5 km du centre, le **musée de l'Automobiliste** présente quelque 200 voitures anciennes et modernes.

Musée de la Photographie
Porte Sarrasine. ***Tél.*** *04 93 75 85 67. t.l.j. nov. ; 1er mai, 25 déc.*

Musée de l'Automobiliste
Aire des Breguières, autoroute A8. ***Tél.*** *04 93 69 27 80. mar.-dim. mi-nov.-mi-déc.*
www.musauto.fr.st

Jacques-Henri et Florette Lartigue, musée de la Photographie, Mougins

Pour les hôtels et les restaurants de la région, voir p. 194-197 et p. 210-212.

Les parfums de Provence

Les odeurs que dégageaient au Moyen Âge les tanneries de Grasse étaient certainement moins agréables que celles qui s'échappent aujourd'hui des parfumeries. Un lien historique unit cependant ces deux activités : la mode des gants parfumés, introduite en France au XVIe siècle par Catherine de Médicis, qui poussa la ville vers sa vocation actuelle. Les champs des alentours se couvrirent alors de fleurs aromatiques. Aujourd'hui, elles proviennent pour l'essentiel de l'étranger, et Grasse, concurrencée par le prestige des grandes marques parisiennes, ne produit quasiment plus que les essences et extraits utilisés par les « nez » de Guerlain, Yves Saint Laurent, etc. Elle reste toutefois la capitale mondiale de cette industrie.

Catherine de Médicis, 1581

Cueillette du jasmin

La récolte avant le traitement

CRÉATION D'UN PARFUM

Les huiles essentielles à la base des parfums s'extraient par entraînement à la vapeur ou par l'utilisation de solvants. L'un des procédés les plus anciens, « l'enfleurage », consiste à mélanger des fleurs à de la matière grasse pour que cette dernière s'imprègne de leurs arômes.

L'entraînement à la vapeur *consiste à placer au-dessus d'eau portée à ébullition, sur la grille d'un alambic, des fleurs ou d'autres éléments végétaux tels que feuilles ou écorce. Les composés volatils qui se mêlent à la vapeur sont ensuite récupérés par condensation dans un essencier.*

De très importantes quantités *de fleurs sont nécessaires à la fabrication des extraits de parfum. Par exemple, il faut près d'une tonne de jasmin pour obtenir un seul litre d'essence.*

Un grand parfum *est toujours l'œuvre d'un « nez », un spécialiste doté d'un sens olfactif exceptionnel. Il devra, tel un musicien, mettre en harmonie jusqu'à 300 essences et extraits différents pour composer un nouveau parfum. Aujourd'hui, on obtient des essences de synthèse en analysant sous vide les effluves d'une fleur.*

Cannes ❼

C'est à un noble anglais, Lord Brougham, que Cannes doit sa fortune. Alors qu'il se rendait à Nice en 1834, une épidémie de choléra le contraignit à s'arrêter dans ce petit port de pêche. La beauté de sa baie, entourée par les îles de Lérins, l'Estérel et les Préalpes, l'enchanta tant qu'il s'y fit construire une villa et vanta la localité à ses compatriotes. Aujourd'hui, tourisme et commerce de luxe constituent les activités principales de la ville. Les visiteurs y sont nombreux tout au long de l'année grâce aux manifestations qui s'y déroulent tels le Midem ou le célèbre Festival international du film *(p. 32)*.

Cannes : la plage et le Carlton

À la découverte de Cannes

Le boulevard de la Croisette, où se pressent les célébrités en mai, longe la rade sur presque toute sa longueur. Il part à l'est de la pointe de la Croisette, où la mer cerne le Palm-Beach, puis longe le port Canto et le square Verdun, avant de passer devant les palaces : Martinez, Carlton, Hilton et Majestic. Ces grands hôtels possèdent leurs propres plages dotées de bars et de restaurants. Ils ne sont pas les seuls : une grande partie de la longue plage de sable bordant la Croisette est privée, et il faut louer parasol et matelas pour s'y installer. Il existe cependant des endroits où l'accès est gratuit, notamment près du **palais des Festivals**, érigé en 1982 entre les pelouses de l'esplanade des Alliés et le vieux port, où les amateurs de voile rêveront devant les splendides bateaux à quai.

Devant le port s'étendent les allées de la Liberté ombragées par de grands platanes. Au pied de la statue de Lord Brougham et d'un kiosque à musique Belle Époque, elles accueillent tous les matins un marché aux fleurs et le samedi un marché à la brocante.

Bordant les allées au nord, la rue Félix-Faure prolonge la rue d'Antibes, l'artère commerçante de Cannes, celle qui regroupe le plus grand nombre de boutiques de luxe. C'est toutefois dans la rue Meynadier, parallèle à la rue Félix-Faure, que les Cannois viennent faire leurs achats dans des magasins aux étals chargés de produits régionaux. Elle conduit au **marché Forville**, beau marché couvert, très animé le matin quand les producteurs locaux y proposent fruits, légumes, fleurs, miel ou fromages.

À l'ouest, au-dessus du port, s'élève la **colline du Suquet**, où s'étend la vieille ville dont ruelles et placettes, bordées de nombreux restaurants, ont gardé leur cachet provençal.

Empreinte de star

L'église **Notre-Dame-d'Espérance** la domine. Construite de 1521 à 1648 dans le style gothique, elle renferme quelques belles statues en bois sculpté datant du XIVe au XVIIIe siècle. À Noël, des crèches animées ravissent les enfants.

Palais des Festivals et des Congrès

1, la Croisette. ***Tél.*** *04 92 99 84 22.* *04 92 99 84 22.* **www**.palaisdesfestivals.com

Inauguré en 1982, cet immense édifice de béton et de verre, construit en bordure du port, avait pour ambition d'évoquer un bateau, mais son aspect massif lui valut de se voir surnommer « le bunker » dès le 1er Festival du film qui s'y déroula. C'est ici que sont décernées chaque année les célèbres « Palmes d'or ». À gauche du grand escalier d'honneur que gravissent les vedettes pour assister aux projections officielles, l'allée des Étoiles aligne le long de la verrière les empreintes de la main droite de célébrités du cinéma.

Le palais renferme un auditorium de 2 300 places, un théâtre de 1 000 places, un espace d'exposition de 24 000 m², un immense salon de réception avec l'espace Riviera récemment ouvert (6 500 m²) et le **casino Croisette** avec son night-club. Le palais entre ainsi dans une nouvelle dimension.

Carla Bruni et Karen Mulder au Festival du film de Cannes

Pour les hôtels et les restaurants de la région, voir p. 194-197 et p. 210-212.

Le vieux quartier du Suquet domine le port de Cannes

MODE D'EMPLOI

Carte routière E4. 69 000. rue Jean-Jaurès. pl. de l'Hôtel-de-Ville. palais des Festivals (04 92 99 84 22). mar.-dim. Festival du film : mai. **www**.cannes.fr

Hôtel Carlton

58, la Croisette. ***Tél.*** *04 93 06 40 06.* *Voir* ***Hébergement*** *p. 195.*

Édifié en 1911 par Henri Ruhl, cet édifice caractéristique de la Belle Époque comporte 338 chambres et suites. Selon la légende, son architecte se serait inspiré des seins de la Belle Otéro, courtisane qui avait conquis son cœur, pour dessiner la courbe des deux coupoles noires de la façade.

À l'intérieur, l'immense salle à manger a conservé colonnades, plafond décoré et ornements rococo d'origine. Symbole du luxe et du confort poussés à leur extrême, le Carlton a déchaîné les passions. En 1944, un correspondant du *New York Times* exigea du commandant chargé de libérer la ville qu'il protège à tout prix ce qu'il considérait alors comme le plus bel hôtel du monde.

Le comble du luxe

Musée de la Castre

Château de la Castre, Le Suquet. ***Tél.*** *04 93 38 55 26.. mar.-dim. certains j.f. sur rés.*

Fondé en 1877 et installé dans les ruines de l'ancien château érigé par les moines des îles de Lérins aux XIe et XIIe siècles, il présente des collections archéologiques et ethnologiques du monde entier. Une exposition d'instruments de musique se tient dans la chapelle Sainte-Anne, sanctuaire cistercien du XIIe siècle. Ancienne tour de guet élevée à partir de 1070, la **tour du Suquet** (22 m) offre un large panorama sur la rade et l'Estérel.

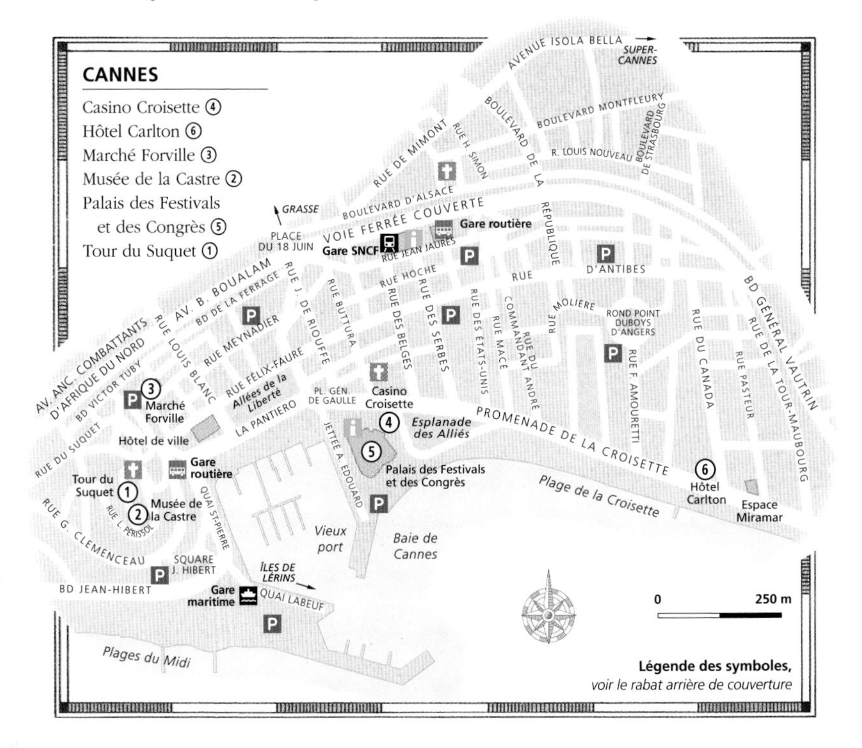

Les îles de Lérins ❽

Liqueur « Lérina »

Joyaux de verdure tranchant sur le bleu de la mer, les îles de Lérins offrent un lieu de promenade pour oublier l'agitation de la Côte d'Azur à l'ombre des eucalyptus et des pins. L'histoire leur a donné des vocations bien différentes. En 410, saint Honorat fonde sur la plus petite un monastère dont le rayonnement influencera toute la Chrétienté au haut Moyen Âge. Aujourd'hui, l'île appartient toujours à des moines. Site stratégique, la plus grande, Sainte-Marguerite, se hérisse en 1624 d'un château qui se transforme en fort royal, puis en prison d'État en 1685. On y visite le cachot du mystérieux Masque de fer.

★ Fort royal
Bâti sous Richelieu sur des plans de Vauban, à partir de 1637, il abrite un musée de la Mer.

Saint Honorat et les saints de Lérins
Cette icône décore l'église de Lérins.

Chapelle Saint-Caprais
Elle porte le nom du disciple qui débarqua avec saint Honorat en 410.

Pour les hôtels et les restaurants de la région, voir p. 194-197 et p. 210-212.

Le Masque de fer
L'identité du prisonnier enfermé au fort royal en 1687 a suscité bien des hypothèses mais reste un mystère.

Vestiges archéologiques
Des fouilles près du fort ont révélé des mosaïques, des peintures murales et des céramiques datant du IIIe siècle av. J.-C.

MODE D'EMPLOI

Carte routière D5. Cannes, quai Labeuf : Sainte-Marguerite *(04 92 98 71 36)* ; Saint-Honorat *(04 92 98 71 38)*. **Fort Sainte-Marguerite / musée de la Mer** ***Tél.*** *04 93 43 18 17.* *juin-sept. t.l.j. ; oct.-mai t.l.j. sf lun.* *certains j.f.* **Monastère fortifié** ***Tél.*** *04 92 99 54 00.* *t.l.j.* **www**.abbayedelerins.com

Allée du Grand-Jardin

Allée de la Convention
De larges sentiers ombragés sillonnent les deux îles et longent leurs côtes.

Chapelle Saint-Cyprien

Chapelle de la Trinité

Église de Lérins
Construite en 1875, elle incorpore la chapelle des Morts (Xe siècle) de l'ancienne église.

★ Monastère fortifié
Bâti en 1073 par l'abbé Aldebert pour se défendre des Sarrasins, il commande une vue portant jusqu'à l'Estérel.

À NE PAS MANQUER

★ Fort royal

★ Monastère fortifié

Juan-les-Pins ❾

Carte routière E3. *78 000 (commune d'Antibes).* *55, bd Guillaumont (04 97 23 11 10).* **www**.antibesjuanlespins.com

Le golfe Juan, où débarqua Napoléon au retour de l'île d'Elbe, est fermé à l'ouest par les îles de Lérins et la pointe de la Croisette, et à l'est par le cap d'Antibes. Presqu'île boisée où de luxueuses propriétés se cachent au milieu des pins, le cap culmine au phare de la Garoupe, dressé près de la chapelle Notre-Dame-du-Bon-Port (XIIIe-XVe siècles). Une table d'orientation permet de se repérer jusqu'en Italie.

Au creux du golfe se niche Juan-les-Pins. En lançant, dans les années 1920, cette station balnéaire aux plages de sable fin, le milliardaire américain Frank Jay Gould attira la haute société, mais aussi de nombreux musiciens de jazz. La tradition s'est maintenue, et l'été voit rues et cafés encore plus bondés le soir que le jour, surtout pendant le Festival de jazz *(p. 33).*

Juan-les-Pins le soir

Antibes ❿

Carte routière E3. *70 000.* *11, pl. du Gal-de-Gaulle (04 97 23 11 11).* *mar.-dim.* **www**.antibesjuanlespins.com

Fondée au Ve siècle av. J.-C. par des marchands grecs, Antipolis s'intègre très tôt à la province romaine qui deviendra la Provence. En se donnant à la Savoie en 1388, le comté de Nice en fait la frontière orientale du royaume de France que François Ier, Henri IV puis Vauban fortifient. Préservés côté mer, les remparts de la cité forment

Yachts au port d'Antibes

une agréable promenade du port jusqu'au bastion Saint-André, où le **musée d'Archéologie** évoque l'histoire de la cité sur trois millénaires.

La cathédrale **Notre-Dame-de-l'Immaculée-Conception**, remaniée au XVIIe siècle, abrite une abside et un transept romans (XIIe siècle). La tour sarrasine, transformée en clocher, renferme le retable du *Rosaire* (1515), attribué à Louis Brea.

Non loin, le château des Grimaldi, seigneurs d'Antibes de 1385 à 1608, abrite désormais le **musée Picasso**. Outre un superbe ensemble de peintures, dessins et céramiques de l'artiste, il possède une riche collection d'art moderne et comprend un jardin de sculptures. *La Vierge de douleur* (1539) d'Antoine Aundi orne sa chapelle. Sur le cours Masséna se tient le matin un beau marché couvert.

Au carrefour de la N7 et de la route de Biot, **Marineland** regroupe cinq parcs d'attractions aquatiques et présente des numéros de dauphins et d'orques.

Céramique de Vallauris

Musée d'Archéologie
Bastion St-André. ***Tél.*** *04 92 90 54 37.* *mar.-dim.* *j.f.*

Musée Picasso
Château Grimaldi. ***Tél.*** *04 92 90 54 20.* *mar.-dim. 10h-18h.* *j.f.*

Marineland
306, av. Mozart. ***Tél.*** *04 93 33 49 49.* *t.l.j.*

Vallauris ⓫

Carte routière E3. *24 000.* *square du 8-mai-1945 (04 93 63 82 58).* *mar.-dim.* **www**.vallauris-golfe-juan.fr

La poterie fait le renom de la ville depuis le XVIe siècle. Picasso vint vers 1950 : sa statue *L'Homme au mouton* (1943) orne la place du marché, et *La Guerre et la Paix* (1952), fresque de 125 m^2, est au **musée national Picasso**. Le **musée Magnelli** présente des œuvres du peintre italien et une collection de céramiques et poteries précolombiennes.

Musée Magnelli, musée de la Céramique
Pl. de la Libération. ***Tél.*** *04 93 64 16 05.* *mer.-lun.* *j.f.*

Musée national Picasso
Pl. de la Libération. ***Tél.*** *04 93 67 71 83.* *mer.-lun.* *j.f.*

Picasso à 78 ans alors qu'il vivait à Mougins

Pour les hôtels et les restaurants de la région, voir p. 194-197 et p. 210-212.

Pablo Picasso (1881-1973)

Né à Malaga (Espagne), Pablo Picasso, après avoir résidé à Paris, découvrit Juan-les-Pins en 1920; il vécut et travailla à partir de 1946 à Golfe-Juan, Vallauris, Antibes, puis Cannes avant de s'installer à Mougins où il mourut à l'âge de 92 ans. Ce géant de l'art du XXe siècle, fondateur du cubisme avec Georges Braque, disait lui-même : « Je ne cherche pas, je trouve. » Comme l'illustre bien la collection du château Grimaldi, son génie s'exprima dans de nombreux modes de création : sculpture, peinture, dessin ou céramique.

Violon et Partition *(1912), papier collé exposé à Paris, date des recherches de Picasso sur la représentation de l'espace.*

Les Demoiselles d'Avignon *(1907), tableau qui se trouve désormais à New York, jetaient les bases du cubisme qui allaient révolutionner l'art moderne.*

La Joie de vivre *(1946) illustre bien l'état d'esprit de Picasso pendant la période où il travailla à Antibes. Le centaure et la ménade dansant au son de sa flûte symbolisent le couple qu'il formait alors avec Françoise Gilot.*

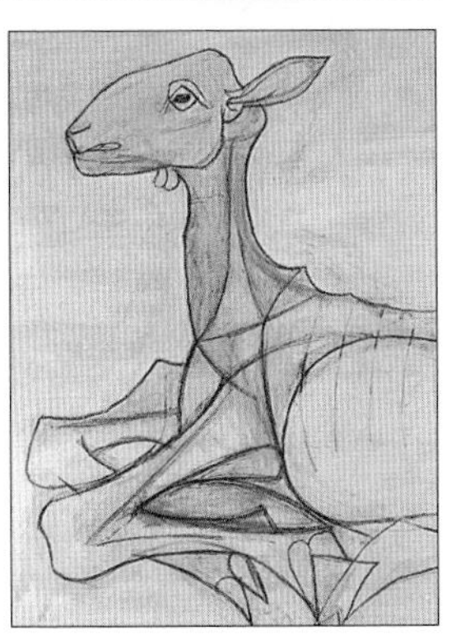

La Chèvre *(1946), exposée également à Antibes, révèle toute l'énergie de son dessin.*

L'Homme au mouton *(1943) orne la place du marché de Vallauris, ville où se trouve également* La Guerre et la Paix *(1952).*

Biot ⓬

Carte routière E3. 8 200. 46, rue St-Sébastien (04 93 65 78 00). *mar. et ven.* **www**.biot.fr

Cédé en 1209 aux templiers, occupé un temps par des bandits, Biot connut un Moyen Âge tourmenté, dont subsistent la place des Arcades (XIIIe et XIVe siècles) et des vestiges des remparts, telle la porte des Migraniers (1566).

Plus qu'à ses potiers, qui entretiennent une tradition séculaire, c'est à la **verrerie de Biot**, où l'on verra encore des maîtres verriers à l'ouvrage, que le village doit son renom.

Le **musée national Fernand-Léger** se situe dans l'ancienne propriété de l'artiste. L'édifice, dessiné en fonction de l'immense mosaïque de la façade et du somptueux vitrail du hall, présente, dans un cadre aéré, plusieurs centaines des œuvres du peintre.

Verrerie de Biot
Chemin des Combes. ***Tél.*** *04 93 65 03 00.* *t.l.j.* *dim. et j.f. après-midi ; 25 déc.*

Musée national Fernand-Léger
Ch. du Val-de-Pome. ***Tél.*** *04 92 91 50 30.* *mer.-lun.* *1er janv., 1er mai, 25 déc.*

Détail de la mosaïque de la façade est du musée Fernand-Léger, Biot

Villeneuve-Loubet ⓭

Carte routière E3. *13 000.* *16, av. de la Mer (04 92 02 66 16).* *mer. et sam.* **www**.ot-villeneuveloubet.org

Dominé par son château médiéval au donjon pentagonal, propriété de la famille de Villeneuve, le vieux village vit naître Auguste Escoffier (1846-1935), cuisinier pour César Ritz et dans les plus grands palaces d'Europe, et créateur, entre autres gourmandises, de la pêche Melba. Sa maison natale abrite depuis 1966 le **musée de l'Art culinaire**, qui dresse notamment un tableau des évolutions de la gastronomie française au travers de 1 800 menus remontant, pour certains, à 1820.

Auguste Escoffier

Musée de l'Art culinaire
3, rue Escoffier. ***Tél.*** *04 93 20 80 51.* *dim.-ven.* *nov., j.f.*

Vence ⓮

Carte routière E3. *17 500.* *8, pl. du Grand-Jardin (04 93 58 06 38).* *mar. et ven.* **www**.ville-vence.fr

Ancienne cité romaine, Vence fut cédée au XIIIe siècle par le comte de Provence à la famille de Villeneuve. Un de leurs châteaux, adossé à l'enceinte médiévale et reconstruit au XVIIe siècle, domine toujours la place du Frêne. Il abrite le musée Carzou et la **Fondation Émile-Hughes**, où se tiennent des expositions temporaires d'art moderne.

Depuis la place du Frêne, qui doit son nom à l'arbre planté à l'occasion de la visite de François Ier et du pape Paul III en 1538, les remparts se franchissent par la porte du Peyra (1441) qu'orne une fontaine en forme d'urne.

La cathédrale de la Nativité-de-la-Vierge, l'une des plus petites de France, a été bâtie au XIe siècle sur le site d'une église carolingienne et maintes fois remaniée.

Vence fut un évêché du Ve au XVIIIe siècle et connut des prélats célèbres, tels saint Véran et saint Lambert. Elle contient 51 stalles gothiques en chêne et poirier, dont les miséricordes sont sculptées de figures satiriques.

LA VERRERIE DE BIOT

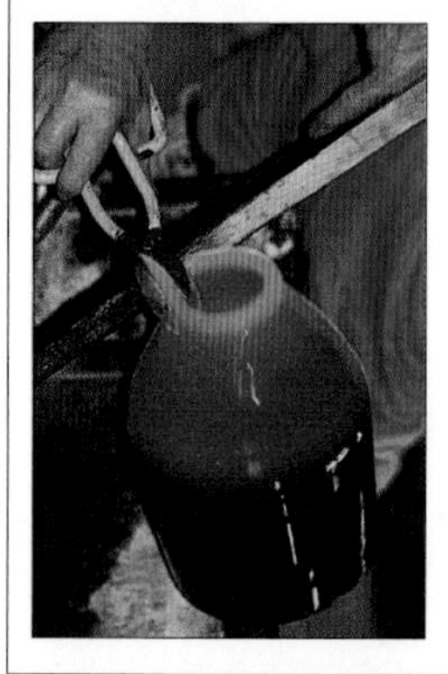

L'ingénieur céramiste Éloi Monod fonda en 1956 la verrerie de Biot, où travaillent aujourd'hui près de 80 personnes. La visite des ateliers permet de suivre chaque étape de la fabrication des objets soufflés que produit l'entreprise dans un matériau très particulier, le verre bullé, obtenu par adjonction de carbonate de soude à la pâte en fusion. Parmi ces objets figurent les *porrons*, carafes traditionnelles au long bec conique.

Pour les hôtels et les restaurants de la région, voir p. 194-197 et p. 210-212.

Le baptistère est décoré d'une mosaïque de Marc Chagall, intitulée *Moïse sauvé des eaux*.

Située hors du centre, la **chapelle du Rosaire** présente une décoration entièrement réalisée par Matisse *(p. 82-83)* entre 1947 et 1951. De hauts vitraux baignent de lumière les compositions murales, grands dessins au trait noir sur céramique blanche représentant le chemin de Croix.

Fondation Émile-Hughes
Château de Villeneuve.
Tél. *04 93 58 15 78.* *mar.-dim.*
1er mai, 1er janv., 25 déc.
www.museedevence.com

Chapelle du Rosaire
466, av Henri-Matisse. ***Tél.*** *04 93 58 03 26.* *mar. et jeu. : matin ; lun., mer., sam. : après-midi.*
j.f. ; mi-nov.-mi-déc.

Signoret et Yves Montand à Saint-Paul-de-Vence

Saint-Paul-de-Vence ⓯

Carte routière E3.
2 900. Ven--

aire de l'auberge
lombe d'or *(p. 211)*,
nnant des œuvres.
n véritable musée
posées, entre
toiles de Miró,
latisse,
nt accueillit de
ıx artistes. Yves
imone Signoret y
r repas de noce.
rte de Vence,
raverse
ée de
les XVIe et XVIIe siècles, elle passe par la place de la Grande-Fontaine, rafraîchie par sa fontaine (1850) en forme d'urne et au lavoir voûté, avant d'atteindre la porte de Nice qui mène au cimetière. Chagall repose sous les cyprès de ce lieu paisible qui offre une belle vue.

L'église, ou collégiale, associe un chœur roman du XIIIe siècle à des bas-côtés gothiques et un clocher élevé en 1740. Elle renferme un tableau, *Sainte Catherine d'Alexandrie*, attribué à Claude Coello. À côté, le **musée d'Histoire locale** présente notamment des personnages de cire en costumes d'époque.

À 1 km du centre, sur la colline des Gardettes, la **Fondation Maeght** de Josep Lluis Sert *(p. 76-77)* est l'un des plus beaux musées d'Art moderne d'Europe.

Entrée de la chapelle du Rosaire décorée par Henri Matisse à Vence

Musée d'Histoire locale de Saint-Paul
Pl. de l'Église. ***Tél.*** *04 93 32 41 13.*
t.l.j. sf mar. et dim. *j.f. ; 2 sem. en nov.*

La Fondation Maeght

Ce musée fut dessiné en 1964 par l'architecte espagnol Josep Lluis Sert, à la demande d'Aimé et de Marguerite Maeght, avec pour premier souci le respect du paysage. Sans chercher à imiter le style provençal, les bâtiments bas en béton et brique rose épousent le terrain et multiplient les échanges entre l'intérieur et les terrasses plantées de pins parasols. Sur les toits, deux vasques recueillent l'eau de pluie pour alimenter les bassins et des « pièges à lumière » offrent un éclairage indirect aux œuvres de la collection permanente et des expositions temporaires qui attirent chaque année 250 000 visiteurs.

★ Cour Giacometti
Son cadre dépouillé met en valeur la vie qui anime les longues silhouettes sculptées par Alberto Giacometti, tel L'Homme qui marche I *(1960).*

La Vie *(1964)*
Dans ce tableau plein d'amour, Marc Chagall unit les grandes étapes de l'existence humaine dans une danse joyeuse qu'accompagnent musiciens, acrobates et clowns.

Les Poissons, bassin à la céramique dessinée par Georges Braque en 1962.

Les Renforts *(1965)*
Ce « stabile » d'Alexander Calder, aussi immuable que ses mobiles sont légers, est l'une des sculptures qui accueillent les visiteurs.

L'Été *(1909)*
Pierre Bonnard passa les 22 dernières années de sa vie en Provence et devint un ami proche d'Aimé Maeght. Matisse, en parlant de Bonnard, disait « le meilleur d'entre nous ».

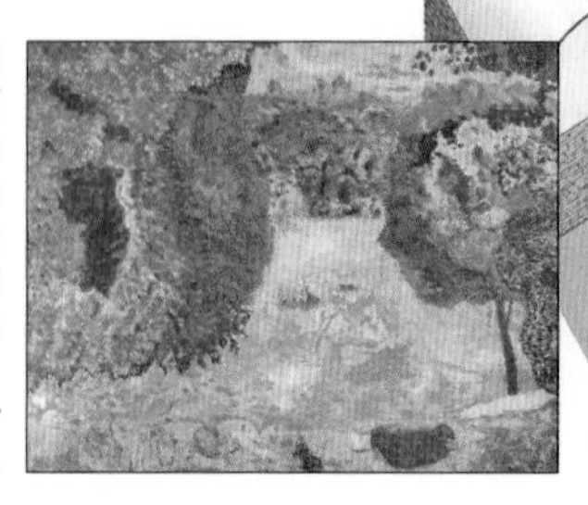

Les toits en quart de cylindre ne laissent jamais entrer le soleil mais baignent les salles d'une lumière uniforme.

Pour les hôtels et les restaurants de la région, voir p. 194-197 et p. 210-212.

La Partie de campagne *(1954)*
Fernand Léger porte un regard unique sur ce thème très classique.

MODE D'EMPLOI

Ch. Gardettes, Saint-Paul-de-Vence. ***Tél.*** *04 93 32 81 63.* *t.l.j. 10h-18h (10h-19h juil.-sept.).* ***Bibliothèque.***
www.fondation-maeght.com

★ Labyrinthe de Miró
L'Oiseau lunaire *(1968) est l'une des nombreuses statues et céramiques du dédale créé par Joan Miró dans le jardin.*

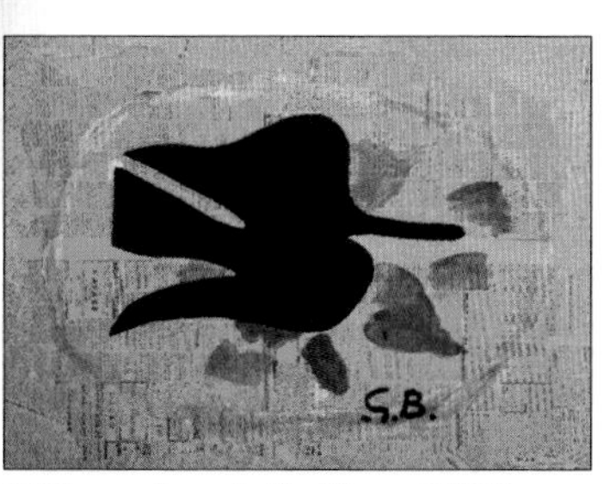

L'Oiseau dans le feuillage *(1961)*
L'oiseau de Georges Braque est niché dans un feuillage fait de papier journal. Braque participa activement à la création de la Fondation, mais mourut avant son inauguration en 1964.

SUIVEZ LE GUIDE !

La collection permanente ne comprend que des œuvres du XXe siècle dont seules les sculptures des jardins restent constamment exposées. Les œuvres présentées à l'intérieur changent régulièrement et laissent la place en été à de grandes expositions temporaires.

La chapelle Saint-Bernard, bâtie en mémoire du fils des Maeght mort à 11 ans, en 1953, est ornée d'un christ du XVe siècle éclairé par un vitrail de Braque.

Entrée principale et renseignements

À NE PAS MANQUER

★ Cour Giacometti

★ Labyrinthe de Miró

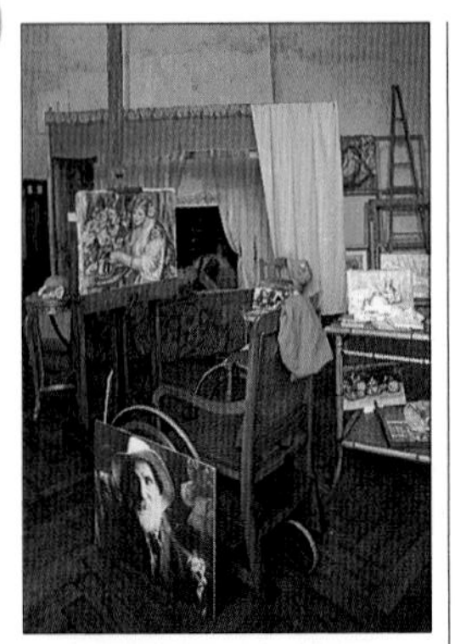

L'atelier de Renoir aux Collettes

Cagnes-sur-Mer ⓰

Carte routière E3. *45 000.* *6, bd Maréchal-Juin (04 93 20 61 64).* *mar.-dim.* *Country Music (août), fête médiévale (août).* **www**.cagnes-tourisme.com

Trois quartiers composent Cagnes-sur-Mer : le Cros-de-Cagnes (port de plaisance et lieu de villégiature), le Logis (la ville moderne) et le Haut-de-Cagnes (vieux village). C'est sans conteste ce dernier qui mérite le plus une visite. Entouré de remparts du XIIIe siècle, il abrite au cœur d'un dédale de ruelles et de passages voûtés le **château-musée Grimaldi**, l'église Saint-Pierre où les Grimaldi sont enterrés, et de belles demeures anciennes telles que le logis de la Goulette édifié en 1515.

Le peintre impressionniste Auguste Renoir (1841-1919) acheta en 1907 le domaine des Collettes, où il passa le reste de sa vie. Acquise en 1960 par la ville, la maison abrite désormais le **musée Renoir**, qui conserve l'ancien décor et présente des objets personnels de l'artiste, onze de ses toiles et des œuvres de ses amis Bonnard et Dufy. Le vaste jardin planté d'agrumes, d'oliviers centenaires et de rosiers renferme la grande *Vénus Victrix* en bronze sculptée par Renoir en 1914.

Musée Renoir
19, chemin des Collettes.
Tél. *04 93 20 61 07.* *mer.-lun.* *1er mai, 2 sem. fin nov., 25 déc., 1er janv.*

Le château-musée Grimaldi

Forteresse bâtie vers 1310 par Rainier Ier de Grimaldi, le château du Haut-de-Cagnes se métamorphosa en 1620 par la volonté d'un de ses descendants, Jean-Henri, en un élégant palais Renaissance organisé autour d'une cour intérieure entourée de deux étages de galeries. Malgré les dégâts infligés par les troupes piémontaises qui l'occupèrent en 1815, ses salles de réception ont conservé leur décoration baroque.

Escalier vers la tour

2e étage

L'oratoire possède une décoration où se mêlent ancien et moderne.

★ Donation Suzy-Solidor
Elle regroupe 40 portraits de la chanteuse, peints par des artistes du XXe siècle (244 la prirent comme modèle), tels Moïse Kisling (en haut) et Jean Cocteau (en bas).

SUIVEZ LE GUIDE !
Le rez-de-chaussée, voûté, renferme le musée de l'Olivier, tandis qu'au 1er étage se trouvent la donation Suzy-Solidor et une partie des tableaux présentés par le musée d'Art moderne méditerranéen, dont l'exposition occupe également le 2e étage.

LÉGENDE
- Donation Suzy-Solidor
- Musée d'Art moderne méditerranéen
- Musée de l'Olivier
- Collection permanente
- Expositions temporaires
- Circulations et services

Pour les hôtels et les restaurants de la région, voir p. 194-197 et p. 210-212.

Cour Renaissance
Deux étages d'arcades à colonnes de marbre entourent ce patio rafraîchi par une épaisse végétation, à travers laquelle filtre le soleil.

MODE D'EMPLOI

Pl. Grimaldi, Cagnes-sur-Mer. ***Tél.*** *04 92 02 47 30.* *mer.-lun. 10h-12h et 14h-18h (nov.-avr. : 14h-17h).* *2 sem. en nov., 1er mai, 25 déc., 1er janv.*

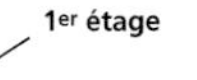

★ La Chute de Phaéton par Giulio Benso Pietra
Ce trompe-l'œil (1625), qui fut aussi attribué à Carlone, orne le plafond de la grande salle.

Musée de l'Olivier
Documents et objets, telle cette jarre, évoquent la culture et l'exploitation de l'arbre fétiche de la Provence.

À NE PAS MANQUER

★ *La Chute de Phaéton* par Giulio Benso Pietra

★ Donation Suzy-Solidor

Nice 17

Sur un site occupé depuis 400 000 ans, Nice est née de la réunion de la Nikaïa grecque fondée au VIe siècle av. J.-C. et de la Cemenelum romaine établie vers 100 av. J.-C. Au Moyen Âge, ses habitants se réfugièrent sur la colline du Château, devenue aujourd'hui un jardin. À partir du XIIIe siècle, ils s'installèrent à son pied, créant ce qui est aujourd'hui le Vieux-Nice dont les ruelles et les églises baroques évoquent le passé italien. La promenade des Anglais, qui borde la baie des Anges, doit son nom aux riches « étrangers » qui résidaient jadis à Nice.

★ Cathédrale Sainte-Réparate
Édifice baroque (1650-1680) bâti par Jean-André Guibert, elle possède une façade classique du début du XIXe siècle.

Palais de justice
Inauguré le 17 octobre 1892, il remplaçait un édifice devenu trop petit après le rattachement de Nice à la France. Sur le site se dressaient également un couvent et une église du XIIIe siècle.

★ Cours Saleya
Son marché quotidien et ses cafés en font un lieu animé de jour comme de nuit.

RUE DE LA BOUCHERIE
RUE F. GALLO
RUE COLONA D'ISTRIA
RUE DU MARCHÉ
RUE DE L
PLACE DU PALAIS
RUE RAOUL BOSIO
RUE ALEXANDRE MARI
RUE L. GASSIN
PLACE PIERRE GAUTIER
COURS
RUE ST-F. DE PAULE

Opéra
Construit en 1855, le somptueux opéra de Nice a son entrée sur le quai des États-Unis.

Pour les hôtels et les restaurants de la région, voir p. 194-197 et p. 210-212.

Chapelle de la Miséricorde
Joyau baroque dessiné en 1740 par Guarino Guarini, elle renferme deux superbes retables de La Miséricorde *par Louis Brea et Jean Miralhet.*

MODE D'EMPLOI

Carte routière F3. *349 000. 7 km au S.-O. av. Thiers. 5, bd Jean-Jaurès. quai du Commerce. 5, prom. des Anglais (08 92 70 74 07). mar.-jeu. Carnaval (fév.), Festival de jazz de Nice (juil.).*
www.nicetourisme.com

★ Palais Lascaris
Un plafond peint en trompe l'œil du XVIIe siècle et des statues de Vénus et de Mars ornent son escalier d'apparat.

Petit train
Son circuit touristique sillonne la vieille ville.

LÉGENDE

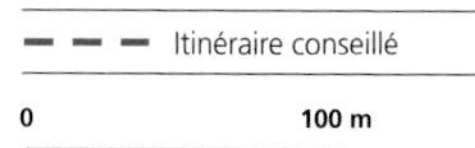

— — — Itinéraire conseillé

0 100 m

Ponchettes
Une des formes architecturales les plus originales de Nice : de petits bâtiments blancs longeant la mer, utilisés autrefois par les pêcheurs, et convertis aujourd'hui en galeries d'art et restaurants ethniques.

À NE PAS MANQUER

- ★ Cathédrale Sainte-Réparate
- ★ Cours Saleya
- ★ Palais Lascaris

Le musée Matisse

Henri Matisse vint pour la 1re fois à Nice en 1917. Séduit par la limpidité de la lumière, il eut plusieurs résidences avant de s'installer définitivement sur la colline de Cimiez. Le cimetière renferme aujourd'hui son modeste mémorial. Peu avant sa mort en 1954, il légua à la ville un ensemble de tableaux, qui constituèrent la base du musée créé neuf ans plus tard dans la villa des Arènes, bâtie au XVIIe siècle. La riche collection exposée permet de découvrir toutes les époques de l'artiste au travers de ses peintures, mais aussi de ses dessins, gravures et sculptures.

★ Nu bleu IV *(1952)*
À la fin de sa vie, Matisse réalisa de nombreuses gouaches découpées.

Matisse dans son atelier *(1948)*
Documents et photos présentent l'homme et son œuvre. Ce cliché de Robert Capa le montre peignant le saint Dominique de la chapelle du Rosaire (p. 75).

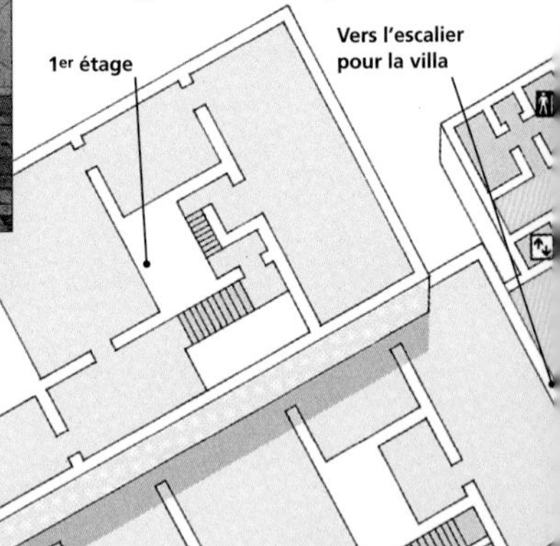

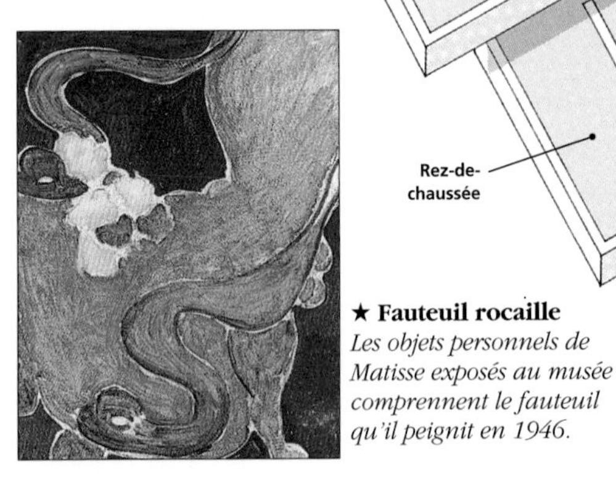

★ Fauteuil rocaille
Les objets personnels de Matisse exposés au musée comprennent le fauteuil qu'il peignit en 1946.

LÉGENDE

- Collection permanente
- Exposition temporaire
- Circulation et services

À NE PAS MANQUER

- ★ *Fauteuil rocaille*
- ★ *Nature morte aux grenades*
- ★ *Nu bleu IV*

SUIVEZ LE GUIDE !

Alors que le rez-de-chaussée et le 1er étage de la villa abritent la collection permanente toujours plus riche, la nouvelle aile souterraine présente des expositions temporaires et thématiques sur Matisse et ses contemporains.

Pour les hôtels et les restaurants de la région, voir p. 194-197 et p. 210-212.

Liseuse à la table jaune *(1944)*
La paix qui émane de ce tableau ne dit rien des épreuves vécues par Matisse pendant la Seconde Guerre mondiale : une grave opération et l'arrestation de sa femme résistante.

MODE D'EMPLOI

164, av. des Arènes-de-Cimiez, Nice. ***Tél.*** *04 93 81 08 08.*
mer.-lun. 10h-18h.
1er janv., 1er mai, Pâques, 25 déc.
www.musee-matisse-nice.org

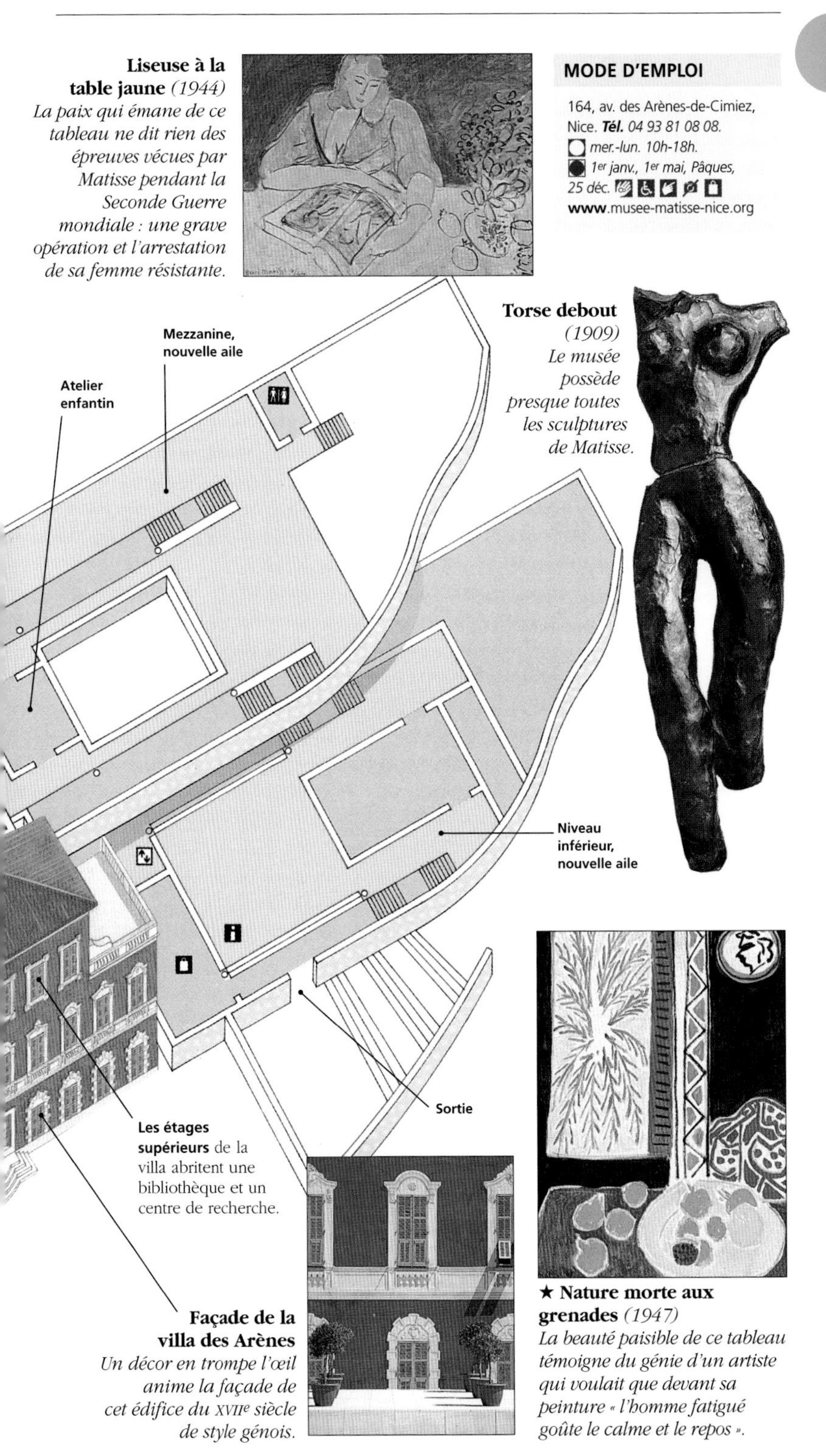

Torse debout *(1909)*
Le musée possède presque toutes les sculptures de Matisse.

Les étages supérieurs de la villa abritent une bibliothèque et un centre de recherche.

Façade de la villa des Arènes
Un décor en trompe l'œil anime la façade de cet édifice du XVIIe siècle de style génois.

★ **Nature morte aux grenades** *(1947)*
La beauté paisible de ce tableau témoigne du génie d'un artiste qui voulait que devant sa peinture « l'homme fatigué goûte le calme et le repos ».

À la découverte de Nice

Italienne jusqu'en 1860, appréciée des étrangers pour la douceur de son climat et l'exubérance de son carnaval *(p. 228)*, cité moderne et active, Nice présente entre Alpes et Méditerranée une architecture variée où voisinent façades colorées, immeubles Belle Époque et réalisations contemporaines. C'est la 5e ville de France par sa population, et son aéroport est le 2e par l'importance de son trafic.

Plage et promenade des Anglais

Un aperçu de Nice

Entre la place Garibaldi, avec ses maisons ocre, et la place Masséna, du début du XIXe siècle, le vieux Nice déploie son réseau de ruelles évoquant l'Italie au pied de la colline du Château. Quartier animé, en particulier le matin les jours de marché, il compte nombre de restaurants, boutiques et cafés. Bordée par le théâtre et le musée d'Art contemporain, la promenade du Paillon le sépare de la ville moderne, dont l'avenue Jean-Médecin, grande artère commerçante, constitue le cœur.

Sur le front de mer, la célèbre promenade des Anglais est aussi un boulevard à grande circulation, et c'est sur la colline de Cimiez qu'il est le plus agréable de découvrir, en flânant, villas et palaces de la Belle Époque. À son sommet, des arènes et des thermes romains voisinent avec le **musée Matisse** *(p. 82-83)* et l'ancien **monastère Notre-Dame**, dont l'église possède trois œuvres de Louis Brea. Dans le quartier Saint-Philippe, la **cathédrale orthodoxe russe Saint-Nicolas**, bâtie sous le patronage du dernier tsar Nicolas II, fut consacrée en 1912.

Hôtel Negresco

37, prom. des Anglais. ***Tél.** 04 93 16 64 00. Voir **Hébergement** p. 196.*

Construit en 1912 pour Henri Negresco, un violoniste tzigane qui fit faillite huit ans plus tard, ce luxueux témoin de la Belle Époque a été

Fontaine de la place Masséna

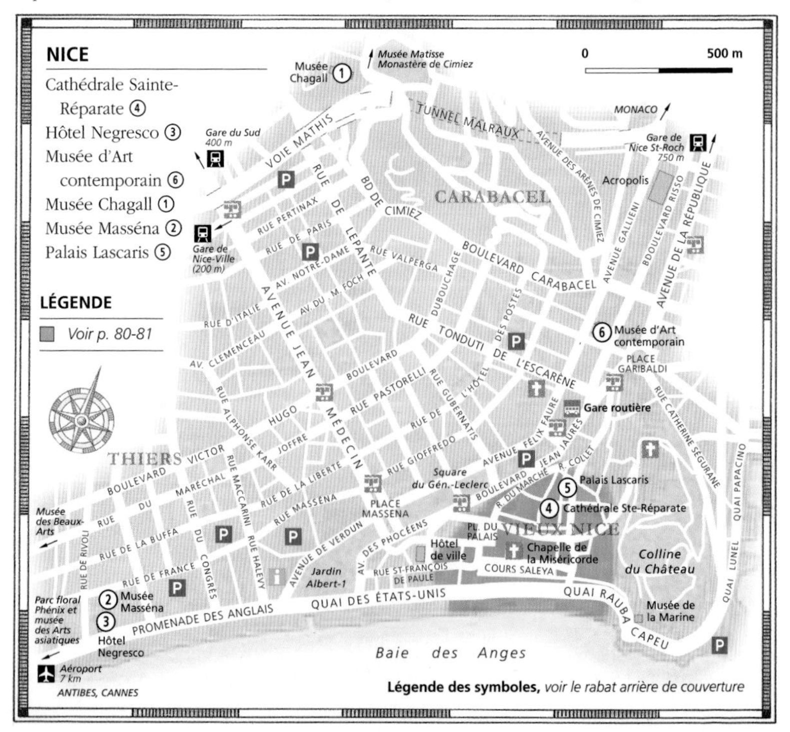

Pour les hôtels et les restaurants de la région, voir p. 194-197 et p. 210-212.

classé monument historique. Une verrière de Gustave Eiffel et un lustre de 16 800 pièces en cristal de Baccarat ornent le salon Royal.

Musée Masséna
65, rue de France. *Tél. 04 93 91 19 10.* *mer.-lun.*
Cette villa construite à la fin du XIXe siècle sur le modèle des demeures du Premier Empire fut transformée dans les années 1920 en musée consacré à l'histoire régionale. Celui-ci rassemble un bel ensemble d'œuvres religieuses et de primitifs niçois (Durandi, Brea) et une collection de bijoux dont un diadème de l'impératrice Joséphine.

Musée Chagall
36, av. du Dr-Ménard. *Tél. 04 93 53 87 20.* *mer.-lun.* *j.f.* *en été.*
Au sein d'un parc planté d'oliviers, André Hermant a spécialement conçu ce bâtiment inauguré en 1973 pour que les 17 grandes peintures du *Message biblique* qui y sont exposées jouissent d'un éclairage adapté. La collection, la plus riche du monde, comprend vitraux, sculptures, gouaches et livres de Marc Chagall.

Cathédrale Sainte-Réparate
Pl. Rossetti. *Tél. 08 92 70 74 07 pour vis. guid.* *t.l.j.*
Coiffée d'une coupole en tuiles vernissées étincelant au milieu des toits du Vieux-Nice, elle recèle, derrière une façade du XIXe siècle, une somptueuse décoration intérieure baroque.

Musée des Arts asiatiques
405, prom. des Anglais. *04 92 29 37 00.* *mer.-lun.* *1er janv., 1er mai, 25 déc.*
Construit en 1998 par Kenzo Tange sur un lac artificiel, ce musée en marbre abrite une collection d'objets asiatiques.

Musée des Beaux-Arts
33, av. des Baumettes. *Tél. 04 9215 28 28.* *mar.-dim..* *1er janv., Pâques, 1er mai, 25 déc.*
www.musee-beaux-arts-nice.org
Dans une villa construite pour une princesse ukrainienne en 1878, ce musée consacre une place importante à l'œuvre de l'affichiste Jules Chéret (1836-1932) comme à des sculptures de Carpeaux, des tableaux orientalistes et des toiles de maîtres tels que Sisley, Van Dongen, Bonnard et Dufy.

La cathédrale orthodoxe russe

Palais Lascaris
15, rue Droite. *Tél. 04 93 62 72 40.* *mer.-lun.* *1er janv., Pâques, 1er mai, 25 déc.*
Édifié au XVIIIe siècle, de style génois, il abrite la reconstitution d'une pharmacie de 1738, un escalier monumental, de luxueux salons d'apparat et le musée d'Histoire régionale.

Musée d'Art contemporain
Prom. des Arts. *Tél. 04 97 13 42 01.* *mar.-dim.* *1er janv., Pâques, 1er mai, 25 déc.*
Installé dans quatre tours de marbre reliées par des passerelles, le MAMAC possède une collection d'œuvres américaines des années 1960 (Warhol, Segal) et des nouveaux réalistes (Arman). Une salle est consacrée à Yves Klein.

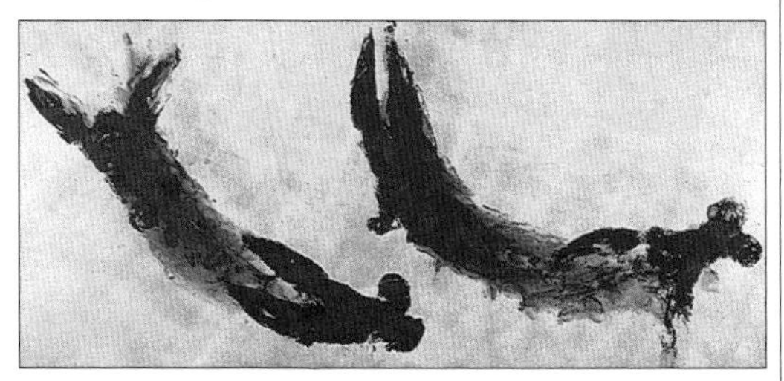
***Anthropométrie* (1960) par Yves Klein au MAMAC de Nice**

Le cap Ferrat

Cap Ferrat ⓲

Carte routière F3. *Nice.* *Beaulieu.* *St-Jean-Cap-Ferrat.* *St-Jean-Cap-Ferrat (04 93 76 08 90).* **www**.saintjeancapferrat.fr

Presqu'île à la végétation protégée, le cap Ferrat cache de somptueuses propriétés. Il est possible d'en faire le tour à pied et de s'arrêter à la villa Île-de-France, superbe palais bâti au début du XXe siècle et plus connu sous le nom de **villa Ephrussi de Rothschild** *(p. 86-87)*.

La villa (privée) des Cèdres de Léopold II de Belgique (1835-1909) est un autre grand domaine de la Belle Époque : le parc de 14 ha est devenu un jardin botanique, et le lac, asséché, un **parc zoologique**.

Grâce aux vieilles maisons qui entourent son port, **Saint-Jean-Cap-Ferrat** a conservé son cachet de village de pêcheurs bien qu'il y vienne mouiller plus de yachts que de « pointus », les barques de pêche provençales. Depuis la plage Paloma, un sentier côtier conduit à la pointe Sainte-Hospice où se dressent une chapelle et une tour bâties par les ducs de Savoie. À l'autre bout du cap, le phare (1837) de la pointe Malalongue commande, du haut de ses 164 marches, un panorama extraordinaire.

Parc zoologique
117, bd du Général-de-Gaulle, Cap Ferrat. *Tél. 04 93 76 07 60.* *t.l.j.*

La villa Ephrussi de Rothschild

Immensément riche et d'une volonté de fer, Béatrice Ephrussi de Rothschild (1864-1934) acheta l'isthme étroit reliant le cap Ferrat à la côte – malgré l'intérêt du roi Léopold II de Belgique pour ce site exceptionnel –, afin d'y contruire la plus parfaite des villas. Construit entre 1905 et 1912, ce palais sur la mer, où se mêlent influences Renaissance et mauresques, ne lui servit jamais de résidence principale, mais elle y organisa des fêtes et des soirées jusqu'à la fin de sa vie. Elle le légua, avec ses œuvres d'art, à l'Académie des beaux-arts, demandant qu'il conserve l'aspect d'une demeure habitée.

★ Salon Fragonard
Ce salon est décoré d'esquisses et de dessins de Jean Honoré Fragonard, dont S'il m'était aussi fidèle!

Béatrice à l'âge de 19 ans
Habituée au luxe dès son plus jeune âge, elle aimait s'entourer d'animaux familiers ou parfois étranges, comme des mangoustes ou des flamants roses.

Boudoir de Béatrice
Le bureau de Béatrice est un beau meuble du XVIIIe siècle qui a appartenu à Marie-Antoinette.

Le salon Louis XV s'ouvre sur le jardin à la française.

Villa Île-de-France
Béatrice attribue ce nom à la villa sur le modèle d'une autre demeure qu'elle possédait, baptisée Rose de France. Ses murs en stuc sont d'un joli rose, sa couleur préférée.

À NE PAS MANQUER

★ Jardins

★ Salon Fragonard

★ Salon Louis XVI

Pour les hôtels et les restaurants de la région, voir p. 194-197 et p. 210-212.

Patio couvert
Orné au sol de mosaïques et entouré de galeries à colonnes de marbre rose, il occupe tout le centre de la villa. Une lumière douce met en valeur les œuvres religieuses de la Renaissance qui y sont exposées.

MODE D'EMPLOI

Saint-Jean-Cap-Ferrat. *04 93 01 33 09. mi-fév.-oct : t.l.j. 10h-18h ; nov.-mi-fév. : lun.-ven. 14h-18h, sam.-dim., j.f. et vac. scol. 10h-18h.* pour les collections du 1er étage *(obligatoire).* *r.-d.-c. seul.* **www**.villa-ephrussi.com

Appartements du 1er étage

Entrée et point de départ des visites guidées

Cabinet des Singes
Les petits singes représentés sur les boiseries anciennes témoignent de la passion de Béatrice pour ces animaux.

Vers l'accueil et le parking

★ Salon Louis XVI
Comme dans toutes les autres pièces de la villa, le décor est somptueux, mariant boiseries, peintures, sièges en tapisserie d'Aubusson et tapis de la Savonnerie.

★ Jardins
Le jardin principal épouse la forme du pont d'un bateau. Vêtus du costume marin, les jardiniers renforçaient l'illusion. Le parc compte également neuf autres jardins thématiques, dont un jardin florentin, un jardin japonais…

Villefranche-sur-Mer ⓳

Carte routière F3. *6 650.* *jardin François-Binon (04 93 01 73 68).* *sam.* **www**.villefranche-sur-mer.com

Dans le cadre exceptionnel offert par sa rade, Villefranche a conservé une vieille ville pittoresque, bâtie en gradins à flanc de colline. La rue Obscure, qui servit encore de refuge à la population pendant la Seconde Guerre mondiale, présentait déjà son aspect voûté au XIIIe siècle. L'église Saint-Michel (XIVe et XVIIIe siècles) abrite un christ gisant sculpté, selon la tradition, par un galérien.

Sur le port bordé de belles maisons rouge et ocre se dresse la **chapelle Saint-Pierre,** que Jean Cocteau rénova et décora entièrement de 1955 à 1957. L'imposante citadelle Saint-Elme (XVIe siècle) abrite hôtel de ville, musées, jardins et théâtre de verdure.

Pêcheur à Villefranche

Chapelle Saint-Pierre
Quai Amiral-Courbet. ***Tél.*** *04 93 76 90 70.* *mar.-dim.*

Beaulieu ⓴

Carte routière F3. *3 700.* *pl. Georges-Clemenceau (04 93 01 02 21).* *lun.-sam.* **www**.otbeaulieusurmer.fr

Entre le cap Ferrat et le cap Roux, cette petite ville plantée de palmiers jouit d'un climat si doux que l'un de ses quartiers porte le nom de Petite-Afrique. Lieu de villégiature apprécié à la Belle Époque, comme en témoigne l'élégante Rotonde (aujourd'hui un centre de congrès), elle accueille toujours une clientèle aisée dans ses palaces. Parmi ceux-ci, La Réserve fut fondée par Gordon Bennett, propriétaire du *New York Herald Tribune.*

En 1902, l'archéologue Théodore Reinach commença, dans un cadre superbe de la pointe des Fourmis, l'édification de la **villa Kérylos**, extraordinaire reconstitution en marbre d'une villa grecque du IIe siècle av. J.-C. Des antiquités datant du VIe au IIe siècle av. J.-C., ainsi que des copies de meubles et de statues grecs anciens la décorent.

L'élégante Rotonde (1886) Belle Époque de Beaulieu

Villa Kérylos
Impasse Eiffel. ***Tél.*** *04 93 01 01 44.* *mi-fév.-oct. : t.l.j. 10h-18h ; nov.-mi-fév. : lun.-ven. 14h-18h, sam.-dim., j.f. et vac. scol. 10h-18h.* **www**.villa-kerylos.com

Èze ㉑

Carte routière F3. *3 100.* *pl. du Général-de-Gaulle (04 93 41 26 00).* **www**.eze-riviera.com

Accroché à flanc de rocher à 427 m au-dessus de la Méditerranée, le vieux village d'Èze offre un spectacle impressionnant. À son sommet se dressent les ruines de son château du XIIe siècle, dont un **jardin**, réputé pour ses plantes grasses, occupe l'emplacement des remparts. Par temps clair, la vue peut porter jusqu'à la Corse. Un dédale de ruelles médiévales enserre l'église et la chapelle des Pénitents-Blancs.

Jardin d'Èze
Rue du Château. ***Tél.*** *04 93 41 10 30.* *t.l.j.* *1 sem. à Noël.*

Pour les hôtels et les restaurants de la région, voir p. 194-197 et p. 210-212.

La Turbie ㉒

Carte routière F3. 3 200. 2, pl. Detras (04 93 41 21 15). *jeu.* **www.**ville-la-turbie.fr

Sur la grande corniche, dominant Monaco et ses gratte-ciel, ce village médiéval a conservé une partie de ses remparts des XIIe et XIIIe siècles, notamment deux belles portes fortifiées. L'ancienne via Julia Augusta le traverse, grimpant vers le **Trophée des Alpes**.

Le village de La Turbie au pied du Trophée des Alpes

Trophée des Alpes

Cours Albert-Ier. ***Tél.*** *04 93 41 20 84.* *mar.-dim.* *1er janv., 1er mai, 1er et 11 nov., 25 déc.* *sur rés.*

Forgé dans le calcaire blanc des collines (l'une des carrières romaines existe toujours à l'est du village), le Trophée des Alpes marqua, jusqu'au Moyen Âge, la frontière entre Gaule cisalpine (italienne) et Gaule transalpine (française). Élevé par le Sénat et le peuple romain en 6 av. J.-C., il célèbre la victoire d'Auguste, entre 29 et 14 av. J.-C., sur 44 tribus ligures qui résistaient encore, à cette époque, à la domination romaine.

Détail du monument

D'une hauteur de 50 m, dressant un péristyle de 24 colonnes doriques sur un socle carré de 32 m de côté, il dominait le passage le plus haut de la via Julia, entre Vintimille et Cimiez.

Transformé en forteresse au Moyen Âge, il fut en partie détruit sur ordre de Louis XIV, et ses pierres servirent notamment à la construction de l'église de La Turbie. La rencontre d'un Américain fortuné et généreux, Edward Tuck, avec une famille d'architectes, les Formigé, permit d'entamer la restauration en 1929. Partielle, elle a laissé le monument très en ruine, mais a permis de reconstituer certains éléments originaux comme la dédicace.

Au petit **musée du Trophée**, une maquette permet de découvrir l'aspect d'origine de l'édifice. L'exposition retrace également son histoire et présente moulages et fragments de sculptures. Des terrasses du parc qui l'entourent, le panorama, de l'Italie à l'Estérel, est spectaculaire.

Dante (1265-1321), marqué par une visite à La Turbie, l'évoqua dans *La Divine Comédie*. Ces vers sont gravés à l'angle d'une tour de la rue Comte-de-Cessole.

LE TROPHÉE DES ALPES

Sur une base carrée, un péristyle circulaire de colonnes doriques entourait un fût de maçonnerie, dont le sommet conique s'élevait à 50 m du sol.

Une statue d'Auguste dominait probablement le monument

La colonnade originale abritait dans des niches les statues des généraux d'Auguste.

La dédicace cite les noms des 44 tribus soumises par Auguste.

Église Saint-Michel-Archange

t.l.j.

Bâti en 1777 avec des pierres du Trophée, ce beau sanctuaire baroque au plan elliptique possède une riche décoration intérieure comprenant notamment une table de communion en onyx et agate, un *Saint Marc écrivant l'Évangile* attribué à Véronèse, une pietà de l'école de Brea et deux tableaux de Jean-Baptiste Van Loo : *Saint Charles Borromée* et *Sainte Madeleine*. Une vitrine contient le crâne de saint Vincent.

Monaco ㉓

Armes des Grimaldi

État souverain, la principauté de Monaco s'étend sur un territoire de 1,9 km^2. Facile à défendre, ce promontoire est occupé depuis la préhistoire. Phéniciens, Grecs, puis Romains y établirent une colonie. Chassé de Gênes, François Grimaldi s'empare en 1297 de la forteresse que sa république natale avait établie. En 1308, sa famille achète la seigneurie, puis acquiert Menton en 1346 et Roquebrune en 1355. La principauté conservera ces deux villes jusqu'en 1861. Perchée sur le Rocher, éperon large de 300 m qui culmine à 792 m, sa capitale, Monaco, a conservé sa disposition médiévale avec ses ruelles bordées de façades ocre et jaune.

Monaco moderne
Le manque d'espace a conduit la principauté à multiplier les gratte-ciel.

Musée des Souvenirs napoléoniens et Archives historiques du palais

Palais princier
Aménagé à partir d'une forteresse génoise (1215) dont il ne subsiste que les tours, il a grandi et évolué depuis le XIVe siècle. La Constitution monégasque impose une garde de carabiniers français (p. 94).

Cathédrale
Édifice néoroman en pierre blanche de La Turbie, elle abrite notamment deux œuvres du primitif niçois Louis Brea : une pietà et le retable de Saint Nicolas (p. 94).

Pour les hôtels et les restaurants de la région, voir p. 194-197 et p. 210-212.

Musée océanographique
Bâti sur une falaise abrupte, il possède l'un des plus beaux aquariums d'Europe et abrite un centre de recherche (p. 94).

MODE D'EMPLOI

Carte routière F3. *35 000.*
7 km au S.-O. de Nice.
pl. Sainte-Dévote (08 36 35 35 35). *2a, bd des Moulins (00 377 92 16 61 16).* *t.l.j.*
Festival du cirque (janv.); Grand Prix (mai); fête nationale (19 nov.).
www.visitmonaco.com

Fort Antoine
Construit en 1706, aménagé en théâtre de verdure, il présente de nombreux spectacles en été.

Monte-Carlo Story est un montage audiovisuel historique commenté en plusieurs langues.

Dans la vieille ville
Belles maisons, placettes et fontaines se cachent dans un entrelacs de ruelles.

LA FAMILLE GRIMALDI

L'attention portée à ses filles Caroline et Stéphanie, et son aspect discret d'homme d'affaires, pourraient faire oublier que Rainier Louis Maxence Bertrand de Grimaldi, prince de Monaco depuis 1949, était le représentant de la plus ancienne dynastie régnante du monde. Une dynastie dont les armoiries présentent sous le blason deux moines brandissant des épées, évocation de la ruse qui permit à son fondateur, François la Malice, de s'emparer du Rocher (il déguisa ses hommes en religieux). Rainier avait épousé l'actrice Grace Kelly qui mourut tragiquement en 1982. Le prince Albert a hérité du titre à la mort de son père en 2005.

Le prince Rainier III et Grace Kelly lors de leurs fiançailles en 1956

Monte-Carlo

Entrée Art déco du Café de Paris

En 1856, huit ans après la sécession de Menton et de Roquebrune, Charles III de Grimaldi crée la Société des bains de mer (SBM) qu'il confie en 1863 à Charles Blanc. Gérante du casino construit sur le plateau des Spélugues, face au Rocher de l'autre côté du port, la SBM fera de la principauté la station la plus chic de la Belle Époque. Le nouveau quartier qui se développe autour de l'établissement de jeu, notamment avec la construction de grands hôtels de luxe, prend en 1866 le nom de Monte-Carlo. En 1878, Charles Garnier le dote d'un opéra. Les gratte-ciel qui se sont multipliés depuis la guerre lui valent aujourd'hui le surnom de « Manhattan ». Entre Monte-Carlo et Monaco s'étend le quartier commerçant de la Condamine.

Vue de Monte-Carlo
Le panorama depuis La Turbie (p. 89) *mérite une halte.*

Palais princier

Jardin exotique
Il présente un superbe ensemble de plantes grasses. Fossiles et outils préhistoriques ont été découverts dans la grotte de l'Observatoire.

La Condamine
Une promenade sur les quais permet d'admirer de superbes yachts. En souvenir d'un miracle, le 26 janvier, on brûle une barque devant l'église Sainte-Dévote.

Pour les hôtels et les restaurants de la région, voir p 194-197 et p. 210-212.

MODE D'EMPLOI

Carte routière F3. *pl. Sainte-Dévote.* *2a, bd des Moulins (00 377 92 16 61 16).* **Centre Grimaldi *Tél.*** *00 377 99 99 30 00.* *t.l.j.* **www.**grimaldiforum.mc *Rallye de Monte-Carlo (janv.); Festival international de feux d'artifice (juil.-août).* *t.l.j.*

Café de Paris
Bâti en 1865 et agrandi en 1907 puis en 1960, ce monument de style Art déco a été fréquenté par d'innombrables célébrités.

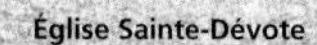

Salle Garnier
Les artistes les plus prestigieux se sont produits dans cet opéra dessiné par Charles Garnier en 1878.

Casino
Ses salles de jeu, au somptueux décor peint, ont vu se faire et se défaire plus d'une fortune. L'entrée y est payante, mais on peut se contenter des machines à sous du Café de Paris.

À la découverte de Monaco

D'une superficie de 195 ha, dont 45 gagnés sur la mer depuis 1945, la principauté de Monaco est le plus petit État souverain du monde après le Vatican, mais celui où le revenu par habitant est le plus élevé. Monarchie constitutionnelle depuis 1911, sa Constitution actuelle date de 1962. Le prince dirige l'exécutif et propose les lois que vote un Conseil national de 18 membres élus pour cinq ans. L'euro y a cours. Circuler en voiture s'y révèle difficile et mieux vaut laisser son véhicule dans un parking et prendre le bus.

Grand Prix de Monaco

Palais princier

Pl. du Palais. **Tél.** *00 377 93 25 18 31.* *avr.-oct. t.l.j.*

Le palais est défendu par des canons offerts par Louis XIV et une garde dont la relève quotidienne a lieu à 11 h 55. Les salles, à la décoration princière, s'organisent autour d'une cour d'honneur entourée d'arcades qui accueille des concerts en été.

Musée des Souvenirs napoléoniens et Archives historiques du palais

Pl. du Palais. *00 377 93 25 18 31.* *mar.-dim.* *certains j.f., en nov. et pdt le Grand Prix.*

En raison des liens existant entre les familles Grimaldi et Bonaparte, les princes Louis II et Rainier III ont rassemblé plus de 1 000 souvenirs napoléoniens. Une mezzanine présente des archives du palais.

Casino

Pl. du Casino. **Tél.** *00 377 92 16 23 00.* *t.l.j., à partir de midi.* **www**.casino-montecarlo.com

C'est Charles Garnier *(p. 51)*, architecte de l'Opéra de Paris, qui conçut en 1878 ce casino établi sur une terrasse dominant la mer. À condition d'acquitter le droit d'entrée, les joueurs trouveront tables de roulette dans le salon de l'Europe, et machines à sous dans l'Atrium et la salle Blanche, ornée de peintures représentant *Les Grâces florentines*.

Musée national des Poupées et Automates

17, av. Princesse-Grace. **Tél.** *00 377 93 30 91 26.* *t.l.j.* *1er janv., 1er mai, 19 nov., 25 déc.*

Une roseraie ornée de statues précède la villa bâtie par Charles Garnier. La collection comprend une crèche de 250 personnages, plus de 600 poupées et une centaine d'automates mis en mouvement tous les jours.

Cathédrale

4, rue Colonel-Bellando-del-Castro. **Tél.** *00 377 93 30 87 70.* *t.l.j.*

Construite en pierre blanche de La Turbie, elle date du XIXe siècle. Le beau **retable de *Saint Nicolas*** (1500), œuvre de Louis Brea, décore l'une des chapelles du déambulatoire où repose la princesse Grace de Monaco.

Le commandant Cousteau

Musée océanographique

Av. St-Martin. **Tél.** *00 377 93 15 36 00.* *t.l.j.* *1er janv., 25 déc.* ***Cinéma.*** **www**.oceano.mc

Inauguré en 1910 par Albert Ier, ce musée abrite un centre de recherche que le commandant Cousteau dirigea jusqu'en 1988. L'aquarium, en sous-sol, est d'une richesse exceptionnelle. Le rez-de-chaussée et le 1er étage présentent des spécimens naturalisés, notamment un calmar de 13 m de long.

Jardin exotique

62, bd du Jardin-Exotique. **Tél.** *00 377 93 15 29 80.* *t.l.j.* *19 nov., 1er janv., 25 déc.* *restreint.*

Ses milliers de plantes rares et la vue depuis sa table d'orientation justifient à elles seules la visite.
Le billet permet aussi de voir la **grotte de l'Observatoire** et le **musée d'Anthropologie préhistorique**, qui présente les vestiges d'habitat humain datant de 200 000 ans trouvés dans la grotte.

Le salon de l'Europe du casino de Monte-Carlo

Pour les hôtels et les restaurants de la région, voir p. 194-197 et p. 210-212.

Peillon 24

Carte routière F3. *2 200.*
mairie (04 93 79 91 04).

Au terme d'une route sinueuse, ce ravissant village perché – le bout du monde habité pour les gens du pays – dresse ses maisons-remparts à 373 m d'altitude. La chapelle des Pénitents-Blancs, décorée de fresques peintes au XVe siècle par Giovanni Canavesio, garde l'entrée des ruelles qui mènent à l'église baroque du XVIIIe siècle, restaurée avec goût, et à un beau panorama sur les alentours. Un sentier de randonnée suit le tracé d'une ancienne voie romaine jusqu'à Peille.

Arcade d'une rue de Peillon

Peille 25

Carte routière F3. *2 000.*
mairie (04 93 91 71 71).

Au pied du pic de Baudon (1 264 m), les ruines du château du XIVe siècle veillent encore sur ce village médiéval. La plate-forme où se dresse le monument aux morts commande une vue panoramique sur la vallée du Peillon portant jusqu'à la baie des Anges.

L'église Sainte-Marie (XIIe-XIVe siècles) associe nefs romanes et gothiques. Elle abrite une représentation de Peille au Moyen Âge et un beau retable du *Rosaire* (1579) par Honoré Bertone. Une fontaine gothique orne la place de Colle, bordée d'arcades. Rue de l'Alma, dans une jolie maison, un petit musée gratuit expose des objets de la vie quotidienne de jadis.

Les gorges et la vallée de la Vésubie

Lucéram 26

Carte routière F3. *1 000.*
pl. Adrien-Barralis (04 93 79 46 50).

Cette petite ville, d'origine probablement romaine, a conservé une partie de ses remparts médiévaux, de jolies ruelles, des maisons gothiques et des passages voûtés. Un ensemble unique de peintures religieuses de l'école de Nice des XVe et XVIe siècles, dont un retable attribué à Louis Brea, décore l'église. Celle-ci possède aussi un remarquable trésor, comprenant une statuette en argent repoussé de *Sainte Marguerite issant du dragon*. On y célèbre chaque année le Noël des bergers.

Lucéram et ses maisons évoquent l'Italie

Vallée de la Vésubie 27

Nice. *Saint-Martin-Vésubie.*
Saint-Martin-Vésubie (04 93 03 21 28).

À 24 km au nord de l'aéroport de Nice, le torrent de la Vésubie se jette dans le Var à Plan-du-Var. La D2565 en remonte le cours au fond des gorges profondes de plusieurs centaines de mètres que les eaux ont creusées dans le calcaire. À Saint-Jean-la-Rivière, une route en lacet grimpe jusqu'à **Utelle**, beau village perché à 800 m d'altitude, puis jusqu'à la madone d'Utelle, important lieu de pèlerinage au panorama sans pareil.

À partir du vieux bourg de Lantosque, à 10 km de Saint-Jean-la-Rivière, la vallée s'élargit et les paysages deviennent de plus en plus alpestres comme l'on monte vers **Saint-Martin-Vésubie**.

À 960 m d'altitude, au pied de cimes culminant à 3 000 m, cette jolie petite ville est le point de départ de nombreuses randonnées, notamment dans le parc du Mercantour. La rue du Docteur-Cagnoli, qui la traverse du nord au sud, a gardé beaucoup de cachet avec son caniveau central. L'église baroque abrite la madone de Fenestre, Vierge assise du XIVe siècle portée en pèlerinage le 2 juillet jusqu'à une chapelle de montagne où elle passe l'été.

Le ski dans les Alpes du Sud

À moins de 2 h en voiture de la côte, skieurs et amateurs de sports de montagne trouveront dans les Alpes-Maritimes plus de vingt stations, proposant aussi bien parcours de ski de fond que remontées mécaniques pour le ski alpin. Certaines disposent de patinoires et de piscines. Leur cadre en fait également de très agréables stations estivales, où l'on peut pratiquer la randonnée, l'escalade, le VTT ou le cheval. Les sites protégés du parc naturel du Mercantour voisin offrent de superbes itinéraires de randonnée.

Valberg, station de sports d'hiver depuis 1935

AURON

ALTITUDE : *1 600 m - 2 100 m.*
SITUATION : *à 97 km de Nice par la N202 et la D2205.*
PISTES : *9 noires, 15 rouges, 16 bleues, 2 vertes.*
REMONTÉES MÉCANIQUES : *21 dont 9 télésièges et 3 télécabines.*

ISOLA 2000

ALTITUDE : *2 000 m - 2 310 m.*
SITUATION : *à 90 km de Nice par la N202, la D2205 et la D97.*
PISTES : *4 noires, 11 rouges, 22 bleues, 9 vertes.*
REMONTÉES MÉCANIQUES : *22 dont 10 téléskis, 9 télésièges, 2 télécabines et 1 funiculaire.*

VALBERG

ALTITUDE : *1 430 m - 2 100 m.*
SITUATION : *à 86 km de Nice par la N202 et la D28.*
PISTES : *4 noires, 30 rouges, 15 bleues, 9 vertes.*
REMONTÉES MÉCANIQUES : *26 dont 16 téléskis et 6 télésièges.*

À Valberg, des guides initient à l'escalade de cascades de glace

Derniers préparatifs avant une randonnée en raquettes

ACTIVITÉS ALPINES

Auron	Isola 2000	Valberg	
•	•	•	Ski de fond
		•	Ski pour handicapés
•		•	Équitation
•	•		Prom. en traîneau
	•		Conduite sur glace
•	•	•	Patinage
	•	•	Kart sur glace
	•	•	Monoski
	•	•	Ski de nuit
	•		Ski-joëring
	•	•	Saut à skis
•	•	•	École de ski
•	•	•	Randonnées à skis
•	•	•	Snowboard
	•		Circuits pour scooters des neiges
•	•	•	Randonnées en raquettes
		•	École de ski de vitesse
•	•		Centre aquatique (17 km), sauna et Jacuzzi

Les joies du snowboard à Isola 2000

Pour les hôtels et les restaurants de la région, voir p. 194-197 et p. 210-212.

Forêt de Turini ㉘

L'Escarène, Sospel. *Sospel, Moulinet.* *Sospel (04 93 03 60 54).*

Entre la vallée de la Vésubie et celle de la Bévéra, s'étend une forêt de 3 500 ha où pins et chênes cèdent la place à des essences rares si près de la Méditerranée, telles qu'érables, châtaigniers, hêtres, sapins et mélèzes.

La montagne de l'Authion la borde au nord. En 1945, la flotte française participa depuis Menton aux combats qui s'y déroulèrent, en bombardant les redoutes où se retranchaient les Allemands. La pointe des Trois-Communes (2 082 m) offre une vue superbe sur les Préalpes et le Mercantour.

Parc national du Mercantour ㉙

Carte routière E2 et F2. *Nice.* *Saint-Étienne-de-Tinée, Auron.* *Maison du Parc (04 93 04 73 71).* **www**.parc-mercantour.fr

S'étendant sur 68 500 ha à la frontière italienne, dans un massif montagneux qui culmine à la cime du Gélas (3 143 m), cette réserve naturelle offre plus de 600 km de sentiers balisés dans des sites exceptionnels où abondent torrents et lacs. On y découvre près de 40 espèces de fleurs endémiques, notamment la *Saxifraga florentula*, devenue son emblème, et des animaux, comme le chamois, le bouquetin, le mouflon, la marmotte, l'aigle et la perdrix des neiges.

Tende ㉚

Carte routière F2. *2 200.* *av. du 16-Septembre-1947 (04 93 04 73 71).* *mer.* **www.**tendemerveilles.com

Dominant la vallée de la Roya sur la route du col reliant le Piémont à la Provence, Tende a conservé un aspect austère. Ses maisons aux toits de lauze, construites en schiste sombre, datent du XVe siècle pour les plus anciennes. Un pan de mur du château Lascaris détruit en 1691 domine un curieux cimetière en terrasses.

Dans les rues de Tende

L'**église Notre-Dame-de-l'Assomption** présente un portail Renaissance encadré de lions et des colonnes en pierre verte de la région.

Depuis Saint-Dalmas-de-Tende, on accède à la **vallée des Merveilles**, célèbre pour ses gravures rupestres *(p. 39)*. L'itinéraire le plus court passe par le lac de Mesches, où il faut laisser la voiture, puis par le lac Long et le refuge des Merveilles. Le mont Bégo possède quelque 36 000 de ces gravures. Ces témoignages laissés par des bergers ligures de l'âge du bronze (1800-1000 av. J.-C.) ont subi des actes de vandalisme, et certains itinéraires nécessitent la présence d'un guide (rens. à Tende ou Saint-Dalmas). À Tende, le **musée des Merveilles** vaut la visite.

Clocher à Tende

À La Brigue, de splendides peintures murales de Jean Canavesio ornent la **chapelle Notre-Dame-des-Fontaines**.

Musée des Merveilles
Av. du 16-Septembre-1947.
***Tél.** 04 93 04 32 50. t.l.j. (oct.-juin : mer.-lun.) j.f., 2 sem. en mars, 2 sem. en nov.*

Saorge ㉛

Carte routière F3. *4000.* *mairie (04 93 04 51 23).*

Dans un des plus beaux cadres de la vallée de la Roya, cet ancien village fortifié, classé monument historique, accroche à la montagne ses maisons aux toits de lauze des XVe, XVIe et XVIIe siècles.

L'église Saint-Sauveur a conservé une décoration baroque du XVIIIe siècle. Le couvent des Franciscains, juste à la sortie du village, renferme un cloître orné de peintures murales que domine son clocher à bulbe. De style lombard avec son clocher octogonal, la chapelle (privée) de la **madone del Poggio** date du XIe siècle.

Saorge vu depuis la terrasse du couvent franciscain

Sospel 32

Carte routière F3. 2 600.
Av. J.-Médecin (04 93 04 15 80).
jeu. **www**.sospel-tourisme.com

Cette petite ville s'étend sur les berges de la Bévéra que relie le Pont-Vieux (XIIIe siècle), restauré en 1947 avec sa tour de péage. Des maisons à arcades bordent la place de la Cathédrale où se dresse l'église baroque Saint-Michel (XVIIe siècle), au clocher roman de style lombard. Elle abrite le retable de l'*Immaculée Conception* de François Brea.

Édifié en 1932, le **fort Saint-Roch**, ancien élément de la ligne Maginot, abrite un musée dans ses kilomètres de galeries.

Musée des Fortifications alpines
Fort St-Roch. ***Tél.*** *04 93 04 00 70.*
avr.-mai et oct. : sam.-dim. et j.f. l'après-midi ; juin.-sept. : mar.-dim. l'après-midi.

Trompe-l'œil à Sospel

Gorbio 33

Carte routière F3. *1 160.*
mairie, 30, rue Garibaldi (04 92 10 66 50).

On a répertorié plus d'un millier d'espèces de fleurs dans le val ensoleillé de ce vieux village, perché au-dessus de terrasses qui produisent fruits, vin et surtout olives. La vue porte jusqu'à la mer.

À l'entrée du réseau de ruelles pavées de galets, la fontaine Malaussène décore la place de la République, où se dresse un orme planté en 1713. L'église, bâtie en 1683, élève vers le ciel un clocher conique typique de la région.

Gorbio et ses oliveraies au petit matin

Chaque année à la mi-juin a lieu la procession nocturne *dai limaça* : les fidèles et les pénitents du Midi parcourent alors le village à la lueur de mèches glissées dans des coquilles d'escargot emplies d'huile d'olive.

Une promenade d'une bonne heure conduit à **Sainte-Agnès**, autre beau village perché (671m).

Roquebrune-Cap-Martin 34

Carte routière F3. *11 820.*
218, av. Aristide-Briand (04 93 35 62 87). *t.l.j.*
www.roquebrune-cap-martin.com

Dans une région déjà habitée à la préhistoire, comme l'ont révélé les vestiges découverts dans les **grottes du Vallonet** voisines, Roquebrune domine la Grande Corniche. Célèbre pour la procession de la Passion qui réunit, le 5 août,

Le château de Roquebrune domine le cap Martin

tout le village depuis 1467, pour remercier la Vierge de l'avoir protégé de la peste *(p. 33)*, il possède un **château** d'origine carolingienne, l'un des derniers de France.

Donjon élevé en 970 par le comte de Vintimille puis transformé en résidence fortifiée par les Grimaldi au XVe siècle, il doit sa restauration à un riche Anglais, Sir William Ingram, qui l'acheta en 1911 et le légua à la ville en 1926. Du chemin de ronde, la vue est exceptionnelle sur la côte.

Le **cap Martin**, couvert d'une belle forêt, est un lieu de villégiature qu'apprécièrent Coco Chanel, la reine Victoria et l'impératrice Eugénie. Cette dernière y possédait la villa Cyrnos. La promenade Le-Corbusier (le célèbre architecte construisit ici son cabanon en 1952) fait le tour du cap en longeant la mer.

Juste à la sortie de Roquebrune, en direction de Menton, se dresse l'olivier millénaire, l'un des plus vieux du monde, au tronc d'une circonférence de 10 m.

Château de Roquebrune
Tél. *04 93 35 07 22.*
t.l.j.

Menton 35

Carte routière F3. *30 000.*
palais de l'Europe, 8, av. Boyer (04 92 41 76 76).
t.l.j. **www**.menton.fr

À la frontière italienne, Menton se situe au pied de montagnes tombant dans la

Pour les hôtels et les restaurants de la région, voir p. 194-197 et p. 210-212.

mer, qui protègent des vents et créent un microclimat si clément que la ville était la plus grande productrice d'agrumes d'Europe en 1930. Elle était déjà aussi un lieu de villégiature apprécié des têtes couronnées, telles que la reine Victoria ou Astrid de Belgique.

Le **palais de l'Europe** (1909) témoigne des fastes de la Belle Époque. Cet ancien casino abrite désormais l'office de tourisme et un centre culturel.

Devant s'étend le **jardin Biovès**, où se tient en février la célèbre fête du Citron *(p. 35)*. Le **jardin botanique exotique** se trouve, lui, dans le quartier du Garavan qui se déploie jusqu'à l'Italie, au-dessus du nouveau port de plaisance. L'architecte Ferdinand Bac aménagea le **jardin des Colombières**.

La **basilique Saint-Michel**, baroque, domine dans la vieille ville une superbe place à l'italienne, décorée d'une mosaïque en galets gris et blancs représentant les armes des Grimaldi. C'est là qu'ont lieu en août les concerts du Festival de musique de chambre.

JEAN COCTEAU (1889-1963)

Né à Paris, Jean Cocteau se fait remarquer par ses poèmes dès l'âge de 19 ans. Figure importante de l'avant-garde pendant tout le début du XXe siècle, il entre à l'Académie française en 1955. Surtout connu en tant qu'écrivain, dramaturge et cinéaste, il a aussi toujours pratiqué les arts plastiques, en particulier sur la Côte d'Azur où il a notamment décoré la chapelle de Villefranche *(p. 88)*. Il est mort avant l'inauguration de son musée en 1967.

Mosaïque de l'entrée du musée Jean-Cocteau de Menton

Musée des Beaux-Arts

Palais Carnolès, 3, av. de la Madone. ***Tél.*** *04 93 35 49 71.* *mer.-lun.* *j.f.*

Bâti au début du XVIIIe siècle, le palais Carnolès, ancienne résidence d'été des princes de Monaco, a conservé son décor intérieur et abrite, au cœur d'un jardin riche en agrumes, plusieurs remarquables collections d'art ancien et moderne.

Salle des mariages

17, rue de la République. ***Tél.*** *04 92 10 50 29.* *lun.-ven.* *j.f.*

Jean Cocteau la décora entièrement en 1957. Pour évoquer les différents visages de l'amour, une noce de village s'oppose au drame d'Orphée et d'Eurydice.

Musée Jean-Cocteau

Bastion du Vieux-Port. ***Tél.*** *04 93 57 72 30.* *mer.-lun.* *j.f.*

Aménagé selon les directives de l'artiste dans un bastion du XVIIe siècle, il présente des mosaïques en galets, des tapisseries, des céramiques et de nombreux dessins et pastels, dont les *Innamorati* inspirés par les amours des pêcheurs mentonnais.

Cimetière du Vieux-Château

De nombreuses célébrités reposent sur quatre terrasses, une par religion, d'où l'on a une vue panoramique.

Musée de Préhistoire régionale

Rue Loredan-Larchey. ***Tél.*** *04 93 35 84 64.* *mer.-lun.* *j.f.*

Vestiges préhistoriques, dont le crâne de l'Homme de Menton, (découverts dans des grottes de la région) et reconstitution de scènes quotidiennes retracent l'histoire de l'homme.

Menton vue depuis le jardin des Colombières dessiné par Ferdinand Bac

DROGUERIE
QUINCAILLERIE
articles funéraires
droguerie conseil
ICI
Eleco
PRESERVE LA COUCHE D'OZONE
droguerie conseil
Ici, Gamme Ara Bricolage
PRODUITS Kodak

LE VAR ET LES ÎLES D'HYÈRES

Département le plus ensoleillé de France, le Var déploie son littoral au pied des massifs de la Sainte-Baume, des Maures et de l'Estérel, qui le séparent d'un arrière-pays au cachet rural préservé. Au nord, des collines couvertes de vignes et de pinèdes s'étagent jusqu'aux spectaculaires gorges du Verdon.

Entre Aix-en-Provence et Cannes, l'A8 partage d'ouest en est le département du Var en deux moitiés approximativement égales.

Au sud se dresse une succession de massifs culminant à la Sainte-Baume (1147 m). Couverts de forêts, ils isolent le littoral où, au pied du mont Faron, Toulon et La Seyne-sur-Mer forment une agglomération de 400 000 habitants, dont les immeubles enlaidissent malheureusement l'une des plus belles rades du monde. Son développement est toutefois récent, et c'est Fréjus qui fut au temps des Romains le plus grand port de la région, comme en témoignent ses vestiges antiques. Des vignobles de Bandol aux criques de l'Estérel, en passant par les longues plages de sable de la presqu'île de Saint-Tropez, la côte varoise offre une diversité propre à enchanter les amoureux de la mer. Malgré l'affluence record qu'elle connaît en été, elle reste en partie sauvage et par endroits uniquement accessible à pied.

Au nord de l'autoroute, un moutonnement de collines cache les villages qui s'accrochent à flanc de coteaux ou se nichent au creux des vallons. Peu touristiques, ils ont pour la plupart gardé leur authenticité et offrent l'occasion de toucher à l'âme de la Provence, dans des sites qui ont conservé la beauté qu'ils avaient au XIIe siècle quand les cisterciens édifièrent l'abbaye du Thoronet. On cultivait alors déjà la vigne sur ces terres calcaires, et une visite du Var ne saurait être complète sans la dégustation des côtes-de-provence.

Lever de soleil sur le port de Saint-Tropez

◁ **Boutique à Cotignac, village du haut Var**

À la découverte du Var et des îles d'Hyères

Le département du Var s'étend sur une superficie de 6 000 km², mais compte moins de 800 000 habitants ; 80 % d'entre eux vivent sur le littoral et la moitié dans l'agglomération toulonnaise. Prolongeant la pointe la plus méridionale du département, les îles d'Hyères forment un chapelet bordé de plages de sable fin où s'épanouissent une faune et une flore spécifiques et protégées. Deux grands lacs, Sainte-Croix et Saint-Cassien, permettent dans l'arrière-pays la pratique des sports nautiques.

VOIR ÉGALEMENT

- ***Hébergement*** p. 197-199
- ***Restaurants*** p. 213

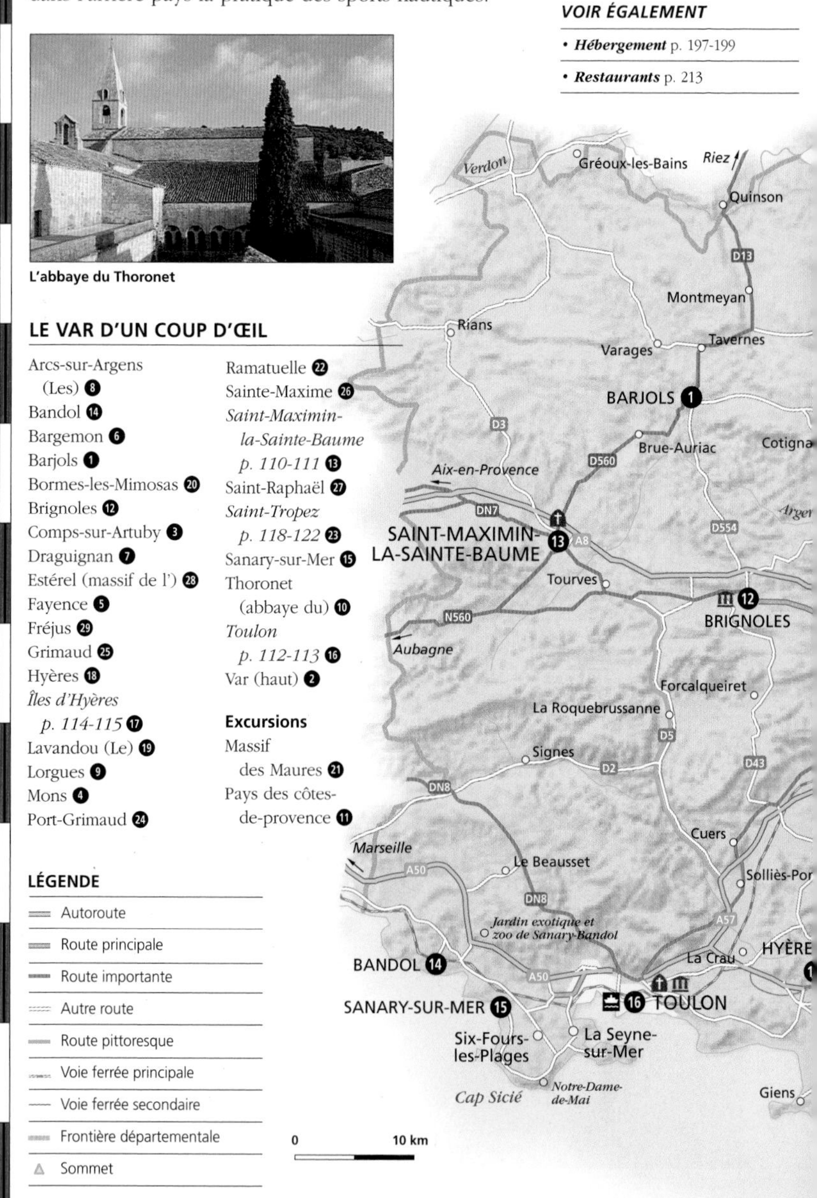

L'abbaye du Thoronet

LE VAR D'UN COUP D'ŒIL

Arcs-sur-Argens (Les) 8
Bandol 14
Bargemon 6
Barjols 1
Bormes-les-Mimosas 20
Brignoles 12
Comps-sur-Artuby 3
Draguignan 7
Estérel (massif de l') 28
Fayence 5
Fréjus 29
Grimaud 25
Hyères 18
Îles d'Hyères p. 114-115 17
Lavandou (Le) 19
Lorgues 9
Mons 4
Port-Grimaud 24
Ramatuelle 22
Sainte-Maxime 26
Saint-Maximin-la-Sainte-Baume p. 110-111 13
Saint-Raphaël 27
Saint-Tropez p. 118-122 23
Sanary-sur-Mer 15
Thoronet (abbaye du) 10
Toulon p. 112-113 16
Var (haut) 2

Excursions
Massif des Maures 21
Pays des côtes-de-provence 11

LÉGENDE

- Autoroute
- Route principale
- Route importante
- Autre route
- Route pittoresque
- Voie ferrée principale
- Voie ferrée secondaire
- Frontière départementale
- Sommet

Pour les autres symboles de la carte, *voir le rabat arrière de couverture*

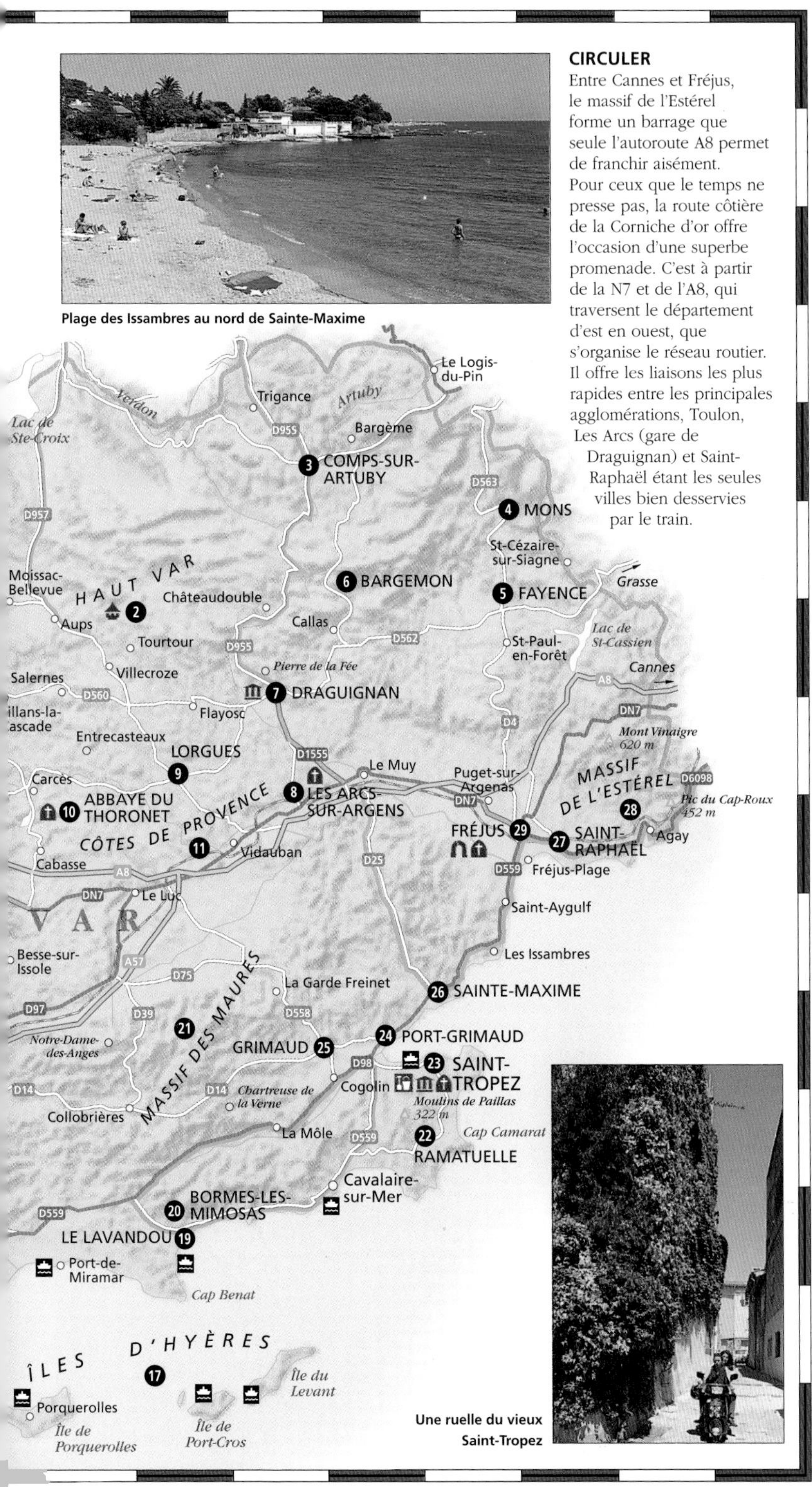

Plage des Issambres au nord de Sainte-Maxime

CIRCULER

Entre Cannes et Fréjus, le massif de l'Estérel forme un barrage que seule l'autoroute A8 permet de franchir aisément. Pour ceux que le temps ne presse pas, la route côtière de la Corniche d'or offre l'occasion d'une superbe promenade. C'est à partir de la N7 et de l'A8, qui traversent le département d'est en ouest, que s'organise le réseau routier. Il offre les liaisons les plus rapides entre les principales agglomérations, Toulon, Les Arcs (gare de Draguignan) et Saint-Raphaël étant les seules villes bien desservies par le train.

Une ruelle du vieux Saint-Tropez

Artisan façonnant un galoubet à Barjols

Barjols ❶

Carte routière D4. *2 500.* *bd Grisolle (04 94 77 20 01).* *mar., jeu. et sam.*
www.ville-barjols.fr

Les trois rivières qui arrosent ce village en amphithéâtre, niché dans un site verdoyant, ont permis, à partir de 1600, l'installation des tanneries qui assurèrent pendant près de quatre siècles sa prospérité. Leurs bâtiments abritent aujourd'hui des artisans.

Les fabricants des deux instruments qui accompagnent traditionnellement les danses provençales, le tambourin et le galoubet (petite flûte à trois trous), ont fait la réputation de Barjols. Tous les quatre ans, le week-end le plus proche du 17 janvier, ils sonnent pour la fête des Tripettes, qui célèbre un double événement : la découverte miraculeuse d'un bœuf au cours d'un siège et la translation des reliques de saint Marcel en 1350. Les réjouissances comprennent le sacrifice d'un bœuf qui est distribué à la population. Elles se déroulent en partie à l'église Notre-Dame-des-Épines, rebâtie au XVIe siècle dans le style gothique, mais qui a conservé, derrière les fonts baptismaux, le tympan roman de l'édifice original. Non loin se dresse l'hôtel des Pontevès au portail Renaissance sculpté.

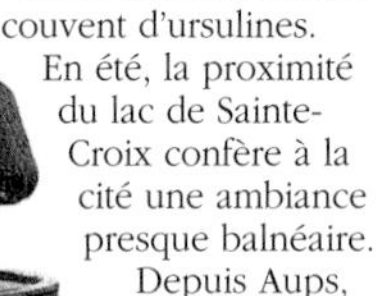

La fontaine du Champignon à Barjols

Ville d'eau qu'alimentent de nombreuses sources, Barjols compte des dizaines de lavoirs et fontaines, dont la curieuse fontaine du Champignon sur la place Capitaine-Vincens.

Haut Var ❷

Toulon-Hyères. *Les Arcs-sur-Argens.* *Aups.* *Aups (04 94 84 00 69).* *mi-nov.-mi-fév le jeu. : marché aux truffes.*
www.aups-tourisme.com

Au sud des gorges du Verdon *(p. 184-185)*, entre Barjols et Comps-sur-Artuby, s'étend l'immense camp militaire du plateau de Canjuers. Il borde la commune d'**Aups**, joli bourg dont la vieille ville abrite l'église Saint-Pancrace, de style gothique provençal et au portail Renaissance, et le **musée Simon-Segal**, qui présente des peintures du XXe siècle dans un ancien couvent d'ursulines. En été, la proximité du lac de Sainte-Croix confère à la cité une ambiance presque balnéaire.

Depuis Aups, la D557 conduit à **Villecroze**, village médiéval qui doit son nom de « ville creusée » aux grottes percées dans la falaise de tuf, d'où dévale la cascade alimentant les bassins du jardin public. Un seigneur y fit aménager au XVIe siècle une **habitation** qui se visite.

À 6 km au nord-est de Villecroze, **Tourtour** a conservé son aspect moyenâgeux. Perché à 627 m au sommet d'une colline, ce « village dans le ciel » commande une vue portant de Saint-Raphaël au mont Ventoux.
À 5 km au sud-ouest de Villecroze, **Salernes** est réputé pour ses carrelages, bien que la tommette hexagonale traditionnelle, trop difficile d'entretien, n'occupe plus qu'une place marginale dans la production de ses quinze fabriques. Son église romane offre la particularité de posséder deux clochers.

Le château d'Entrecasteaux dans le haut Var

Prendre la D560 qui conduit à l'ouest à **Sillans-la-Cascade**, petite cité fortifiée où la Bresque dévale une falaise de 45 m de hauteur (chemin balisé). Sur la D22, **Cotignac** niche ses maisons des XVIe et

Demeure troglodytique à Villecroze

Pour les hôtels et les restaurants de la région, voir p. 197-199 et p. 213.

Long de 110 m, le pont de l'Artuby domine les gorges du Verdon

XVIIe siècles au creux d'une falaise de tuf. Elle offre un décor majestueux aux spectacles donnés en été dans le théâtre de verdure créé à son pied. Ombragée et rafraîchie par la fontaine des Quatre-Saisons, la place de la Mairie est un cours provençal particulièrement agréable.

Entrecasteaux, sur la route de Lorgues, doit sa renommée à son château construit aux XVIe et XVIIe siècles, sur le site d'une forteresse du XIe siècle. Une exposition y retrace son histoire. Le Nôtre dessina le jardin (ouv. au public).

Musée Simon-Segal
Av. Albert-Ier, Aups. ***Tél.*** *04 94 70 01 95.* *juil.-août : mer.-lun.*

Habitation troglodytique
Villecroze. ***Tél.*** *04 94 70 63 06.*
vac. de fév. et de Pâques, mai-juin : sam. et dim ; juil.-mi-sept. : t.l.j. ; mi-sept.-mi-oct. : sam. et dim. après-midi. *nov.-Pâques.*

Château d'Entrecasteaux
Tél. *04 94 04 43 95.*
Pâques-oct.

Comps-sur-Artuby ❸

Carte routière D3. *320.*
mairie (04 94 50 24 00).

Construite au XIIe siècle et récemment restaurée, l'**église Saint-André** domine cet ancien carrefour de transhumance. Depuis son rocher, elle offre une belle vue des gorges creusées par l'Artuby avant de se jeter dans le Verdon *(p. 184-185)*.

Au-dessus de la D21 menant au Logis du Pin, le village le plus haut du Var, **Bargème**, s'accroche à la montagne du Brouis à 1 067 m d'altitude. De son château, construit au XIVe siècle par les Pontevès, subsistent les ruines impressionnantes des tours et des remparts. Interdit aux voitures, le village se compose de belles maisons anciennes transformées en résidences secondaires. L'**église Saint-Nicolas**, élevée au XIIIe siècle, abrite un superbe retable (XVIe siècle) du *Martyr saint Sébastien*.

Mons ❹

Carte routière E3. *720.*
pl. St-Sébastien (04 94 76 39 54).

Il émane un charme presque magique des ruelles étroites et des arcades de ce village, qui occupe un magnifique promontoire rocheux. Depuis la place Saint-Sébastien, la vue s'étend sur la côte, de l'Italie à Toulon.

Ancien oppidum celto-ligure, Mons fut ravagé par la peste en 1348 et resta abandonné plus d'un siècle. En 1468, Arnaud de Villeneuve y installa des immigrés génois : ils élevèrent les kilomètres de murets soutenant les terrasses, ou « restanques », qui servaient aux cultures et ils gardèrent pendant des siècles leur propre dialecte, le *figoun*.

Au sud, près du château de Beauregard, l'aqueduc de la Roche-Taillée fut creusé par les Romains dans le rocher.

L'aqueduc romain de la Roche-Taillée près de Mons

LES TRUFFES

Le « diamant noir » se ramasse en hiver au pied des chênes truffiers, généralement plantés, qui prospèrent sur les terrains calcaires. Tous les jeudis matin de novembre à mars, récoltants et acheteurs, souvent les cuisiniers de grands restaurants, se retrouvent à Aups pour d'âpres discussions autour des paniers d'osier.

Porc dressé à la recherche des truffes

Les toits de Bargemon vus depuis la colline surplombant le village

Fayence 5

Carte routière E3. *4 300.* *place Léon-Roux (04 94 76 20 08).* *mar., jeu. et sam.* **www.**paysdefayence.com

Depuis les contreforts d'un plateau, Fayence domine la route qui relie Draguignan et Grasse. Abritant de nombreux artisans, le village aux pittoresques ruelles conserve une partie de ses remparts du XIVe siècle, notamment sa porte Sarrasine. Construite au début du XVIIIe siècle, l'**église Saint-Jean-Baptiste** renferme un maître-autel d'inspiration baroque sculpté en 1757 par Dominique Fossatti. De sa terrasse, la vue porte jusqu'aux Maures et à l'Estérel et permet de découvrir l'ancien aérodrome militaire, devenu l'un des plus grands centres de vol à voile d'Europe.

Le village de **Tourrettes** touche Fayence. Un curieux édifice se différencie des maisons : la copie de l'École des cadets de Saint-Pétersbourg, édifiée en 1824 pour le général du génie Alexandre Fabre. C'est aujourd'hui une luxueuse résidence privée.

Parmi les autres beaux villages accrochés au rebord du plateau figurent Montauroux, Callian et surtout **Seillans** qui a conservé un cachet très médiéval. En octobre, pour le Festival de musique du pays de Fayence, leurs jolies églises accueillent des concerts de quatuors à cordes.

ARTISANATS TRADITIONNELS

Alors que leurs activités agricoles n'ont cessé de régresser depuis la dernière guerre, Fayence, Cotignac, Aups et Salernes ont vu renaître de nombreux artisanats traditionnels, notamment la poterie, la céramique ou encore la sculpture sur olivier et sur pierre. Petites boutiques et ateliers vendent cette production que l'on trouve aussi sur les marchés locaux ou dans les foires artisanales. Le plus souvent de qualité, elle est parfois chère. Comparez les prix avant d'acheter.

Potier provençal

Bargemon 6

Carte routière E3. *1 500.* *Les Arcs-sur-Argens.* *av. Pasteur (04 94 47 81 73).* *jeu.* **www.**ot-bargemon.fr

Ce joli village, agrémenté de fontaines et de placettes ombragées, a conservé une grande partie de ses remparts médiévaux, notamment trois portes fortifiées du XIIe siècle. L'**église Saint-Étienne** (XVe siècle) est accolée à l'une de ces anciennes portes. Pierre Puget aurait sculpté les têtes d'anges du maître-autel. La **chapelle Notre-Dame-de-Montaigu** abrite une statuette miraculeuse de la Vierge rapportée de Belgique en 1635. On peut également visiter le musée des Fossiles et Minéraux, situé place de la Mairie.

Draguignan 7

Carte routière D4. *35 000.* *2, av. Lazare-Carnot (04 98 10 51 05).* *mer. et sam.* **www.**dracenie.com

Difficile d'imaginer, en visitant aujourd'hui la sous-préfecture du Var, qu'elle fut au XVe siècle la 4e ville de Provence.

Comme en témoigne le dolmen de la pierre de la Fée (signalé par un panneau) qui se dresse à gauche de la route conduisant à Montferrat, la plaine où elle s'étend était

Pour les hôtels et les restaurants de la région, voir p. 197-199 et p. 213.

déjà occupée avant l'époque romaine. C'est au Ve siècle, selon la légende, que saint Hermentaire, futur évêque d'Antibes, donna son nom à la cité en tuant le dragon qui hantait la région, et c'est en 1797 qu'elle acquit sa vocation administrative en ravissant la préfecture à Toulon, coupable de s'être livrée aux Anglais. Cette dernière prendra sa revanche en 1974 et Draguignan, en compensation, est devenue la plus importante ville de garnison de France.

En grande partie piétonnier, son vieux quartier conserve beaucoup de charme avec ses placettes, ses rues étroites et ses anciennes portes fortifiées. Coiffée d'un campanile, la tour de l'Horloge (1663) domine ses toits et offre une belle vue du haut de ses 24 m.

Place de la Paroisse, l'**église Saint-Michel**, reconstruite en style néogothique en 1869, renferme la statue de saint Hermentaire.

Deux musées occupent d'anciens couvents : le **musée des Traditions provençales**, qui présente les métiers et travaux agricoles d'autrefois, et le **Musée municipal**, qui expose des pièces archéologiques et régionales, ainsi que de belles collections de meubles et de céramiques. Une salle est réservée aux expositions temporaires.

Saint Hermentaire tuant le dragon

Au 1er étage, la bibliothèque détient un manuscrit enluminé du *Roman de la Rose* datant du XIVe siècle.

Musée des Traditions provençales
15, rue Joseph-Roumanille.
Tél. *04 94 47 05 72.* *mar.-sam. et dim. après-midi.* *25 déc., 1er mai.* *restreint.*

Musée municipal
9, rue de la République.
Tél. *04 98 10 26 85.*
lun.-sam. *j.f.*

La pierre de la Fée, à côté de Draguignan

Les Arcs-sur-Argens 8

Carte routière D4. *6 400.* *pl. du Général-de-Gaulle (04 94 73 37 30).* *jeu.*

À l'entrée du village, l'**église Saint-Jean-Baptiste** (1850) abrite un polyptyque de Louis Brea (1501) et une crèche animée représentant le vieux quartier du Parage, dont les jolies ruelles, bordées de maisons bien restaurées, enserrent les ruines du château bâti par les Villeneuve au XIIIe siècle.

À l'est, la D91 conduit à la **chapelle Sainte-Roseline**, où voisinent un retable de la *Nativité* (1541) et des œuvres d'artistes modernes comme Chagall et Giacometti. Rachetée par la ville, elle appartenait à l'abbaye de La Celle-Roubaud, dont sainte Roseline fut prieure de 1300 à 1329. Selon la légende, durant une période de disette, la sainte fut surprise par son père, le seigneur des Arcs, alors qu'elle s'apprêtait à distribuer des vivres aux pauvres et vit se transformer en roses les aliments qu'elle avait dérobés.

Chapelle Sainte-Roseline
Quartier du Parage. ***Tél.*** *04 94 99 50 30.* *mar-dim. l'après-midi.* *j.f.*

Mosaïque de Marc Chagall (1887-1985) à la chapelle Sainte-Roseline

Lorgues ⑨

Carte routière D4. 10 000.
pl. Trussy (04 94 73 92 37).
mar.

Dans une région vallonnée où pins et chênes verts côtoient vignes et oliveraies, Lorgues a conservé une partie de ses fortifications du XIIe siècle. De jolies fontaines animent le quartier médiéval qu'elles enserrent.

Percé en 1835 et ombragé d'immenses platanes, le cours, particulièrement long, est le cadre de l'un des plus beaux marchés de la région.

La **collégiale**, consacrée en 1788, domine de sa masse imposante l'approche de la ville. Derrière une façade classique, elle abrite un orgue (1857) de la facture d'Augustin Zeiger, récemment restauré, et une *Vierge à l'Enfant* en marbre provenant de l'abbaye du Thoronet et attribuée à Pierre Puget.

Abbaye du Thoronet ⑩

Carte routière D4. Le Thoronet.
Tél. *04 94 60 43 90.* *t.l.j.*
1er janv., 1er mai, 1er et 11 nov., 25 déc.

Fondé en 1098, l'ordre de Cîteaux correspondait à un désir de retour aux sources du christianisme qui anima toute l'Europe au XIe siècle. Pour répondre à cet idéal, les moines construisirent l'abbaye du Thoronet au creux d'un vallon isolé et propice à la méditation. L'architecture des bâtiments romans, bâtis entre 1160 et 1190, répond à la même philosophie : pas de décoration, mais une beauté des proportions et des jeux de lumière qui invite à l'élévation de l'esprit. Des concerts organisés en été permettent d'apprécier l'acoustique remarquable de l'église, surtout pour les voix.

Le cloître de la partie nord de l'abbaye du Thoronet

Avec Sénanque *(p. 164-165)* et Silvacane *(p. 147)*, l'abbaye du Thoronet est l'une des « trois sœurs cisterciennes » de Provence. Elle commença à décliner au XVe siècle, puis fut abandonnée en 1791. Elle fut rachetée par l'État en 1854, à l'instigation de Prosper Mérimée, et sauvée de la ruine. Les travaux de restauration continuent encore aujourd'hui.

Excursion au pays des côtes-de-provence ⑪

Le Var rural se consacre au vin partout où terrain et climat le permettent, et ses vignobles s'étendent du haut Var à la côte. De nombreux domaines et coopératives jalonnent l'itinéraire que nous vous proposons. Il en existe beaucoup d'autres sur les routes environnantes : n'hésitez donc pas à les emprunter. Pour plus d'informations sur les régions viticoles de la Provence, voir pages 208 et 209.

CARNET DE ROUTE

Itinéraire : *100 km*
Où faire une pause ? *Ouverte toute la journée et dotée d'un restaurant, la Maison des Vins devrait être votre 1re halte. Vous pourrez y réserver une chambre dans un domaine. Sur la route, vous rencontrerez plusieurs lieux où déguster les vins de la région (sauf entre midi et 14 h). Pour un pique-nique, pensez au lac de Carcès.*

Entrecasteaux ⑥
Suivez la D50 vers Lorgues pendant environ 4 km, puis prenez à gauche le chemin de Salgue menant au château Mentone.

Les Salgues
CHÂTEAU MENTONE
D50
D31
D562
Argens
D562
D13
D13
DOMAINE DE L'ABBAYE
D17
D79

Le Thoronet ④
Le nom du domaine de l'abbaye évoque le superbe monastère cistercien.

Carcès ⑤
Au sud de ce village qui a conservé son château, le lac de Carcès occupe le fond d'une vallée encaissée.

LÉGENDE
Itinéraire
Autre route

Pour les hôtels et les restaurants de la région, voir p. 197-199 et p. 213.

Le sarcophage de la Gayole (IIIe siècle) au musée du Pays brignolais

Brignoles ⓬

Carte routière D4. *15 000.*
carrefour de l'Europe
(04 94 72 04 21). *mer., sam.*
www.provenceverte.fr

Sur une colline dominant le Carami, la ville médiévale de Brignoles entoure un palais construit au sommet vers 1260 par le comte de Provence. Il abrite le **musée du Pays brignolais**, célèbre pour son sarcophage de la Gayole (IIIe siècle) sculpté de motifs où se mêlent inspirations païenne et chrétienne. On y verra également la reconstitution d'un intérieur traditionnel, une collection de peintures, et la chapelle du palais ornée de boiseries du XVIIe siècle et d'une Vierge noire.

À l'autre extrémité de la rue des Lanciers s'élève l'église Saint-Sauveur, à la nef gothique derrière un portail roman. Une porte latérale donne dans la rue du Grand-Escalier qui, par la rue Louis-Maître, conduit à la place Carami et sa belle fontaine.

Musée du Pays brignolais
2, pl. des Comtes-de-Provence.
Tél. *04 94 69 45 18.* *mer.-dim*
1er janv., Pâques, 1er mai, 1er nov., 25 déc.

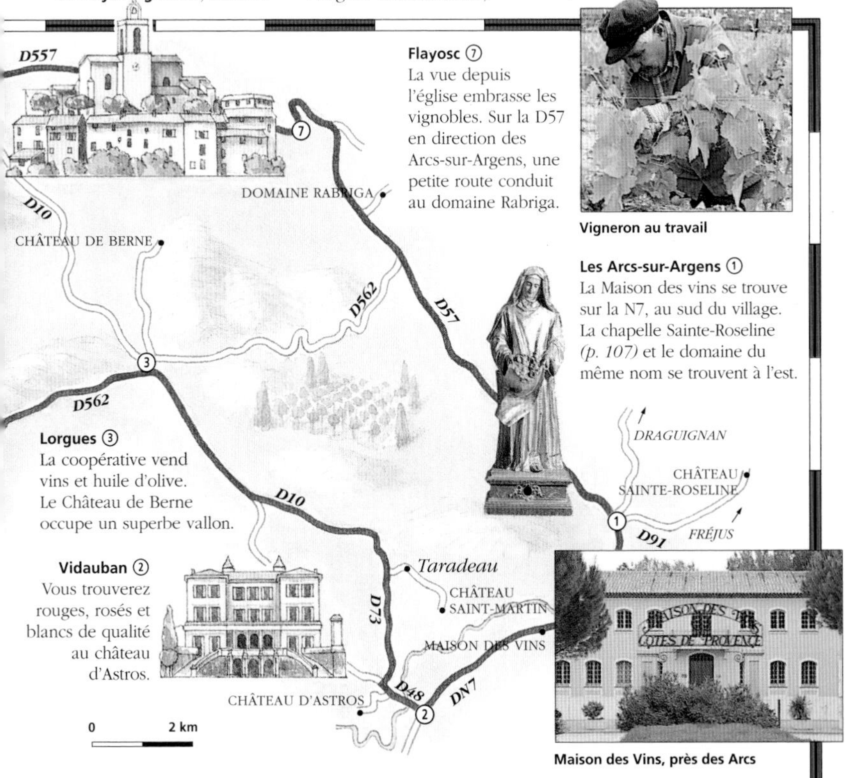

Vigneron au travail

Maison des Vins, près des Arcs

Saint-Maximin-la-Sainte-Baume ⓭

Après avoir débarqué aux Saintes-Maries-de-la-Mer, Marie Madeleine aurait vécu trente ans dans une grotte de la Sainte-Baume, avant d'être enterrée auprès de saint Maximin, le premier évêque d'Aix. Les invasions sarrasines font oublier l'emplacement du tombeau, mais des fouilles entreprises par Charles II d'Anjou en 1279 remettent au jour la crypte et ses sarcophages. En 1295 commence, sur le site, la construction du plus bel édifice gothique de la région : la basilique Sainte-Marie-Madeleine.

Sarcophage de saint Sidoine
C'est l'un des quatre sarcophages du IVe siècle qu'abrite la crypte, ancien caveau funéraire d'une villa romaine.

★ Reliques de sainte Marie Madeleine
Ce reliquaire exécuté en 1860 renferme le crâne vénéré par les pèlerins comme étant celui de la sainte.

Escalier vers la crypte

L'abside fut achevée au début du XIVe siècle ; la tour de son escalier tient lieu de clocher.

★ Retable de Ronzen *(1520)*
En 22 panneaux, il illustre la Passion du Christ et comprend la plus ancienne vue connue du palais des Papes d'Avignon.

★ Orgue
Construit en 1773 par Jean-Esprit Isnard, il est, avec 2 960 tuyaux, l'un des plus beaux de France. Lucien Bonaparte le sauva des destructions révolutionnaires en lui faisant jouer La Marseillaise.

Pour les hôtels et les restaurants de la région, voir p. 197-199 et p. 213.

Entrée de la basilique
Les sculptures ornant le portail contrastent avec la façade du sanctuaire, restée inachevée. En effet, le manque d'argent mit un terme en 1532 à la dernière tranche des travaux.

MODE D'EMPLOI

Carte routière D4. pl. Jean-Salusse, à côté du couvent royal. ***Tél.*** *04 94 59 84 59.*
Basilique et monastère *t.l.j. 9h-16h30 (sf pendant les offices).* *sam. 18h, dim. 10h30, tél. pour les jours de la sem.* *basilique seul.* *festival de musique classique (août).* **www.** la-provence-verte/ot_stmaximin

Hôtel de ville
Il occupe, avec l'office de tourisme, l'ancienne hôtellerie (1750) du couvent royal.

Borne milliaire
Découverte sur la voie Aurélienne (p. 124)*, cette borne du Ier siècle est exposée à l'entrée du cloître.*

Ancien réfectoire

À NE PAS MANQUER

★ Orgue

★ Reliques de sainte Marie Madeleine

★ Retable de Ronzen

Cloître
Entourant un très agréable jardin, il dessert l'ancien couvent royal, devenu un hôtel-restaurant et un centre culturel.

Sanary-sur-Mer où voisinent « pointus » et bateaux de plaisance

Bandol 14

Carte routière *C4.* *8 000.* *allée Vivien (04 94 29 41 35).* *t.l.j.* **www**.bandol.fr

Au creux d'une baie protégée des vents, le port de Bandol s'est développé grâce à ses vins, les plus réputés des côtes-de-provence. Devenue une agréable station de villégiature, Bandol offre un excellent point de départ pour des promenades en mer ou des expéditions de pêche.

À la sortie de la ville, le **jardin exotique et zoo de Sanary-Bandol** ravira petits et grands.

Jardin exotique et zoo de Sanary-Bandol
Quartier Pont-d'Aran. ***Tél.*** *04 94 29 40 38.* *lun.-sam. et dim. après-midi.* *j.f. après-midi.*

Une appellation réputée

Sanary-sur-Mer 15

Carte routière *C4.* *18 000.* *Ollioules-Sanary.* *1, quai du Levant (04 94 74 01 04).* *mer.* **www**.sanarysurmer.com

Au pied de la colline du Gros-Cerveau, cette agréable station balnéaire a pris le nom du saint (Nazaire, *san Nazari* en provençal) à qui est dédiée l'église paroissiale (XIXe siècle). Aujourd'hui incorporée à un hôtel, une tour médiévale (vers 1300) domine le port. Fréquentée par Aldous Huxley et Joseph Kessel pendant l'entre-deux-guerres, Sanary a accueilli des écrivains allemands, tels Bertolt Brecht et Thomas Mann, exilés après l'arrivée d'Hitler au pouvoir.

Accessible par le boulevard Amiral-Courbet, la chapelle Notre-Dame-de-Pitié (1560), aux murs couverts d'ex-voto, commande une belle vue sur la baie et l'île des Embiez.

Un bac assure des liaisons régulières avec **Le Brusc**, joli village niché dans un creux de la presqu'île de Sicié, à l'emplacement de l'ancien port massaliote de Tauroention. Quelques kilomètres à l'est, la chapelle **Notre-Dame-du-Mai** (1625) se dresse au point culminant du cap Sicié (328 m), d'où le panorama sur la côte et les montagnes surplombant Toulon est superbe. Lieu de pèlerinage, elle renferme de nombreux ex-voto.

Toulon 16

Carte routière D4. *172 000.* *334, av. de la République (04 94 18 53 00).* *mar.-dim.* **www**.toulontourisme.com

Située au fond d'une des plus belles et des plus sûres rades de France, Toulon ne connut de véritable développement qu'au XVIe siècle, quand son port servit de base à la flotte française pendant les guerres d'Italie. Auparavant, les Romains y avaient créé une teinturerie impériale qui utilisait le murex abondant dans les eaux côtières, pour produire la pourpre.

Sous Louis XIV, Colbert puis Vauban agrandissent l'arsenal et renforcent les fortifications,

L'ancienne porte de l'arsenal au musée de la Marine

Pour les hôtels et les restaurants de la région, voir p. 197-199 et p. 213.

scellant le destin militaire de la ville. Pierre Puget sculpte les atlantes (1657) qui ornent la mairie d'honneur, bâtie à l'emplacement de l'ancien hôtel de ville détruit, comme 4 000 maisons, en 1944.

Toulon possède un bel opéra et d'intéressants musées, dont le **musée des Arts asiatiques**, installé dans la villa Jules Verne, boulevard Pelletan, qui a été entièrement réaménagée.

Musée de la Marine

Pl. Monsenergue. ***Tél.*** *04 94 02 02 01.* *mer.-lun.* *15 déc.-janv.* *limité.*

Depuis 1976, les visiteurs pénètrent dans ce musée en franchissant l'ancienne porte (1738) de l'arsenal, ornée de sculptures dont les statues de Mars et de Minerve. Au rez-de-chaussée, les maquettes à très grande échelle de *La Sultane* et du *Duquesne*, navires du XVIIIe siècle, et la figure de proue représentant Neptune dominent l'exposition. Sur la galerie, peintures, estampes et maquettes retracent l'histoire de la marine.

Musée d'Art de Toulon

113, av. du Général-Leclerc. ***Tél.*** *04 94 36 81 01.* *mar.-dim. l'après-midi.* *j.f.* *limité.*

Outre une collection de peintures provençales du XVIIe au début du XXe siècle et de nombreuses œuvres des écoles italienne, flamande et française, il présente un très riche fonds d'art moderne et contemporain (par roulement).

Musée du Vieux Toulon

69, cours Lafayette. ***Tél.*** *04 94 62 11 07.* *mar.-sam. après-midi.* *j.f.*

Dans l'ancien évêché, datant en partie du Moyen Âge, plans, estampes, peintures et objets évoquent les hauts faits d'armes de la ville et ses traditions provençales.

Cathédrale Sainte-Marie-de-la-Seds

Pl. de la Cathédrale. ***Tél.*** *04 94 92 28 91.* *t.l.j.*

Élevée au XIe siècle, plusieurs fois remaniée, elle associe éléments romans, gothiques et classiques. Elle possède des œuvres d'art remarquables, notamment de Pierre Puget et de Jean-Baptiste Van Loo. Un très bel autel baroque orne la chapelle du *Corpus Domini*.

L'opéra de Toulon domine la place Victor-Hugo

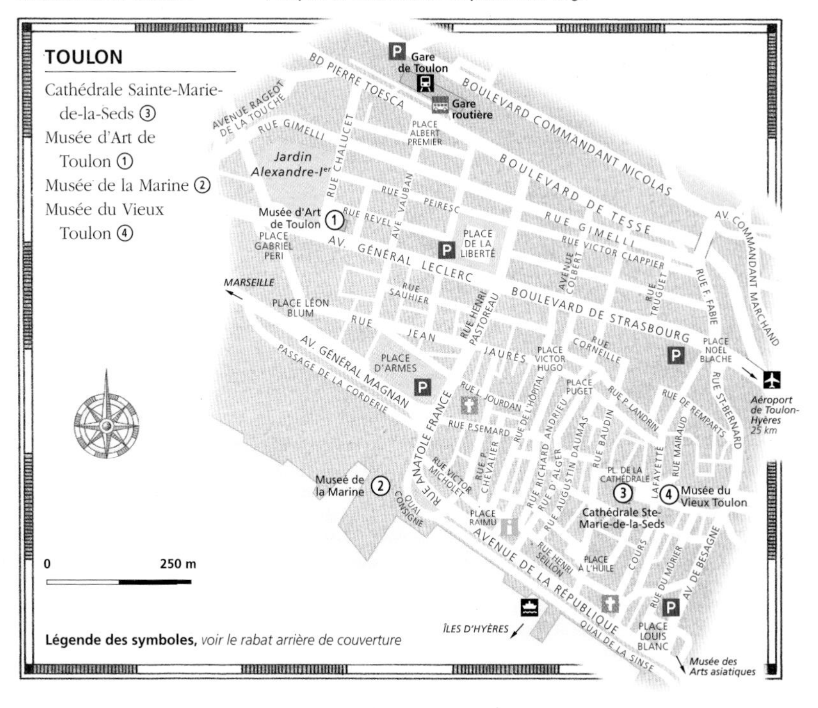

Les îles d'Hyères ⓱

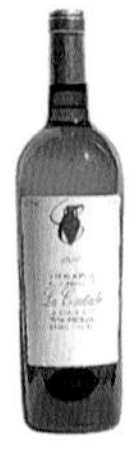

Un cru rare : le vin de Porquerolles

Appartenant par leur géologie au massif des Maures, Porquerolles, Port-Cros et l'île du Levant ferment la rade d'Hyères – position stratégique dont profitèrent les Grecs, les Romains et les pirates sarrasins. Une base militaire occupe aujourd'hui encore la presque totalité de l'île du Levant, à côté du village naturiste d'Héliopolis. Classé parc national, Port-Cros offre aux visiteurs de nombreuses promenades, y compris un sentier sous-marin. Plus vaste et partiellement cultivée, Porquerolles ravira les amateurs de plages de sable fin. Des allées permettent d'explorer l'île à pied ou à vélo.

Le Lavandou
Hyères
Hyères-Plage
Le Levant
La Tour-Fondue
Porquerolles
Port-Cros

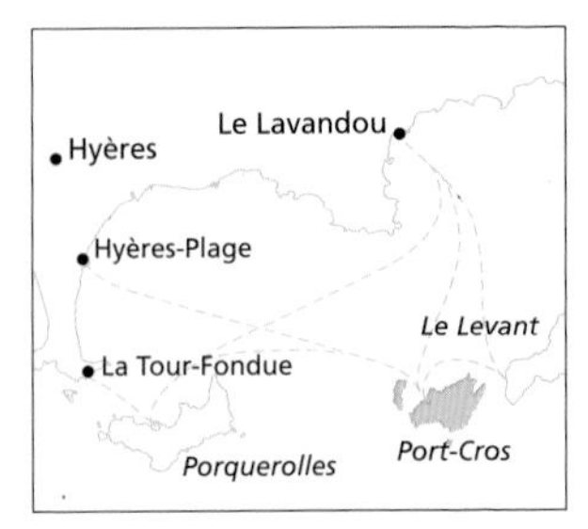

CARTE DE SITUATION

LA FAUNE MARINE DE PORT-CROS

Palmes, masque et tuba suffisent pour suivre le sentier sous-marin de Port-Cros et découvrir dans une eau limpide les poissons qui se glissent dans les herbiers de posidonies.

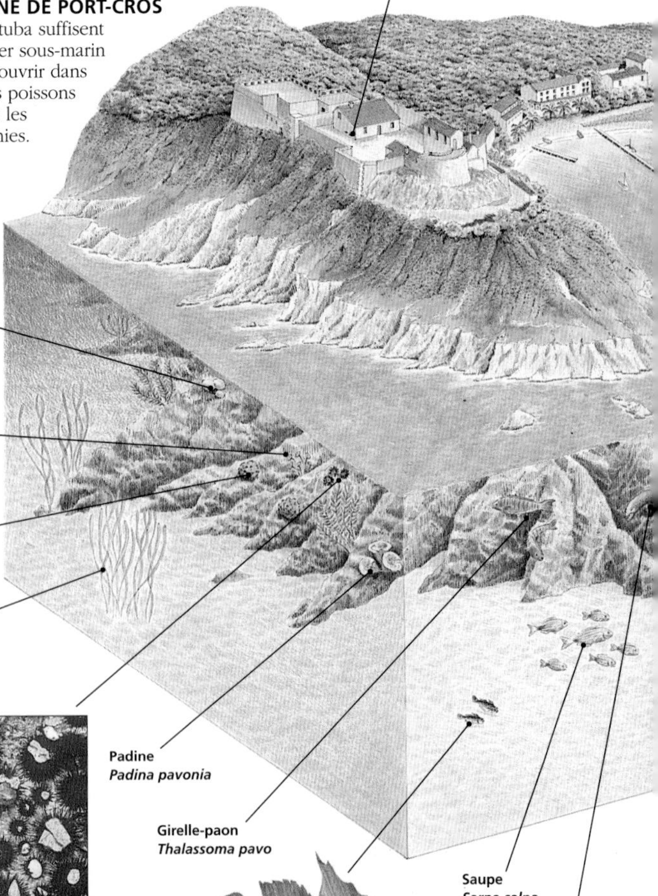

Le fort du Moulin domine le port
Acétabulaire *Acetabularia mediterranea*
Éponge *Spongia officinalis*
Posidonie *Posidonia oceanica*
Padine *Padina pavonia*
Girelle-paon *Thalassoma pavo*
Saupe *Sarpa salpa*
Murène *Muraena helena*

Codium bursa

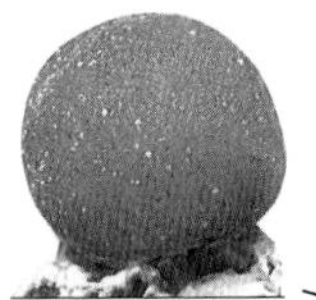

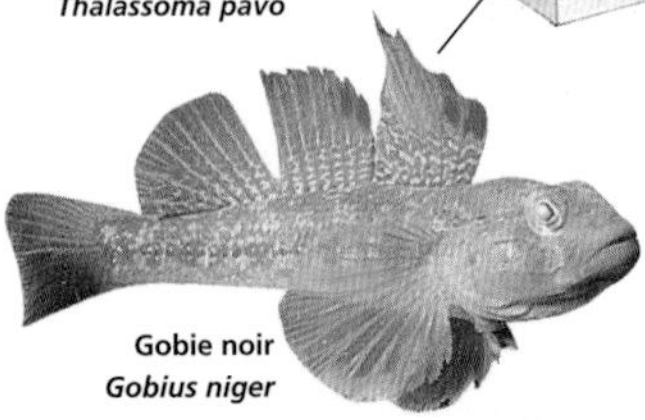

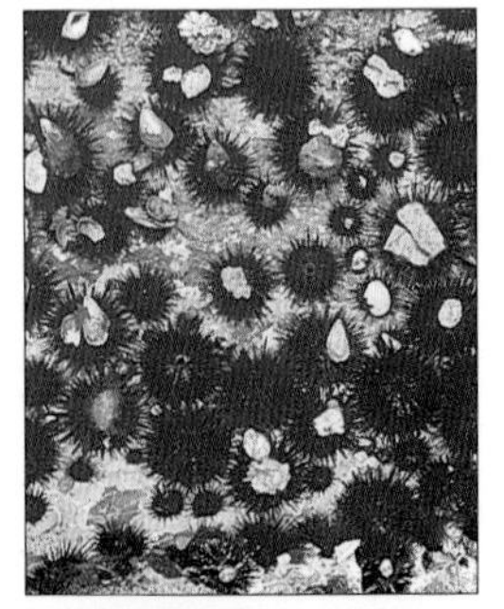

Oursins, *Paracentrotous lividus*

Gobie noir *Gobius niger*

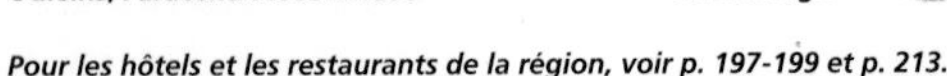

Pour les hôtels et les restaurants de la région, voir p. 197-199 et p. 213.

Port-Cros
Au nord-est de l'île, le minuscule village de Port-Cros est niché dans une rade bordée de palmiers.

MODE D'EMPLOI

Carte routière D5. *Toulon-Hyères. Hyères. Hyères. d'Hyères à Porquerolles : t.l.j. toutes les 30 min en été ; d'Hyères et du Lavandou à l'île du Levant et Port-Cros : t.l.j. (nov.-fév. : 4 fois par sem.). Porquerolles (04 94 58 33 76).*

Plongée sous-marine à Port-Cros

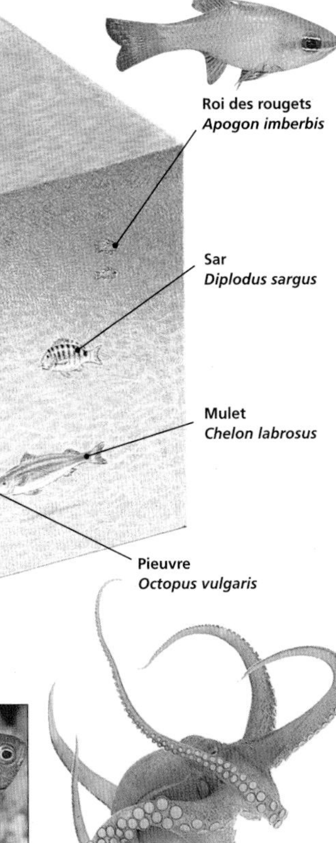

Castagnole, *Chromis chromis*

Hyères ⓲

Carte routière D4. *54 000. Toulon-Hyères. 3, av. Ambroise -Thomas (04 94 01 84 50). mar., sam. et 3e ven. du mois.* **www**.hyeres-tourisme.com

Si la cité actuelle doit son développement au tourisme et aux riches étrangers qui la fréquentèrent dès le XVIIIe siècle, les Grecs occupaient déjà la presqu'île de Giens vers 300 av. J.-C. Au Moyen Âge, les habitants se réfugièrent sur la colline que dominent toujours les ruines du château seigneurial du XIe siècle. Dans ce parc se dresse la **villa Noailles** (1924), remarquable réalisation d'avant-garde de Robert Mallet-Stevens. La vieille ville s'étend au pied de la colline. La **collégiale Saint-Paul** date du XIIe siècle dans ses parties les plus anciennes et renferme de très nombreux ex-voto peints. Le sanctuaire le plus important est toutefois l'**église Saint-Louis**, gracieux exemple de la transition du roman au gothique.

Hyères s'est beaucoup agrandie au XIXe siècle, perçant de grands boulevards qu'ornent des centaines de palmiers. Elle dispose de trois ports de plaisance et de 35 km de plages de sable. Situé hors du centre, le **jardin Olbius-Riquier** propose sur 7 ha des plantes exotiques, un petit zoo et une aire de jeux pour les enfants.

Jardin Olbius-Riquier
Av. Ambroise-Thomas.
Tél. *04 94 00 78 65. t.l.j.*

Architecture mauresque et palmiers à Hyères

Plage, hôtels et luxueuses villas au Lavandou

Le Lavandou ⓳

Carte routière D4. *5 500. quai Gabriel-Péri (04 94 00 40 50). jeu.* **www**.lelavandou.com

Petit port de pêche qui se sépara de la commune de Bormes-les-Mimosas en 1913, Le Lavandou devrait son nom au lavoir (*lavandou* en provençal) que représente la peinture (1736) de Charles Ginoux qui orne la mairie. Le compositeur Ernest Reyer (1823-1899) contribua à faire connaître le village ; la place où se dresse l'hôtel de ville, en bord de mer, porte son nom et donne vue sur les îles du Levant et de Port-Cros, avec lesquelles sont assurées des liaisons régulières. Les premiers touristes, fortunés qui fréquentèrent la ville ont laissé quelques belles villas sur la colline.

Ses douze plages de sable aux couleurs différentes et son port de plaisance ont permis au petit port de se développer en station balnéaire, où une clientèle plutôt jeune et décontractée trouve un large choix de bars, de restaurants et de boîtes de nuit. Un sentier maritime permet de découvrir les petites criques qui creusent le cap Bénat, où se touve le fort de Brégançon, résidence d'été du président de la République.

Bormes-les-Mimosas ⓴

Carte routière *D4. 7 000. 1, pl. Gambetta (04 94 01 38 38). mar. et mer.* **www**.bormeslesmimosas.com

Accroché aux contreforts des Maures à l'orée de la forêt du Dom, ce joli village médiéval s'étend sous son château,

La rue Rompi-Cuou à Bormes-les-Mimosas

Excursion dans le massif des Maures ㉑

Le nom de ce massif ancien, qui s'étend sur 60 km de long et 30 km de large entre Fréjus et Hyères, ne viendrait pas des pirates sarrasins (ou maures) implantés à La Garde-Freinet jusqu'en 972, mais de *maouro*, qui désigne en provençal un « bois sombre ». D'épaisses forêts couvrent en effet ses flancs nord. La nature cristalline du sol, une exception en Provence où règne le calcaire, a favorisé l'abondance des châtaigniers, chênes-lièges et bruyères. L'itinéraire que nous vous proposons, par endroits étroit et sinueux, passe au cœur de cet espace sauvage et presque désert.

Village de tortues ③
Sur la D75, à la sortie de Gonfaron, un centre d'élevage essaie d'éviter la disparition de la tortue d'Hermann.

D75
Gonfaron
D39
D39
← TOULON
D14
D214

Notre-Dame-des-Anges ④
Ce prieuré à la chapelle ornée d'ex-voto se dresse près du point culminant (780 m) du massif.

Collobrières ⑤
Le village ombragé, que traverse une rivière franchie par un pont du XIe siècle, est réputé pour ses marrons glacés.

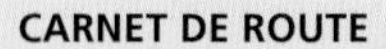

CARNET DE ROUTE

Itinéraire : *75 km*
Où faire une pause ?
À Collobrières pour y déjeuner (p. 213). Visitez la chartreuse de la Verne (04 94 48 08 00), bien que la route qui y mène soit étroite. Voir aussi p. 250-251.

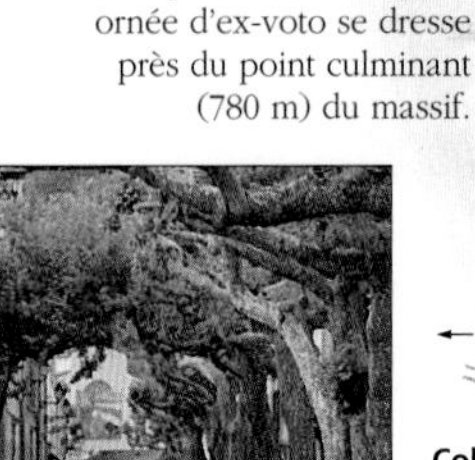

À Collobrières

Pour les autres symboles de la carte *voir le rabat arrière de couverture*

auquel mène un « parcours fleuri ». Pittoresques, ses rues en pente aux noms expressifs, comme la rue Rompi-Cuou, abritent de nombreux magasins d'artisanat. Partout, mimosas et essences rares agrémentent voies et jardins.

La **chapelle Saint-François-de-Paule**, édifiée en 1560, témoigne de la reconnaissance des villageois qu'il aurait sauvés de la peste en 1481. D'inspiration romane bien que construite à la fin du XVIIIe siècle, l'**église Saint-Trophime** renferme des fresques du XVIIIe siècle récemment restaurées. Le **musée d'Arts et Histoire** met l'œuvre paysagiste de Charles Cazin (1841-1901) à l'honneur.

Le port de plaisance occupe une partie des 17 km de côtes de la commune.

Musée d'Arts et Histoire
103, rue Carnot. ***Tél.*** *04 94 71 56 60.* *mar.-dim. (j.f. et dim. : le matin seul.).*

Vignes et pentes boisées entourent Ramatuelle

Ramatuelle ㉒

Carte routière *E4.* *2 000.* *pl. de l'Ormeau (04 98 12 64 00).* *jeu. et dim.* **www**.ramatuelle-tourisme.com

Ramatuelle, qu'occupèrent pendant 80 ans les Sarrasins, tirerait son nom de *Rahmatu'llah*, qui signifie en arabe « bienfait de Dieu ». Entouré de vignobles, ce village perché a gardé le tracé de son enceinte fortifiée détruite au XVIe siècle. Gérard Philipe (1922-1959) y repose. Chaque été, des festivals proposent des représentations théâtrales et des concerts de jazz. À l'ouest, les anciens moulins à vent de Paillas coiffent le sommet (325 m) de la presqu'île de Saint-Tropez, d'où le panorama est saisissant, tout comme du cap Camarat, à 5 km à l'est.

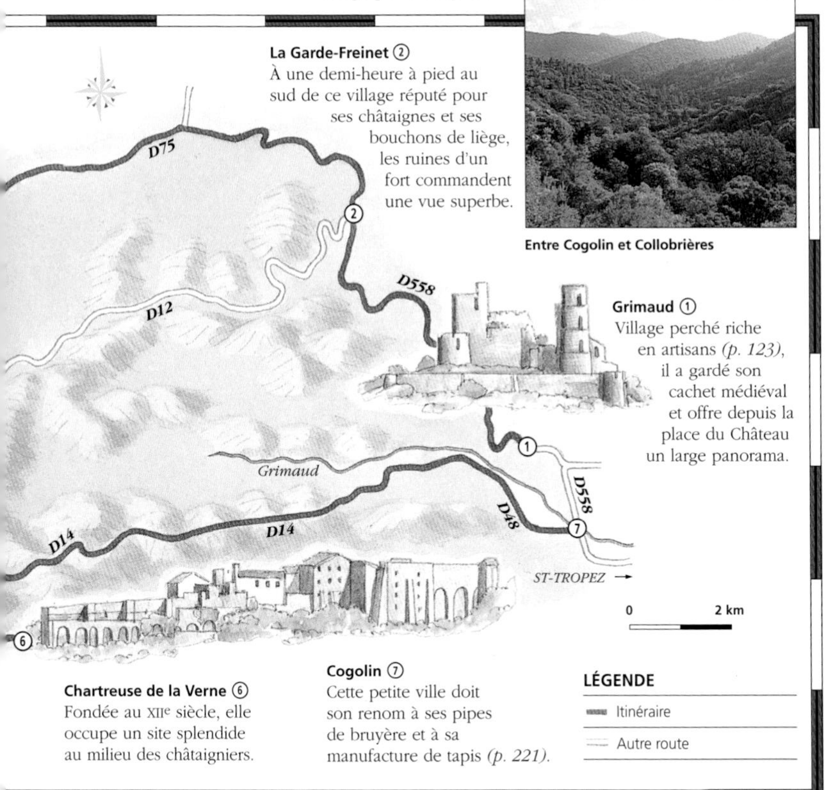

Saint-Tropez pas à pas ㉓

Saint Torpes dans sa barque

Ancienne cité grecque puis romaine, Saint-Tropez, plusieurs fois détruite par les Sarrasins, fut du XVe au XVIIe siècle une république indépendante. Port de pêche et de cabotage, de corsaires aussi, elle repoussa de nombreuses attaques – exploits évoqués lors de ses Bravades *(p. 228)*. Découverte au XIXe siècle par des peintres, la localité devient après guerre une « annexe » de Saint-Germain-des-Prés. Malgré l'affluence touristique en été, ses ruelles et son port, aux maisons reconstruites à l'identique après de graves destructions en 1944, ont conservé une élégance un peu magique.

De la Fontanette part un sentier d'où la vue porte jusqu'à Sainte-Maxime.

Le quartier de la Ponche, relativement paisible, est resté typique.

Tour Vieille

Port de pêche
La tour Vieille sépare le port de l'anse de la Glaye.

Place de la Ponche

Vieux Saint-Tropez
Une population branchée envahit ses ruelles en été.

Tour du Portalet

LA GLAYE

RUE DE LA PONCHE

PLACE DE L'HÔTEL DE VILLE

QUAI FRÉDÉRIC MISTRAL

RUE SIBILL

RUE DU CÉPOUN

QUAI JEAN

Môle Jean-Réveille

★ Quai Jean-Jaurès
Bordé de maisons peintes, de boutiques et de grands cafés, tel Sénéquier, c'est l'endroit idéal pour voir et être vu.

Pour les hôtels et les restaurants de la région, voir p. 197-199 et p. 213.

Remparts de la citadelle *Dominant la ville à l'est, la citadelle offre une superbe vue sur les toits et le golfe de Saint-Tropez.*

MODE D'EMPLOI

Carte routière E4. *5 750.* *gare routière (08 92 68 48 28).* *quai Jean-Jaurès (08 92 68 48 28).* *mar. et sam.* *Bravades : 16-18 mai, 15 juin.* **www**.ot-saint-tropez.com

★ Église Notre-Dame-de-l'Assomption *Elle abrite le buste de saint Torpes, porté en procession lors des Bravades (p. 228).*

D'une fenêtre, vue sur le port de Saint-Tropez *(1925-1926) Aquarelle de Charles Camoin qui se trouve à l'Annonciade.*

LÉGENDE

— — — Itinéraire conseillé

0 50 m

À NE PAS MANQUER

★ Église Notre-Dame

★ Quai Jean-Jaurès

Le musée de l'Annonciade

En 1955, l'architecte Louis Süe aménagea l'ancienne chapelle Notre-Dame-de-l'Annonciade (1568) pour présenter la collection d'art moderne constituée à partir de tableaux légués à l'État par Georges Grammont. Dans un cadre sobre sont exposées des œuvres peintes de la fin du XIXe siècle à l'entre-deux-guerres par des artistes pointillistes, nabis ou fauves comme Signac, Bonnard ou Matisse. Elles témoignent de la volonté d'explorer les possibilités offertes par la couleur. Le musée possède également quatre sculptures d'Aristide Maillol.

Le Rameur *(1914)*
Cette œuvre est de Roger de La Fresnaye.

★ Saint-Tropez, la place des Lices et le Café des arts *(1925)*
Charles Camoin, tropézien d'adoption, peignit à plusieurs reprises la plus célèbre place de la ville.

★ L'Orage *(1895)*
Ce tableau pointilliste de Paul Signac rend avec force la lumière d'un temps orageux à Saint-Tropez.

Expositions temporaires

SUIVEZ LE GUIDE !

Le choix d'œuvres exposées change fréquemment au gré des thèmes choisis. Le rez-de-chaussée est souvent consacré aux expositions temporaires en rapport avec le fonds.

LÉGENDE DU PLAN

- Rez-de-chaussée
- Mezzanine
- 1er étage
- Circulation et services

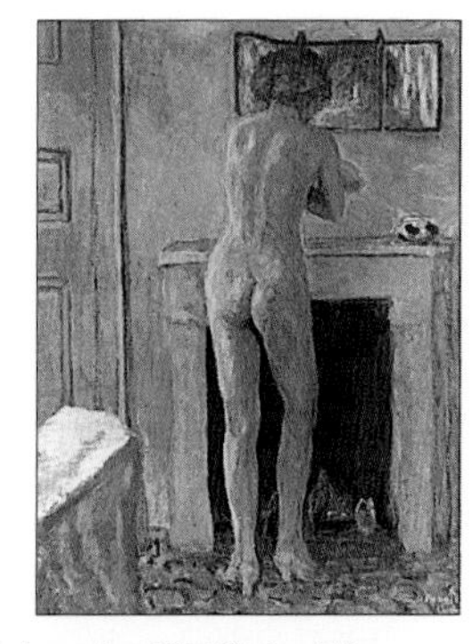

★ Nu devant la cheminée *(1919)*
Toute la maîtrise de la couleur de Pierre Bonnard s'exprime dans cette peinture aux teintes douces et sensuelles.

Pour les hôtels et les restaurants de la région, voir p. 197-199 et p. 213.

Étude pour Au Temps d'Harmonie *(1893-1895)*
Paul Signac peignit cette petite huile préparatoire pour un personnage de la vaste toile aujourd'hui à la mairie de Montreuil.

MODE D'EMPLOI

Le port, Saint-Tropez. ***Tél.*** *04 94 17 84 10.* *juin-sept. : mer.-lun. 10h-12h et 15h-19h ; oct.-mai : mer.-lun. 10h-12h et 14h-18h.* *en nov., 1er janv., 1er mai, Ascension, 25 déc.* *r.-d.-c. seul.*

Mezzanine

La Nymphe *(1930)*
Cette gracieuse évocation de la beauté idéale est l'une des quatre sculptures d'Aristide Maillol exposées à l'Annonciade.

Deauville, le champ de courses
Cette toile peinte par Raoul Dufy en 1928 témoigne de son attirance pour les stations balnéaires.

Entrée principale (XVIIIe siècle)

À NE PAS MANQUER

★ *L'Orage,* de Paul Signac

★ *Nu devant la cheminée,* de Pierre Bonnard

★ *Saint-Tropez, la place des Lices et le Café des arts,* de Charles Camoin

À la découverte de Saint-Tropez

Comptant moins de 6 000 habitants, Saint-Tropez accueille 5 millions de visiteurs par an. En été, la foule se répartit en journée sur les longues plages de sable situées hors de la ville avant de regagner à nouveau le centre le soir venu. L'animation se concentre surtout autour du quai Jean-Jaurès, où sont amarrés de somptueux yachts, et déborde dans les ruelles des vieux quartiers et dans les nombreuses boîtes de nuit. Les amateurs de calme se rabattront sur un sentier pédestre de 35 km qui longe la mer jusqu'à Cavalaire.

Peintures en vente sur le quai Gabriel-Péri

Un aperçu de la ville

À moins d'arriver par la mer, c'est du môle Jean-Réveille, digue fermant le port, que la vue des maisons du quai Jean-Jaurès est la plus belle. Elles inspirèrent Paul Signac, qui se fixa à Saint-Tropez en 1892 et fit venir de nombreux peintres dont les œuvres sont exposées à l'Annonciade *(p. 120-121)*. À leur pied s'étalent les terrasses des grands cafés, le Café de Paris, le Gorille ou Sénéquier *(p. 219)*.

La vieille ville s'étend derrière, autour de l'église, de l'hôtel de ville (la porte sculptée, en face, proviendrait de Zanzibar) et du château Suffren, dont la tour date de 980. Pierre André de Suffren de Saint-Tropez, vice-amiral sous Louis XVI, a également donné son nom au quai qu'orne sa statue.

Le marché se tient le matin sur la place aux Herbes et le mardi et le samedi place des Lices. S'ouvrant devant le château Suffren, la rue Gambetta passe devant la chapelle de la Miséricorde, à l'harmonieux portail en serpentine, pour rejoindre la place des Lices, haut lieu de la vie bouliste tropézienne.

À l'est, au-delà du joli quartier de la Ponche qui borde l'ancien port de pêche, la citadelle occupe le sommet d'une colline. De ses remparts, le panorama s'étend jusqu'au cap Drammont. Son donjon hexagonal (1583) abrite un petit Musée naval.

Musée de l'Annonciade

Voir p. 120-121.

Vue du port de Saint-Tropez

L'église Notre-Dame-de-l'Assomption

Église Notre-Dame-de-l'Assomption

Rue de l'Église. *mer.-dim.*

Lumineuse et colorée, édifiée au début du XVIIIe siècle dans le style baroque, elle abrite plusieurs bustes de saints, notamment celui de Torpes, martyr romain dont le corps décapité aurait dérivé dans une barque avec un coq et un chien affamés, pour échouer miraculeusement intact en 68 à l'emplacement du village.

La citadelle de Saint-Tropez

Musée de la Citadelle

Forteresse. ***Tél.*** *04 94 97 59 43.* *jusqu'en 2012.*

Installé dans le donjon de la citadelle qui domine la ville, le musée est consacré à son passé maritime.

Maison des papillons

9, rue Étienne-Berny. ***Tél.*** *04 94 97 63 45.* *avr.-oct. : lun.-sam. l'après-midi.* *1er et 17 mai, Ascension, 15 août, 1er janv.*

Nichée au fond d'une ruelle, cette demeure abrite une collection de 20 000 papillons de France et du monde entier, réalisée par le peintre Dany Lartigue, fils du photographe Jacques-Henri Lartigue.

Port-Grimaud ㉔

Carte routière E4. *150.* *chemin communal (04 94 56 02 01 ; hiver : 04 94 55 43 83).* *jeu., dim.* **www.**grimaud-provence.com

C'est en 1966 que le rêve du promoteur et architecte alsacien François Spoerry commença à sortir des marais de l'embouchure de la Giscle. Sur 90 ha, 2 500 logements bordent aujourd'hui le réseau de canaux ouvert sur la mer de Port-Grimaud. Ce village créé de toutes pièces vit surtout en été, malgré le souhait de son fondateur de le voir habité toute l'année par des propriétaires qui auraient « garé » leur bateau devant chez eux. Il n'en a pas moins acquis avec le temps un cachet presque authentique et attire près d'1 million de visiteurs chaque année. Un service de « coche d'eau » permet de circuler sur les canaux. Inspirée du style roman provençal, l'**église Saint-François-d'Assise** est éclairée par des vitraux de Vasarely.

Port-Grimaud vu depuis l'église Saint-François-d'Assise

Grimaud ㉕

Carte routière E4. *3 300.* *1, bd des Aliziers (04 94 55 43 83).* *jeu.*
www.grimaud-provence.com

En 983, un noble génois, Gibelin de Grimaldi, se vit offrir un fief dans les Maures par le comte de Provence en récompense de ses loyaux services contre les Sarrasins. Pour veiller sur le golfe de Saint-Tropez, son successeur, Grimaldus, édifia sur un piton situé à 6 km de la mer le château dont les ruines dominent toujours le village.

La forteresse passa aux templiers en 1119, puis aux Castellane qui l'abandonnèrent en 1655 sur l'ordre de Mazarin. Du pied de ses tours, le panorama est superbe.

Grimaud a gardé son aspect médiéval, et ses venelles et placettes rafraîchies par des fontaines offrent une très agréable promenade. Dans la rue des Templiers, réputée pour ses arcades gothiques et ses portails en serpentine, la Maison dite « des templiers » (fermée au public), de style Renaissance, se dresse en face de l'église romane Saint-Michel (XIe siècle). C'est le roi René qui aurait offert le bénitier en marbre (XIIe siècle).

À l'est du village sur la D14, la chapelle Notre-Dame-de-la-Queste (XIe-XIIe siècles), autrefois lieu d'importants pélerinages, renferme un intéressant retable baroque.

Les ruines de son château veillent toujours sur Grimaud

Sainte-Maxime ㉖

Carte routière E4. *12 000.* *St-Raphaël, St-Tropez.* *prom. S.-Lorière (04 94 55 75 55).* *jeu.*

Plage à Sainte-Maxime

Face à Saint-Tropez, de l'autre côté du golfe, Sainte-Maxime appartint aux moines de Lérins qui la fortifièrent contre les pirates. Édifiée en 1520 comme moyen de défense, la tour Carrée servit de grenier à grains, puis de prison et enfin de mairie jusqu'en 1935. Elle abrite aujourd'hui le **musée des Traditions locales**. Construite en vis-à-vis en 1762, l'église possède un autel baroque en marbre du XVIIe siècle provenant de la chartreuse de la Verne.

C'est le tourisme qui a permis à la ville de se développer depuis la fin du XIXe siècle, et elle propose aujourd'hui, outre ses plages de sable, un port de plaisance et un casino.

Musée des Traditions locales
Place de l'Église, face au port.
Tél. *04 94 96 70 30.* *mer.-lun.* *1er janv., 1er mai, 25 déc.*

Saint-Raphaël ㉗

Carte routière E4. 40 000. quai Albert-Ier (04 94 19 52 52). *t.l.j.* **www**.saint-raphael.com

Lieu de villégiature des Romains, puis paisible village de pêcheurs, Saint-Raphaël entra dans l'histoire quand Napoléon y débarqua à son retour d'Égypte en 1799. Il y revint en 1813 pour partir en exil à l'île d'Elbe. La cité se développa à la fin du XIXe siècle avec l'arrivée du chemin de fer. La gare sépare d'ailleurs la station balnéaire de la vieille ville, serrée autour de l'église Saint-Pierre (XIIe siècle), dont le presbytère abrite le **Musée archéologique**, qui expose des amphores et des objets provenant de fouilles sous-marines.

Musée archéologique
Pl. de la Vieille-Église. ***Tél.*** *04 94 19 25 75.* *mar.-sam.* *j.f.*

Affiche du XIXe siècle vantant Saint-Raphaël

Massif de l'Estérel ㉘

Carte routière E4. *Nice.* *Agay, Saint-Raphaël.* *quai Albert-Ier, Saint-Raphaël (04 94 19 52 52).*

Entre les contreforts des Alpes et la mer où il tombe en impressionnantes falaises de porphyre rouge, le massif de roches éruptives de l'Estérel s'étend de Fréjus, à l'est, à La Napoule, à l'ouest. Il culmine à 618 m au mont Vinaigre.

Le château de La Napoule devenu un centre d'art

Ce territoire âpre, aux forêts régulièrement ravagées par les incendies, ne fut totalement exploré qu'à la fin du XIXe siècle. Il offrit longtemps un lieu de retraite aux ermites, et les brigands et autres évadés du bagne de Toulon s'y cachaient pour échapper à la maréchaussée. C'est notamment là que le célèbre Gaspard de Besse avait son repaire au XVIIIe siècle.

La N7 contourne le massif sur son flanc nord, suivant approximativement le tracé de l'ancienne voie Aurélienne. À 11 km de Fréjus, au carrefour du Testanier, à droite, une route forestière mène au mont Vinaigre. À son terme, 15 min de marche permettent de profiter au sommet d'un panorama impressionnant des Alpes jusqu'à la Sainte-Victoire.

Au sortir de Saint-Raphaël, la D1089, la « Corniche d'or », longe le littoral en traversant Boulouris, puis serpente dans un décor grandiose jusqu'à **Agay**, petite station balnéaire au fond d'une rade sûre. L'exploitation de ses carrières de porphyre a cessé il y a seulement vingt ans. À la pointe de la Baumette se trouve un mémorial à Antoine de Saint-Exupéry. La route se poursuit vers Anthéor et la pointe de l'Observatoire. Juste avant d'y parvenir, une route forestière part sur la gauche en direction du col de Belle-Barbe : elle dépasse à droite une bifurcation vers le pic du cap Roux (482 m), dont le sommet est accessible en 1 h de marche depuis le parking du plateau d'Anthéor.

Du parking du col de Belle-Barbe, un sentier conduit en 40 min jusqu'au superbe ravin du Mal-Infernet, qui mène au lac de l'Écureuil. Les bons marcheurs atteindront ensuite le col Notre-Dame et, de là (45 min à pied depuis le parking), la cime du pic de l'Ours (496 m) et son panorama extraordinaire. En voiture, depuis le col de Belle-Barbe, revenez sur vos pas jusqu'à la bifurcation, à gauche, pour le pic de l'Ours.

Après la pointe de l'Observatoire, la Corniche d'or dessert plusieurs stations balnéaires avant d'atteindre La Napoule, où le sculpteur américain Henry Clews (1876-1937) a restauré un **château** du XIVe siècle devenu une **fondation**.

Fondation Henry-Clews
1, av. Henry-Clews, La Napoule. ***Tél.*** *04 93 49 95 05.* *t.l.j.* *25 déc.* *avr.-sept.* **www**.chateau-lanapoule.com

Les incendies répétés ont modifié la forêt primitive de l'Estérel

Pour les hôtels et les restaurants de la région, voir p. 197-199 et p. 213.

Fréjus ㉙

Carte routière E4. *53 000.* *249, rue Jean-Jaurès (04 94 51 83 83).* *t.l.j. sf lun. et jeu.* **www**.frejus.fr

C'est Cicéron qui mentionne pour la 1re fois en 43 av. J.-C. le Forum Julii qu'aurait fondé Jules César avant que son fils adoptif, Auguste, le 1er empereur de Rome, en fasse un port militaire. Installée sur un banc rocheux dans la vallée alluviale de l'Argens, la colonie se développe et devient un grand centre commercial.

Il subsiste de cette ville romaine une partie des remparts, notamment la porte des Gaules qui s'ouvre à l'ouest près de l'**amphithéâtre**. Ces arènes pouvaient accueillir 10 000 spectateurs. Aujourd'hui y sont organisés des corridas et des concerts. À l'est, l'aqueduc arrivait au niveau de la porte de Rome, aujourd'hui détruite. Près de celle-ci, le théâtre, construit au Ier siècle av. J.-C., accueille toujours des spectacles.

La porte Dorée (IIe siècle), vestige d'une salle voûtée appartenant à des thermes, marque l'emplacement de l'ancien port qu'un canal reliait à la mer.

Les Sarrasins rasèrent la ville en 940, et il fallut attendre 990 pour que l'évêque Riculphe la relève. L'agglomération médiévale se développa autour de l'ensemble fortifié du **groupe épiscopal**, qui comprend notamment la cathédrale, le baptistère et le cloître abritant le Musée archéologique. Elle ne retrouva jamais l'importance de la cité antique et le port, mal entretenu, s'ensabla. Devenu un marécage insalubre, il fut comblé au XVIIIe siècle et transformé en terrain agricole, si bien que Fréjus-Plage et son sable fin se trouvent aujourd'hui à 2 km du centre.

Mosaïque au Musée archéologique de Fréjus

Puits du cloître du groupe épiscopal de Fréjus

À 2 km également, mais à l'est de l'amphithéâtre (entrée place Calvini), se dresse la pagode bouddhique construite pendant la Première Guerre mondiale par des soldats vietnamiens engagés dans l'armée française.

Amphithéâtre
Rue Henri-Vadon. ***Tél.*** *04 94 51 34 31.* *mar.-dim.* *j.f.*

Groupe épiscopal
58, rue de Fleury. ***Tél.*** *04 94 51 26 30.* *t.l.j. (oct.-mai : cloître fermé le lun.).* *j.f.* *cloître.*

GROUPE ÉPISCOPAL

Cet ensemble élevé à partir du XIIe siècle et fortifié au XIVe comprend un baptistère datant du Ve siècle, le plus vieux de France.

Les stalles sculptées de la cathédrale datent du XVe siècle.

Musée archéologique municipal

Maître-autel

Portail Renaissance

Dans le baptistère, les huit colonnes de granit sont surmontées de chapiteaux corinthiens en marbre dont certains sont antiques.

Le cloître avait à l'origine deux étages mais seule l'une des galeries supérieures subsiste. Des panneaux peints ornent la charpente.

La piscine octogonale était destinée au baptême des adultes.

Bassin en terre

LES BOUCHES-DU-RHÔNE ET NÎMES

Le sud-ouest de la Provence renferme à la fois sa plus grande et sa plus vieille cité, Marseille, fondée alors que Paris était à peine un village et que la Camargue était une terre sauvage peuplée d'oiseaux et de taureaux. Dans la riche plaine du Rhône, les Romains ont laissé de nombreux vestiges, notamment à Arles et à Nîmes.

C'est vers 600 av. J.-C. que des Grecs de Phocée, située en Asie Mineure, fondent Massalia. La ville devient très vite un grand centre de commerce et, malgré des périodes de déclin, elle ne perdra jamais sa vocation marchande et une farouche volonté d'indépendance. Les Romains, à partir du IIe siècle av. J.-C., vont surtout s'intéresser à l'intérieur des terres. Les vestiges qu'ils laissèrent autour d'Arles, Glanum et Nîmes, comme le pont du Gard, témoignent de la richesse de la *provincia* qu'ils créèrent.

« Une race d'aiglons », tels sont les mots qu'utilise Frédéric Mistral *(p. 28)* pour décrire les seigneurs qui régnèrent au Moyen Âge sur quatre-vingts fiefs depuis leur repaire des Baux-de-Provence *(p. 142-143)*. Leur cour d'Amour, en ce site extraordinaire, connaît un grand renom auprès des dames nobles et des troubadours du XIIIe siècle. Pendant qu'ils posent les bases de la littérature occidentale, Saint Louis fonde Aigues-Mortes, d'où il part en croisade. Au XVe siècle, le bon roi René *(p. 46-47)* tient sa Cour à Aix-en-Provence, où l'Université, fondée en 1409 par son père, anime toujours la vie de la cité. Lorsqu'il veut s'en échapper, il gagne son impressionnant château de Tarascon qui se dresse au bord du Rhône.

Les randonneurs découvriront de superbes paysages dans les Alpilles ou les calanques de Marseille. La Camargue permettra à tous les amoureux de la nature d'aller, notamment à cheval, à la rencontre d'une faune et d'une flore d'une grande richesse.

Produits du terroir au marché d'Aix-en-Provence

◁ **La statue de Saül à Aix-en-Provence, sculptée par Joseph Sec en 1792**

À la découverte des Bouches-du-Rhône et de Nîmes

Le delta du Rhône constitue la partie la plus plate de la Provence. Au sud la Camargue, au nord une plaine fertile propice aux cultures maraîchères et des villes chargées d'histoire comme Arles et Nîmes. L'est du département est plus accidenté, avec la chaîne des Alpilles, idéale à découvrir depuis Saint-Rémy-de-Provence, et les hauteurs entourant Aix et Marseille, très différentes malgré leur proximité. Entre Marseille et Cassis, les calanques, merveilleuses criques étroites bordées de blanches falaises, se découvrent à pied ou en bateau.

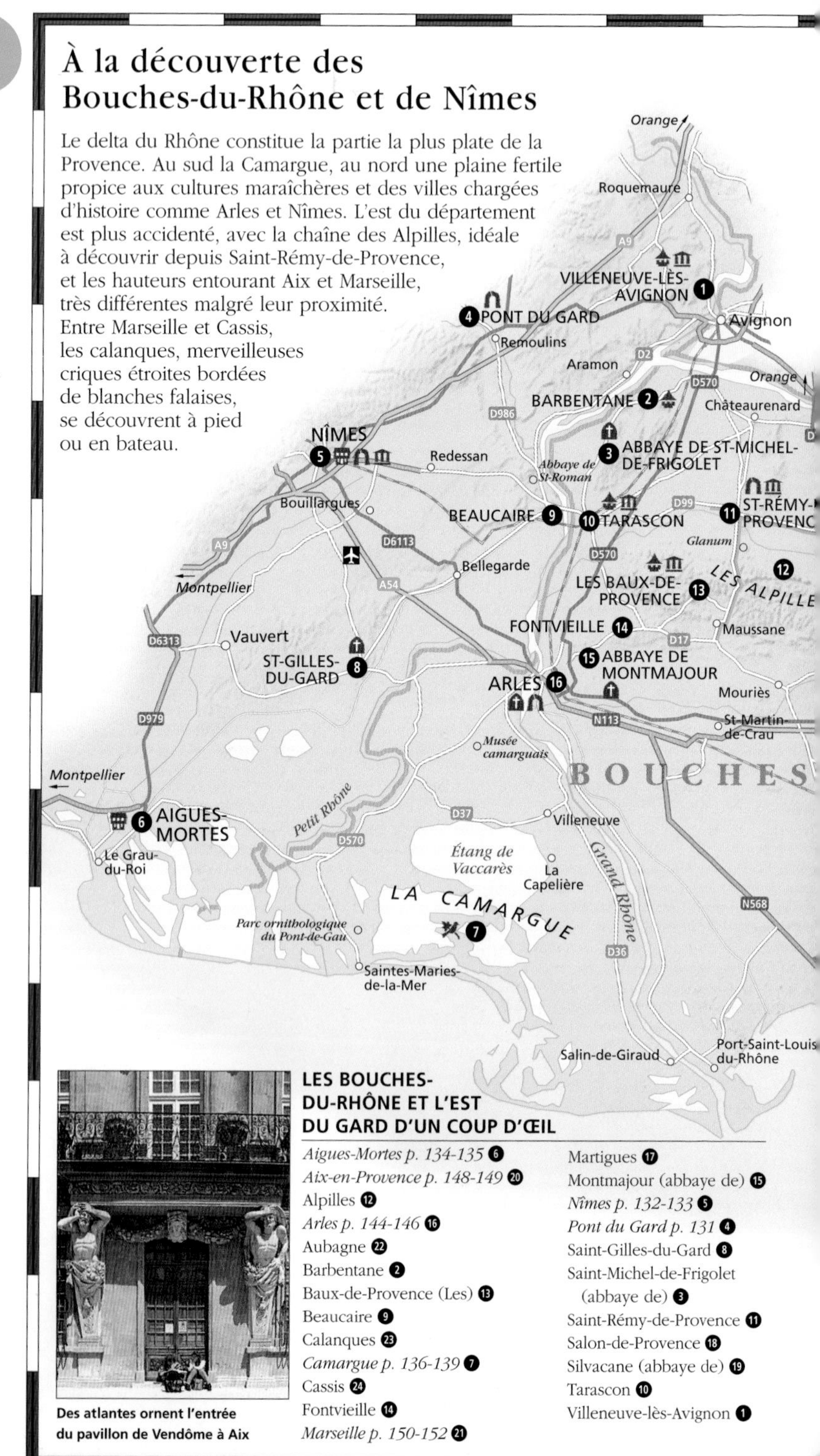

Des atlantes ornent l'entrée du pavillon de Vendôme à Aix

LES BOUCHES-DU-RHÔNE ET L'EST DU GARD D'UN COUP D'ŒIL

Aigues-Mortes p. 134-135 6
Aix-en-Provence p. 148-149 20
Alpilles 12
Arles p. 144-146 16
Aubagne 22
Barbentane 2
Baux-de-Provence (Les) 13
Beaucaire 9
Calanques 23
Camargue p. 136-139 7
Cassis 24
Fontvieille 14
Marseille p. 150-152 21
Martigues 17
Montmajour (abbaye de) 15
Nîmes p. 132-133 5
Pont du Gard p. 131 4
Saint-Gilles-du-Gard 8
Saint-Michel-de-Frigolet (abbaye de) 3
Saint-Rémy-de-Provence 11
Salon-de-Provence 18
Silvacane (abbaye de) 19
Tarascon 10
Villeneuve-lès-Avignon 1

Pour les autres symboles de la carte, *voir le rabat arrière de couverture*

Le Vieux-Port et la tour Carrée du fort Saint-Jean à Marseille

CIRCULER

Pour de longs trajets, mieux vaut emprunter les autoroutes qui permettent d'éviter la circulation dans les villes et les villages. Trains et autocars desservent les agglomérations les plus importantes, mais il est difficile de se déplacer en transports en commun hors des grands axes, notamment dans la campagne. Jolies cités chargées d'histoire, Aix et Arles permettent de rayonner dans la région. Depuis Arles ou les Saintes-Maries-de-la-Mer, des promenades en bateau sont possibles pour découvrir la Camargue où de nombreux ranchs proposent des randonnées à cheval.

VOIR ÉGALEMENT

- ***Hébergement*** p. 199-202
- ***Restaurants*** p. 214-216

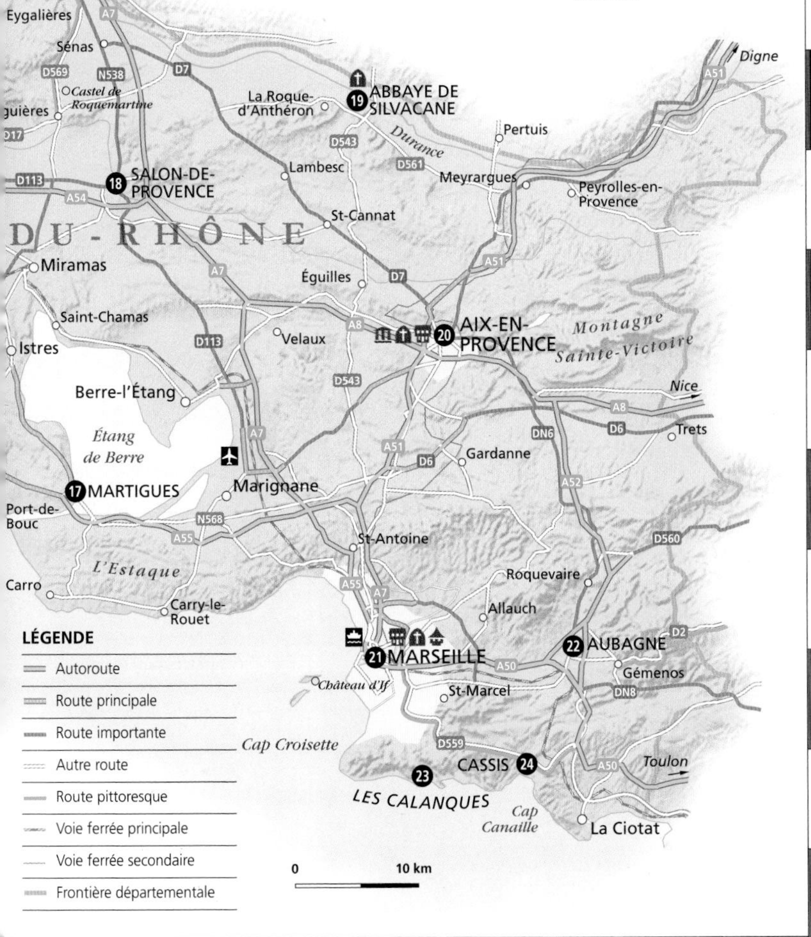

Fontaine Saint-Jean de la chartreuse du Val-de-Bénédiction

Villeneuve-lès-Avignon ❶

Carte routière B3. *12 500.* *Avignon.* *1, pl. Charles-David (04 90 25 61 33).* *jeu. et sam.*
www.villeneuvelesavignon.fr

Face à Avignon, Villeneuve s'est développée au XIVe siècle quand les cardinaux de la Cour pontificale y firent élever leurs résidences : les livrées. La **tour Philippe-le-Bel** (1307) gardait le pont Saint-Bénézet, qui reliait les deux villes par-dessus le Rhône. De sa terrasse, en haut de 176 marches, la vue est superbe comme celle que l'on peut avoir des deux tours rondes de l'entrée du **fort Saint-André** (XIVe siècle).

Reconstruit au XVIIe siècle, l'hôtel où mourut Pierre de Luxembourg en 1387 abrite le **musée municipal Pierre-de-Luxembourg**, réputé pour ses collections de peintures religieuses. Elles comprennent l'une des plus belles œuvres de l'école d'Avignon : *Le Couronnement de la Vierge* (1453) d'Enguerrand Quarton.

Fondée par Innocent VI en 1356, la **chartreuse du Val-de-Bénédiction** est devenue un centre culturel, mais ses trois cloîtres, son église et sa chapelle pontificale sont ouverts à la visite.

Fort Saint-André
Tél. *04 90 25 45 35.* *t.l.j.* *1er mai, 1er et 11 nov., 25 déc., 1er janv.*

Musée municipal Pierre-de-Luxembourg
Rue de la République. ***Tél.*** *04 90 27 49 66.* *mar.-dim.* *fév., 1er et 11 nov., 25 déc., 1er janv.*

Chartreuse du Val-de-Bénédiction
Rue de la République. ***Tél.*** *04 90 15 24 24.* *t.l.j.* *1er janv., 1er mai, 1er et 11 nov., 25 déc.* *en été.* *en été.* *en hiver.*
www.chartreuse.org

Barbentane ❷

Carte routière B3. *3 600.* *Avignon, Tarascon.* *Le Cours (04 90 90 85 86).*

Barbentane s'est établie sur les pentes de la Montagnette, joli massif forestier séparant les vallées du Rhône et de la Durance. Elle attira les membres de la Cour papale, mais n'a gardé que le donjon (tour Anglica) du château que fit construire au XIVe siècle le frère d'Urbain V. À côté, la porte Séquier permet l'accès à la vieille ville, où la Maison des chevaliers, à l'élégante façade Renaissance, fait face à l'église bâtie au XIIe siècle et maintes fois remaniée.

Construit à proximité du quartier médiéval en 1674, le **château de Barbentane**, de style classique, a conservé une somptueuse décoration intérieure.

Château de Barbentane
Tél. *04 90 95 51 07.* *Pâques-juin et oct. : jeu.-mar. ; juil.-sept. : t.l.j. ; nov. et mars : dim.* *déc.-fév.*

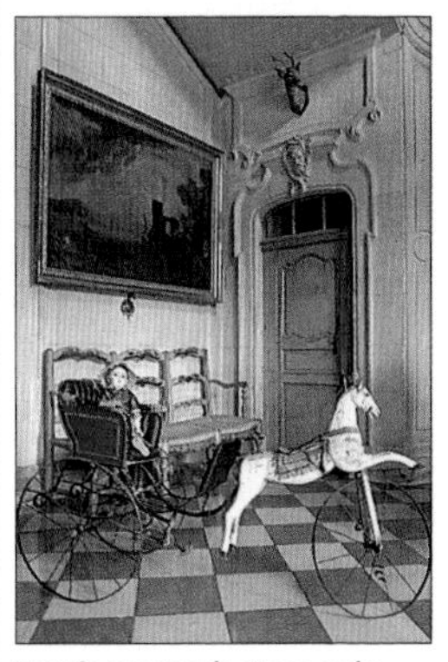

Poupée provençale et son coche au château de Barbentane

Abbaye de Saint-Michel-de-Frigolet ❸

Carte routière B3.
Tél. *04 90 95 70 07.* *t.l.j. à 16h30 et sur r.-v. pour les groupes.*

Au creux d'un vallon de la Montagnette où pousse en abondance le thym (*farigoule* en provençal) qui lui donna son nom, cette abbaye fondée au XIIe siècle juxtapose des bâtiments d'époques différentes. Somptueusement décorée, l'église néogothique (1863-1866) incorpore ainsi la chapelle romane Notre-Dame-de-Bon-Remède (XIe siècle), qui fait office d'abside du bas-côté gauche, et un cloître roman. Admirez aussi la crèche en bois d'olivier.

Installés depuis 1858 dans le monastère (sauf de 1880 à 1923), les prémontrés vendent toujours « l'élixir du père Gaucher », rendu célèbre par Daudet dans les *Lettres de mon moulin*.

Plafond de l'abbatiale de Saint-Michel-de-Frigolet

Pour les hôtels et les restaurants de la région, voir p. 199-202 et p. 214-216.

Pont du Gard ❹

Carte routière A3. *Nîmes.*
route du Pont-du-Gard, 30210 Vers (04 66 37 50 99).
www.pontdugard.fr

Construit au Ier siècle ap. J.-C., cet extraordinaire pont long de 275 m et haut de 49 m faisait partie du système romain qui alimentait le château d'eau (*castellum*) de Nîmes *(p. 132-133)*. Il acheminait chaque jour quelque 20 000 m³ d'eau, captée à Uzès, à 50 km.

Avec trois niveaux d'arches, c'est le plus haut pont-aqueduc de l'Empire romain. Les piles du 1er niveau sont munies d'avant-becs pour résister aux crues du Gardon. Ses blocs de pierre locale pèsent parfois plus de 6 tonnes.

Le pont du Gard et la vallée du Gardon qu'il enjambe

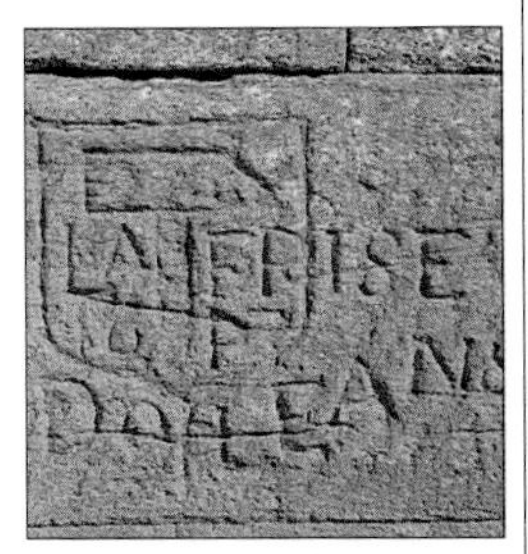

Graffitis laissés par des maçons au XVIIIe siècle

Faute d'entretien, l'aqueduc commença à s'obstruer au IVe siècle et semble avoir été abandonné dès le VIe siècle. Devenu un pont routier au XVIIIe siècle, il se détériora jusqu'à sa restauration commandée par Napoléon III. Il est désormais inscrit au Patrimoine mondial de l'Unesco. Le **site du pont du Gard** propose un musée *(ouv. t.l.j. en été)* qui retrace l'histoire du pont et propose de nombreuses activités.

Des pierres en saillie supportaient les échafaudages

LES VESTIGES DE L'AQUEDUC

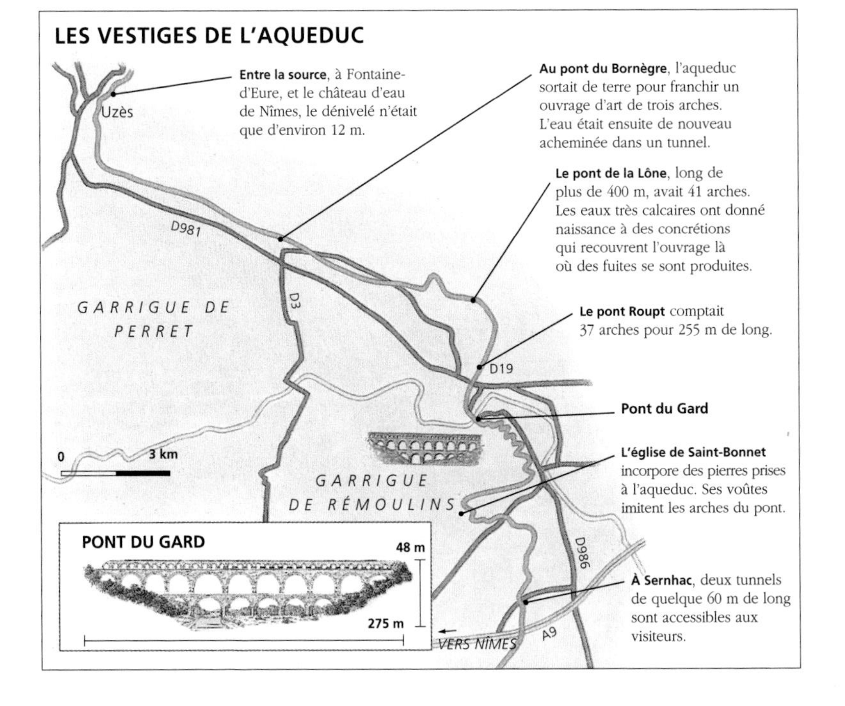

Nîmes 5

Affiche pour la feria de Nîmes

À l'entrée de la grande avenue Jean-Jaurès, la statue d'un taureau témoigne de la passion des Nîmois pour les corridas, passion qui emplit les arènes romaines à chacune des trois ferias annuelles *(p. 32)*. Si la cité se tourne aujourd'hui vers le tourisme en mettant en valeur son riche patrimoine architectural et artistique, elle entretient également une tradition textile séculaire. La serge bleue qu'utilisa Oscar Levi Strauss pour fabriquer les premiers jeans était de Nîmes *(denim)*.

À la découverte de Nîmes
En fondant, après la bataille d'Actium (31 av. J.-C.), une colonie à l'emplacement de la capitale des Volques Arécomiques, les Romains donnèrent à la ville le crocodile enchaîné de ses armoiries. L'Antiquité lui a également laissé les nombreux monuments qui entourent le vieux Nîmes médiéval serré autour de sa cathédrale romane. Ruelles et passages y sont très animés et d'audacieuses réalisations modernes, tel le Carré d'art, apportent un contrepoint harmonieux aux vieux édifices de pierres blanches.

Les armes de la ville : un crocodile et un palmier

Arènes
Bd des Arènes. *04 66 21 82 56.* *t.l.j.* *durant les ferias et les représentations.* *limité.*
www.arenesdenimes.com
Bâties au Ier siècle av. J.-C., ces arènes sont probablement les mieux conservées de l'Empire romain. Longues de 130 m, large de 100 m et haute de 21 m, elles sont à peine plus petites que celles d'Arles, mais pouvaient accueillir 20 000 spectateurs venus voir se battre les gladiateurs. Converties en forteresse au Moyen Âge, elles abritèrent ensuite un véritable village de 700 habitants au début du XIXe siècle, avant leur restauration. Aujourd'hui, jusqu'à 7 000 spectateurs viennent y assister aux corridas ou aux concerts.

Porte d'Auguste
Bd Amiral-Courbet.
Vestige de l'enceinte antique, cette porte située sur la voie Domitienne reliant l'Espagne à Rome comporte deux passages pour les piétons et une arche centrale de 6 m de haut et 4 m de large qu'empruntaient chars et chevaux. Une inscription révèle que les remparts furent bâtis en 15 av. J.-C.

L'amphithéâtre romain accueille désormais corridas et spectacles

Musée du Vieux Nîmes
Pl. aux Herbes. ***Tél.*** *04 66 76 73 70.* *mar.-dim.* *1er janv., 1er mai, 1er nov., 25 déc.*
Situé dans l'ancien palais épiscopal du XVIIe siècle, près de la cathédrale, ce musée présente les arts et traditions populaires de la région. L'intérieur, superbement restauré, abrite de beaux meubles et des céramiques.

Carré d'art
Pl. de la Maison-Carrée.
04 66 76 35 70. *mar.-dim.*
Dessiné par le Britannique Norman Foster comme un pendant moderne à la Maison Carrée, cet édifice ouvert en 1993 est un centre culturel et un musée d'Art contemporain.

Le Carré d'art de Norman Foster

Maison Carrée
Pl. de la Maison-Carrée. ***Tél.*** *04 66 21 82 56.* *t.l.j.* *1er janv., 1er mai, 25 déc.*
C'est le temple romain le mieux conservé du monde. Élevé à la fin du Ier siècle par Marcus Agrippa, il bordait le forum. Ses chapiteaux corinthiens dénotent une influence hellénique. Colbert voulut le démonter pour le transférer à Versailles. À l'intérieur, un film en 3D retrace l'histoire de la ville.

Musée archéologique
13 bis, bd Amiral-Courbet. ***Tél.*** *04 66 76 74 80.* *mar.-dim.* *1er janv., 1er mai, 1er nov., 25 déc.*
L'ancien collège des jésuites présente au rez-de-chaussée des sculptures, armes et poteries datant d'avant les Romains. Au 1er étage, objets et ustensiles gallo-romains donnent une bonne image de

la vie quotidienne pendant l'Antiquité. Verrerie, céramiques, monnaies et statues, dont le *Guerrier de Grézan* (époque préromaine), complètent les collections. La chapelle accueille des expositions temporaires.

Musée des Beaux-Arts

Rue Cité-Foulc. ***Tél.*** *04 66 67 38 21.* *mar.-dim.* *1er janv., 1er mai, 1er nov., 25 déc.*

Outre la remarquable mosaïque romaine *Le Mariage d'Admée*, il rassemble un ensemble de tableaux des écoles italienne, française, flamande et hollandaise du XVe au XIXe siècle. À remarquer : *Suzanne et les Vieillards* de Jacopo Bassano.

Cathédrale Notre-Dame-et-Saint-Castor

Pl. aux Herbes. ***Tél.*** *04 66 67 27 72.* *t.l.j. pendant l'office.*

Bâtie en 1096, elle fut presque totalement reconstruite dans le style romano-byzantin au XIXe siècle. La frise de la façade, en partie romane, retrace les épisodes de la Genèse.

Castellum

Rue de la Lampèze.

Entre la porte d'Auguste et la tour Magne, ce bassin pris dans l'enceinte romaine servait de réceptacle aux eaux apportées par l'aqueduc antique *(p. 131)*. Dix canalisations la répartissaient ensuite dans les quartiers.

Statue au Musée archéologique

Jardins de la Fontaine et tour Magne

Quai de la Fontaine. ***Tél.*** *04 66 21 82 56 (tour Magne).*

En aménageant au XVIIIe siècle ce parc dans le prolongement de l'avenue Jean-Jaurès, J.-P. Mareschal le dota d'une réplique de la fontaine sacrée de la source de Nemausus. Les plans d'eau, agrémentés de statues, s'étendent devant les ruines du temple de Diane (IIe siècle) avant d'alimenter un bassin et un canal. Occupé par des bénédictines au Moyen Âge, le temple fut ravagé durant les guerres de Religion.

Bâtie en 15 av. J.-C. au sommet du mont Cavalier (114 m), la **tour Magne**, octogonale et haute de 34 m, faisait partie de l'enceinte romaine. Elle offre, du haut de ses 140 marches, une vue splendide sur la ville, les Cévennes et le mont Ventoux.

MODE D'EMPLOI

Carte routière A3. *130 000.* *Nîmes-Arles-Camargue.* *bd Talabot.* *6, rue Auguste (04 66 58 38 00).* *t.l.j.* *feria d'Hiver (fév.); feria de Pentecôte (mai ou juin); feria des Vendanges (fin sept.).* **www**.ot-nimes.fr

***L'Obéissance récompensée* de Boucher, musée des Beaux-Arts**

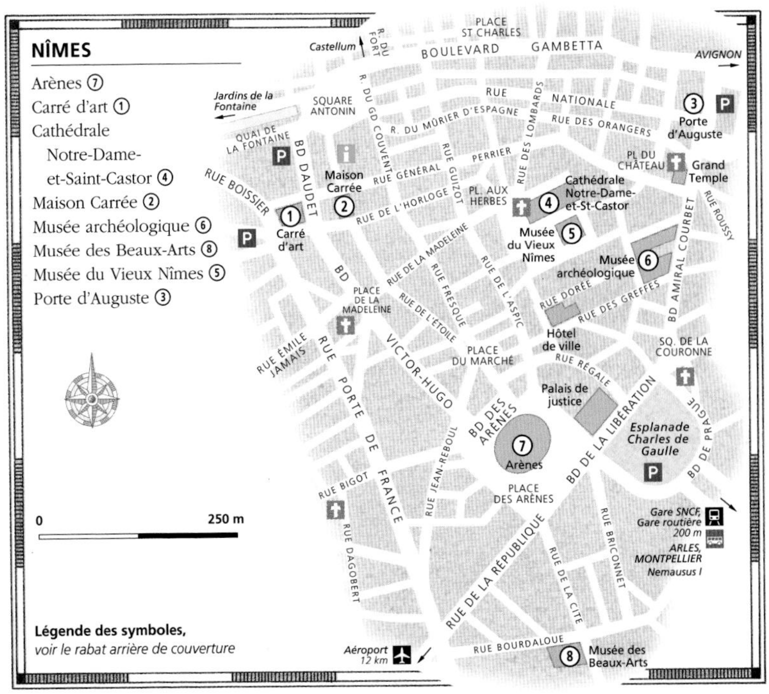

Aigues-Mortes ❻

Au début du XIIIe siècle, les rois de France ne possédaient pas de port sur la Méditerranée. Louis IX, qui projetait de partir en croisade, acheta donc en 1240 une vaste étendue désolée et marécageuse, à la limite de la Camargue, pour y fonder une ville au plan en damier. En 1248, il put y embarquer avec 1 500 navires *(p. 42-43)*, et non d'une cité étrangère comme Marseille. Aujourd'hui, Aigues-Mortes présente le même aspect que vers 1300, quand s'acheva la construction de son enceinte fortifiée, bien qu'elle ait perdu sa fonction portuaire quand les sédiments du Rhône ont ensablé le chenal qui la reliait à la mer.

Dans la tour de la Poudrière étaient entreposées armes et munitions.

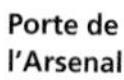

Porte de l'Arsenal

Louis IX
Celui qui allait devenir saint Louis dut proposer d'énormes avantages fiscaux pour attirer des habitants dans cette zone insalubre.

La porte de la Reine doit son nom à Anne d'Autriche qui visita la ville en 1622.

★ Remparts
Longs de 1 634 m, percés de meurtrières et surmontés d'un chemin de ronde, ils comportent dix portes et six tours.

Dans la tour de la Mèche, une flamme brûlait en permanence pour allumer les canons.

Chapelle des Pénitents-Blancs

Tour des Sels

Chapelle des Pénitents-Gris
Construite de 1676 à 1699, elle est toujours utilisée par l'ordre fondé en 1400 qui lui a donné son nom.

À NE PAS MANQUER

- ★ Remparts
- ★ Tour de Constance

Pour les hôtels et les restaurants de la région, voir p. 199-202 et p. 214-216.

Porte de la Marine
C'était la porte d'apparat donnant sur le quai où les navires s'amarraient, notamment devant la poterne des galions.

MODE D'EMPLOI

Carte routière A4. 6 150. 25 km de Montpellier. av. de la Liberté. route de Nîmes. pl. St-Louis (04 66 53 73 00). mer., dim. Nuits d'encens (musiques méditerranéennes, juin), fêtes de la Saint-Louis (août).

Porte des Galions

Place Saint-Louis
Une statue du fondateur de la ville se dresse sur cette petite place ombragée, cœur de la cité. Les proues de nefs croisées ornent son socle.

Porte de l'Organeau

Notre-Dame-des-Sablons
fut construite avant la ville.

Tour des Bourguignons
Les corps des Bourguignons massacrés par les Armagnacs en 1421 y furent jetés et salés pour éviter la putréfaction.

Porte de la Gardette

★ Tour de Constance
Ce donjon servit de geôle à des religieux, notamment Marie Durand, huguenote, qui y demeura 38 ans sans renier sa foi.

LÉGENDE

— — Itinéraire conseillé

0 100 m

La Camargue ❼

Les gardians veillent sur les chevaux et les taureaux

Le Rhône transporte chaque année des tonnes de sédiments détachés de ses rives. À son embouchure s'est ainsi formée une immense plaine alluviale (près de 100 000 ha), dont le point le plus haut ne dépasse pas 4,50 m d'altitude. Cette étendue presque déserte, toujours fragile malgré les digues élevées par l'homme, présente trois grands types de paysages : la Camarge agricole, au nord, où de vastes domaines exploitent rizières, champs de céréales et cultures maraîchères ; la Camargue naturelle, au sud, où les gardians continuent d'élever les taureaux en liberté au milieu des marais et lagunes ; et les salins, dominés par leurs montagnes de sel, près de Salin-de-Giraud et d'Aigues-Mortes.

Taureaux camarguais
Élevés en semi-liberté, ils participent pour la plupart aux jeux taurins. Les plus forts sont vendus en Espagne.

Chevaux blancs
Descendant direct de chevaux préhistoriques, cet animal rustique prend sa robe blanche entre 4 et 7 ans.

Au parc ornithologique du Pont-de-Gau *(p. 138-139)*, plus de 350 espèces d'oiseaux migrateurs font étape chaque année lors de leurs traversées vers le nord ou le sud.

D572
D570
Le Petit Rhône
Méjanes
PLAINE DE LA CAMARGUE
PETITE CAMARGUE
D570
Maison du parc
Saintes-Maries-de-la-Mer

LES OISEAUX

Les passionnés d'ornithologie se pressent en Camargue au printemps, quand les migrateurs font étape dans leur voyage vers le nord. Parmi les espèces résidant en permanence figurent l'aigrette garzette et le busard des roseaux. C'est la seule région du pays où se reproduit encore le goéland railleur.

Aigrette garzette ***(Egretta garzetta)***

Goéland railleur ***(Larus genei)***

Busard des roseaux ***(Circus aeruginosus)***

Glaréole à collier ***(Glareola pratincola)***

Échasse blanche ***(Himantopus himantopus)***

Nette rousse ***(Netta rufina)***

Pour les hôtels et les restaurants de la région, voir p. 199-202 et p. 214-216.

Castors européens
Ces mammifères nocturnes chassés pour leur fourrure faillirent disparaître au début du XXe siècle. Protégée depuis 1905, l'espèce est florissante dans la région depuis les années 1970.

MODE D'EMPLOI

Carte routière B4. *90 km à l'O. (Montpellier).* *av. Paulin-Talabot, Arles.* *5, av. Van-Gogh, Saintes-Maries-de-la-Mer (04 90 97 82 55).* *pèlerinage des Gitans (24-25 mai, fin oct.).* **www.**parc-camargue.fr

Flamants roses
Souvent visibles dans les basses eaux de l'étang de Vaccarès bien que leurs lieux de ponte se trouvent dans les lagunes plus au sud, quelque 10 000 couples de ces grands échassiers se reproduisent chaque année en Camargue.

Musée de la Camargue *(p. 139)*

s du
t-de-Rousty
D36B
37
Villeneuve
Centre d'information de la réserve nationale
Le Grand Rhône
D36
ng du Vaccarès
La Capelière

P
Salin-de-Giraud

Salins
Exploitées depuis l'Antiquité, ces vastes étendues plates permettent de faire circuler l'eau de mer sur 50 km afin d'en extraire le sel. Les échassiers tels que l'avocette viennent s'y nourrir.

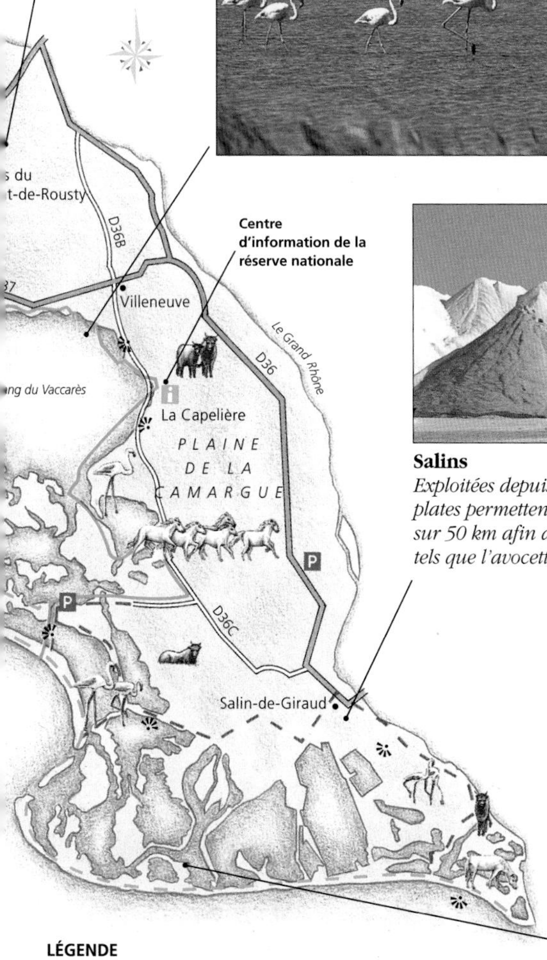

Dune
Salicornes et saladelles abondent dans la maigre végétation, la sansouïre, de la ligne de dunes qui sépare de la mer lagunes et marais.

LÉGENDE

- Limite de la réserve naturelle
- Sentier pédestre
- Sentier pédestre et cyclable

0 — 5 km

À la découverte de la Camargue

Entrée des arènes de Méjanes

Les caractéristiques naturelles uniques de la Camargue ont donné naissance à des traditions et des modes de vie particuliers, et s'il n'existe quasiment plus de cabanes de gardians en roseaux *(p. 22)*, ces célèbres cow-boys français continuent de galoper avec leurs troupeaux, ou *manades*, dans les marais. Les taureaux se produisent dans les jeux taurins, temps forts, avec les pèlerinages, de la vie locale. Entre Arles et les Saintes-Maries-de-la-Mer, nombreux sont les ranchs à proposer promenades et randonnées à cheval dans la réserve naturelle. Aux Saintes-Maries, la piste piétonnière et cyclable de la Digue-à-la-Mer (12 km) en offre également un superbe aperçu. Partout, des centres d'information renseignent sur les itinéraires de découverte pédestre. Plusieurs musées présentent la faune et la flore de la région ainsi que son histoire.

Course de taureaux camarguais à Méjanes

Un lieu de pèlerinage
Selon la tradition, une barque venue miraculeusement de Palestine, sans voile ni rames, accosta vers 40 apr. J.-C. à l'emplacement actuel des **Saintes-Maries-de-la-Mer**. Elle avait à son bord Marie Jacobé, sœur de la Vierge, Marie Salomé, mère des apôtres Jacques et Jean, Marie Madeleine, Lazare, le ressuscité, sa sœur Marthe et Maximin. Selon les versions, Sarah les accompagnait comme servante ou bien les accueillit sur le rivage en tant que chef d'une tribu de gitans. Quoi qu'il en soit, elle resta sur place avec les saintes Marie, Jacobé et Salomé, qui donnèrent son nom à la ville. Devenue patronne des gitans, elle est aujourd'hui célébrée lors du grand pèlerinage de printemps *(p. 32)*.

À l'emplacement de l'oratoire élevé par les saintes se dresse désormais l'église fortifiée de Notre-Dame-de-la-Mer. C'est dans la crypte que se trouvent les reliques de Sarah, découvertes en 1448, et sa statue couverte d'or et de bijoux qui est portée en procession jusqu'à la mer.

Paisible en hiver, hors des pèlerinages, le bourg est devenu une cité balnéaire très animée en été, saison où touristes et autochtones se mêlent dans les arènes pour les jeux taurins.

Le petit **musée Baroncelli** est consacré aux traditions et à l'histoire locales tandis qu'à 4,5 km du centre, au bord de l'étang de Ginès, s'étend le **parc ornithologique du Pont-de-Gau**. Le boulevard longeant la plage conduit, à l'est, à la promenade de la Digue-à-la-Mer.

Musée Baroncelli
Ancien hôtel de ville, rue Victor-Hugo. ***Tél.*** *04 90 97 87 60.* *avr.-11 nov. : mer.-lun. (téléphoner).*
Installé dans l'ancien hôtel de ville, il présente les collections et documents assemblés par le marquis Folco de Baroncelli-Javon (1869-1943), manadier et ami de Mistral. L'exposition évoque l'histoire de la ville, ainsi que la vie et le travail des éleveurs camarguais.

Maison du parc naturel régional de Camargue
Pont-de-Gau. ***Tél.*** *04 90 97 86 32.* *avr.-sept : t.l.j. ; oct.-mars : t.l.j. sf ven.* *1er janv., 25 déc.*
www.parc-camargue.fr
Les grandes baies vitrées d'une vaste salle panoramique facilitent l'observation du marais de Ginès. Une exposition présente les caractéristiques du delta du Rhône et les actions du parc. Des expositions temporaires proposent de découvrir les milieux naturels, la faune et la flore, et la protection de l'environnement.

Parc ornithologique du Pont-de-Gau
Pont-de-Gau. ***Tél.*** *04 90 97 82 62.* *t.l.j.* *25 déc.*
www.parcornithologique.com
Sur 60 ha, des sentiers balisés et des postes d'observation

Bondrée apivore au parc ornithologique du Pont-de-Gau

Pour les hôtels et les restaurants de la région, voir p. 199-202 et p. 214-216.

permettent de voir la plupart des oiseaux qui vivent ou transitent en Camargue. Panneaux pédagogiques, fiches d'identification et cartes de migrations offrent une initiation très claire. De vastes volières permettent en outre de découvrir les espèces les plus difficiles à approcher dans leur milieu naturel.

Musée de la Camargue
Parc naturel régional de Camargue, mas du Pont-de-Rousty (sur la D570, à 10 km au S.-O. d'Arles). ***Tél.*** *04 90 97 10 82.* *avr.-sept. : t.l.j. ; oct.-mars : t.l.j. sf mar.* *1er janv., 1er mai, 25 déc.*
www.parc-camargue.fr
Installé dans la bergerie du mas du Pont-de-Rousty, ancien domaine agricole qui abrite l'administration du parc, il retrace l'histoire géologique, naturelle et

L'église fortifiée Notre-Dame-de-la-Mer (IXe siècle), aux Saintes-Maries-de-la-Mer

humaine de la Camargue depuis la formation du delta du Rhône vers 5000 av. J.-C. Ses collections, constituées avec l'aide de la population qui offrit de nombreux objets, évoquent la préhistoire, l'Antiquité et le Moyen Âge, mais surtout le XIXe siècle, notamment sur les gardians et l'organisation sociale.

Au départ du musée, un sentier de découverte balisé, de 3,5 km, donne l'occasion de découvrir, au fil des canaux d'irrigation, comment marais, pâturages et terrains cultivés se complètent dans l'exploitation d'un mas. Un observatoire permet de découvrir les différentes espèces d'oiseaux locaux.

Façade romane de l'abbatiale de Saint-Gilles-du-Gard

Saint-Gilles-du-Gard 8

Carte routière A3. *12 200.* *pl. F.-Mistral (04 66 87 33 75).* *jeu. et dim.* **www.**ville-saint-gilles.fr

Porte de la Camargue et étape importante sur les chemins de Compostelle, Saint-Gilles fut un centre religieux et commercial de premier plan pendant les Croisades. Ravagée pendant les guerres de Religion, l'**abbatiale** (XIe-XIIe siècles) a perdu son cloître et ses bâtiments monastiques, mais conserve, malgré des dégradations, sa façade ornée par l'un des plus remarquables ensembles de sculptures romanes de France. La frise des portails retrace la Passion du Christ.

L'escalier en colimaçon du clocher, la Vis (1142), a inspiré par sa perfection des générations de compagnons tailleurs de pierre.

La crypte renferme les reliques de saint Gilles et présente des voûtes en ogives du XIIe siècle qui font partie des plus anciennes du pays.

Beaucaire 9

Carte routière B3. *14 000.* *24, cours Gambetta (04 66 59 26 57).* *jeu. et dim.*
www.ot-beaucaire.fr

La foire organisée aujourd'hui en juillet à Beaucaire n'égale pas, de loin, l'exubérance de celles où 250 000 personnes se pressaient chaque année jusqu'au XIXe siècle. Fondées en 1217 par Raymond VI de Toulouse, elles attiraient marchands et saltimbanques de toute l'Europe et fixaient les prix du royaume. Elles ne survécurent malheureusement pas au chemin de fer.

Bâti au XIe siècle et agrandi au XIIIe, le **château de Beaucaire**, démantelé sur ordre de Richelieu, a conservé une chapelle romane et une tour triangulaire qui offre une large vue du haut de ses 104 marches. Des spectacles de rapaces en vol libre ont lieu de mars à novembre.

À 5 km du centre, l'**abbaye de Saint-Roman**, dont les origines remontent au Ve siècle, est le seul monastère troglodytique d'Europe. Transformée en forteresse au XVIIe siècle, elle a conservé sa chapelle et ses cellules taillées dans le roc.

Château de Beaucaire
Place Raymond-VII. ***Tél.*** *04 66 59 47 90.* *t.l.j. sf mar.*

L'abbaye troglodytique de Saint-Roman près de Beaucaire

La tarasque, monstre légendaire de Tarascon, vaincue par sainte Marthe

Tarascon ⓾

Carte routière B3. *13 000.* *bd de la République (04 90 91 03 52).* *mar., ven.*
www.tarascon.org

Selon la légende, la cité doit son nom à la tarasque, monstre amphibie qui nichait dans le Rhône à l'époque romaine et dévorait hommes et bêtes. Sainte Marthe, débarquée aux Saintes-Maries-de-la-Mer vers 40 *(p. 138)*, l'aurait domptée d'un signe de croix et livrée au peuple. Reconnaissante, la cité la prit pour patronne, et la **collégiale Sainte-Marthe**, fondée au Xe siècle, mais reconstruite après la découverte de ses reliques au XIIe siècle, abrite son sarcophage (du IVe siècle) dans sa crypte. Une grande fête *(p. 33)* célèbre toujours aujourd'hui la mort de la créature. Le roi René la présida en 1469.

Le **château** se dresse au bord du Rhône. Entrepris en 1400 par Louis II d'Anjou, et achevée par le roi René son fils, en 1449, il marque par son raffinement intérieur la transition entre le Moyen Âge et la Renaissance. Prison de 1800 à 1926, ce château-fort remarquablement conservé est sans doute l'un des plus beaux de France. Le logis seigneurial était relié aux communs par un pont-levis.

La vieille ville renferme d'autres édifices anciens, dont l'hôtel de ville (1648), à l'angle de la rue des Halles, bordée d'arcades, et le cloître des Cordeliers (XVIIe siècle), qui accueille désormais des manifestations culturelles. Le **musée Souleiado** retrace le passé de l'entreprise fondée en 1939 par Charles Deméry pour relancer l'industrie locale du tissu imprimé dont le nom signifie en provençal « rayons du soleil perçant les nuages après la pluie ». Il possède entre autres 40 000 tampons de bois du XVIIIe siècle.

La ville rend hommage au héros d'Alphonse Daudet dans un petit musée : la **Maison de Tartarin**. Ses quatre pièces reprennent des scènes du roman *(p. 28)*.

Château du roi René
Bd du Roi-René. ***Tél.*** *04 90 91 01 93.* *juin-sept. : t.l.j. ; oct.-mai : t.l.j. sf lun.* *j.f.*

Musée Souleiado
39, rue Proudhon. ***Tél.*** *04 90 91 50 11.* *mar.-sam.* *j.f.*
www.souleiado-lemusee.com

Maison de Tartarin
55 bis, bd Itam. ***Tél.*** *04 90 91 05 08.* *avr.-nov. t.l.j. sf mer.* *1er mai, 1er et 11 nov.*

Le château de Tarascon, forteresse raffinée du roi René

Saint-Rémy-de-Provence ⓫

Carte routière B3. *10 000.* *Avignon.* *pl. Jean-Jaurès (04 90 92 05 22).* *mer. et sam.*
www.saintremy-de-provence.com

Gros bourg paisible au pied des Alpilles, Saint-Rémy est un point de départ idéal pour explorer cette chaîne de collines dont la flore nourrit depuis des siècles la pratique de nombreux herboristes. Le **musée des Arômes et des Parfums**, sur le boulevard Mirabeau, rend honneur à leur art.

Reconstruite après un écroulement en 1817, l'église de la ville, la **collégiale Saint-Martin**, n'a gardé que le clocher (1330) de l'édifice gothique antérieur. Son principal intérêt est un orgue exceptionnel (1983). Des récitals permettent d'en apprécier la qualité, durant le Festival Organa ou le samedi. Dans la rue Hoche voisine se dresse toujours la maison où naquit Nostradamus en 1503.

Aromates sur le marché de Saint-Rémy-de-Provence

La vieille ville rassemble plusieurs beaux hôtels du XVe au XVIIIe siècle. De style Renaissance, l'hôtel Mistral de Mondragon (v. 1550) abrite le **musée des Alpilles** qui évoque les traditions locales. Actuellement fermé, l'**hôtel de Sade** (XVe siècle) abrite d'intéressants vestiges provenant des sites archéologiques voisins (Glanum). Plus récent, l'hôtel Estrine (XVIIIe siècle) est devenu le **Centre d'interprétation Van-Gogh**, qui consacre son rez-de-chaussée à l'œuvre du célèbre peintre et accueille aux étages des expositions d'art contemporain.

Pour les hôtels et les restaurants de la région, voir p. 199-202 et p. 214-216.

L'arc des Antiques, élevé pendant le règne d'Auguste, se trouve à 15 min de marche du centre de Saint-Rémy

Sur la route de Glanum, l'ancien monastère **Saint-Paul-de-Mausole** (XIIe siècle) est une maison de santé qui soigna Van Gogh en 1889-1890. Non loin, les **Antiques** sont de spectaculaires ruines romaines comprenant un mausolée du Ier siècle av. J.-C. et un arc de triomphe. **Glanum** *(p. 40)* est une ville gréco-latine abandonnée au IIIe siècle. Surplombant la vallée, son impressionnant champ de ruines comprend agora, temples, basilique, maisons à péristyle, etc.

Musée des Arômes et des Parfums
34, bd Mirabeau. ***Tél.*** *04 90 92 48 70.* *lun.-sam.* *j.f.*

Musée des Alpilles
Place Favier. ***Tél.*** *04 90 92 68 24.* *mar.-sam.* *1er janv., 1er mai, 25 déc.*

Centre d'interprétation Van-Gogh
8, rue Estrine. ***Tél.*** *04 90 92 34 72.* *mar.-dim.* *janv.-fév.* *limité.*

Saint-Paul-de-Mausole
Chemin Saint-Paul. ***Tél.*** *04 90 92 77 01.* *t.l.j.* *1er janv., 1er mai, 25 déc.*

Glanum
Route des Baux. ***Tél.*** *04 90 92 23 79.* *avr.-août : t.l.j. ; sept.-mars : mar.-dim.* *j.f.*
www.monuments-nationaux.fr

Les Alpilles ⓬

Carte routière B3. *Salon-de-Provence, Tarascon, Arles.* *St-Rémy, Les Baux-de-Provence, , Eyguières, Eygalières.* *Saint-Rémy-de-Provence (04 90 92 68 24).*

Extraordinaire petite chaîne de collines calcaires, les Alpilles s'étendent sur 24 km entre le Rhône et la Durance.

Depuis Saint-Rémy, une fois dépassé Glanum, la route mène à **La Caume** (387 m), d'où la vue porte jusqu'à la Camargue et au mont Ventoux. En prenant vers Cavaillon puis en tournant à droite, on rejoint **Eygalières**, jolie petite localité accrochée au rocher que domine son donjon. Un peu à l'extérieur, la chapelle Saint-Sixte, bel édifice roman du XIIe siècle, simple et austère, s'élève sur le site d'un ancien sanctuaire païen. La D24B continue ensuite vers **Orgon**, dont la chapelle Notre-Dame-de-Beauregard offre une jolie vue sur la vallée de la Durance et le Luberon.

Prise au sud depuis la N7, la D569 dépasse les ruines du Castellas de Roquemartine. Juste après, le charmant village d'**Eyguières** mène en 2 h de marche aux Opies (493 m), cime que coiffe une tour. Depuis le Castellas de Roquemartine, de petites routes conduisent à l'ouest aux Baux-de-Provence.

Le massif calcaire des Alpilles, au cœur de la Provence

Fresque du XIIIe siècle montrant un chevalier des Baux face à un Sarrasin en 1266

Les Baux-de-Provence ⓭

Carte routière B3. 460. *Maison du roy (04 90 54 34 39).* **www**.lesbauxdeprovence.com

Ce village impressionnant, le plus visité de France (2 millions de visiteurs par an), doit son nom à l'éperon calcaire sur lequel il est construit, *baou* signifiant « rocher élevé » en provençal. En plein été, mieux vaut s'y rendre tôt le matin et garer sa voiture à l'entrée.

Le **château**, dont les ruines jouent un grand rôle dans la majesté du paysage, date du XIe siècle, quand les seigneurs des Baux régnaient sur un territoire s'étendant du Var à la Drôme. À son entrée, la Tour-du-Brau (XIVe siècle) abrite le **musée d'Histoire**.

Dans le village, on peut visiter la **Fondation Louis-Jou** et le **musée des Santons**. Sur la place Saint-Vincent voisinent l'église paroissiale (XIIe siècle) où est célébrée à Noël la messe des Bergers *(p. 33)* et la chapelle des Pénitents-Blancs (XVIIe siècle) ornée de fresques réalisées par Yves Brayer en 1974. Une carrière, dans le val d'Enfer, abrite la **Cathédrale d'images**.

Musée d'Histoire des Baux-de-Provence

Hôtel Tour-du-Brau, rue du Trencat. ***Tél.*** *04 90 54 55 56.* *t.l.j.*

Dans une belle salle voûtée, il présente des vestiges retrouvés aux alentours dans des nécropoles celto-ligures et une histoire des Baux.

Château des Baux

Accès par le musée d'Histoire. ***Tél.*** *04 90 54 55 56.* *t.l.j.* *avr.-sept. : tirs de catapultes*

Descendants, selon la légende, du Roi mage Balthazar, les seigneurs des Baux firent édifier une immense forteresse dont il ne reste que les impressionnantes ruines : des chapelles, des tours, un hôpital et des salles troglodytiques. Panorama superbe.

Monument au poète Charloun Rieu

Fondation Louis-Jou

Hôtel Brion, Grand-Rue. ***Tél.*** *04 90 54 34 17.* *sur r.-v.*

Manuscrits médiévaux et reliures anciennes voisinent avec des gravures de Dürer, Rembrandt et Goya ainsi que des œuvres de Louis Jou, maître graveur et typographe.

Musée des Santons

Place Louis-Jou. ***Tél.*** *04 90 54 34 39.* *t.l.j.*

Sous les ogives des trois salles voûtées d'une chapelle du XVIe siècle qui servit un temps d'hôtel de ville, les crèches et figurines exposées permettent de suivre l'évolution du costume provençal.

Cathédrale d'images

Route de Maillane. ***Tél.*** *04 90 54 38 65.* *mars-début janv. : t.l.j.* **www**.cathedrale-images.com

Le site est accessible par la D27 ou par un chemin depuis l'entrée du village. Dans les falaises déchiquetées du val d'Enfer, où s'ouvrent des grottes préhistoriques et de vastes carrières de calcaire, le géologue Pierre Berthier découvrit en 1821 un minerai riche en alumine, la bauxite, qui tire son nom de celui du village.

La citadelle et le village des Baux

Pour les hôtels et les restaurants de la région, voir p. 199-202 et p. 214-216.

Dans l'une de ces carrières, le photographe Albert Plécy (1914-1977) créa le spectacle audiovisuel total dont il rêvait. Des projections sur les murs, le sol et le plafond des immenses salles entraînent le spectateur dans une expérience extraordinaire dont la musique augmente la féerie. Le spectacle change de thème chaque année.

Chapelle des Pénitents-Blancs des Baux-de-Provence

Fontvieille ⓮

Carte routière B3. *3 500.* *av. des Moulins.* ***Tél.*** *04 90 54 67 49.* *lun. et ven.* **www**.fontvieille-provence.com

Entre Arles et les Alpilles, au cœur de la plaine maraîchère, le petit bourg de Fontvieille à la Grand-Rue pittoresque doit sa renommée à Alphonse Daudet et au moulin qui inspira ses *Lettres*. Des oratoires, aux quatre coins de la cité, rappellent la fin de la peste de 1720 *(p. 48-49)*.

À 2 km au sud, la D33 conduit à **Barbegal** et aux vestiges d'une meunerie romaine du IIIe siècle et de l'aqueduc qui l'alimentait. Ce véritable complexe industriel s'étendait sur plus d'1 ha et comprenait 16 moulins pouvant produire 300 kg de farine à l'heure.

Abbaye de Montmajour ⓯

Carte routière B3. À 5 km au N.-O. d'Arles, route de Fontvieille. ***Tél.*** *04 90 54 64 17.* *avr.-mi-sept. : t.l.j. ; mi-sept.-mars : mar.-dim.* *j.f.*

La butte où s'élève ce sanctuaire n'était au haut Moyen Âge qu'une île dans l'immense marécage qui s'étendait du Rhône aux Alpilles. Les bénédictins qui s'y installèrent au Xe siècle drainèrent les marais, créant la plaine actuelle au prix d'un immense labeur qui ne fut achevé qu'au XVIIe siècle. Après avoir perdu son autonomie au XIVe siècle, l'abbaye vit se succéder à sa tête des cardinaux ne songeant qu'à s'enrichir. Le dernier, le cardinal de Rohan, lui porta un coup fatal en se compromettant dans l'affaire du « collier de la reine ». Vendue comme bien national en 1791, dépecée, elle commença à

Cloître et donjon de l'abbaye de Montmajour

être restaurée au XIXe siècle. Une partie des bâtiments du XVIIIe siècle reste en ruine.

L'**église Notre-Dame** est l'un des plus grands édifices romans de Provence. Elle repose sur une chapelle basse creusée en partie dans le rocher pour compenser la pente du terrain. Entouré par la salle capitulaire et le réfectoire, le cloître conserve une de ses galeries d'origine (à l'est) tandis que les trois autres, remaniées, n'en présentent pas moins d'intéressants décors sculptés. La tour Pons-de-l'Orme (1369) offre une vue sur la plaine de la Crau et les Alpilles justifiant l'ascension de ses 124 marches. La **chapelle Saint-Pierre**, en partie souterraine, et la **chapelle Sainte-Croix**, bâtie un peu à l'écart, complètent le monastère.

LE MOULIN DE DAUDET

Au sud de Fontvieille, où un large panorama ouvre sur les Alpilles, la plaine de Tarascon et l'abbaye de Montmajour, se trouve l'un des plus célèbres lieux de pèlerinage littéraire de France. Le moulin n'appartint jamais à Alphonse Daudet, qui écrivit les *Lettres de mon moulin* à Paris et résidait au château de Montauban (XIXe siècle) lors de ses séjours à Fontvieille. Mais l'auteur aimait venir bavarder avec son meunier et il s'inspira des anecdotes que lui rapportait ce dernier. Restauré, l'édifice présente au 1er étage le mécanisme des meules qui moulaient le grain. Un petit musée, au sous-sol, est dédié à l'écrivain qui sut si bien chanter la Provence et les Provençaux. Il propose documents, manuscrits, souvenirs, portraits et illustrations.

Arles pas à pas ⓰

Arles ne peut renier ses antécédents romains et deux des plus beaux monuments antiques de France ne se trouvent qu'à quelques pas du cœur de sa vieille ville, la place de la République, où se dresse l'hôtel de ville (XVIIe siècle). Au Moyen Âge, la cité devint un grand centre religieux et son ancienne cathédrale reste un chef-d'œuvre de l'art roman. Mais la capitale de la Camargue n'est pas tournée vers le passé : le beau marché du boulevard des Lices, les fêtes populaires et les ferias, ou les Rencontres internationales de la photographie témoignent de son dynamisme.

Les thermes de Constantin sont les vestiges de thermes construits au IVe siècle.

Musée Réattu
Ses collections, notamment d'art moderne comme ce Griffu *(1952), bronze de Germaine Richier, occupent au bord du Rhône l'ancien prieuré des chevaliers de Malte (XVe siècle).*

Rue du Grand Prieuré
Rue Truchet
Rue du Quatre-Septembre
Rue de l'Hôtel de Ville
Rue du Dr. Fanton
Place du Forum
Rue F. Mistral
Rue Balze
Rue de la République
Place de la République
Rue du Président Wilson
Rue Molière
Rue de la Rotonde
Rue Jean Jaurès
Boulevard Georges Clemenceau

Hôtel de ville

Museon Arlaten
L'hôtel de Laval-Castellane (XVIe siècle) abrite un musée des Traditions provençales d'une richesse sans égal.

★ Église Saint-Trophime
Cette ancienne cathédrale possède un portail sculpté du XIIe siècle qui est l'un des plus beaux du style roman.

Espace Van-Gogh

À NE PAS MANQUER

- ★ Arènes
- ★ Église St-Trophime
- ★ Théâtre antique

Obélisque
Transformé en fontaine, il décore la place de la République. Il ornait à l'origine la spina *du cirque romain (milieu du IIe siècle).*

Pour les hôtels et les restaurants de la région, voir p. 199-202 et p. 214-216.

MODE D'EMPLOI

Carte routière B3. *53 000.* *Nîmes-Garons.* av. Paulin-Talabot. esplanade Ch.-de-Gaulle (04 90 18 41 20). *mer. et sam.* *feria pascale, fête des Gardians (1er mai), fêtes d'Arles (juil.), Prémices du riz (sept.).* **www**.arlestourisme.com

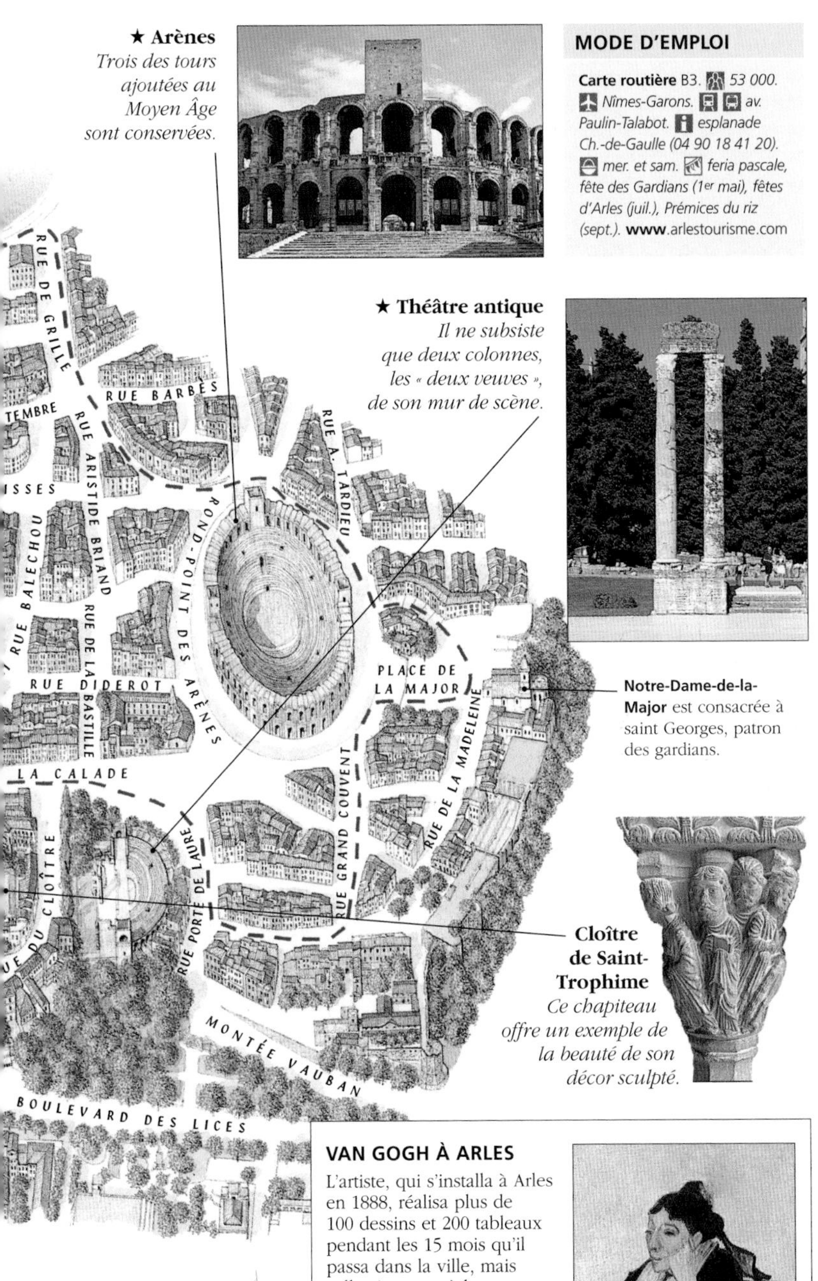

★ Arènes
Trois des tours ajoutées au Moyen Âge sont conservées.

★ Théâtre antique
Il ne subsiste que deux colonnes, les « deux veuves », de son mur de scène.

Notre-Dame-de-la-Major est consacrée à saint Georges, patron des gardians.

Cloître de Saint-Trophime
Ce chapiteau offre un exemple de la beauté de son décor sculpté.

VAN GOGH À ARLES

L'artiste, qui s'installa à Arles en 1888, réalisa plus de 100 dessins et 200 tableaux pendant les 15 mois qu'il passa dans la ville, mais celle-ci ne possède aucune de ses œuvres. L'ancien hôtel-Dieu a cependant été transformé en un centre culturel à son nom, et le Café Van-Gogh, sur la place du Forum, a retrouvé l'aspect qu'il avait sur la toile du *Café le soir.*

L'Arlésienne **par Van Gogh (1888)**

LÉGENDE

- - - Itinéraire conseillé

0 100 m

À la découverte d'Arles

Si le nom d'Arles, issu d'*Arelate*, signifie à l'origine « la ville aux marécages », c'est parce que la cité s'est développée sur un piton cerné par le marais qui s'étendait jadis jusqu'aux Alpilles. Les Celto-Ligures l'occupaient déjà au VIe siècle av. J.-C., mais ce sont les Romains qui jetèrent les bases de la cité actuelle et leur empreinte est toujours visible. Mieux vaut laisser sa voiture à l'extérieur de la vieille ville.

Sarcophages aux Alyscamps

Arènes

Rond-point des Arènes. ***Tél.*** *04 90 49 59 05.* *t.l.j.* *certains j.f. et jours de corridas.*

C'est le plus important des monuments gallo-romains. Amphithéâtre ovale de 136 m de long sur 107 m de large, il pouvait accueillir jusqu'à 21 000 spectateurs. Des corridas espagnoles et des courses camarguaises (sans mise à mort) s'y déroulent.

Théâtre antique

Rue de la Calade. ***Tél.*** *04 90 49 59 05.* *t.l.j. sf concerts.*

Douze mille spectateurs prenaient place sur ses gradins en forme de demi-cercle de 102 m de diamètre. La *Vénus d'Arles*, aujourd'hui exposée au musée du Louvre, provient des décombres du mur de scène.

Cryptoportiques

Rue Balze. ***Tél.*** *04 90 49 59 05.* *t.l.j.* *certains j.f.*

Vastes galeries souterraines (90 m sur 60 m) bâties au Ier siècle av. J.-C. pour soutenir le forum, ils servirent probablement d'entrepôts.

Église Saint-Trophime

Pl. de la République. ***Tél.*** *04 90 96 07 38.* *t.l.j.* *certains j.f.* *cloître.*

Ce superbe édifice roman du XIe siècle possède un portail aux sculptures somptueuses et une nef d'une grande pureté. Le cloître compte quatre galeries romanes et gothiques. Le réfectoire et le dortoir accueillent des expositions temporaires.

Museon Arlaten

Hôtel Laval-Castellane, 29, rue de la République. ***Tél.*** *04 90 93 58 11.* *juil.-sept. : t.l.j. ; oct.-juin : mar.-dim.* *certains j.f.*

Ce musée d'Ethnographie fut fondé par Frédéric Mistral en 1886, dans un hôtel du XVIe siècle acheté grâce à son Prix Nobel de littérature en 1904. Les collections (tableaux, costumes, etc.) dressent un tableau de la vie en Provence.

Arles vue depuis l'autre rive du Rhône

***L'Enlèvement d'Europe*, mosaïque, musée de l'Arles antique**

Musée Réattu

10, rue du Grand-Prieuré. ***Tél.*** *04 90 96 37 58.* *t.l.j.* *certains j.f.*

Outre des œuvres modernes, dont une donation Picasso, ses collections présentent celles du peintre arlésien Jacques Réattu (1760-1833) et de ses contemporains. Une salle est réservée à la photographie.

Musée de l'Arles et de la Provence antiques

Presqu'île du Cirque romain. ***Tél.*** *04 90 18 88 88.* *t.l.j.* *certains j.f.*
www.arles-antique.cg13.fr

Situé près de l'antique cirque romain (disparu), ce musée moderne possède une collection archéologique d'une très grande richesse : mosaïques gallo-romaines, statuaire (statue colossale d'Auguste, copie de la *Vénus d'Arles*) et sarcophages (sarcophage de Phèdre et Hippolyte…). Dix maquettes montrent l'organisation de la cité antique.

Alyscamps

Av. des Alyscamps. *t.l.j.* *certains j.f.*

Cette belle allée ombragée, bordée de tombeaux, mène à l'église Saint-Honorat, en ruine. La nécropole antique des Alyscamps, sur la voie Aurélienne, était au Moyen Âge l'un des plus prestigieux lieux de sépulture chrétiens.

Pour les hôtels et les restaurants de la région, voir p. 199-202 et p. 214-216.

Martigues 17

Carte routière B4. *45 000.* *rond-point de l'Hôtel-de-Ville (04 42 42 31 10).* *jeu. et dim.* **www**.martigues-tourisme.com

Entre Marseille et la Camargue, ce port de pêche s'est développé sur les rives du canal de Caronte, qui relie l'étang de Berre.

Malgré l'extension de la ville depuis la création du complexe pétrochimique de Fos, le centre de Martigues, la « Venise provençale » a conservé le charme qui séduisit le peintre Félix Ziem (1821-1911). Un **musée** aux collections éclectiques lui rend hommage.

Derrière l'église Saint-Geniès, la chapelle de l'Annonciade surprend par l'exubérance de sa décoration intérieure. L'église de la Madeleine, à la belle façade baroque, conserve un tableau de Michel Serre.

Musée Ziem
Bd du 14-Juillet. ***Tél.*** *04 42 41 39 60.* *mer.-dim. après-midi.* *j.f.*

Le canal appelé « le Miroir aux oiseaux », à Martigues

Salon-de-Provence 18

Carte routière B3. *40 000.* *56, cours Gimon (04 90 56 27 60).* *mer. et dim.* **www**.salondeprovence.fr

Ancien palais des archevêques d'Arles, le **château de l'Empéri**, dont la construction commença au Xe siècle, domine la vieille ville autour de laquelle s'est développée la cité moderne, aérée par plusieurs cours ombragées. Il abrite un musée dont les collections retracent, avec près de 10 000 pièces, l'histoire de l'armée française de Louis XIV à 1918.

Au pied du château s'élève l'**église Saint-Michel**, bâtie au XIIIe siècle et de nombreuses fois remaniée, remarquable pour le tympan sculpté de son portail (XIIe siècle) et son maître-autel baroque. Gothique, la **collégiale Saint-Laurent** renferme le tombeau de Nostradamus. Né à Saint-Rémy-de-Provence *(p. 140-141)*, le célèbre astrologue s'installa à Salon en 1547 pour écrire ses *Centuries*, après y avoir rencontré Anne Ponsard qui lui donnera six enfants.

Nostradamus, célèbre citoyen de Salon

Pendant quatre jours en juillet, la cité vit au rythme d'un grand Festival international de jazz et gospel, avec des concerts au château, des représentations libres au fil des rues et des concours de chants.

Château de l'Empéri
Montée du Puech. ***Tél.*** *04 90 56 22 36.* *mer.-lun.* *certains j.f.*

Abbaye cistercienne de Silvacane (XIIe siècle)

Abbaye de Silvacane 19

Carte routière C3.
Tél. *04 42 50 41 69.* *juil.-sept. : t.l.j. ; oct.-mai : t.l.j. sf mar.* *1er janv., 1er mai, 25 déc.*

À l'image de ses sœurs cisterciennes de Sénanque *(p. 164-165)* et du Thoronet *(p. 108)*, cette abbaye cache son austère beauté romane dans un site isolé. Fondée en 1148 au milieu d'un marécage que les moines asséchèrent, elle fut abandonnée au XVe siècle, transformée en église paroissiale, puis devint une ferme après la Révolution. L'État la racheta au XIXe siècle et entreprit sa restauration.

Malgré les outrages du temps, l'abbatiale (1175-1230), sobre et superbe, a subsisté, ainsi que le cloître et la salle capitulaire, le parloir et le chauffoir voûtés d'ogives. Gothique, le réfectoire rebâti vers 1420 possède des chapiteaux richement ornés. L'abbaye sert de cadre à de superbes concerts classiques.

Aix-en-Provence ⓴

C'est Louis II d'Anjou qui fonda en 1409 l'Université qui continue aujourd'hui d'insuffler jeunesse et dynamisme à la ville. Son fils, le roi René *(p. 46-47)*, lui donna au XVe siècle ses plus grandes heures en la choisissant comme capitale. Au XVIIe siècle, les fortifications romaines furent abattues pour permettre à la cité de s'agrandir et percer l'élégant cours Mirabeau. Au siècle suivant, de nombreuses fontaines vinrent rafraîchir places et rues. Pour en apprécier le charme, mieux vaut éviter d'y circuler en voiture.

Le cours Mirabeau, centre de la vie aixoise

À la découverte d'Aix

Sinuant entre le cours Mirabeau et la cathédrale Saint-Sauveur, les ruelles du vieil Aix, toujours animées, sont bordées de belles maisons inspirées du baroque italien, comme l'**hôtel de ville** (XVIIe siècle), œuvre de Pavillon, qui s'organise autour d'une harmonieuse cour pavée. Sa tour de l'Horloge est un beffroi élevé au XVIe siècle.

Belle artère ombragée, le **cours Mirabeau** débouche sur la grande fontaine de la Rotonde. Il est bordé de commerces et de cafés, tel celui des Deux Garçons *(p. 219)*, et d'élégants hôtels particuliers, comme l'hôtel de Villars (1710), au n° 4 , l'hôtel d'Isoard de Vauvenargues, au n° 10, où le marquis d'Entrecasteaux assassina sa femme, ou l'hôtel Maurel de Pontevès (1647), au n° 38, où résida la duchesse de Montpensier, la Grande Demoiselle.

Derrière s'étend le quartier Mazarin. Tracé de 1646 à 1651 autour du 1er sanctuaire gothique (XIIIe siècle) de la ville, il abrite également de riches demeures du XVIIe et du XVIIIe siècle. Le prieuré des Chevaliers de Malte, qui jouxte l'église, abrite les collections du musée Granet.

Bâti en 1704 près des anciens thermes romains, l'établissement thermal des **Thermes Sextius** occupe l'angle nord-ouest des remparts.

Atlante du pavillon de Vendôme

Cathédrale Saint-Sauveur

34, pl. des Martyrs-de-la-Résistance. ***Tél.*** *04 42 23 45 65.* *t.l.j.* *cloître.*

L'histoire a marqué cet édifice dont le bas-côté droit est une ancienne église romane du XIIe siècle, incorporant elle-même un baptistère octogonal du IVe siècle. Une coupole Renaissance le coiffe, soutenue par des colonnes corinthiennes antiques. La nef principale, gothique, abrite dans sa 3e travée le triptyque du *Buisson ardent* (restauré en 2008), chef-d'œuvre peint en 1476 par Nicolas Froment *(p. 46-47)*. Le Toulonnais Jean Guiramand sculpta en 1504 les superbes vantaux en noyer du portail. Le cloître du XIIe siècle comporte une grande variété de colonnettes.

Musée des Tapisseries

28, pl. des Martyrs-de-la-Résistance. ***Tél.*** *04 42 23 09 91.* *mer.-lun.* *31 déc., 1er janv., 1er mai, 24-25 déc.*

Réputé pour son magnifique ensemble de tapisseries de Beauvais du XVIIIe siècle, il présente également les costumes et les décors d'opéras donnés dans le cadre du Festival international d'art lyrique *(p. 33)*.

Musée du Vieil Aix

17, rue Gaston-de-Saporta. ***Tél.*** *04 42 21 43 55.* *jusqu'à nouvel ordre.*

Dans un bel hôtel du XVIIe siècle, il rassemble des souvenirs du passé de la ville : meubles, marionnettes, crèches, documents, maquettes, etc.

Marché aux fleurs devant l'hôtel de ville

Muséum d'histoire naturelle

6, rue Espariat. ***Tél.*** *04 42 27 91 27.* *t.l.j.*
www.museum-aix-en-provence.org

Installé dans l'hôtel Boyer-d'Éguilles (1672), à la décoration intérieure achevée par un élève de Pierre Puget, il expose, entre autres, des œufs fossiles de dinosaures découverts près de la montagne Sainte-Victoire.

Pour les hôtels et les restaurants de la région, voir p. 199-202 et p. 214-216.

L'atelier de Cézanne, meublé de ses objets personnels

MODE D'EMPLOI

Carte routière C4. *140 000.* *av. Victor-Hugo.* *av. de l'Europe.* *2, pl. du Général-de-Gaulle (04 42 16 11 61).* *t.l.j.* *Festival d'art lyrique (juil.).* **www**.aixenprovencetourism.com

Musée Granet

pl. St-Jean-de-Malte. ***Tél.*** *04 42 52 88 32.* *mar.-dim. : l'après-midi.* *25 déc., 1er janv, 1er mai.*

Occupant l'ancien prieuré des Chevaliers de Malte (XVIIe siècle), ce musée porte le nom du peintre aixois (1775-1849) qui en fut l'un des principaux donateurs. Les collections des différents départements sont très riches : peintures des écoles européennes du XIVe au XXe siècle, dont des gravures et des tableaux de Cézanne, toiles d'artistes provençaux, sculptures de Pierre Puget, sculptures celto-ligures, etc.

Fondation Vasarely

1, av. Marcel-Pagnol. ***Tél.*** *04 42 20 01 09.* *mar.-sam.* *j.f.* *r.-d.-c. seulement.*

Fidèle au projet de Victor Vasarely, l'un des maîtres de l'art cinétique (« op art »), désireux d'améliorer le cadre de vie de chacun, ce centre architectonique érigé en 1976 présente 42 œuvres intégrant l'art à l'architecture sur 1 500 m².

Atelier Paul-Cézanne

9, av. Paul-Cézanne. ***Tél.*** *04 42 21 06 53.* *t.l.j.* *1er janv., 1er mai, 25 déc.* *avr.-sept.* **www**.atelier-cezanne.com

L'artiste se fit construire cette maison en 1897, à 10 min à pied de la cathédrale. De l'atelier du 1er étage, qui a gardé l'aspect qu'il avait lors de son décès en 1906, la vue porte jusqu'à la montagne Sainte-Victoire, l'un de ses sujets préférés.

Pavillon de Vendôme

13, rue de la Molle. ***Tél.*** *04 42 21 05 78.* *mer.-lun.* *1er janv., 1er mai, 25-26 déc.*

Pierre Pavillon édifia en 1667 cette élégante folie pour Louis II de Vendôme, petit-fils d'Henri IV. La façade s'orne d'un balcon soutenu par deux atlantes. Meubles et objets d'art composent le musée.

Légende des symboles,
voir le rabat arrière de couverture

Marseille ㉑

Grand port où se mêlent depuis 2 600 ans toutes les civilisations de la Méditerranée, Marseille, plus que toute autre ville française, possède une identité très originale. De là, sans doute, l'incompréhension qui lui vaut une réputation imméritée. Difficile en se promenant sur son Vieux-Port et dans ses ruelles où chante l'accent de ne pas se sentir à la fois en France et dans une ville exotique. Un plaisir à ne pas manquer.

Notre-Dame-de-la-Garde veille sur le Vieux-Port

À la découverte de Marseille

Devenu un paisible port de plaisance entre la colline du Panier, coiffée par la Vieille-Charité, et le piton rocheux de Notre-Dame-de-la-Garde, le Vieux-Port occupe toujours la crique, qui séduisit les Phocéens au VIe siècle av. J.-C.

De là part la célèbre Canebière, une grande artère dont l'église néogothique Saint-Vincent-de-Paul marque le terme. Depuis le square de Stalingrad, le boulevard Longchamp conduit au palais du même nom, vaste folie élevée au XIXe siècle.

Entre la Canebière et la préfecture, les rues tracées au cordeau forment le quartier commerçant de la ville. La rue de Rome rejoint la place Castellane, ornée d'une fontaine monumentale, et se prolonge par l'avenue du Prado. Celle-ci conduit aux plages des quartiers sud, et plus loin aux calanques.

Au sud du Vieux-Port, dominant le palais du Pharo et l'abbaye Saint-Victor, Notre-Dame-de-la-Garde, à 162 m au-dessus de la mer, domine un panorama extraordinaire.

Marseille, élue capitale européenne de la culture pour 2013, est en pleine rénovation, et d'ambitieux projets sont en cours, comme en témoignent ses gratte-ciel.

Vieille-Charité

2, rue de la Vieille-Charité. ***Tél.*** *04 91 14 58 80.* *mar.-dim.* *j.f.*

Pierre Puget dessina les plans de cet ancien hospice, construit à partir de 1671 afin d'accueillir les miséreux. Joyau baroque, la chapelle qui en constitue le cœur offre aux expositions un cadre superbe. Remarquablement restaurés, les bâtiments classiques abritent le musée d'Archéologie méditerranéenne et sa riche collection d'antiquités égyptiennes, ainsi que le musée d'Arts africains, océaniens et amérindiens.

Cathédrale de la Nouvelle-Major

Pl. de la Major. ***Tél.*** *04 91 90 53 57.* *t.l.j.*

La construction, de 1852 à 1893, de ce gigantesque monument romano-byzantin en pierres vertes et blanches sacrifia une partie de la Vieille-Major, bel édifice roman (XIe siècle ; fermée au public) dont il ne subsiste plus que le chœur, l'abside et une travée de la nef. Elle renferme une déposition de Croix en faïence de Lucca della Robbia et un autel-reliquaire de 1073.

Musée des Docks romains

Pl. Vivaux. ***Tél.*** *04 91 91 24 62.* *mar.-dim.* *j.f.* *mer. et sam.*

En 1947, des travaux ont mis au jour les vestiges d'entrepôts antiques dont ce musée occupe une partie. Il présente notamment des *dolia,* jarres qui servaient au stockage de l'huile, des céréales ou du vin.

Le palais Longchamp, folie du XIXe siècle bâtie autour d'une fontaine

Pour les hôtels et les restaurants de la région, voir p. 199-202 et p. 214-216.

Étal de pêcheur du Vieux-Port, en bas de la Canebière

Musée du Vieux Marseille

Maison diamantée, 2, rue de la Prison. ***Tél.*** *04 91 55 28 68.* *mar.-dim.* *j.f.*

Installé dans un bel hôtel du XVIe siècle récemment rénové qui doit à sa décoration extérieure son nom de Maison diamantée, il présente en particulier du mobilier et des objets usuels du XVIIIe siècle, une maquette de Marseille en 1848, des costumes traditionnels, des santons et des crèches.

Musée d'Histoire de Marseille

Centre Bourse, square Belsunce. ***Tél.*** *04 91 90 42 22.* *lun.-sam.* *j.f.*

Au rez-de-chaussée du centre Bourse, il retrace l'histoire de la ville grecque et romaine (jusqu'au IVe siècle) autour de l'épave d'un navire antique de 20 m de long. À l'extérieur, le Jardin des vestiges abrite les anciens quais et fortifications grecs du Ier siècle av. J.-C.

Musée Cantini

19, rue Grignan. ***Tél.*** *04 91 54 77 75.* *mar.-dim.* *j.f.*

Au cœur du quartier commerçant, dans l'hôtel de Montgrand (XVIIe siècle), ce musée possède une collection d'art moderne des années 1900 à 1960, riche en œuvres des nouveaux réalistes mais où sont aussi représentés des mouvements comme le fauvisme, le cubisme ou le surréalisme. Les autres œuvres plus récentes ont été transférées dans le musée d'Art moderne, près du parc Borely (quartiers sud).

Abbaye Saint-Victor

Place Saint-Victor. ***Tél.*** *04 96 11 22 60.* *t.l.j.* *crypte.*

Fondée au Ve siècle par saint Cassien au sud du port et consacrée au patron des meuniers et des marins, elle renferme de remarquables sarcophages païens et paléochrétiens, et prit son aspect fortifié lors de sa reconstruction vers 1040. Enterré, le sanctuaire d'origine a subsisté comme crypte de l'église actuelle. La Chandeleur, le 2 février, donne lieu à une grande cérémonie de saint Victor. On prépare pour l'occasion des navettes, petits gâteaux en forme de barque en hommage au débarquement des saintes Marie *(p. 41)*.

L'abbaye Saint-Victor, fortifiée au XIVe siècle, domine le Vieux-Port

Basilique Notre-Dame-de-la-Garde

Rue Fort-du-Sanctuaire. ***Tél.*** *04 91 13 40 80.* *t.l.j.*

Élevée par Espérandieu à partir de 1853 dans le style romano-byzantin, elle porte au sommet de son clocher une immense statue dorée de la Vierge : la « Bonne Mère », protectrice des Marseillais. L'intérieur abrite de nombreux ex-voto naïfs. Sa terrasse offre un panorama éblouissant sur la ville et la mer.

MODE D'EMPLOI

Carte routière C4. *900 000.* *25 km au N.-O.* *pl. Victor-Hugo.* *61, bd des Dames ; château d'If : quai des Belges.* *4, La Canebière (04 91 13 89 00).* *Chandeleur (2 fév.).* **www**.marseille-tourisme.fr

Musée Grobet-Labadié

140, bd Longchamp. ***Tél.*** *04 91 62 21 82.* *mar.-dim.* *j.f.*

Demeure du marchand Alexandre Labadié, ce musée présente les collections qu'il rassembla et qu'enrichit sa fille, épouse de l'amateur d'art Louis Grobet, avant de les léguer à la ville en 1925.

Plus de 5 000 objets d'art – tapisseries, faïences, pièces d'orfèvrerie religieuse, meubles, peintures, dessins, sculptures ou instruments de musique – créent un décor dont la diversité n'est pas le moindre charme.

Cité radieuse

280, bd Michelet. ***Tél.*** *04 91 16 78 00 (pour vis. guid.).*

Réalisée par Le Corbusier, inaugurée en 1952, cette cité « idéale » comprend 337 appartements, un hôtel, des boutiques, une crèche et une école maternelle.

Détail de *La Flagellation du Christ* (XVe siècle), musée Grobet-Labadié

Palais Longchamp

42, bd Longchamp. **Musée des Beaux-Arts** *jusqu'en 2012.* **Muséum d'histoire naturelle** ***Tél.*** *04 91 14 59 50.* *mar.-dim.* *j.f.*

Célébrant l'arrivée des eaux du canal de Provence, ce palais du XIXe siècle abrite deux musées : le Muséum d'histoire naturelle, avec sa collection de fossiles et d'animaux empaillés ; et le musée des Beaux-Arts, avec des œuvres d'artistes locaux comme Pierre Puget (1620-1694) et Daumier (1808-1879), ainsi que des toiles de maîtres français, italiens ou flamands.

Le Sacrifice de Noé **de Pierre Puget au musée des Beaux-Arts**

L'ancienne prison du château d'If dans la baie de Marseille

Château d'If

Tél. *04 91 59 02 30.* *t.l.j. (sept.-mars : mar.-dim.).* *fév.-nov.*

Rendu célèbre dans *Le Comte de Monte-Cristo*, il surveille la baie de Marseille depuis un îlot rocheux. Édifié de 1524 à 1528 sur ordre de François Ier, il ne subit jamais d'assaut et servit de prison d'État de 1634 à 1872. Des milliers de protestants envoyés aux galères y furent emprisonnés, de même que Mirabeau, incarcéré en 1774 à la demande de son père.

Musée de la Faïence

Château Pastré, 157, av. de Montredon. ***Tél.*** *04 91 72 43 47.* *mar.-dim.* *j.f.*

Cette bastide du XIXe siècle regroupe des collections venant de musées marseillais et de la donation Jourdan-Barry. Le musée présente des pièces des plus grandes fabriques marseillaises (Clérissy, Héraud, Fauchier, Robert, Veuve Perrin) et provençales (Moustiers).

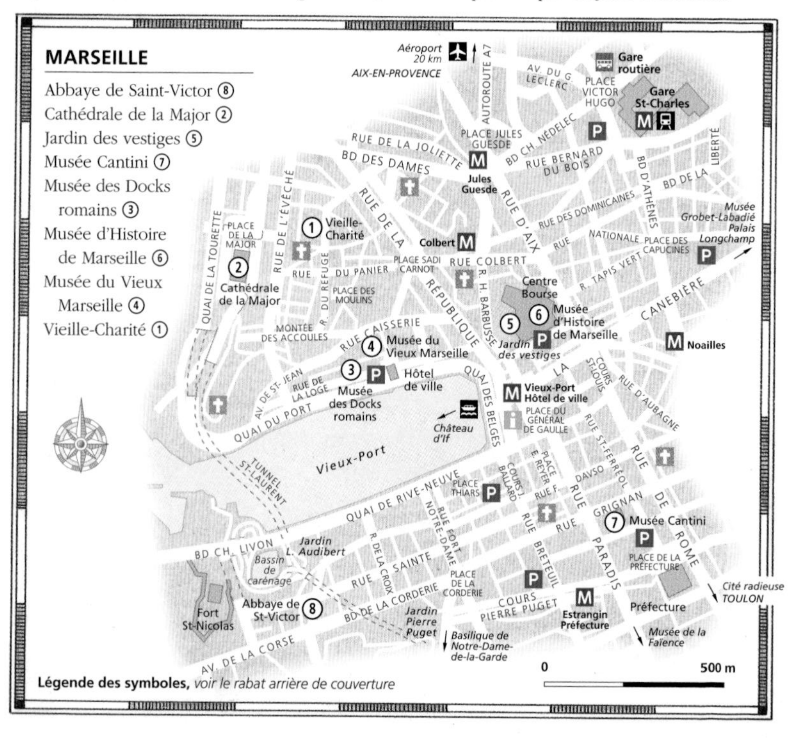

Aubagne ㉒

Carte routière C4. *45 000.* *8, cours Barthélemy (04 42 03 49 98).* *mar., jeu., sam. et dim.* **www**.agglo-paysdaubagne.com

À l'est de Marseille, au pied du Garlaban (715 m), Aubagne est la capitale des santons, fabrication que continuent plusieurs ateliers. Elle a aussi vu naître Marcel Pagnol, et les santonniers lui rendent hommage en s'inspirant de ses personnages pour créer le Petit Monde de Marcel Pagnol (esplanade Charles-de-Gaulle).

À la sortie de la ville se trouvent le camp de la Légion étrangère et son **musée**, riche en souvenirs des campagnes menées du Mexique à l'Indochine.

Musée de la Légion étrangère
Chemin de la Thuilière. ***Tél.*** *04 42 18 12 41.* *t.l.j. sf lun. et jeu. (oct.-mai : mer., sam., dim.).* *limité.* **www**.legion-etrangere.com

Affiche d'*Angèle*

MARCEL PAGNOL

À Aubagne, une plaque au n° 16 du cours Barthélemy marque la maison où naquit en 1895 Marcel Pagnol. L'office de tourisme propose une visite des sites qui marquèrent son enfance, racontée dans *La Gloire de mon père* et *Le Château de ma mère*, ou servirent de cadres à des films comme *Le Schpountz, Angèle* ou *Regain*. Le circuit passe par La Treille, village où grandit l'auteur et où il repose.

Les calanques ㉓

Carte routière C4.
Marseille. *Marseille, Cassis.* *Cassis.* *Marseille, Cassis.* *Cassis (08 92 25 98 92).*

Entre Marseille et Cassis, les massifs de Marseilleveyre et du Puget (563 m) tombent dans la mer en d'impressionnantes falaises de calcaire blanc que creusent de profondes et étroites échancrures : les calanques. Si le bateau offre le meilleur moyen de découvrir ces sites superbes et uniques en Europe, plusieurs sentiers permettent également de les atteindre.

Au départ de Marseille, les petits ports des Goudes et de Callelongue sont accessibles par la route. Viennent ensuite les calanques de Sormiou et Morgiou (route ouverte hors saison), avec leurs petits villages de cabanons sans eau ni électricité ; celle de Sugiton, très profonde ; celle d'En-Vau, la plus célèbre et l'une des plus belles avec son eau turquoise ; puis Port-Pin et sa petite plage ombragée ; et enfin, près de Cassis, Port-Miou (accessible en voiture).

En 1991, Henri Cosquer a découvert sous le cap Morgiou une grotte sous-marine ornée de peintures rupestres vieilles, pour certaines, de 25 000 ans.

En-Vau, l'une des plus belles calanques, entre Marseille et Cassis

Cassis ㉔

Carte routière C4. *8 000.* *Le Port (08 92 25 98 92).* *mer., ven.* **www**.ot-cassis.fr

Niché entre les falaises du cap Canaille et de la Gardiole, cet ancien établissement romain ne résista pas au Ve siècle à l'insécurité engendrée par la décadence de l'Empire. Au début du XIIIe siècle cependant, Hugues, seigneur des Baux, fait construire le château (aujourd'hui propriété privée) qui permet au site, superbe, de se repeupler.

Simple petit port de pêche pendant des siècles, Cassis vit surtout désormais du tourisme et de son vin blanc réputé. Outre les calanques, la ville possède trois plages. La belle promenade des Lombards longe la plus agréable : la plage de la Grande-Mer. La route des crêtes relie Cassis à La Ciotat et offre des vues saisissantes, passant notamment par les falaises de Soubeyran (394 m), les plus hautes de France.

Le petit **Musée municipal méditerranéen**, installé dans la Maison de Cassis (1703), présente des tableaux de peintres provençaux, tels que Félix Ziem *(p. 26)* et Louis Audibert, et quelques vestiges antiques, notamment des pièces de monnaie.

Musée municipal méditerranéen
Rue Xavier-d'Authier. ***Tél.*** *04 42 01 88 66.* *mer.-sam.* *j.f.* *restreint.*

Pour les hôtels et les restaurants de la région, voir p. 199-202 et p. 214-216.

LE VAUCLUSE

La fertile plaine du Comtat Venaissin, qui produit les fameux vins des côtes-du-rhône, abrite des villes riches en monuments historiques remontant, comme Orange, à l'époque romaine ou, comme Avignon, au séjour des papes (p. 44-45). *Plateaux et montagnes forment tout l'ouest du département, notamment le massif du Luberon, où artistes et écrivains ont restauré de nombreux villages.*

Cernée de murs médiévaux, Avignon a gardé un aspect assez semblable à celui qu'elle avait en 1377, après avoir servi de capitale à la Chrétienté pendant près de 60 ans. Ce cadre extraordinaire sert aujourd'hui de décor à ce qui est sans doute le plus grand Festival de théâtre du monde. Les souverains pontifes développèrent les vignobles de Châteauneuf-du-Pape, mais le vin de Gigondas, grand cru des côtes-du-rhône, était déjà vanté par Pline. Les Romains ont d'ailleurs laissé de nombreux vestiges dans la région, notamment à Vaison-la-Romaine ou à Orange, dont le théâtre antique accueille chaque année un prestigieux Festival de musique : les Chorégies.

Ville d'origine romaine, Carpentras possède la plus ancienne synagogue de France, témoignage de la tolérance dont jouirent les juifs dans le Comtat Venaissin au temps des papes. En revanche, les Vaudois protestants du Luberon ne furent pas épargnés : la croisade lancée contre eux en 1545 fit plus de 3 000 victimes et détruisit 19 villages, notamment Lacoste que dominent toujours les ruines du château du Marquis de Sade ravagé lors de la Révolution. À Fontaine-de-Vaucluse, où résida Pétrarque, la source de la Sorgue jaillit d'un gouffre qui n'a toujours pas livré son mystère.

Façade ombragée au Bastidon, dans du Luberon

◁ **Champs de lavande en fleur près de Valréas, dans l'enclave des Papes**

À la découverte du Vaucluse

D'une superficie de 3 540 km², le département doit son nom à la « vallée close » *(vallis clausa)* où jaillit la source de la Sorgue à Fontaine-de-Vaucluse. Depuis la plaine du Rhône, à l'ouest, et la vallée de la Durance, au sud, il s'élève en une succession de collines et de plateaux jusqu'à son point culminant : l'imposant mont Ventoux (1 909 m). Par leur géographie et leur histoire, ces reliefs – Luberon, Dentelles de Montmirail ou plateaux de Vaucluse – possèdent des personnalités contrastées.

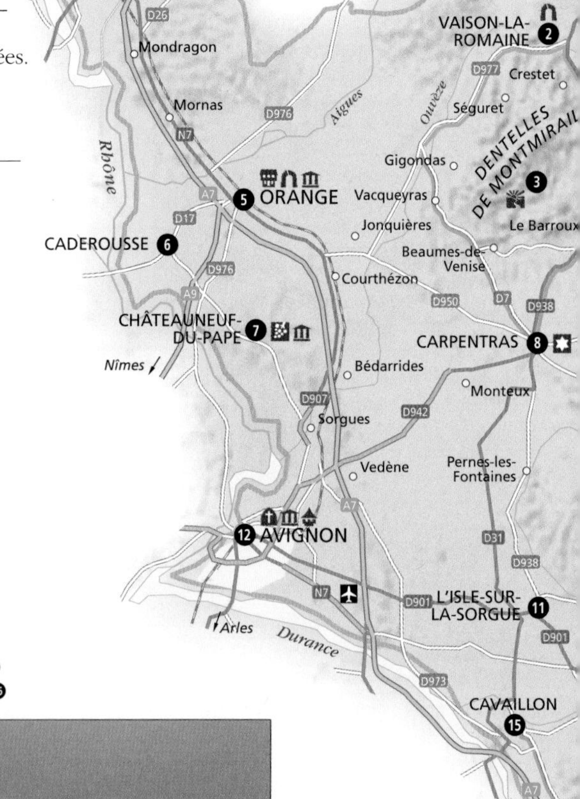

LE VAUCLUSE D'UN COUP D'ŒIL

Le village de Gordes dominant de 300 m la vallée du Coulon

LÉGENDE

- Autoroute
- Route principale
- Route importante
- Autre route
- Route pittoresque
- Voie ferrée principale
- Voie ferrée secondaire
- Frontière départementale

Pour les autres symboles de la carte, *voir le rabat arrière de couverture*

Le pont d'Avignon et le palais des Papes à la tombée de la nuit

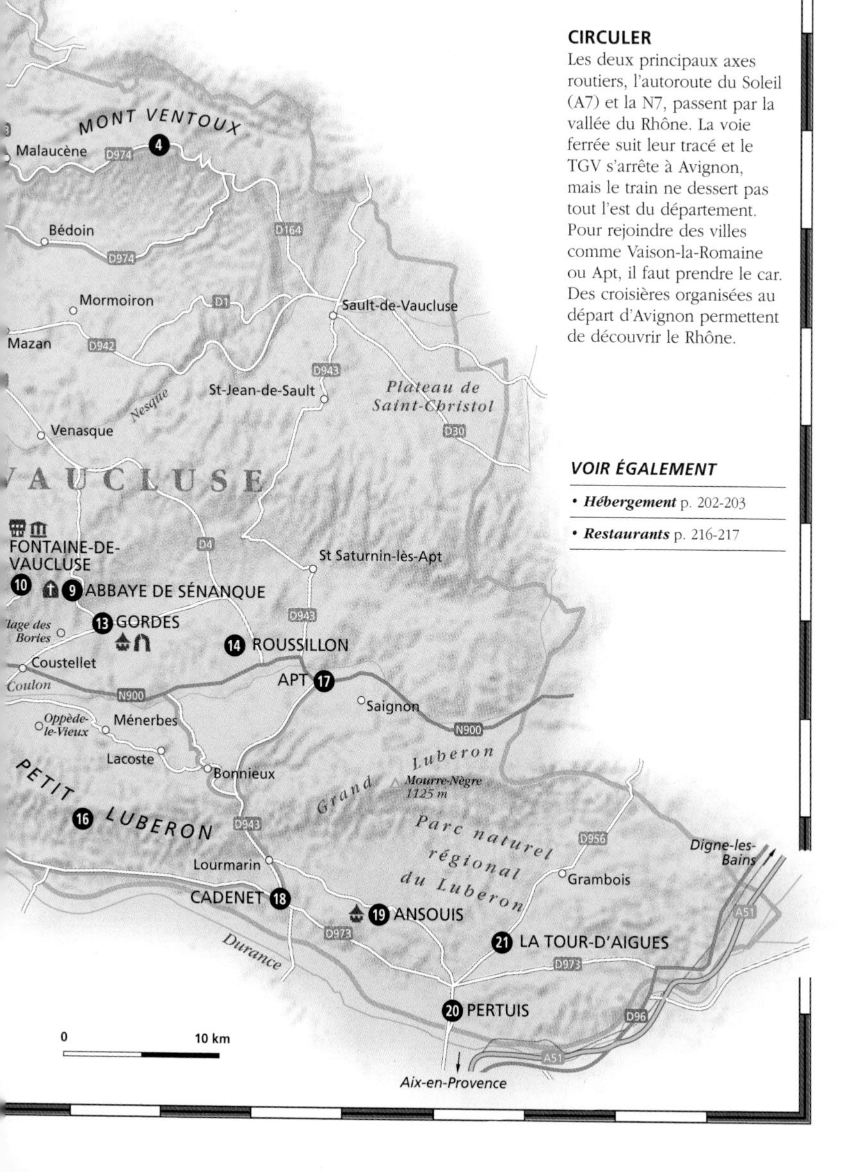

CIRCULER

Les deux principaux axes routiers, l'autoroute du Soleil (A7) et la N7, passent par la vallée du Rhône. La voie ferrée suit leur tracé et le TGV s'arrête à Avignon, mais le train ne dessert pas tout l'est du département. Pour rejoindre des villes comme Vaison-la-Romaine ou Apt, il faut prendre le car. Des croisières organisées au départ d'Avignon permettent de découvrir le Rhône.

VOIR ÉGALEMENT

- ***Hébergement*** p. 202-203
- ***Restaurants*** p. 216-217

Le belvédère Pasteur à Bollène

Bollène ❶

Carte routière B2. *14 500.* *pl. Reynaud-de-la-Gardette (04 90 40 51 44).* *lun.* **www**.bollene.fr

Malgré la proximité de l'autoroute A7, Bollène propose d'agréables promenades le long de la rivière Lez. Il ne subsiste que quelques vestiges des remparts de la vieille ville, accrochée à flanc de coteau. Les rues, bordées de belles maisons anciennes, grimpent jusqu'à la **collégiale Saint-Martin**, sanctuaire d'origine romane possédant un portail Renaissance, qui propose des expositions temporaires.

C'est à Bollène que Louis Pasteur découvrit le vaccin contre le rouget du porc. Un petit jardin, le **belvédère Pasteur**, lui rend honneur. Aménagé autour de la **chapelle des Trois-Croix**, il offre une belle vue sur la cité et la vallée du Rhône.

Au nord de la ville, le village troglodytique du Barry, ancien oppidum celte, fut occupé jusqu'au XIXe siècle.

Vaison-la-Romaine ❷

Carte routière B2. *6 100.* *pl. du Chanoine-Sautel (04 90 36 02 11).* *mar.* **www**.vaison-la-romaine.com

Ancienne capitale des Voconces, peuple celte qui avait perché son oppidum à l'emplacement de l'actuelle Haute-Ville, Vaison se développa pendant la *Pax romana* dans la vallée de l'Ouvèze jusqu'à devenir une opulente cité de 10 000 âmes. Au Moyen Âge, les habitants se placèrent sous la protection du château (aujourd'hui en ruine) qu'avait fait édifier sur la colline le comte de Toulouse en 1160. La ville moderne finit de recouvrir au XIXe siècle les vestiges antiques, notamment le forum et ses abords.

Entreprises pour l'essentiel à partir de 1907, les fouilles ont dégagé les ruines de quartiers périphériques sur une superficie de 15 ha. Au quartier de Puymin, on peut ainsi découvrir celles d'une grande demeure patricienne, la maison des Messii, et d'une promenade aménagée, le portique de Pompée. Le théâtre, à la scène taillée dans le roc, accueillait 4 000 spectateurs. Le **musée Théo-Desplans** présente des objets usuels et les statues en marbre retrouvées lors des fouilles. Un buste en argent (IIIe siècle) provient du champ de ruines de la Villasse, de l'autre côté de l'avenue du Général-de-Gaulle.

Très endommagé lors de l'inondation de 1992, un pont romain d'une seule arche de 17 m conduit à l'entrée du quartier médiéval. Une enceinte du XIVe siècle entoure le rocher que dévalent ses ruelles pentues, les « calades ». Nombre d'artistes et d'artisans habitent désormais les maisons anciennes qui les bordent. Sur l'autre rive, la **cathédrale Notre-Dame-de-Nazareth** est un remarquable édifice roman doté d'un superbe cloître. Elle renferme un maître-autel en marbre du XIe siècle. Des colonnes gallo-romaines ornent l'abside.

Mosaïque romaine au musée de Vaison-la-Romaine

Ruines romaines
Fouilles de Puymin, de la Vilasse et musée archéologique Théo-Desplans, pl. du Chanoine-Sautel.
***Tél.** 04 90 36 50 48.* *t.l.j.* *1er janv., 25 déc.*

Vestiges de la Maison au buste d'argent, Vaison-la-Romaine

Pour les hôtels et les restaurants de la région, voir p. 202-203 et p. 216-217.

Les Dentelles de Montmirail ❸

Contrefort du mont Ventoux, ce massif de 15 km de long n'atteint que 735 m en son point le plus élevé, mais ses hautes falaises blanches, découpées en aiguilles délicates, lui donnent un aspect spectaculaire. De nombreux sentiers le sillonnent et sa végétation très variée en fait un lieu de randonnée apprécié. Les jolis villages qui l'entourent offrent autant d'étapes où apprécier les crus de côtes-du-rhône et les fromages des chèvres qui broutent ses plantes aromatiques.

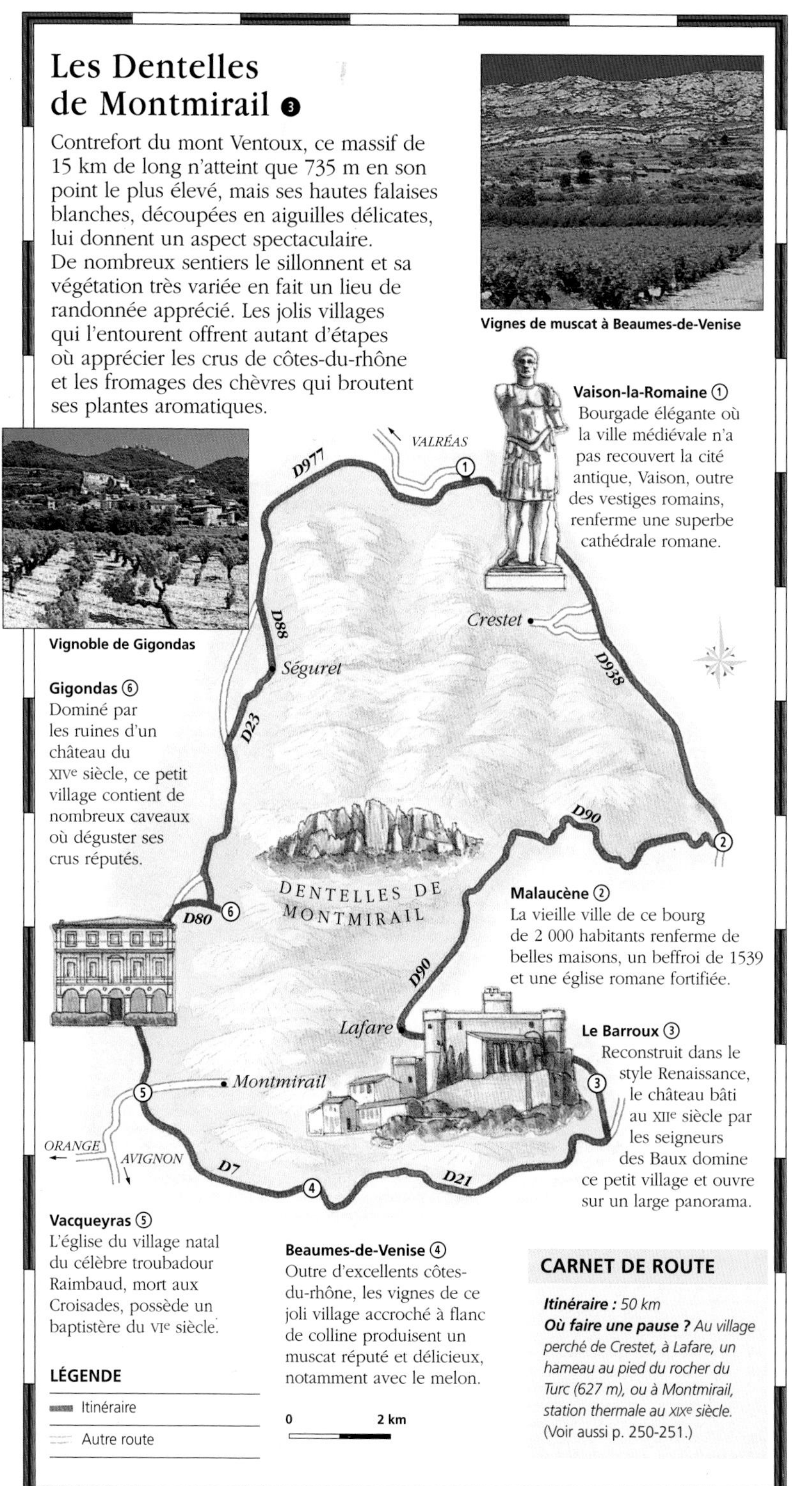

Vignes de muscat à Beaumes-de-Venise

Vignoble de Gigondas

Vaison-la-Romaine ①
Bourgade élégante où la ville médiévale n'a pas recouvert la cité antique, Vaison, outre des vestiges romains, renferme une superbe cathédrale romane.

Gigondas ⑥
Dominé par les ruines d'un château du XIVe siècle, ce petit village contient de nombreux caveaux où déguster ses crus réputés.

Malaucène ②
La vieille ville de ce bourg de 2 000 habitants renferme de belles maisons, un beffroi de 1539 et une église romane fortifiée.

Le Barroux ③
Reconstruit dans le style Renaissance, le château bâti au XIIe siècle par les seigneurs des Baux domine ce petit village et ouvre sur un large panorama.

Vacqueyras ⑤
L'église du village natal du célèbre troubadour Raimbaud, mort aux Croisades, possède un baptistère du VIe siècle.

Beaumes-de-Venise ④
Outre d'excellents côtes-du-rhône, les vignes de ce joli village accroché à flanc de colline produisent un muscat réputé et délicieux, notamment avec le melon.

CARNET DE ROUTE

Itinéraire : *50 km*
Où faire une pause ? *Au village perché de Crestet, à Lafare, un hameau au pied du rocher du Turc (627 m), ou à Montmirail, station thermale au XIXe siècle.*
(Voir aussi p. 250-251.)

LÉGENDE

- Itinéraire
- Autre route

0 — 2 km

Mont Ventoux ❹

Avignon. *Orange, Bedoin.* *av. de la Promenade, Sault-en-Provence (04 90 64 01 21).*
www.ventoux-en-provence.com

Surnommé « le Géant de Provence », le mont Ventoux culmine à 1 909 m. Sa position isolée, dominant la vallée du Rhône aux confins des Préalpes, lui confère un aspect imposant et un panorama incomparable. Elle lui vaut aussi d'être battu par les vents – d'où son nom – et le mistral peut parfois y souffler jusqu'à 230 km/h !

Après avoir servi à la construction des nefs royales au XVIe siècle, ses forêts ont été replantées à partir de 1860. Couvertes de neige en hiver, ses pentes s'ouvrent aux skieurs autour des stations du mont Serein et du Chalet-Reynard. L'été, le mont Ventoux sert fréquemment d'étape au Tour de France ; une ascension si éprouvante que le Britannique Tom Simpson succomba à une crise cardiaque en 1967. Il n'est toutefois pas rare de croiser des cyclistes amateurs méritants sur la route, bravant le vent et la pente. Une course automobile se déroule aussi chaque mois de juin depuis 1902 entre Bédoin et le sommet.

Bolide de 1904 à l'assaut du mont Ventoux

Sommet du mont Ventoux par temps de mistral

Pour le visiteur, le meilleur moyen de découvrir le massif demeure néanmoins la marche à pied. Des itinéraires de randonnée (il faut environ 5 heures pour rallier le sommet) partent de Bédoin, de Sault et, plus loin, de Brantes, dans la vallée du Toulourenc. Depuis Malaucène, la route (21 km) dépasse la chapelle Notre-Dame-du-Groseau, dernier vestige d'une abbaye bénédictine du XIIe siècle, puis atteint la source vauclusienne du Groseau, petit lac ombragé dont un aqueduc antique apportait les eaux à Vaison-la-Romaine.

Monument au cycliste Tom Simpson

C'est ensuite le mont Serein et ses chalets disséminés dans les prés, puis le sommet, où se trouvent un restaurant et un parc de stationnement. Un terre-plein aménagé propose des tables d'orientation. La vue porte des Cévennes à la montagne Sainte-Victoire et à la mer Méditerranée. Des brumes de chaleur la voilent souvent pendant les journées d'été, et c'est généralement au lever du soleil, et plus encore à son coucher, que le panorama est le plus beau, surtout quand les villages commencent à s'éclairer dans la plaine.

FLORE PROVENÇALE

Les moyennes de température affichent une différence de 11 °C entre le pied et le sommet du mont Ventoux. Sur les pentes alternent ainsi champs de lavande, forêts de pins, chênes, cèdres et mélèzes, puis fleurs arctiques au sommet. La végétation est particulièrement belle en juin.

Orchis mâle
Orchis mascula

Pavot velu
Papaver rhaeticum

Gentiane
Gentiana clusii

Pour les hôtels et les restaurants de la région, voir p. 202-203 et p. 216-217.

Orange 5

Carte routière 2B. 30 000.
5, cours Aristide-Briand (04 90 34 70 88). jeu. matin.
www.otorange.fr

La 1re colonie romaine est fondée en 35 av. J.-C. par les vétérans de la 2e légion gallique, au croisement de deux grandes voies de circulation ; 25 ans plus tard, la Colonia Julia Secundanorum Arausio s'entoure d'une enceinte fortifiée. À l'intérieur de ses remparts, entre l'arc de triomphe et un grand centre religieux et culturel dont ne subsiste que le théâtre, les rues obéissaient à un quadrillage régulier.

La cité médiévale, après avoir appartenu aux seigneurs des Baux, passa à la famille de Nassau, souverains hollandais qui portent toujours le titre de princes d'Orange. Louis XIV s'en empara en 1672, et le traité d'Utrecht la céda à la France en 1713.

Chapelle latérale de l'ancienne cathédrale Notre-Dame d'Orange

Très animées, ses rues et ses places rafraîchies par des fontaines entourent l'hôtel de ville du XVIIe siècle et l'**ancienne cathédrale Notre-Dame**, d'origine romane, mais qui connut une importante reconstruction après les guerres de Religion. Son portail a conservé une partie de son décor du XIIe siècle.

Le théâtre antique domine de son imposant mur de scène la place des Frères-Mounet, au pied de la **colline Saint-Eutrope**, aménagée en jardin public et où subsistent les ruines du château des princes d'Orange rasé par Louis XIV. Du sommet de la colline, doté d'une table d'orientation, la vue, superbe, porte sur la ville et la plaine du Rhône.

Orange se trouve au cœur du vignoble des côtes-du-rhône et, outre ses vins réputés, son terroir produit fruits, légumes, olives et miel.

Arc de triomphe

Av. de l'Arc-de-Triomphe.

Élevé dans les années 20 de notre ère sur la *via Agrippa* qui reliait Arles à Lyon, il célèbre les hauts faits de la 2e légion gallique, dont les vétérans avaient fondé la colonie, et porte un riche décor sculpté représentant notamment des captifs, des panneaux d'armes et des trophées navals. À l'attique, une bataille oppose Celtes et Romains. Transformé un temps en forteresse, il a été très restauré sur sa façade ouest, tandis que la face nord reste dans un état remarquable. Il est inscrit au Patrimoine mondial de l'Unesco.

Musée d'Orange

rue Madeleine-Roch. ***Tél.*** *04 90 51 17 60.* *t.l.j.*

Il est réputé pour les fragments des trois cadastres romains gravés dans le marbre et retrouvés rue de la République. Le plus complet date du Ier siècle et montre que la colonie occupait un territoire de plus de 800 km², du Rhône jusqu'aux Dentelles de Montmirail, et du nord d'Orange jusqu'au sud de Montélimar. Il évoque également l'histoire ultérieure de la ville, notamment sous le règne des princes d'Orange.

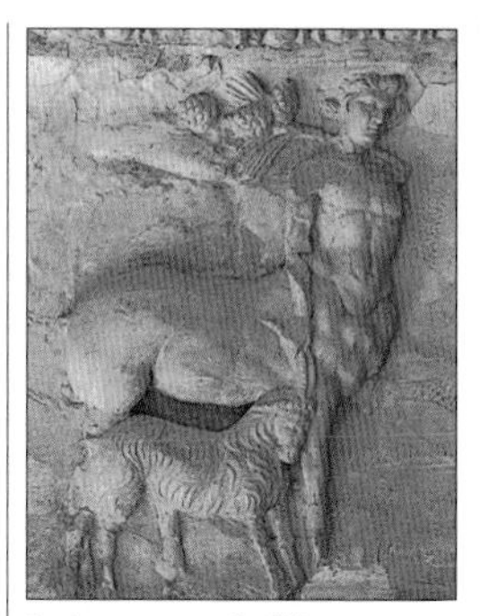

Centaure au musée d'Orange

Harmas de Jean-Henri Fabre

Sérignan-du-Comtat (à 8 km au N.-O.) ***Tél.*** *04 90 51 17 60.* *avr.-oct.* *mer., sam. et dim. : le matin.*

L'entomologiste Jean-Henri Fabre (1823-1915) vécut ici de 1879 à sa mort. Son domaine, ou *harmas*, est devenu un jardin botanique d'une grande richesse, dont les bâtiments abritent ses collections, notamment d'insectes, et 599 aquarelles de champignons.

L'arc de triomphe d'Orange, célébrant les conquêtes de Jules César.

Le théâtre antique d'Orange

Édifié vers 25 av. J.-C. contre la colline Saint-Eutrope, il est le théâtre romain le mieux conservé du monde, classé au Patrimoine mondial de l'Unesco. Son mur de scène, en particulier, est remarquable, et l'acoustique permettait aux acteurs d'être entendus à l'autre bout du théâtre. Trente-sept rangs de gradins répartis en hémicycle pouvaient accueillir près de 10 000 spectateurs, installés selon leur position sociale : chevaliers, magistrats et prêtres en bas, citoyens au milieu, Gaulois, mendiants et prostituées en haut. Dans des salles intérieures, une présentation multimédia relate l'histoire du monument.

Corbeaux du vélum
Ces supports sur le mur extérieur soutenaient les mâts du dais protégeant les spectateurs.

LE THÉÂTRE ROMAIN

Cette reconstitution le montre tel qu'il fonctionnait. Quoique bien conservé, il n'est plus aujourd'hui que l'ombre de sa splendeur passée. Un toit de scène reprenant l'emplacement du toit romain est en place depuis 2006.

Entrée principale

Un vélum protégeait les spectateurs de la pluie ou du soleil.

Le rideau de scène *(aulaeum)*, actionné par un mécanisme invisible, s'abaissait, et non le contraire, pour révéler le décor.

Concerts nocturnes
En été, le théâtre accueille les Chorégies d'Orange, prestigieux Festival d'art lyrique fondé en 1869. Il sert de cadre à d'autres nombreux spectacles tout au long de l'année.

Mur de scène
Élevé en grès, il forme une muraille imposante longue de 103 m, haute de 36 m et épaisse de près de 2 m.

Pour les hôtels et les restaurants de la région, voir p. 202-203 et p. 216-217.

MODE D'EMPLOI

Rue Madeleine-Roch. **Tél.** *04 90 51 17 60.* *t.l.j. : avr.-sept. 9h-18h (19h juin-août), oct.-mars 9h30-16h30 (18h30 oct. et mars).* *1er janv., 25 déc.* *valable pour le musée d'Orange* (p. 161). **www**.theatre-antique.com

L'empereur Auguste
Haute de 3,50 m, cette statue domine la scène depuis une niche au-dessus de la porte royale.

Dans les coulisses, ou *parascaenia*, les acteurs se reposaient et entreposaient leurs accessoires.

Mur de scène
Sur sa face intérieure (frons scaenae) *subsistent des traces de mosaïques et de décors sculptés. Une frise de centaures ornait la porte royale.*

Chaque bande du vélum se roulait ou se déroulait en fonction de la direction du soleil.

Colonnes de marbre
Sur trois niveaux, des colonnades comptant entre 76 et 122 colonnes amélioraient l'acoustique en limitant la réverbération sonore. Il n'en reste plus que ce vestige.

Des cabestans maintenaient le vélum tendu.

Temple romain
Les fouilles entreprises à l'ouest du théâtre en 1925-1937 ont mis au jour les vestiges de ce qui semble avoir été un grand temple que complétait peut-être un cirque ou un gymnase. L'ensemble devait former, avec le théâtre, un Augusteum, *lieu dédié au culte impérial.*

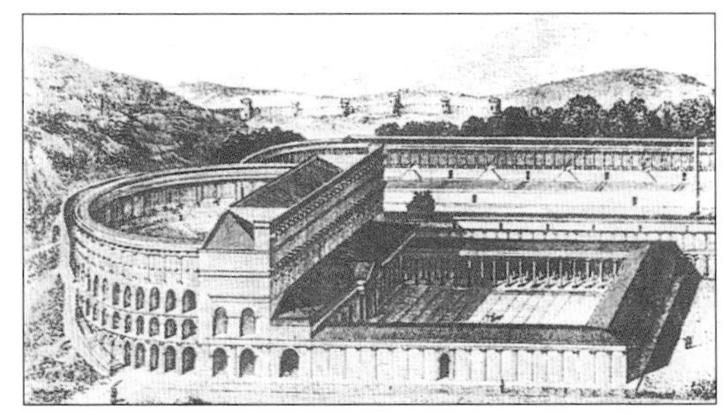

Église de Caderousse

Caderousse ❻

Carte routière B2. *2 500.*
mairie (04 90 51 90 69). *mar.*

Bâti sur le bord du Rhône à l'endroit où Hannibal l'aurait franchi avec ses éléphants lorsqu'il partit attaquer Rome en 218 av. J.-C., Caderousse a souvent souffert des caprices du fleuve. En témoignent les plaques qui, sur la façade de l'hôtel de ville, indiquent les niveaux des crues les plus graves. À la suite de celle de 1856 qui s'éleva à 3 m, la ville s'entoura d'une digue qui lui donne un aspect de cité fortifiée.

L'**église Saint-Michel**, romane, incorpore une chapelle du XVIe siècle de style gothique flamboyant aux élégantes voûtes.

Châteauneuf-du-Pape ❼

Carte routière B3. *2 100.*
Sorgues, puis bus. *pl. du Portail (04 90 83 71 08).* *ven.*

Le plus connu des crus de côtes-du-rhône porte le nom d'un bourg sans prétention perché sur une petite hauteur. Au sommet se dressent les ruines du **château des Papes**, bâti par Jean XXII de 1317 à 1333 et ravagé pendant les guerres de Religion. Le beau panorama sur la plaine porte jusqu'à Avignon.

Jean XXII ne se contenta pas de construire ici une résidence pontificale : il y implanta la vigne. Pas moins de 35 domaines se partagent aujourd'hui le territoire de l'AOC qui – fait unique en France – autorise treize cépages différents. De nombreux caveaux dans le village proposent des dégustations, et le **musée du Vin** retrace l'histoire locale de la viticulture.

À 6 km au sud, **Pernes-les-Fontaines** tire nom et réputation de ses 36 fontaines qui eurent chacune un garde jusqu'en 1914. Parmi les plus belles figurent celle du Reboul (XVe siècle) et celle du Cormoran (1761).

Musée du Vin
Route d'Avignon. ***Tél.*** *04 90 83 70 07.* *t.l.j.* *1er janv., 1er mai, 25 déc.* *limité.*

Carpentras ❽

Carte routière B3. *29 000.*
97, pl. du 25-Août-1944 (04 90 63 00 78). *ven.*

Capitale du Comtat Venaissin et ville de marché au cœur du riche terroir viticole des côtes-du-ventoux, Carpentras doit à ses truffes, et plus encore à ses berlingots, une réputation gourmande.

De ses remparts médiévaux, abattus au XIXe siècle pour percer les boulevards qui entourent la vieille ville, ne subsiste que la porte d'Orange (XIVe siècle) et sa tour de 27 m. Fondée à la même époque, la **synagogue**, en face de l'hôtel de ville, est la plus ancienne de France. Reconstruite en 1741-1743, elle a été restaurée plusieurs fois au cours du XXe siècle.

C'est par une porte de style gothique flamboyant, la porte Juive, que les juifs qui se convertissaient entraient dans la **cathédrale Saint-Siffrein** (XVe siècle) le jour de leur baptême. Le **musée Comtadin-Duplessis** évoque les traditions régionales. L'hôtel-Dieu conserve une belle pharmacie du XVIIIe siècle.

Synagogue
Pl. Maurice-Charretier. ***Tél.*** *04 90 63 39 97.* *lun.-ven.* *lors des cérémonies et fêtes juives.*

Cathédrale Saint-Siffrein
Pl. Général-de-Gaulle. ***Tél.*** *04 90 63 08 33.* *t.l.j.*

Musée Comtadin-Duplessis
234, bd Albin-Durand. ***Tél.*** *04 90 63 04 92.* *mer.-lun.* *j.f.*

Pharmacie de l'hôtel-Dieu de Carpentras

Abbaye de Sénanque ❾

Carte routière C3. ***Tél.*** *04 90 72 05 72.* *t.l.j.* *certains dim. matin et certains j.f.* *obligatoire, se rens. pour les horaires, rés. conseillée.*
www.senanque.fr

C'est en venant de Gordes *(p. 169)* qu'il faut découvrir l'abbaye de Sénanque dans son écrin de champs de lavande. Comme ses sœurs cisterciennes de Provence *(p. 108* et *p. 147)*, son dépouillement répondait aux vœux des disciples de saint

Vignoble de Châteauneuf-du-Pape

Pour les hôtels et les restaurants de la région, voir p. 202-203 et p. 216-217.

Bernard qui la fondèrent en 1148. Le monastère reçut cependant très vite d'importantes donations, principalement en terres, et la contradiction entre sa richesse et son aspiration à la pauvreté le conduisit à la décadence au XIVe siècle.

Malgré les représailles des Vaudois en 1544 et la peste de 1580, il conserva une communauté religieuse presque jusqu'en 1791, où il fut vendu comme bien national. Racheté par l'abbé Barnoin en 1854, il accueille à nouveau des moines.

En dehors du bâtiment des convers, reconstruit au XVIIIe siècle, l'abbaye a gardé ses édifices originaux, élevés à partir de 1150, et une partie de leurs toitures en lauze. Ils se composent de l'église, à l'austère simplicité, du cloître et des bâtiments conventuels : le chauffoir, la salle capitulaire, le réfectoire et le dortoir, où les moines dormaient tout habillés.

L'abbaye de Sénanque

Fontaine-de-Vaucluse ⑩

Carte routière B3. *610. Avignon. résidence du Pont (04 90 20 32 22).* **www.**oti-delasorgue.fr

Au fond d'une vallée étroite, la Sorgue naît d'un gouffre au pied d'une falaise de plus de 308 m de haut. Le débit de sa source, qui peut atteindre 100 m³/s et ne descend pas en dessous de 4,5 m³/s, reste inexpliqué. Alimenté par les eaux de la rivière, le **moulin à papier Vallis Clausa**, installé dans une ancienne papeterie industrielle, perpétue des techniques de fabrication traditionnelles du XVe siècle.

L'**écomusée du Gouffre** présente des concrétions calcaires rassemblées par le spéléologue Norbert Casteret, du matériel qu'il utilisa et une exposition sur l'exploration de la source. Le **musée-bibliothèque Pétrarque** est établi à l'emplacement de la maison où vécut ce poète italien durant seize ans. Le **musée d'Histoire 1939-1945** évoque la vie sous l'Occupation au travers d'œuvres d'écrivains ou d'artistes engagés.

C'est à Fontaine-de-Vaucluse que la Sorgue prend sa source

Moulin à papier Vallis Clausa
Chemin du Gouffre.
Tél. *04 90 20 34 14. t.l.j.*
1er janv., 25 déc.

Écomusée du Gouffre
Chemin du Gouffre. ***Tél.*** *04 90 20 34 13. fév.-15 nov. : t.l.j.*

Musée d'Histoire 1939-1945
Chemin du Gouffre. ***Tél.*** *04 90 20 24 02. avr.-oct. : t.l.j. sf mar. ; nov., déc. et mars : sam.-dim.*
janv., fév., 1er mai, 25 déc.

Musée Pétrarque
Rive gauche. ***Tél.*** *04 90 20 37 20.*
avr.-oct. : mer.-lun.

L'Isle-sur-la-Sorgue ⑪

Carte routière B3. *20 000. pl. de la Liberté (04 90 38 04 78). jeu. et dim (brocante).*

Les bras de la Sorgue qui enserrent cette jolie ville actionnaient jadis 70 roues à aubes de moulins ou de manufactures. Il n'en reste que six. Construite du XIIe au XVe siècle, l'**église Notre-Dame-des-Anges** possède un décor baroque d'une opulence rare en France. L'hôpital (XVIIIe siècle) présente, dans sa pharmacie, une belle collection de pots en faïence de Moustiers.

Roue à aubes près de la place Gambetta, L'Isle-sur-la-Sorgue

Avignon pas à pas ⓬

***Saint Jérôme,* Petit Palais**

Comptant près de 90 000 habitants aujourd'hui, l'ancienne capitale pontificale s'est largement étendue à l'est et au sud de ses remparts, le Rhône la bordant au nord et à l'ouest. L'enceinte fortifiée de la cité médiévale, bâtie au XIVe siècle pour protéger des crues du fleuve tout autant que des hommes, a cependant survécu et conservé douze tours et quatorze portes. À l'intérieur, le cœur de la ville aux monuments séculaires garde tout son dynamisme grâce à un opéra et à de nombreux cinémas et théâtres.

La chapelle Saint-Nicolas, accessible après le corps de garde, comporte un étage roman (XIIIe siècle) et un autre gothique (1513).

Porte du Rhône

★ Pont Saint-Bénézet
La légende attribue à un jeune pâtre, Bénezet, le début de la construction en 1177 du célèbre pont d'Avignon.

Rue Ferruce
Rue de Limas
Rue Grande Fusterie
Rue des Grottes
Rue de la Balance
Rue St-Étienne
Rue Petite Fusterie
Rue Racine
Place de l'Horloge

Conservatoire de musique
La façade de l'ancien hôtel des Monnaies (1619) porte les armes du cardinal Borghèse.

Place de l'Horloge
Dominée par un beffroi gothique (1354), cette belle place ombragée occupe l'emplacement du forum antique. Elle est particulièrement animée pendant le Festival de théâtre.

LÉGENDE
– – – Itinéraire conseillé

0 100 m

Pour les hôtels et les restaurants de la région, voir p. 202-203 et p. 216-217.

Musée du Petit-Palais
L'ancien palais épiscopal présente un bel ensemble d'œuvres italiennes et françaises du Moyen Âge et de la Renaissance, notamment cette Vierge de pitié *(1457).*

BD DE LA LIGNE

ROCHER DES DOMS

PLACE DU PALAIS

RUE VICE LEGAT

RUE PEYROLLERIE

MODE D'EMPLOI

Carte routière B3. *88 300.* *Avignon-Caumont, 8 km.* *bd Saint-Roch.* *41, cours Jean-Jaurès (04 32 74 32 74).* *mar.-dim.* *Festival d'Avignon* (voir p. 33 et p. 229). **www**.avignon-tourisme.com

Rocher des Doms
Cet agréable jardin offre un large panorama sur la ville et le fleuve.

★ Palais des Papes
Dans la forteresse que les papes bâtirent au XIVe *siècle* (p. 44-45), *une riche décoration ornait leur chambre à coucher.*

Église Saint-Pierre
Ce beau sanctuaire gothique, entrepris en 1358 et achevé au XVIe *siècle, présente une remarquable façade flamboyante.*

À NE PAS MANQUER

★ Palais des Papes

★ Pont Saint-Bénézet

À la découverte d'Avignon

Avignon n'a conservé que très peu de vestiges de son passé grec puis romain. En 1309, les papes y installent pour un demi-siècle la capitale de la Chrétienté. Si les plus beaux monuments datent de cette période, le baroque (XVIIe siècle) a aussi paré la ville de superbes hôtels, et ses rues, comme la rue du Roi-René ou la rue des Teinturiers, possèdent des cachets variés.

Le palais des Papes d'Avignon vu depuis l'autre rive du Rhône

Palais des Papes

Pl. du Palais. ***Tél.*** *04 90 27 50 00.* *t.l.j.*
www.palais-des-papes.com
Il faut franchir la porte des Champeaux pour entrer dans cet édifice grandiose *(p. 44-45)* composé de deux bâtiments accolés.

Construit pour Benoît XII à partir de 1336, le Palais-Vieux, au nord et à l'ouest, s'organise autour d'un cloître. Il comprend entre autres l'ancienne salle de banquet, ou Grand Tinel, aux murs parés de tapisseries des Gobelins, et le Consistoire, où se tenait le Conseil des papes et que décorent leurs portraits. Ces salles donnent sur une chapelle peinte de fresques par Matteo Giovannetti entre 1344 et 1348.

Bâti pour Clément VI de 1342 à 1352, le Palais-Neuf témoigne de ses goûts fastueux, notamment dans la chambre du Pape, aux murs couverts d'une luxuriante décoration, ou la chambre du Cerf, dans la tour de la Garde-Robe, qui a conservé un beau plafond peint du XIVe siècle et des fresques remarquables de 1343.

La chapelle Clémentine, ou chapelle pontificale, présente une nef de 52 m de long, 15 m de large et 20 m de haut.

Le **musée de l'Œuvre** occupe les sept premières salles du palais. Il raconte l'histoire de l'édifice au travers de maquettes interactives, objets archéologiques, fac-similés…

Décor de la chambre du Pape

Cathédrale Notre-Dame-des-Doms

Pl. du Palais. ***Tél.*** *04 90 86 81 01.* *avr.-nov. : t.l.j.*
Élevé au XIIe siècle et maintes fois remanié, le plus vieux sanctuaire chrétien d'Avignon a conservé, malgré des ajouts baroques, un plan et une ordonnance romans. Dans le chœur, le maître-autel et le trône épiscopal datent tous deux du XIIe siècle.

Musée du Petit-Palais

Pl. du Palais. ***Tél.*** *04 90 86 44 58.* *t.l.j sf mar.* *certains j.f.*
Palais construit en 1318 pour le cardinal Bérenger Frédol, cet élégant édifice, devenu l'évêché en 1335, abrite un superbe ensemble d'œuvres d'art du Moyen Âge et de la Renaissance, représentant les écoles florentine, vénitienne, siennoise et avignonnaise. On peut y voir, entre autres, une *Vierge à l'Enfant* par Botticelli (1445-1510), une *Sainte Conversation* de Vittore Carpaccio (1460-1525), et des peintures de Simone Martini (1284-1344) et d'Enguerrand Quarton (XVe siècle).

Musée lapidaire

27, rue de la République.
Tél. *04 90 85 75 38.* *t.l.j. sf mar.* *1er janv., 1er mai, 25 déc.*
Installé dans la chapelle baroque du collège des Jésuites (XVIIe siècle), il renferme de nombreuses statues antiques et gauloises, dont la célèbre *Tarasque de Noves* du IIe siècle av. J.-C., ainsi que des objets de la vie quotidienne romaine.

Musée Calvet

65, rue Joseph-Vernet. ***Tél.*** *04 90 86 33 84.* *t.l.j. sf mar.* *1er janv., 1er mai, 25 déc.* *limité.*
Cet élégant hôtel particulier du XVIIIe siècle abrite des peintures et sculptures du XVe au XXe siècle, avec des œuvres de Mignard, Vernet, David, Soutine, Manet, Camille Claudel, etc.

Musée Angladon

5, rue Laboureur. ***Tél.*** *04 90 82 29 03.* *mer.-dim. : l'après-midi (mar. en été).*
Ce musée de la Fondation Angladon-Dubrujeaud rassemble une collection d'art du XVIIIe au XXe siècle (Degas, Van Gogh, Cézanne, Picasso, Modigliani, etc.) alliant muséographie moderne et intimité d'une maison privée.

Collection Lambert

Musée d'Art contemporain, 5, rue Violette. ***Tél.*** *04 90 16 56 20.* *mar.-dim.*
www.collectionlambert.com
Le musée, installé dans une maison du XVIIIe siècle, abrite notamment une collection d'art contemporain venant de la galerie Yvon-Lambert. La collection débuta dans les années 1960 et retrace les différents mouvements artistiques jusqu'à nos jours.

Pour les hôtels et les restaurants de la région, voir p. 202-203 et p. 216-217.

Gordes ⓭

Carte routière C3. 2 000.
pl. du Château (04 90 72 02 75).
mar. **www.**gordes-village.com

Restaurants et hôtels chic témoignent de la popularité de ce village perché dans un site magnifique au-dessus de la vallée du Coulon. De nombreuses boutiques animent ses rues pentues qu'enjambent des arcades.

Si le cubiste André Lhote le précéda en 1938, c'est Victor Vasarely, peintre abstrait né en Hongrie (1908-1997), qui a donné ses lettres de noblesse à la localité en faisant restaurer, avec le plus grand soin, le **château de Gordes**. Cette ancienne forteresse, construite au XIIe siècle par les d'Agoult et reconstruite vers 1525, abrite sur trois étages une exposition des œuvres de Pol Mara (1920-1998), peintre flamand qui vécut de nombreuses années à Gordes. D'une rigueur très géométrique, peintures, lithographies, tapisseries, sculptures et panneaux décoratifs trouvent un cadre somptueux dans le décor Renaissance de l'édifice.

À la sortie de Gordes, ne manquez pas le **village des Bories**, hameau entièrement composé de constructions en pierres sèches.

LES BORIES

Pour construire des abris sur les plateaux calcaires de Provence, bergers et paysans ont utilisé les pierres plates qui jonchaient prés et champs. Les empilant en léger débord, ils élevaient des voûtes en encorbellement qui ne nécessitent ni ciment, ni charpente, ni toiture. La région compte environ 3 000 de ces constructions, simples cabanes à outils, écuries ou véritables exploitations agricoles groupées en hameaux comme à Gordes.

Château de Gordes
Tél. 04 90 72 02 75. *t.l.j.* *1er janv., 25 déc.*

Village des Bories
Rte de Cavaillon. *Tél. 04 90 72 03 48.* *t.l.j.* *1er janv., 25 déc.*

Le village perché de Gordes

Roussillon ⓮

Carte routière C3. *1 200.* *pl. de la Poste (04 90 05 60 25).* *jeu.* **www.**roussillon-provence.com

Roussillon occupe un site sublime au milieu de falaises d'ocre allant du jaune vif au rouge sang. Ces teintes se retrouvent dans les crépis des maisons, composant un ensemble d'une harmonie et d'une chaleur rares.

Depuis l'hôtel de ville du XVIIIe siècle, des ruelles pentues conduisent à la tour du Beffroi, puis à la table d'orientation du Castrum, à côté de l'église, d'où l'on jouit d'un vaste panorama sur le Luberon et le Ventoux.

Le **sentier des Ocres** mène aux anciennes carrières dont les rochers écarlates offrent un violent contraste avec le vert de la végétation. Au sud, les falaises de Sang dominent le val des Fées.

Commencée à Roussillon en 1780, l'exploitation de l'ocre, mélange de quartz, de kaolinite et d'oxyde de fer, employait un millier de personnes au début du XXe siècle. Cette industrie menacée fait aujourd'hui l'objet d'un plan de relance. Inaltérable, l'ocre ne présente aucune toxicité pour une finesse de coloris sans pareille. Le **Conservatoire des ocres et pigments appliqués**, installé dans une ancienne usine d'ocre, fait découvrir les différentes étapes de son exploitation et propose des stages et ateliers.

Arc de triomphe à Cavaillon

Cavaillon ⓯

Carte routière B3. *25 000.*
place François-Tourel (04 90 71 32 01). *lun.*
www.cavaillon-luberon.fr

Le nom de Cavaillon évoque le parfum du melon. La production maraîchère de son terroir alimente en effet le plus grand marché de gros de primeurs de France, assurant à la cité une prospérité qu'elle connaissait déjà à l'époque romaine, comme en témoigne le petit arc du Ier siècle, placé en 1880 sur la place du Clos.

À gauche, un sentier escalade la colline jusqu'à la **chapelle Saint-Jacques** (XIIe siècle). Depuis la table d'orientation, au bord du plateau, la vue porte jusqu'au Ventoux et aux Alpilles.

En ville, la **cathédrale Saint-Véran**, de style roman, possède un élégant petit cloître et le **musée de l'Hôtel-Dieu** présente les vestiges découverts dans la région, notamment sur la colline Saint-Jacques. Rue Hébraïque, la **synagogue**, superbe, fut construite entre 1772 et 1774. Elle occupe l'emplacement d'un sanctuaire du XIVe siècle. À l'intérieur, le petit **Musée judéo-comtadin** évoque l'histoire de la communauté juive en terre pontificale.

Musée archéologique de l'Hôtel-Dieu
Porte d'Avignon. ***Tél.*** *04 90 76 00 34.* *mai-oct. : t.l.j. sf mar.*

Musée judéo-comtadin
Rue Hébraïque, dans la synagogue. ***Tél.*** *04 90 76 00 34.* *mai-oct. : t.l.j. sf mar. ; nov.-avr. sur r.-v.* *1er janv., 1er mai, 25 déc.*

Excursion dans le Petit Luberon ⓰

Au cœur du massif calcaire qui s'étend de Cavaillon à Manosque, le parc régional du Luberon couvre une superficie de 130 000 ha sur le territoire d'une cinquantaine de communes. La combe de Lourmarin le divise en deux. À l'est, le Grand Luberon *(p. 172)* forme une longue croupe rocheuse qui atteint 1 125 m d'altitude au Mourre-Nègre. À l'ouest, le Petit Luberon, plus découpé, culmine à 700 m. Alors que, sur les flancs sud, les cultures et le vignoble ont maintenu une population rurale, au nord les villages accrochés à flanc de rocher se vidaient de leurs habitants jusqu'à l'arrivée récente d'artistes et d'artisans séduits par leur beauté.

Oppède-le-Vieux ①
Les ruines du château de Jean Maynier d'Oppède, au-dessus des maisons, rappellent le massacre des Vaudois du Luberon dont il se rendit coupable en 1545.

AVIGNON
D2
D29
D176
CAVAILLON
①

0 2 km

LÉGENDE
Itinéraire
Autre route

Panorama depuis le sentier botanique de Bonnieux

LE LUBERON SAUVAGE

Gorges escarpées, versants nord abrupts et humides, et adrets méditerranéens propices aux cultures et à la vigne créent dans le Luberon une grande diversité d'habitats. La Maison du parc régional, à Apt *(p. 172)*, tient à disposition des informations sur la faune et la flore et propose des circuits de randonnée ou d'excursion permettant de les découvrir.

L'Orchis simia, *une orchidée sauvage, pousse dans les prés ensoleillés.*

Pour les hôtels et les restaurants de la région, voir p. 202-203 et p. 216-217.

Les falaises ravinées du Petit Luberon

CARNET DE ROUTE

Itinéraire : *40 km.*
Où faire une pause ? *Ménerbes possède plusieurs cafés. Bonnieux est un bon endroit où déjeuner et la forêt de cèdres offre un cadre idéal à un pique-nique. Lourmarin, où repose Albert Camus, se trouve à mi-chemin entre le Petit et le Grand Luberon. Par manque de stationnement, il faut parfois gagner le centre des villages à pied. (www.parcduluberon.com)*

Ménerbes ②
Place forte où des calvinistes se retranchèrent pendant les guerres de Religion, ce superbe village renferme une église du XIVe siècle. Le cimetière offre une belle vue.

Lacoste ③
Si l'ombre du Marquis de Sade plane toujours sur le village, son château ne résista pas à la Révolution.

Bonnieux ④
Le musée de la Boulangerie retrace l'histoire du pain. Un sentier botanique permet une promenade de 2 h dans une forêt de cèdres.

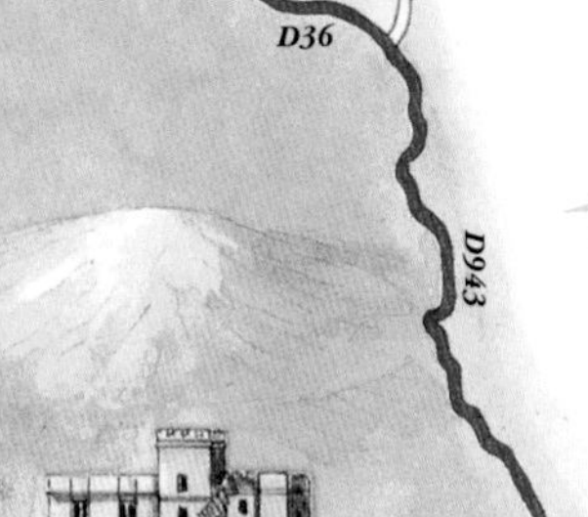

Lourmarin ⑤
La comtesse d'Agoult dont la famille possédait le château du village donna trois enfants à Franz Liszt, notamment la future épouse de Richard Wagner.

Le sanglier (Sus scrofa) *continue à prospérer dans le massif malgré les chasseurs.*

Le grand duc (Bubo bubo) *est le plus grand des rapaces nocturnes européens.*

Le castor (Castor fiber) *construit des barrages sur le Calavon et la Durance.*

LE GRAND LUBERON

Ceint d'un chapelet de beaux villages, le Grand Luberon dresse sa masse arrondie à l'est de la combe de Lourmarin. Depuis Auribeau, perché sur un mamelon du versant nord, 2 h de marche conduisent à la cime la plus haute, le Mourre-Nègre (1 125 m), inaccessible en voiture. Ce site superbe offre une vue qui embrasse les vallées de la Durance et du Calavon, et porte jusqu'à l'étang de Berre, le mont Ventoux, la montagne de Lure, Digne et les Alpes.

Apt ⓱

Carte routière C3. *11 500.* *Avignon.* *20, av. Philippe-de-Girard (04 90 74 03 18).* *mar. et sam.* **www**.ot-apt.fr

Dans la vallée du Calavon, au nord du Luberon, les cerisiers rappellent qu'Apt est la capitale des fruits confits et un centre important de production de confiture. Le **musée de l'Aventure industrielle** présente les principales activités liées aux ressources traditionnelles du pays : fruits, ocre et faïence. Apt est aussi le siège du parc naturel du Luberon, et la **Maison du parc**, installée dans une demeure du XVIIe siècle, renseigne sur les sentiers de randonnée, la faune, la flore et les gîtes. Elle abrite le **musée de Géologie**, restauré, qui associe fossiles et reconstitutions pour présenter l'évolution des espèces.

Le **musée d'Histoire et d'Archéologie** expose, dans un hôtel du XVIIIe siècle, des outils préhistoriques et rappelle qu'Apt fut une prospère cité gallo-romaine, avant de devenir un évêché dès la fin du IIIe siècle. Le 2e étage est consacré aux céramiques et à l'art de la faïence. De nombreux artisans entretiennent à Apt cette tradition et vendent leurs créations sur le grand marché, le samedi matin, place de la Bouquerie.

Au cœur de la vieille ville, la **cathédrale Sainte-Anne**, (XIIe siècle) conserve de ses origines un bas-côté roman. L'autre, gothique (XIVe siècle), abrite la chapelle Sainte-Anne, ou chapelle royale, bâtie en 1660 pour abriter les reliques de la mère de la Vierge, à qui est dédié le sanctuaire – reliques rapportées de Palestine, selon la légende, au IIIe siècle. Elles se trouvent aujourd'hui dans le trésor, dans la sacristie de la chapelle. La nef centrale, remaniée au XVIIIe siècle, est coiffée d'une belle coupole octogonale romane. Dans le chœur, un vitrail date du XIVe siècle.

Broderie du XIVe siècle

À 10 km au nord-est d'Apt, **Rustrel** est réputé pour les paysages fantastiques des carrières d'ocre du **Colorado provençal**.

Au nord, en direction de Sault, l'**observatoire Sirene** est un centre scientifique aux conditions climatiques idéales pour l'observation des étoiles.

Cathédrale Sainte-Anne
Rue Ste-Anne. ***Tél.*** *04 90 04 85 44.* *t.l.j.* **www**.apt-cathedrale.com

Musée de l'Aventure industrielle
Pl. du Postel. ***Tél.*** *04 90 74 95 30.* *t.l.j. sf mar. et dim. (mai-sept. : ouv. dim. après-midi).* *j.f.*

Musée de Géologie
Maison du parc, 60, pl. Jean-Jaurès. ***Tél.*** *04 90 04 42 00.* *lun.-ven.* *j.f.*

Musée d'Histoire et d'Archéologie
27, rue de l'Amphithéâtre. ***Tél.*** *04 90 74 95 30.* *sur r.-v. seul.*

Observatoire Sirene
D34, Lagarde-d'Apt. ***Tél.*** *04 90 75 04 17.* *lun.-sam. ; sur r.-v. en soirée.* *j.f.*

Tout le charme du pays d'Apt sur une étiquette

Pour les hôtels et les restaurants de la région, voir p. 202-203 et p. 216-217.

Cadenet 18

Carte routière C3. 4 000. *Avignon.* *11, pl. du Tambour-d'Arcole (04 90 68 38 21).* *lun. et sam. (mai-oct. : marché paysan).*

Du haut d'une colline, les ruines du château du XIe siècle veillent sur les belles maisons anciennes de ce gros village de la vallée de la Durance. Sur la place principale, qui accueille un marché paysan en été, se dresse la statue d'André Estienne. Lors de la bataille du pont d'Arcole en 1796, ce jeune tambour traversa la rivière à la nage et amena les Autrichiens à se replier en leur faisant croire qu'ils étaient pris à revers. L'église du XVIe siècle abrite un sarcophage sculpté du IIIe siècle transformé en fonts baptismaux.

***Le Tambour d'Arcole* à Cadenet**

Ansouis 19

Carte routière C3. 3 000. *pl. du Château (04 90 09 86 98).* *jeu. et dim.* **www**.tourisme-ansouis.com

Édifié au Xe siècle, agrandi et restauré du XIVe au XVIIe siècle mais encore entouré des vestiges de la forteresse médiévale, le **château d'Ansouis** appartint depuis 1160 à la famille de Sabran, avant d'être vendu en 2008. Au XIIIe siècle, les quatre filles de Gersende de Sabran et de Raymond Bérenger IV devinrent respectivement reines de France, d'Angleterre, de Sicile et de Naples. Une chambre entretient le souvenir d'Elzéar de Sabran et de Delphine de Signes qui, mariés en 1298, firent vœu de chasteté et furent canonisés en 1369. On y visite aussi de belles pièces ornées de tapisseries et de mobilier Renaissance et une cuisine provençale. Au bas du village, le **musée extraordinaire de Georges Mazoyer** reconstitue une grotte sous-marine dans de belles caves voûtées du XVe siècle et présente fossiles, poissons et coquillages. On verra à l'étage l'atelier de l'artiste et des meubles provençaux.

Château d'Ansouis
Tél. *04 90 09 86 98.* *tél. pour les horaires.* *nov.-avr.*
www.chateau-ansouis.com

Musée extraordinaire de Georges Mazoyer
Rue du Vieux-Moulin. ***Tél.*** *04 90 09 82 64.* *t.l.j. l'après-midi.*

Chambre de la Duchesse au château d'Ansouis

Pertuis 20

Carte routière C3. 18 000. *Donjon, pl. Mirabeau (04 90 79 15 56).* *mer. et sam. (marché paysan), ven.*

La capitale traditionnelle du pays d'Aigues, vaste étendue fertile au nord d'Aix, n'a guère conservé de ses remparts que la **tour Saint-Jacques** (XIVe siècle). Antérieur, l'ancien donjon du château, ou tour de l'Horloge, domine la place Mirabeau, du nom du père du célèbre révolutionnaire.

L'**église Saint-Nicolas**, remaniée dans le style gothique aux XIVe et XVe siècles, abrite un intéressant triptyque de 1512.

Portail triomphal du château de La Tour-d'Aigues

La Tour-d'Aigues 21

Carte routière C3. 4 600. *pour Pertuis.* *château de La Tour-d'Aigues (04 90 07 50 29).* *mar.*

Ce village paisible, entouré de vignobles et de vergers au pied du Luberon, tire son nom d'une tour qui se dressait au Xe siècle à l'emplacement du donjon du **château** actuel. Ensemble étonnant de vestiges restaurés (il subit deux incendies en 1782 et 1792), ce luxueux palais Renaissance édifié au XVIe siècle par l'architecte Ercole Nigra a conservé un remarquable portail inspiré des arcs de triomphe antiques. Ses caves abritent la **salle de l'Habitat rural en pays d'Aigues** et le **musée des Faïences et des Céramiques**, qui retracent l'histoire de la région.

Château de La Tour-d'Aigues
Tél. *04 90 07 50 33.* *t.l.j.* *sept.-juin : lun. matin, dim. matin et mar. après-midi ; 25 déc., 1er janv.*

LES ALPES-DE-HAUTE-PROVENCE

Succession de plateaux et de montagnes atteignant par endroits plus de 3 000 m, cette partie de la Provence connaît des hivers rudes bien qu'ensoleillés, et le ciel y est d'une limpidité nulle part égalée. La Durance, aux caprices domptés par des barrages, a creusé dans ces reliefs une large voie de communication.

Cette terre d'azur, si bien chantée par Jean Giono, n'abrite aucune ville importante, si bien que les traditions rurales s'y sont maintenues avec beaucoup d'authenticité. La préfecture, Digne-les-Bains, compte moins de 20 000 habitants et a d'ailleurs été rattrapée en importance par sa rivale, Manosque, qui a profité, grâce à l'aménagement de la Durance, de l'irrigation de son terroir et de la création de centrales hydroélectriques et du centre d'études nucléaires de Cadarache.

Entre Digne et Manosque s'étendent les plateaux de Puimichel et de Valensole, ponctués de forêts de chênes verts et de champs de lavande. Dans un cadre superbe, près de Moustiers-Sainte-Marie, célèbre pour ses faïences, ils tombent dans le lac de Sainte-Croix, vaste retenue d'eau au débouché du grand canyon qu'a creusé le Verdon dans le calcaire. Avant d'arroser Castellane, qui commande l'autre accès à ces gorges, les plus belles d'Europe, le torrent prend sa source au pied du col d'Allos fermant la vallée commandée par Colmars. À l'instar d'Entrevaux, cette ville fortifiée témoigne de l'importance stratégique aux XVIIe et XVIIIe siècles de cette zone frontalière. Autour du mont Pelat (3 051 m), situé dans le parc national du Mercantour, et près de Barcelonnette, plusieurs stations de sports d'hiver proposent un vaste domaine skiable.

Bottes de lavande séchant dans un champ près des gorges du Verdon

◁ **Oliveraie à la sortie de la ville fortifiée d'Entrevaux**

À la découverte des Alpes-de-Haute-Provence

Territoire montagneux creusé de gorges et de vallées d'une superficie de 6 944 km², les Alpes-de-Haute-Provence présentent des paysages variés, des cimes du parc national du Mercantour aux champs de lavande du plateau de Valensole. Le canyon du Verdon constitue le site le plus spectaculaire, mais le département en compte beaucoup d'autres que la route Napoléon permet de découvrir. Jalonnée de monuments évoquant le retour d'Elbe de l'Empereur, elle passe par Castellane, Digne et Sisteron. La grande voie de communication de la région demeure néanmoins la vallée de la Durance.

Champ de lavande sur le plateau de Valensole

LES ALPES-DE-HAUTE-PROVENCE D'UN COUP D'ŒIL

Annot 18
Barcelonnette 3
Castellane 16
Colmars 5
Digne-les-Bains 6
Entrevaux 19
Forcalquier 9
Gréoux-les-Bains 11
Lurs 8
Manosque 10
Mont Pelat 4
Moustiers-Sainte-Marie 15
Pénitents des Mées 7
Riez 13
Saint-André-les-Alpes 17
Seyne-les-Alpes 2
Sisteron 1
Valensole 12

Excursion

Gorges du Verdon p. 184-185 14

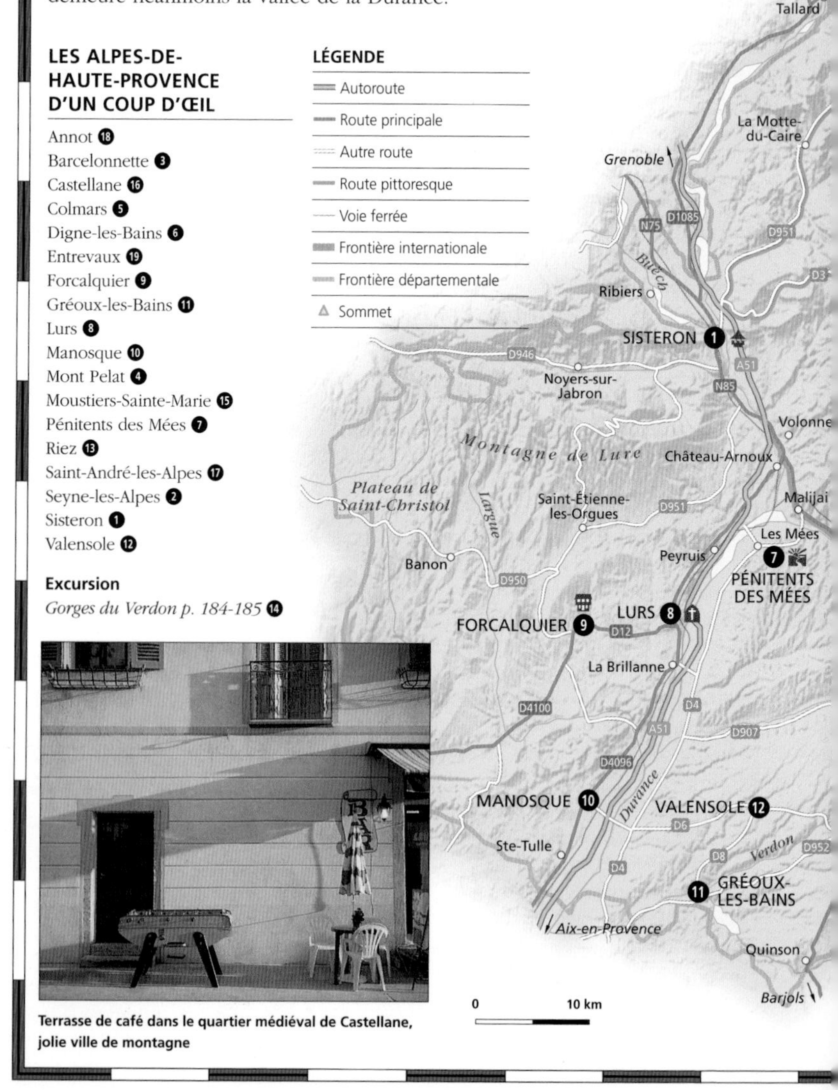

Terrasse de café dans le quartier médiéval de Castellane, jolie ville de montagne

Pour les autres symboles de la carte, *voir le rabat arrière de couverture*

CIRCULER

Venant d'Aix-en-Provence, l'autoroute A51 suit la vallée de la Durance jusqu'à Gap en passant pas Sisteron. Pour atteindre Barcelonnette, il faut ensuite prendre les routes nationales qui longent la rivière jusqu'au lac de Serre-Ponçon. L'autre accès français à la vallée, le col d'Allos, est fermé près de 6 mois par an. Desservie par le train, Digne se trouve sur l'autre grande voie routière du département : la route Napoléon (N85) qui relie Sisteron aux gorges du Verdon.

VOIR ÉGALEMENT

- ***Hébergement*** p. 203
- ***Restaurants*** p. 217

Le rocher de la Baume surplombe la rive gauche de Sisteron

Sisteron ❶

Carte routière D2. *7 500.*
hôtel de ville, pl. de la République (04 92 61 36 50).
mer. et sam. **www**.sisteron.com

Face à l'impressionnante falaise du **rocher de la Baume**, la « porte de Provence » occupe un site stratégique, véritable verrou de la vallée de la Durance. Cette position ne lui a pas apporté que des bienfaits et, en 1944, les Alliés détruisirent le quart de la ville en bombardant les troupes qui l'occupaient.

La **citadelle**, perchée, domine le vieux quartier. Elle incorpore les vestiges d'un château du XIIIe siècle et une chapelle du XVe siècle. Ses remparts offrent une vue superbe sur la rivière. Elle est le cadre, en été, d'un festival de musique et de danse : les Nuits de la citadelle.

De son enceinte médiévale, Sisteron a conservé au sud quatre tours du XIVe siècle. Tout près, la **cathédrale Notre-Dame-des-Pommiers**, construite en 1160, présente une architecture romane où se mêlent tradition provençale et influences lombardes. À l'est, la chapelle des Visitandines (XVIIe siècle) abrite le **musée Terre et Temps**, où horloges, pendules et cadrans solaires expliquent les mécanismes du temps.

Mas provençal près du village de Seyne

Citadelle
Tél. 04 92 61 06 00.
avr.-mi-nov. : t.l.j.

Musée Terre et Temps
Pl. Gal.-de-Gaulle. *Tél. 04 92 61 61 30.* *mi-mai-déc. : mar.-sam.*

La citadelle de Sisteron commande l'accès à la vallée de la Durance

Seyne-les-Alpes ❷

Carte routière D2. *1 400.*
pl. d'Armes (04 92 35 11 00).
mar., ven. **www**.seynelesalpes.fr

L'élevage, notamment celui des mulets, constitue depuis le Moyen Âge la principale activité économique de la vallée de la Blanche. Son bourg le plus important, Seyne, à 1 260 m d'altitude, est proche des stations de ski du Grand-Puy et du Farget. Seyne organise chaque année le Concours mulassier (août) et la Foire aux chevaux (oct.), temps forts de la vie de la région. De style roman provençal, **Notre-Dame-de-Nazareth** date du XIIIe siècle. Les deux chapelles gothiques latérales sont postérieures. Tout près, la citadelle fut bâtie par Vauban en 1693 autour d'une tour de guet du XIIIe siècle.

Barcelonnette ❸

Carte routière E2. *3 500.*
place Frédéric-Mistral (04 92 81 04 71). *mer. et sam.*
www.barcelonnette.net

C'est le comte de Provence Raimond Béranger V, issu d'une famille originaire de Barcelone, qui donna en 1231 le nom à la ville en autorisant sa fondation au cœur de la vallée alpine de l'Ubaye. Les destructions subies au cours de presque toutes les guerres, depuis la guerre de Cent Ans, lui valent de n'avoir conservé aucun monument ancien.

Pour les hôtels et les restaurants de la région, voir p. 203 et p. 217.

NAPOLÉON EN PROVENCE

En 1815, à son retour d'exil à l'île d'Elbe, débarquant le 1er mars à Golfe-Juan avec un millier de fidèles, Napoléon se méfie de la Provence, royaliste, et préfère éviter la vallée du Rhône pour rejoindre Paris. Malgré l'hiver, il décide de traverser les Alpes. Il contourne Grasse, peu sûre, mais, le 3 mars, déjeune à la sous-préfecture de Castellane et dort à Barrême chez le juge de paix. Le lendemain, il goûte à Digne la cuisine de l'Auberge du Petit-Paris puis fait étape au château de Malijai. Il ne trouve pas le sommeil : Sisteron et sa citadelle lui barrent toujours la route. Mais Cambronne s'empare sans difficulté de la ville – une plaque, rue de la Saunerie, commémore l'événement – et l'Empereur peut poursuivre vers Gap et Grenoble. Il atteindra la capitale le 20 mars… et le 22 juin, après la défaite de Waterloo, ce sera à nouveau l'exil, à Sainte-Hélène, et la fin de l'aventure des Cent-Jours.

***Bonaparte franchissant le Grand-Saint-Bernard* (1801) de Jacques-Louis David**

Villa « mexicaine » à Barcelonnette

Dans cette région de montagne, l'agriculture ne suffisait pas à nourrir les familles, et les jeunes hommes partaient souvent vendre par colportage tissus et travaux de couture exécutés dans les fermes. En 1821, trois d'entre eux, les frères Arnaud, décidèrent de tenter leur chance au Mexique. Ils y firent fortune et invitèrent d'autres habitants de la vallée à les rejoindre. En un siècle, près de 5 000 hommes partirent. Mais ils n'oublièrent pas leur pays natal et financèrent par leurs dons la construction de l'hôtel de ville (1934) et de l'église Saint-Pierre (1928), de style romano-provençal. On appelle « mexicaines » (bien qu'elles n'en aient pas le style) les somptueuses villas qu'ils firent bâtir. La villa *La Sapinière* abrite le **musée de la Vallée** et la **Maison du parc** du Mercantour *(p. 97)* voisin.

Musée de la Vallée
10, av. de la Libération. ***Tél.** 04 92 81 27 15.* *mer.-sam. : l'après-midi (juil.-août t.l.j.).* *mi-nov.-mi-déc.* *en été.*

Mont Pelat ❹

Digne-les-Bains, Thorame-Verdon. *Colmars, Allos.* *Le Presbytère, Allos (04 92 83 02 81).*

Situé dans le parc national du Mercantour, le mont Pelat (3 050 m) est le plus haut sommet des Alpes provençales. Il domine le lac d'Allos, le plus vaste lac de haute montagne d'Europe (2 225 m).

La hauteur des cols reliant les vallées de la région – 2 240 m pour celui d'Allos, 2 327 m pour celui de la Cayole et 2 802 m pour le col de la Bonette, au pied de la cime du même nom (chemin facile depuis la route, superbe vue) – interdit de les franchir en voiture en hiver. Il existe cependant un autre moyen de circuler entre le val d'Allos et la vallée de l'Ubaye : le ski. Les remontées mécaniques des stations de Pra-Loup et de la Foux-d'Allos permettent en effet de passer de l'un à l'autre et de profiter d'un magnifique domaine skiable.

La cime de la Bonette domine le plus haut col d'Europe

Colmars ❺

Carte routière 2E. 385. *ancienne auberge fleurie (04 92 83 41 92).* *juin-sept. : mar. et ven.*

Dans la vallée du haut Verdon, Colmars a conservé l'enceinte fortifiée que fit consolider Vauban de 1692 à 1695. Son nom, dérivant du latin *collis Martis*, indiquerait qu'un temple romain consacré au dieu Mars se serait élevé sur le site. L'église Saint-Martin, bâtie après l'incendie qui ravagea la ville en 1672, a conservé un portail latéral de 1530.

Au nord, un chemin protégé conduit au **fort de Savoie**, bel exemple d'architecture militaire édifié par Vauban en même temps que le fort de France, aujourd'hui en ruine et dominant un vieux pont.

Une promenade à pied de 30 min (fléchée) conduit à la cascade de la Lance. D'autres belles excursions gravissent les montagnes environnantes.

Fort de Savoie
Tél. *04 92 83 41 92.* *juil.-août : t.l.j. ; sept.-juin : sur r.-v. seul.* *obligatoire.*

Colmars, ville fortifiée flanquée de deux forts

Digne-les-Bains ❻

Carte routière 2D. *17 000.* *rond-point du 11-Novembre. (04 92 36 62 62).* *mer. et sam.*
www.ot-dignelesbains.fr

Chef-lieu du département depuis la Révolution, Digne, aux rues parées de sculptures modernes, était déjà une station thermale à l'époque romaine, et les sept sources d'eau chaude et sulfurée qui jaillissent au pied de la falaise Saint-Pancrace alimentent un établissement de cure réputé notamment pour le traitement des rhumatismes.

Le boulevard Gassendi, du nom du mathématicien et astronome dignois Pierre Gassendi (1592-1655), longe la vieille ville, serrée autour de la cathédrale Saint-Jérôme, entreprise en 1490 et agrandie au XIXe siècle. C'est sur cette large artère que se tient chaque année en août le corso de la Lavande *(p. 229)*. La ville s'est d'ailleurs baptisée elle-même « capitale de la lavande ».

Au no 64, le **musée Gassendi** occupe l'ancien hôpital Saint-Jacques et présente fossiles, collections de peintures, pièces archéologiques et instruments du savant.

Dans le quartier du Bourg, la **cathédrale Notre-Dame-du-Bourg** est un bel édifice roman du XIIIe siècle qui inspira les bâtisseurs de la cathédrale de Seyne-les-Alpes *(p. 178)*. La **Grande Fontaine**, au bout du boulevard, date de 1829.

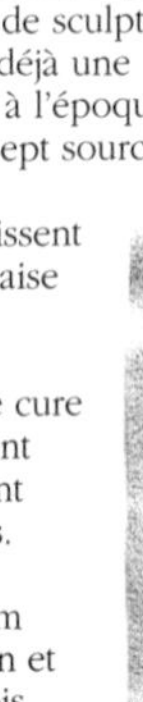

Sculpture de rue à Digne

Séduite par la limpidité du ciel à Digne, l'intrépide voyageuse Alexandra David-Néel décida, en 1927, d'y construire *Samten-Dzong*, sa « forteresse de méditation », villa devenue après sa mort (1969) une fondation comprenant le **musée Alexandra-David-Néel** et un centre culturel. À visiter également, dans un ancien couvent, le **jardin botanique** et sa collection de plantes aromatiques et médicinales.

Musée Gassendi
64, bd Gassendi. ***Tél.*** *04 92 31 45 29.* *t.l.j. sf mar.* *j.f. et vacances de Noël.*

Musée Alexandra-David-Néel
27, av. Maréchal-Juin. ***Tél.*** *04 92 31 32 38.* *t.l.j.* *3-4 par jour.*

Jardin botanique
Av. Paul-Martin. ***Tél.*** *04 92 31 59 59.* *mi-mars-mi-nov. : lun.-ven.* *j.f.*

Aux environs : la réserve naturelle géologique de Haute-Provence protège de superbes fossiles, dont un ichthyosaure et la célèbre « dalle aux ammonites » comprenant 1 500 de ces mollusques.

Pour les hôtels et les restaurants de la région, voir p. 203 et p. 217.

Pénitents des Mées 7

Carte routière 3D. *Saint-Auban. Les Mées. 21, bd de la République (04 92 34 36 38).*

À l'endroit où Bléone et Durance entaillent le plateau de Puimichel, l'érosion a sculpté dans le poudingue (roche composée de galets liés par un ciment naturel) ces colonnes spectaculaires hautes pour certaines de 100 m qui s'alignent sur plus de 2,5 km. Selon la légende, il s'agirait de moines pétrifiés au VIe siècle par saint Donat, ermite qui vivait dans une grotte voisine, pour les punir des regards qu'ils auraient jetés, lors d'une procession, sur des captives maures.

Le petit village voisin des Mées a conservé des vestiges de ses remparts médiévaux et de belles maisons des XVIe et XVIIe siècles. La chapelle Saint-Roch, qui les surplombe, date du XIIe siècle.

Les Pénitents des Mées

Lurs 8

Carte routière 3D. *350. La Brillane. village (été : 04 92 79 10 20 ; hiver : 04 92 79 95 24).*

Ancienne résidence d'été des évêques de Sisteron, ce petit village, enclos dans ses remparts médiévaux, était pratiquement abandonné au début du XXe siècle avant qu'un typographe, Maximilien Vox, n'y organise à partir de 1952 les Rencontres internationales de Lure, qui réunissent fin août les spécialistes de la typographie.

Au nord de l'ancien château épiscopal, la **promenade des Évêques**, jalonnée de quinze oratoires, conduit à la chapelle Notre-Dame-de-Vie qui offre un superbe panorama sur la vallée de la Durance.

À 7,5 km en direction de Sisteron se dresse le **prieuré de Ganagobie**, fondé au Xe siècle sur le rebord d'un plateau. De ce chef-d'œuvre roman pillé pendant les guerres de Religion puis vendu en 1791, il ne subsiste que le cloître et l'église (XIIe siècle), mais celle-ci abrite d'étonnantes mosaïques (superbement restaurées) d'inspiration byzantine, qui n'utilisent comme couleurs que le rouge, le blanc et le noir. Ce sont les bénédictins qui occupent désormais le monastère.

Prieuré de Ganagobie
Tél. *04 92 68 00 04. mar.-dim. : 15h-17h.*

Mosaïque (XIIe siècle) de l'église du prieuré de Ganagobie

LE TRAIN DES PIGNES

C'est l'ingénieur dignois Alphonse Beau de Rochas, l'inventeur du moteur à quatre temps, qui imagina en 1861 de relier Nice à l'arrière-pays. La 1re liaison Nice-Digne fut inaugurée en 1911. Trait d'union entre la Méditerranée et les Alpes, le train des Pignes fut ainsi appelé car, dit-on, il roulait à ses débuts tellement lentement que les voyageurs avaient le temps de descendre ramasser des pommes de pins : les pignes.

Exploitée par les Chemins de fer de Provence, la ligne, avec ses 151 km de voie et ses 50 tunnels, ponts et viaducs, monte jusqu'à plus de 1 000 m d'altitude en traversant des paysages sauvages et spectaculaires. Depuis Nice, elle emprunte la vallée du Var jusqu'à Entrevaux, puis suit celles du Coulomp et de la Vaïre jusqu'à Annot et son chaos de grès. Par un tunnel sous le puy de Rent, elle rejoint la vallée du haut Verdon jusqu'à Saint-André-les-Alpes. Elle longe ensuite l'Asse, desservant Barrême et Châteauredon, avant d'atteindre le terminus : Digne-les-Bains. Rens. : 04 92 31 01 58 ou www.trainprovence.com

Scriptorium du couvent des Cordeliers de Forcalquier

Forcalquier ❾

Carte routière C3. *4 500.* *13, pl. du Bourguet (04 92 75 10 02).* *lun.* **www**.forcalquier.com

Accrochée à une colline entre Luberon et montagne de Lure, Forcalquier semble refléter encore la gloire qu'elle connut au Moyen Âge, alors qu'elle était la capitale d'une seigneurie indépendante dont la cour brillante attirait négociants et troubadours. De cette époque subsistent les ruines du château, au sommet de ruelles étroites bordées de belles demeures anciennes, et le couvent des Cordeliers (1236). Au cœur de la cité, la **cathédrale Notre-Dame-du-Bourguet** (XIIe-XIIIe siècles) possède une nef romane et des bas-côtés du XVIIe siècle.

À Mane, le prieuré de Salagon abrite le **Musée départemental ethnologique**, qui retrace l'histoire et la culture des peuples locaux.

Au sud de la ville se trouve l'**observatoire de Haute-Provence**, créé en 1936 sur un site bénéficiant d'un air exceptionnellement limpide.

Musée départemental ethnologique
Mane. ***Tél.*** *04 92 75 70 50.* *t.l.j. (nov. : dim. seul.)* *24,25 et 31 déc.* *groupes seul.*

Observatoire de Haute-Provence
St-Michel-l'Observatoire.
Tél. *04 92 70 64 00.* *avr.-oct. : mer. après-midi.* *obligatoire.*

Manosque ❿

Carte routière C3. *20 300.* *pl. du Dr-Joubert (04 92 72 16 00).* *sam.*
www.manosque-tourisme.com

Cette cité animée a connu un important développement depuis la dernière guerre, mais a su préserver sa vieille ville qu'encadrent deux portes des XIIIe et XIVe siècles : la porte Soubeyrand et la porte de la Saunerie. Au bout de la rue Grande, où le père de Jean Giono avait son atelier de cordonnier, se trouve l'église Notre-Dame-de-Romigier dont l'autel est un sarcophage paléochrétien.

Ne manquez pas le **Centre Jean-Giono**, qui rend hommage au grand auteur provençal, et le **couvent de la Présentation**, dont Jean Carzou (1907-2000) a décoré l'église (aujourd'hui **Fondation Carzou**) d'allégories apocalyptiques modernes.

Centre Jean-Giono
3, bd Élémir-Bourges.
Tél. *04 92 70 54 54.* *oct.-juin : mar.-sam. ; juil.-sept. : mar.-dim.* *j.f. et vacances de Noël.*

Fondation Carzou
9, bd Élémir-Bourges. ***Tél.*** *04 92 87 40 49.* *juil.-août : mar.-dim. ; juin et sept. : mar.-sam. ; oct.-mai : mer.-sam. l'après-midi.* *Noël.*

Gréoux-les-Bains ⓫

Carte routière D3. *2 000.* *5, av. des Marronniers (04 92 78 01 08).* *mar. et jeu.*

Gréoux connut son âge d'or au début du XIXe siècle, mais les vertus des eaux chaudes et minéralisées étaient déjà appréciées par les Romains, comme le prouve une dédicace latine du IIe siècle conservée dans les thermes. Quelques hôtels et des villas élégantes, à l'est, dominent les ruines du vieux château.

LAVANDE ET LAVANDIN

Tous les étés au mois de juillet, le plateau de Valensole se colore du mauve délicat de la lavande, que l'on cultive depuis le XIXe siècle et plus encore depuis 1920. Désormais presque partout mécanisée, la récolte se poursuit jusqu'en septembre. Après deux ou trois jours de séchage, les fleurs partent à la distillerie. Depuis les années 1930, un hybride, le lavandin, gagne de plus en plus de terrain bien qu'il ne puisse être semé et impose d'être bouturé. Mais il produit deux fois plus d'essence.

Récolte de la lavande en haute Provence

Pour les hôtels et les restaurants de la région, voir p. 203 et p. 217.

Le vaste plateau de Valensole est le plus grand producteur de lavande de Provence

Le Petit Monde d'Émilie est un musée exposant 148 miniatures de 1832 à nos jours, incluant des poupées, des costumes et des trains pour enfants.

Le Petit Monde d'Émilie
16, av. des Alpes. ***Tél.*** *04 92 78 16 52.* *mi-mars-nov. : lun.-ven. après-midi (t.l.j. pour les groupes sur r.-v.).* *j.f.* *groupes.*

L'établissement thermal de Gréoux

Valensole ⓬

Carte routière D3. *2 500.* *pl. des Héros-de-la-Résistance (04 92 74 90 02).* *sam.* **www**.valensole.fr

Au cœur du plateau auquel il a donné son nom, ce petit bourg aux maisons des XVIIe et XVIIIe siècles possède une église gothique au clocher massif. Partout, les vitrines des boutiques rappellent que la lavande est la grande richesse de la région.

On découvre aussi ici le miel de lavande, produit par les abeilles de 40 000 ruches. À la sortie de Valensole, le **musée vivant de l'Abeille** rend honneur à cet insecte industrieux et décrit sa vie au moyen de photographies et documents audiovisuels. On peut voir une ruche vitrée de 30 000 abeilles au travail.

Musée vivant de l'Abeille
Route de Manosque. ***Tél.*** *04 92 74 82 35.* *mar.-sam.* *j.f.*

Riez ⓭

Carte routière D3. *1 700.* *pl. de la Mairie (04 92 77 99 09).* *mer. et sam.* **www**.ville-riez.fr

Coiffant une petite colline du plateau de Valensole, ce joli village, aux nombreuses boutiques de santons et de céramiques, a gardé d'une époque plus opulente un vieux quartier riche en hôtels et en demeures Renaissance.

On y pénètre par la porte Aiguière, vestige des remparts élevés au XIVe siècle. Elle donne sur la rue Droite, ombragée et paisible, avec de beaux immeubles. Nombre de ces demeures étaient décorées de reliefs en plâtre : les gypseries – une spécialité locale.

Plusieurs belles fontaines agrémentent les ruelles du village : la fontaine Benoîte date de 1819 ; celle de Blanchon, du XVIIe siècle, alimentée par une source souterraine, servait à nettoyer les vêtements des malades avant l'avènement des vaccins et des antibiotiques ; les eaux de la fontaine de Saint-Maxime, enfin, étaient réputées pour soigner les problèmes aux yeux.

Quatre colonnes, vestiges d'un temple du Ier siècle consacré à Apollon, se dressent au milieu d'un champ, au bord du Colostre, sur le site de la colonie romaine à l'origine de la ville : *Reia Appolinaris*. De l'autre côté de la rivière subsiste un petit baptistère du Ve siècle, l'un des très rares monuments mérovingiens à nous être parvenus.

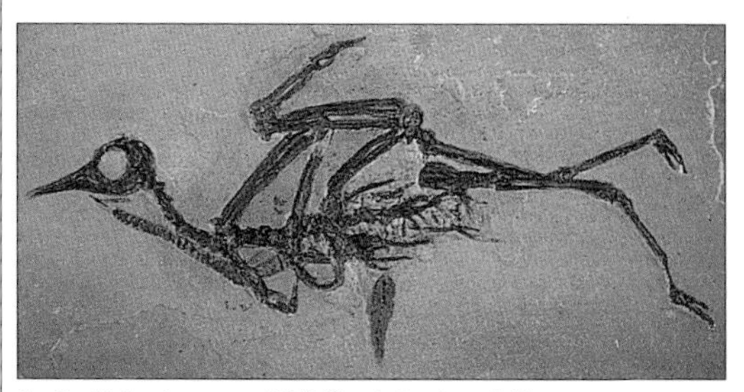

Fossile d'échassier conservé à l'office de tourisme de Riez

Excursion dans les gorges du Verdon ⓮

Prenant sa source au pied du col d'Allos, le Verdon a creusé, entre Castellane et Moustiers-Sainte-Marie, les plus belles gorges d'Europe, profondes de 700 m par endroits. Un site si sauvage et si escarpé qu'il ne fut scientifiquement exploré qu'en 1905. Des sentiers de grande randonnée permettent aujourd'hui de suivre de longs tronçons du lit du torrent, et deux routes offrant des vues spectaculaires zigzaguent le long de son cours. Au débouché des gorges, sur les bords du lac artificiel de Sainte-Croix, des établissements louent en été des embarcations à pédales ou des canoës pour profiter des gorges.

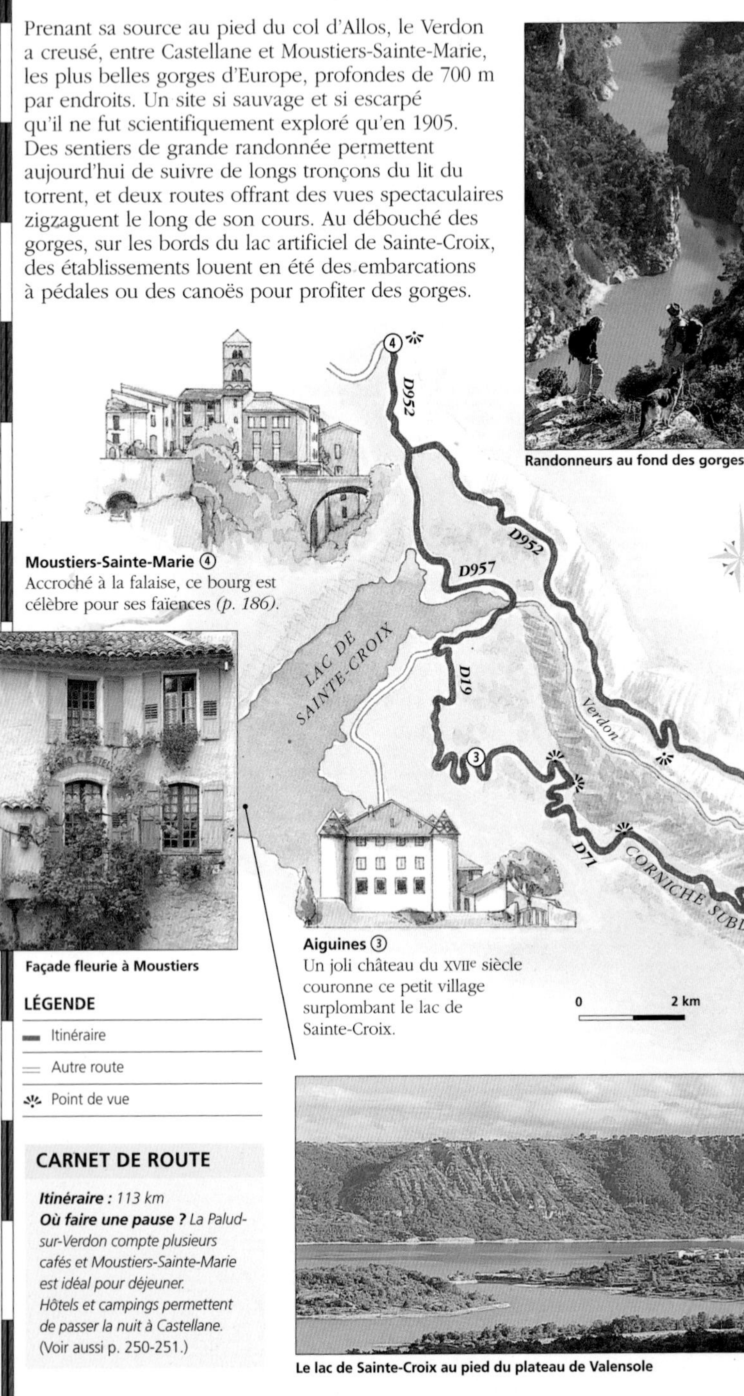

Randonneurs au fond des gorges

Moustiers-Sainte-Marie ④
Accroché à la falaise, ce bourg est célèbre pour ses faïences *(p. 186)*.

Façade fleurie à Moustiers

Aiguines ③
Un joli château du XVIIe siècle couronne ce petit village surplombant le lac de Sainte-Croix.

Le lac de Sainte-Croix au pied du plateau de Valensole

LÉGENDE

- Itinéraire
- Autre route
- Point de vue

CARNET DE ROUTE

Itinéraire : *113 km*
Où faire une pause ? *La Palud-sur-Verdon compte plusieurs cafés et Moustiers-Sainte-Marie est idéal pour déjeuner. Hôtels et campings permettent de passer la nuit à Castellane.* (Voir aussi p. 250-251.)

Pour les hôtels et les restaurants de la région, voir p. 203 et p. 217.

ACTIVITÉS SPORTIVES

Le spéléologue Édouard Martel fut officiellement le 1er à explorer le canyon en 1905. Bien des aventuriers se sont depuis lancés dans les gorges, et on peut aujourd'hui y pratiquer la randonnée, la varappe, le canoë et le rafting *(p. 231-233)*. Attention ! Des barrages régulent le débit du torrent et procèdent parfois à des lâchers d'eau. Se renseigner auprès d'EDF.

Rafting sur le Verdon

Isidore Blanc, l'un des premiers explorateurs des gorges

Point sublime ⑥
Il commande certaines des plus belles vues. Le célèbre sentier Martel descend jusqu'à la rivière, mais de longs tunnels imposent d'avoir une torche.

Castellane ①
Cette jolie petite ville, très animée en été *(p. 186)*, a conservé une tour de ses anciens remparts.

La Palud-sur-Verdon ⑤
Des randonnées organisées partent de ce village qui s'est intronisé « capitale des gorges ».

D4085
GRASSE
D952
Verdon
Rougon
D955
D952
D23
ROUTE DES CRÊTES
Verdon
Trigance
D90
D23
D71
DRAGUIGNAN
D71

Le pont de Tusset

Falaises et méandres composent un tableau spectaculaire

Pont de l'Artuby ②
Doté à chaque extrémité d'un parc de stationnement, ce pont, où se pratique le saut à l'élastique, permet de découvrir un superbe panorama.

Moustiers-Sainte-Marie ⓯

Carte routière 3D. *630.* *pl. de l'Église (04 92 74 67 84).* *ven. matin ; juil.-août : marché artisanal.* **www**.moustiers.fr

Véritable village de carte postale, Moustiers s'accroche aux flancs d'un ravin creusé dans une imposante falaise blanche. Au centre se dresse l'église du XIIe siècle, avec son clocher roman à triple arcature. Au-dessus du sanctuaire, un sentier grimpe jusqu'à la chapelle Notre-Dame-de-Beauvoir, d'où le panorama est impressionnant.

Une chaîne de 227 m de long, avec en son centre une étoile à cinq branches, relie les deux rives du ravin. Une légende du XIIIe siècle l'attribue au chevalier Blacas, qui aurait ainsi rempli un vœu effectué pendant sa captivité lors de la septième croisade.

Si les ruelles de Moustiers attirent aujourd'hui tant de touristes, c'est moins pour le cachet des vieilles maisons que pour les magasins de céramique. Au centre du village, le **musée de la Faïence** retrace l'histoire d'une production qui fait sa réputation depuis le XVIIe siècle.

À 35 km au sud-ouest, Quinson abrite le très beau **musée de la Préhistoire des gorges du Verdon**, qui présente des découvertes locales exceptionnelles allant du paléolithique à l'âge du bronze.

Moustiers-Sainte-Marie

La chapelle Notre-Dame-du-Roc perchée au-dessus de Castellane

Musée de la Faïence
Espace C.-Vivier. ***Tél.*** *04 92 74 61 64.* *avr.-oct. : t.l.j. sf mar. (juil.-août : t.l.j.) ; nov.-mars : sam.-dim. l'après-midi.* *janv.*

Musée de la Préhistoire
Quinson. ***Tél.*** *04 92 74 09 59.* *juil.-août : t.l.j. ; sept.-juin : t.l.j. sf mar.* *mi-déc.-janv.*

Castellane ⓰

Carte routière 3D. *1 500.* *rue Nationale (04 92 83 61 14).* *mer. et sam.* **www**.castellane.org

Cette agréable station touristique constitue l'entrée des gorges du Verdon. En été, après une journée sportive, les visiteurs se pressent sur la place Saint-Sauvaire, centre de la vie sociale, pour profiter des cafés et boutiques.

Bénéficiant d'un panorama époustouflant, la **chapelle Notre-Dame-du-Roc** (1703) domine la vallée depuis le haut d'une falaise grise de 184 m où s'était autrefois établie la cité. Un sentier abrupt y conduit en 30 min de marche.

Castellane a conservé de ses remparts du XIVe siècle une ancienne porte, la **tour de l'Horloge**, que coiffe un campanile. En 1586, ces fortifications lui permirent, grâce à une femme, Judith Andrau, de résister à l'assaut des huguenots. Ce glorieux événement continue d'être célébré bruyamment le dernier samedi de janvier lors de la fête du Pétardier.

LA FAÏENCE DE MOUSTIERS

Village où des potiers travaillaient déjà une argile très fine, Moustiers devient célèbre à partir de 1679, quand Antoine Clérissy et son fils Pierre y introduisent la technique de la faïence. Ils s'inspirent pour leurs décors, bleus sur fond blanc, des gravures du Florentin Antonio Tempesta (1555-1630). Le succès qu'ils rencontrent amène les ateliers à se multiplier, employant jusqu'à 400 personnes. Au début du XVIIIe siècle, la fabrique Olérys impose la polychromie et développe ses propres motifs, souvent mythologiques. Mais bien qu'elle ait su séduire Mme de Pompadour, la faïence de Moustiers passe de mode au XIXe siècle et les fours s'éteignent. C'est le céramiste Marcel Provence qui ressuscite la tradition en 1927, et le village compte à nouveau de nombreux artisans (à la production de qualité très variable), dont certains peuvent être vus à l'ouvrage dans leur atelier.

Soupière en faïence de Moustiers

Pour les hôtels et les restaurants de la région, voir p. 203 et p. 217.

Saint-André-les-Alpes ⓱

Carte routière 3D. *950.*
pl. Marcel-Pastorelli (04 92 89 02 39). *mer. et sam.*
www.ot-st-andre-les-alpes.fr

Cette petite station touristique est située au confluent de l'Isolde et du Verdon, dans un décor de champs de lavande et de vergers. Elle borde le nord du **lac de Castillon**, une retenue articielle de 10 km de long qui porte le nom du village englouti lors de sa mise en service en 1948.

Outre les vacanciers venus profiter des activités nautiques – rafting, canoë-kayak, pêche –, Saint-André attire des adeptes de parapente et de deltaplane qui s'élancent des reliefs qui l'entourent.

Annot ⓲

Carte routière 3E. *1 000.*
pl. du Germe (04 92 83 23 03).
mar. **www**.annot.fr

Avec ses pentes sillonnées de torrents, la verte vallée de la Vaïre constitue l'une des parties les plus spectaculaires du parcours du train des Pignes *(p. 181)*. Le village d'Annot, au charme à la fois alpin et provençal, s'est développé au pied d'une haute falaise formée d'un grès auquel il a donné son nom – le grès d'Annot – et au milieu d'un éboulis aux énormes blocs sculptés par l'érosion.

Citadelle d'Entrevaux

La vieille ville, entourée de maisons fortifiées, a gardé de belles demeures des XVIIe et XVIIIe siècles, notamment sur la Grand-Rue. Celle-ci mène à l'église Saint-Pons, sanctuaire qui associe une nef romane et des bas-côtés gothiques et qui présente une tour de défense transformée en clocher. Au départ d'Annot, de nombreux itinéraires de promenade permettent de découvrir de beaux panoramas et des formations géologiques pittoresques.

Les maisons d'Annot s'intègrent à un éboulis

Entrevaux ⓳

Carte routière 3E. *875.*
porte Royale (04 93 05 46 73).
ven. **www**.entrevaux.info

Dans la haute vallée du Var, Entrevaux occupe un site stratégique proche de l'ancienne frontière avec le duché de Savoie. Cette situation lui valut de voir ses fortifications remaniées par Vauban à partir de 1692. Elles sont restées intactes et donnent l'impression au visiteur, lors des Journées médiévales *(p. 33)* du mois d'août, de participer à un film historique lorsqu'il franchit le pont-levis de la porte Royale pour pénétrer dans les ruelles bordées de hautes maisons.

Même la cathédrale, bâtie de 1610 à 1655, s'incorpore aux remparts. De style gothique provençal, elle présente une riche décoration baroque. La **citadelle** coiffe un pic rocheux à 270 m au-dessus du village. Il faut 20 min pour gravir les rampes qui y conduisent, mais le panorama qu'on y découvre récompense de l'ascension.

TRASTEVERE
TRASTEVERE
NICE
NI.256027

LES BONNES ADRESSES

HÉBERGEMENT

Des grands palaces historiques de la Côte d'Azur, comme le Carlton ou le Negresco, aux exploitations agricoles ou viticoles proposant des chambres et des tables d'hôte, la Provence dispose d'une grande diversité de possibilités d'hébergement. Nous vous proposons en pages 194-203 une sélection d'hôtels dans toute la région. Nous les avons choisis pour leur cachet, la qualité des prestations proposées ou leur très bon rapport qualité/prix. Offrant une large gamme de tarifs, ils sont présentés par départements et par villes, puis classés dans un ordre de coût croissant.

Portier du Negresco

Vous trouverez également en pages 192-193 des informations sur les chaînes d'hôtels, les gîtes ruraux, l'hébergement chez l'habitant, les auberges de jeunesse ou encore les campings.

OÙ CHERCHER

Les visiteurs souhaitant profiter des plaisirs de la mer trouveront à se loger aux meilleurs prix sur le littoral varois, entre Toulon et Saint-Tropez. Plus à l'est, entre Fréjus et Menton, la Côte d'Azur attire depuis deux siècles les têtes couronnées et les grandes fortunes du monde entier. Cette fréquentation lui a valu une réputation de luxe extravagant qu'entretiennent de grands palaces. Toutefois, sa vaste gamme d'établissements, du prestigieux Eden Roc du cap d'Antibes, où se retrouvent les vedettes de cinéma, jusqu'au pittoresque Hôtel des Arcades (XVe siècle) de Biot, pourra satisfaire tous les goûts et tous les budgets.

En Provence intérieure, la plupart des villages possèdent au moins un hôtel. Beaucoup ne recèlent pas de cachet particulier, mais de bonnes surprises attendent parfois le voyageur. À condition de savoir où chercher, il reste même possible de s'offrir un séjour dans une bastide ancienne ou dans un prieuré médiéval perdu au milieu de champs de lavande. Pour les amoureux de la nature, les auberges du centre varois, du Luberon ou des environs du mont Ventoux offrent un accueil simple mais chaleureux.

Concernant les hébergements à caractère historique, la haute Provence recèle d'anciens châteaux et des relais de poste, qui proposent un confort rustique et une cuisine régionale. À Aix-en-Provence, Arles ou Avignon, on peut loger dans de luxueux hôtels particuliers au décor raffiné. Marseille et Nice comptent de nombreux hôtels et restaurants de tout type et pour tout budget.

Le Carlton, le plus célèbre palace de Cannes ***(p. 195)***

LES PRIX

Comme partout en France, ils sont indiqués pour l'occupation de la chambre et non par personne, sauf en cas de pension ou de demi-pension. La taxe et les services sont compris. Dans un établissement ne comptant que des chambres doubles, une personne seule peut parfois obtenir une réduction, de même qu'il peut être exigé un supplément pour le logement d'une 3e personne ou d'un enfant.

Une chambre avec douche coûte en général 20 % moins cher que si elle comprend une baignoire, et, en zone rurale, il arrive que la demi-pension soit obligatoire si l'hôtel possède le seul restaurant de l'agglomération.

Hormis dans certaines villes lors des carnavals ou festivals *(p. 32-35* et *p. 228-229)*, la basse saison s'étend en Provence d'octobre à mars, certains hôtels fermant même l'hiver jusqu'à Pâques. Les tarifs demandés pendant cette basse saison se révèlent particulièrement intéressants. Renseignez-vous auprès des agences de voyages, ou directement auprès des hôtels. De grands palaces de la Côte d'Azur proposent parfois des séjours à prix bradés à cette période.

Entrée de l'Hôtel de Paris *(p. 196)*

LES CATÉGORIES

Soumis à un contrôle de l'administration, les hôtels sont classés de 1 à 5 étoiles. Certains établissements, parmi les plus simples, ne possèdent pas d'étoile (ils choisissent parfois de ne pas en avoir). Les étoiles donnent des indications sur la superficie des chambres, leur équipement ou les commodités offertes, mais ne renseignent pas sur la qualité de l'accueil.

LES REPAS

En règle générale, le petit déjeuner n'est pas obligatoire ni compris dans les prix affichés. Toutefois, la plupart des établissements, même s'ils ne possèdent pas de restaurant, proposent

Luxe et confort au Grand Hôtel du cap Ferrat *(p. 196)*

néanmoins une salle où le prendre. Aux beaux jours, certains le servent également en terrasse. Les restaurants des établissements familiaux cessent pour la plupart de servir vers 21 h et restent fermés le dimanche soir. Économiques, pension et demi-pension ne donnent cependant droit qu'à des menus limités.

LES ÉQUIPEMENTS

Beaucoup d'hôtels trois-étoiles sont équipés d'une piscine extérieure – avantage important pendant les grosses chaleurs de l'été provençal.

En zone rurale, la plupart des établissements disposent d'un parc de stationnement. Ils sont plus rares en ville, mais dans les grandes agglomérations les hôtels de catégorie supérieure proposent souvent un parking souterrain ou gardé.

De la salle de bains avec baignoire et W.-C. jusqu'au simple cabinet de toilette, le confort des chambres peut fortement varier. La télévision n'est pas toujours proposée, en particulier à la campagne.

Dans le cas d'hôtels bordant une place, une rue passante ou une route fréquentée, loger à l'arrière du bâtiment suffira le plus souvent à garantir votre tranquillité.

Les chambres doivent habituellement être libérées vers midi. Si vous comptez visiter l'après-midi, les hôtels vous proposeront de garder vos bagages gratuitement.

LES RÉSERVATIONS

Réserver – si possible longtemps à l'avance – est impératif pour un séjour en haute saison, notamment sur la Côte d'Azur. Les offices de tourisme *(p. 237)* vous renseigneront sur les commodités offertes par les établissements et pourront même se charger de votre réservation.

D'octobre à mai, il est rarement nécessaire de réserver, mais mieux vaut s'assurer que l'hôtel est ouvert.

Le très chic Eden Roc *(p. 195)*

VOYAGER AVEC DES ENFANTS

Peu d'hôtels refuseront les enfants. Il arrive, surtout si on ajoute un lit, que le prix d'une chambre soit majoré lorsqu'un couple la partage avec des enfants.

Hors des villes, de nombreux hôtels proposent des annexes modernes conçus pour l'accueil des familles, souvent proches d'une piscine.

Un château-hôtel typiquement provençal

LES HÔTELS FAMILIAUX

Présent dans la plupart des villages, l'hôtel-restaurant à gestion familiale offre souvent une solution idéale pour les voyageurs au budget serré ou accompagnés d'enfants. L'accueil avenant compense en général des installations modestes. L'annuaire des **Logis de France** recense de nombreux établissements de ce type : auberges de campagne, petits hôtels balnéaires à prix imbattables, etc. Les **Relais du silence** sont également bien implantés en Provence. Situés à l'écart de toute agitation urbaine, les hôtels de cette association sont classés de 2 à 4 étoiles.

LES HÔTELS DE CARACTÈRE

Châteaux et Demeures de tradition et **Relais et Châteaux** proposent des établissements installés dans des bastides, des hôtels particuliers ou des châteaux (« châteaux-hôtels »), souvent d'un prix plus élevé, mais alliant charme et bons équipements.

LES HÔTELS DE CHAÎNE

Installés en périphérie, les établissements aux enseignes de **Formule 1**, **Etap Hotel** (1 étoile), **Campanile**, **Ibis/Arcade**, **Kyriad**, **Première Classe** (2 étoiles) offrent les avantages du confort moderne mais un décor standardisé. Il est souvent possible de trouver pour un prix comparable, en ville ou dans la campagne alentour, des hôtels aux équipements peut-être plus anciens mais au cadre plus chaleureux.

D'autres chaînes visent avant tout une clientèle de personnes en déplacement professionnel. **Sofitel**, **Novotel** et **Mercure** possèdent ainsi des établissements à Aix-en-Provence, Marseille, Nice et Avignon.

ADRESSES

AUBERGES DE JEUNESSE

Centre national des œuvres universitaires et scolaires (CNOUS)
Tél. 01 44 18 53 00.
Fax 01 45 55 48 49.
www.cnous.fr
www.crous-aix-marseille.com.fr

Fédération unie des auberges de jeunesse (FUAJ)
27, rue Pajol 75018 Paris.
Tél. 01 44 89 87 27.
Fax 01 44 89 87 10.
www.fuaj.org

CAMPING

Fédération française de camping et de caravaning (FFCC)
78, rue de Rivoli
75004 Paris.
Tél. 01 42 72 84 08.
Fax 01 42 72 70 21.
www.ffcc.fr

HÔTELS DE CHAÎNE

Groupe Louvre Hôtels (Kyriad, Kyriad Prestige, Campanile, Première Classe)
Tél. 0825 028 038.
www.envergure.fr

Groupe Accor (Etap Hotel, Ibis, Formule 1, Mercure, Novotel, Sofitel, MGallery, Pullman)
Tél. 0825 012 011.
www.accorhotels.com

HÔTELS FAMILIAUX

Logis de France
83, av. d'Italie
75013 Paris.
Tél. 01 45 84 83 84.
www.logis-de-france.fr

Relais du silence
17, rue d'Ouessant
75015 Paris.
Tél. 01 44 49 90 00.
www.silencehotel.com

HÔTELS DE CARACTÈRE

Relais et Châteaux
Tél. 0 825 32 32 32.
www.relaischateaux.com

Châteaux et Demeures de tradition
Pont-de-Joux, BP 40F
13717 Roquevaire Cedex.
Tél. 04 42 04 41 97.
www.chateauxdemeures.fr

LOCATIONS

Fédération Loisirs Accueil France
280, bd Saint-Germain
75007 Paris.
Tél. 01 44 11 10 44.
Fax 01 45 55 99 78.
www.loisirs-accueil.fr

Maison des gîtes de France et du tourisme vert
59, rue Saint-Lazare
75439 Paris Cedex 09.
Tél. 01 49 70 75 75.
www.gites-de-france.com

Maison de la France
23, pl. de Catalogne,
75014 Paris.
www.franceguide.com

Belambra VVF
Tél. 0825 12 13 14.
www.belambra-vvf.fr

VOYAGEURS HANDICAPÉS

APF Évasion
17, bd Auguste-Blanqui
75013 Paris.
Tél. 01 40 78 69 00.
Fax 01 45 89 40 57.
www.apf-evasion.org

Fédération des APAJH
www.handicap-vacances.org

GIHP
10, rue Georges-de-Porto-Riche 75014 Paris.
Tél. 01 43 95 66 36.
Fax 01 45 40 40 26.
www.gihpnational.org

L'HÉBERGEMENT CHEZ L'HABITANT

La formule des chambres d'hôte proposées par des particuliers tend à se répandre en zone rurale. Elle permet souvent de prendre le repas du soir en compagnie de la famille d'accueil.

L'association des **Gîtes de France** regroupe une grande partie de ces chambres d'hôte, ainsi que des gîtes ruraux ou des gîtes d'étape, plus sommaires. Les offices de tourisme fournissent les adresses locales, mais il est facile de les trouver en cours de voyage grâce à leur logo bien identifiable et souvent bien affiché. La Provence est l'une des régions les mieux dotées.

Enseigne des Gîtes de France

LES AUBERGES DE JEUNESSE

Vous trouverez les adresses des auberges (une quinzaine dans la région) de jeunesse en vous adressant directement auprès de la **FUAJ** (ci-contre) Pour profiter en été des résidences universitaires, renseignez-vous auprès du **CNOUS** qui indique sur son site celles qui accueillent des hôtes.

Avec ses campus répartis sur les deux villes, l'université d'Aix-en-Provence/Marseille est la plus importante de la région, suivie de celles d'Avignon et de Nice. Dans chaque ville universitaire, le Bureau Information Jeunesse (BIJ) et le Centre régional Information Jeunesse (CRIJ) vous fourniront une liste des offres de logements bon marché *(voir p. 239)*.

LES LOCATIONS

De nombreuses sociétés ou associations proposent des locations en Provence, notamment **Loisirs Accueil France** pour les Bouches-du-Rhône. Cet organisme propose ainsi des adresses d'hôtels, de gîtes et de chambres chez l'habitant, que son site Internet permet de localiser rapidement. Les Gîtes de France, dont le centre national se trouve à la **Maison des gîtes de France** à Paris, regroupent des gîtes ruraux classés selon le confort offert. Cet organisme édite un annuaire officiel et des fascicules par départements. Mieux vaut réserver plusieurs mois à l'avance.

Particulièrement adaptés aux familles, les villages de vacances de **Belambra VVF** sont souvent situés en bord de mer ou à la montagne.

À destination des étrangers peu familiarisés avec les locations ou les réservations en France, la **Maison de la France**, qui dispose de succursales dans de nombreux pays, met à disposition une sélection de brochures dont le guide *Riviera : hôtels*.

LE CAMPING

Du pré attenant à une ferme jusqu'aux véritables villages de toile de la Côte d'Azur, les sites proposés aux campeurs en Provence sont d'une grande variété. La **Fédération française de camping et de caravaning** en publie le *Guide officiel*, mais vous pouvez aussi consulter le guide du *Camping à la ferme* édité par les Gîtes de France.

Comme les hôtels, les campings homologués obéissent à un classement par étoiles correspondant aux prestations offertes, d'un simple robinet d'eau froide dans les plus modestes jusqu'à la piscine et à la télévision par satellite pour les plus luxueux.

VOYAGEURS HANDICAPÉS

Les hôtels les plus importants disposent d'ascenseurs, mais beaucoup occupent des bâtiments anciens inadaptés à la circulation en fauteuil roulant. Leur personnel pourra toutefois apporter une aide précieuse aux hôtes handicapés. Les délégations départementales de l'**Association des paralysés de France** tiennent à jour des listes d'établissements accessibles. Le **Groupement pour l'insertion des personnes handicapées physiques (GIHP)** ou la **Fédération des APAJH pour les jeunes handicapés** pourront aussi vous fournir des informations.

Camping sous les oliviers en Provence

Choisir un hôtel

Ces hôtels ont été choisis pour leur bon rapport qualité/prix, leur confort, leur équipement et leur emplacement. Ils sont répertoriés par ordre alphabétique, en fonction de leur région et de leur catégorie de prix, du meilleur marché au plus onéreux. Pour en savoir plus sur les différents types d'hébergements, reportez-vous aux pages 190-193.

CATÉGORIES DE PRIX
Pour une chambre avec douche pour deux personnes, taxes et service compris, mais sans le petit déjeuner.

€ moins de 90 €
€€ 90-140 €
€€€ 140-180 €
€€€€ 180-260 €
€€€€€ plus de 260 €

LA CÔTE D'AZUR ET LES ALPES-MARITIMES

ANTIBES L'Auberge provençale €€

61, pl. Nationale, 06600 ***Tél.*** *04 93 34 13 24* ***Fax*** *04 93 34 89 88* ***Chambres*** *7* ***Carte routière*** *E3*

Ombragée par les platanes de la place principale de la ville, cette auberge au cachet ancien est l'un des lieux les plus branchés de la Côte d'Azur. Spacieuses et propres, ses chambres sont dotées d'un mobilier rustique et de lits à baldaquin. Le rapport qualité/prix est excellent. **www.aubergeprovencale.com**

ANTIBES Mas Djoliba €€

29, av. de Provence, 06600 ***Tél.*** *04 93 34 02 48* ***Fax*** *04 93 34 05 81* ***Chambres*** *13* ***Carte routière*** *E3*

Situé dans un écrin de verdure, à une courte distance du vieil Antibes et des plages, le *Mas Djoliba* est une charmante ferme d'antan. D'un très bon rapport qualité/prix, l'hôtel comprend une piscine et une terrasse entourées de palmiers. Fermé fin oct.-début fév. **www.hotel-djoliba.com**

BEAULIEU-SUR-MER La Réserve de Beaulieu €€€€€

5, bd du Maréchal-Leclerc, 06310 ***Tél.*** *04 93 01 00 01* ***Fax*** *04 93 01 28 99* ***Chambres*** *37* ***Carte routière*** *E3*

Idéalement situé sur le front de mer, près du port de plaisance, cet élégant hôtel dispose de chambres très accueillantes et confortables, dans des tons chauds. Chacune possède un lit *king-size*, une connexion Internet et un coffre-fort. La magnifique piscine est alimentée par de l'eau de mer chauffée. **www.reservebeaulieu.com**

BIOT Hôtel des Arcades €

16, pl. des Arcades, 06410 ***Tél.*** *04 93 65 01 04* ***Fax*** *04 93 65 01 05* ***Chambres*** *12* ***Carte routière*** *E3*

Sur la place des Arcades, cette auberge du XVe siècle est un havre de paix. Petites (voire exiguës), les chambres ont beaucoup de charme. Au dernier étage, elles sont dotées d'une terrasse donnant sur les collines et la mer. Le bar fait aussi office de salle de restaurant. **www.hotel-restaurant-les-arcades.com**

BIOT Domaine du Jas €€€

625, route de la Mer, 06410 ***Tél.*** *04 93 65 50 50* ***Fax*** *04 93 65 02 01* ***Chambres*** *19* ***Carte routière*** *E3*

Ce luxueux trois-étoiles se trouve à la sortie de Biot. Sur la terrasse, la piscine (chauffée tout l'été) est ombragée de palmiers et de lauriers-roses. Les chambres disposent d'un accès Wi-Fi. Le garage privé est gratuit. Il n'y a pas de restaurant, mais des collations sont servies toute la journée. **www.domainedujas.com**

CANNES Blue Riva €

35, rue Hoche, 06400 ***Tél.*** *04 93 38 33 67* ***Fax*** *04 93 38 65 22* ***Chambres*** *15* ***Carte routière*** *E4*

Difficile de battre les prix de cet hôtel pour petit budget situé à courte distance du palais des Festivals et des plages. Les propriétaires ont fait un bel effort pour rendre les chambres accueillantes en les décorant dans des tons vifs. Accès Internet par Wi-Fi gratuit. **www.hotel-blueriva.com**

CANNES Eden Hôtel €€€

133, rue d'Antibes, 06400 ***Tél.*** *04 93 68 78 00* ***Fax*** *04 93 68 78 01* ***Chambres*** *116* ***Carte routière*** *E4*

Malgré son petit côté rétro façon années 1960, cet hôtel est doté d'un mobilier à la pointe de la mode. Proche des rues commerçantes aux luxueuses enseignes, il propose une piscine extérieure, une piscine couverte chauffée, un bain à remous, une salle de massages et un centre de remise en forme. **www.eden-hotel-cannes.fr**

CANNES Hôtel Molière €€€

5, rue Molière, 06400 ***Tél.*** *04 93 38 16 16* ***Fax*** *04 93 68 29 57* ***Chambres*** *24* ***Carte routière*** *E4*

Situé à seulement quelques minutes de la Croisette, cet hôtel du XIXe siècle compte des chambres lumineuses et confortables, dont les balcons surplombent un beau jardin – ce qui compense l'absence de piscine. Réservez à l'avance car l'établissement, d'un bon rapport qualité/prix, est très demandé. **www.hotel-moliere.com**

CANNES Hôtel Splendid €€€

4-6, rue Félix-Faure, 06400 ***Tél.*** *04 97 06 22 22* ***Fax*** *04 93 99 55 02* ***Chambres*** *62* ***Carte routière*** *E4*

Si vous ne pouvez pas vous offrir le *Carlton*, cet hôtel doté d'une façade Belle Époque est une bonne solution de rechange. Le restaurant du toit offre de superbes vues sur le port de plaisance. Certaines chambres donnant sur la mer disposent de splendides balcons. Bon service et ambiance chaleureuse. **www.splendid-hotel-cannes.fr**

Légende des symboles *voir le rabat arrière de couverture*

CANNES Hotel 3.14 €€€€

5, rue François-Einesy, 06400 ***Tél.*** *04 92 99 72 09* ***Fax*** *04 92 99 72 12* ***Chambres*** *96* ***Carte routière*** *E4*

Avec cinq étages ayant pour thème chacun des cinq continents, voici un hôtel qui ne manque pas d'originalité. Malgré un restaurant qui pourrait s'améliorer, il offre une bonne alternative aux palaces plus conventionnels de la région. Sa plage, à quelques pas de là, est l'une des plus animées de Cannes. **www.3-14hotel.com**

CANNES Carlton Intercontinental €€€€€

58, la Croisette, 06400 ***Tél.*** *04 93 06 40 06* ***Fax*** *04 93 06 40 25* ***Chambres*** *338* ***Carte routière*** *E4*

C'est le plus prestigieux des grands hôtels de la Croisette, le préféré des vedettes. Il est difficile de réserver durant le Festival du film de Cannes. Les tarifs des chambres style Art déco offrant des vues sur la mer sont élevés, mais justifiés. La plage privée met à disposition des chaises longues et des parasols. **www.intercontinental.com**

CAP D'ANTIBES La Jabotte €€

13, av. Max-Maurey, 06160 ***Tél.*** *04 93 61 45 89* ***Fax*** *04 93 61 07 04* ***Chambres*** *10* ***Carte routière*** *E3*

Avec son air de *bed and breakfast* convivial, ce petit hôtel est complet des semaines à l'avance en été. L'accueil chaleureux, les chambres décorées avec goût et la plage à deux pas en font un établissement au rapport qualité/prix exceptionnel. Le soir, on y sert l'apéritif maison dans la cour. **www.jabotte.com**

CAP D'ANTIBES La Gardiole et La Garoupe €€€

60-74, ch. de la Garoupe, 06160 ***Tél.*** *04 92 93 33 33* ***Fax*** *04 93 67 61 87* ***Chambres*** *40* ***Carte routière*** *E3*

Pins et cyprès entourent cet hôtel datant des années 1920 pratiquant des tarifs abordables, du moins pour la région. Les poutres des plafonds et les murs blancs renforcent son caractère rustique. Le prix des chambres claires et aérées varie selon leur taille. Le restaurant propose une cuisine provençale. **www.hotel-lagaroupe-gardiole.com**

CAP D'ANTIBES Hôtel du Cap – Eden-Roc €€€€€

Bd Kennedy, 06601 ***Tél.*** *04 93 61 39 01* ***Fax*** *04 93 67 76 04* ***Chambres*** *120* ***Carte routière*** *E3*

Bâti en 1870, ce palace d'Antibes accueille des célébrités qui laissent leur yacht près de sa jetée. Parmi ses nombreux atouts, citons des suites luxueuses, des appartements, des cabanons, une immense piscine d'eau de mer chauffée, une cuisine délicieuse, un service excellent et des installations de pointe. **www.hotel-du-cap-eden-roc.com**

ÈZE Hermitage du col d'Èze €€

Grande Corniche, 06360 ***Tél.*** *04 93 41 00 68* ***Fax*** *04 93 41 24 05* ***Chambres*** *32* ***Carte routière*** *F3*

Même si la demi-pension est obligatoire en juillet et en août, il est difficile de trouver mieux aussi près d'Èze et à un rapport qualité/prix équivalent. L'hôtel offre de superbes vues sur les montagnes. Excellent choix pour une nuit ou un séjour plus long. Le restaurant sert une bonne cuisine provençale. **www.ezehermitage.com**

ÈZE La Chèvre d'or €€€€

Rue du Barri, 06360 ***Tél.*** *04 92 10 66 66* ***Fax*** *04 93 41 06 72* ***Chambres*** *34* ***Carte routière*** *F3*

Petit à petit, *La Chèvre d'or* a fini par empiéter sur la moitié du village perché d'Èze. Les chambres, très luxueuses, ont chacune leur propre personnalité. Ornés de sculptures réparties çà et là, les jardins privés abritent une piscine et trois restaurants, dont un restaurant gastronomique haut de gamme. **www.chevredor.com**

ÈZE Château Eza €€€€€

Rue de la Pise, 06360 ***Tél.*** *04 93 41 12 24* ***Fax*** *04 93 41 16 64* ***Chambres*** *10* ***Carte routière*** *F3*

Composée de maisons médiévales perchées au sommet de la Moyenne Corniche, cette ancienne demeure du prince Guillaume de Suède est devenue un hôtel de luxe aux chambres élégantes et aux terrasses offrant des vues époustouflantes. Il comprend un restaurant étoilé au *Michelin* et une plage privée. **www.chateaueza.com**

JUAN-LES-PINS Eden Hotel €

16, av. Louis-Gallet, 06160 ***Tél.*** *04 93 61 05 20* ***Fax*** *04 93 92 05 31* ***Chambres*** *17* ***Carte routière*** *E3*

Il est difficile de trouver un hôtel à ce prix dans la commune prisée de Juan-les-Pins. Cet édifice des années 1930, au charme légèrement suranné, dispose de chambres sans prétention. Il n'a pas de piscine, mais se trouve près de la plage. Le petit déjeuner est servi sur une belle terrasse.

JUAN-LES-PINS Hôtel des Mimosas €€

Rue Pauline, 06160 ***Tél.*** *04 93 61 04 16* ***Fax*** *04 93 92 06 46* ***Chambres*** *40* ***Carte routière*** *E3*

Cet hôtel du début du XIXe siècle, entouré de palmiers, possède du style et un certain cachet. Il propose, à des prix raisonnables, des chambres fraîches et confortables, meublées simplement. Demandez-en une avec un balcon donnant sur la piscine ou au rez-de-chaussée, car les autres sont parfois bruyantes. **www.hotelmimosas.com**

MENTON Hôtel Aiglon €€

7, av. de la Madone, 06500 ***Tél.*** *04 93 57 55 55* ***Fax*** *04 93 35 92 39* ***Chambres*** *28* ***Carte routière*** *F3*

Proche du bord de mer, l'*Aiglon* est un hôtel confortable disposant d'une piscine chauffée et d'un jardin luxuriant. Cette charmante maison du XIXe siècle abrite un restaurant réputé dont la terrasse est ombragée par des palmiers. Ce n'est pas l'hôtel le moins cher, mais les prestations sont nombreuses et de qualité. **www.hotelaiglon.net**

MENTON Hôtel Napoléon €€

29, porte de France, 06500 ***Tél.*** *04 93 35 89 50* ***Fax*** *04 93 35 49 22* ***Chambres*** *47* ***Carte routière*** *F3*

Le *Napoléon* propose des chambres et des suites simples qui donnent sur la mer et la montagne, certaines disposant d'un balcon. Ne manquez pas son glacier sur la plage privée, où l'on vend les coupes glacées au poids. Ouvert toute l'année, le restaurant de la plage sert lui aussi de très bons plats. **www.napoleon-menton.com**

MONACO Hôtel Alexandra €€€

35, bd Princesse-Charlotte, 98000 ***Tél.*** *00 377 93 50 63 13* ***Chambres*** *56* ***Carte routière*** *F3*

Les hôtels de Monaco ne sont pas tous hors de prix. L'hôtel *Alexandra* en est la preuve. Derrière sa grandiose façade Belle Époque se cachent de superbes et confortables chambres, idéales pour un week-end. Il n'y a pas de restaurant, mais le petit déjeuner est servi dans les chambres. **www.monaco-hotel.com/montecarlo/alexandra**

MONACO Columbus €€€€€

23, av. des Papalins, 98000 ***Tél.*** *00 377 92 05 90 00* ***Fax*** *00 377 92 05 91 67* ***Chambres*** *153* ***Carte routière*** *F3*

Pierre sombre et métal poli caractérisent cet hôtel moderne dans le quartier branché de Fontvieille. Il offre des chambres élégantes et bien équipées. La piscine, le centre de remise en forme dernier cri, l'excellent restaurant et le bar à cigares ne manqueront pas de vous impressionner. **www.columbushotels.com**

MONACO Hôtel de Paris €€€€€

Pl. du Casino, 98000 ***Tél.*** *00 377 98 06 25 25* ***Fax*** *00 377 92 16 38 50* ***Chambres*** *191* ***Carte routière*** *F3*

Fleuron des grands hôtels de Monaco durant plus d'un siècle, le somptueux *Hôtel de Paris*, situé près du casino, offre de magnifiques installations, un service impeccable et d'excellents repas. Il a notamment accueilli la reine Victoria et d'autres têtes couronnées d'Europe ainsi que des vedettes de cinéma. **www.hoteldeparismontecarlo.com**

MONACO L'Hermitage €€€€€

Sq. Beaumarchais, 98000 ***Tél.*** *00 377 98 06 25 25* ***Fax*** *00 377 98 06 59 78* ***Chambres*** *280* ***Carte routière*** *F3*

Ce palace Belle Époque de couleur crème est l'un des plus beaux hôtels d'Europe, avec son jardin d'hiver surmonté d'un dôme en verre, son superbe restaurant et sa terrasse en marbre. Vastes et somptueuses, les chambres respirent le luxe. C'est le lieu idéal si vous avez fait fortune au casino de Monte-Carlo. **www.montecarloresort.com**

NICE Nice Garden Hotel €

11, rue du Congrès, 06000 ***Tél.*** *04 93 87 35 62* ***Fax*** *04 93 82 15 80* ***Chambres*** *9* ***Carte routière*** *F3*

Les espaces verts étant rares à Nice, on comprend pourquoi cet hôtel, qui bénéficie d'un jardin privé, attire autant la clientèle. Les chambres sont claires et décorées avec goût, certaines dans un style très romantique. Toutes donnent sur le jardin. Petit-déjeuner à l'ombre de l'oranger est très agréable. **www.nicegardenhotel.com**

NICE Le Grimaldi €€

15, rue Grimaldi, 06000 ***Tél.*** *04 93 16 00 24* ***Fax*** *04 93 87 00 24* ***Chambres*** *46* ***Carte routière*** *F3*

Alliant le charme provençal à des prix modérés, le *Grimaldi* est situé à proximité des rues piétonnes et de la plage. Petites mais confortables, les chambres arborent des tons lumineux chers à la Provence. Vous apprécierez le bar sympathique du rez-de-chaussée et les bons restaurants du quartier. **www.le-grimaldi.com**

NICE Hôtel Windsor €€

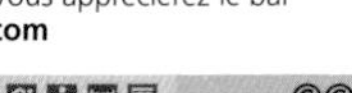

11, rue Dalpozzo, 06000 ***Tél.*** *04 93 88 59 35* ***Fax*** *04 93 88 94 57* ***Chambres*** *57* ***Carte routière*** *F3*

L'hôtel dispose d'un large éventail d'installations, incluant une piscine creusée dans un jardin exotique de palmiers, une aire de jeux pour enfants, un snack-bar, un restaurant et un centre de beauté proposant massages et sauna. Quelques chambres ont été décorées par des artistes niçois. **www.hotelwindsornice.com**

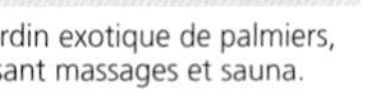

NICE Le Negresco €€€€€

37, promenade des Anglais, 06000 ***Tél.*** *04 93 16 64 00* ***Fax*** *04 93 88 35 68* ***Chambres*** *121* ***Carte routière*** *F3*

Depuis son ouverture en 1913 sur la promenade des Anglais, le *Negresco* fait référence sur la Côte d'Azur. La liste de ses hôtes célèbres est interminable. Sa décoration comptant des œuvres d'art, son service irréprochable et ses installations modernes en font l'un des plus grands hôtels du pays. **www.hotel-negresco-nice.com**

SAINT-JEAN-CAP-FERRAT La Frégate €

11, av. Denis-Séméria, 06230 ***Tél.*** *04 93 76 04 51* ***Fax*** *04 93 76 14 93* ***Chambres*** *10* ***Carte routière*** *F3*

Cet hôtel familial, aux chambres décorées avec simplicité, borde une petite rue près du port. Il ne comprend pas de restaurant (hormis la salle du petit déjeuner), mais les lieux pour manger et boire foisonnent tout autour. Un hôtel idéal si vous visitez la Provence avec peu de moyens ou si vous êtes de passage. **www.hotel-la-fregate.net**

SAINT-JEAN-CAP-FERRAT Clair Logis €€€

12, av. Rainier-III-de-Monaco, 06230 ***Tél.*** *04 93 76 51 81* ***Fax*** *04 93 76 11 85* ***Chambres*** *16* ***Carte routière*** *F3*

Au milieu d'un vaste jardin luxuriant, cette villa, qui offre un excellent rapport qualité/prix, a accueilli des hôtes célèbres, comme le général de Gaulle. Les chambres confortables sont décorées dans un style ancien ; l'annexe en abrite de plus petites, mais plus modernes. Certaines sont dotées d'un balcon. La plage est proche.

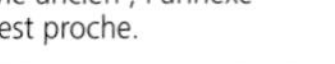

SAINT-JEAN-CAP-FERRAT Royal Riviera €€€€

3, av. Jean-Monnet, 06230 ***Tél.*** *04 93 76 31 00* ***Fax*** *04 93 01 23 07* ***Chambres*** *96* ***Carte routière*** *F3*

La plage privée du *Royal Riviera* lui vaut une position enviable dans cette station balnéaire huppée. Certaines chambres sont un peu exiguës pour le prix, mais le personnel s'efforcera de satisfaire le moindre de vos caprices. L'orangerie, nouvellement installée devant la piscine, abrite 16 chambres très agréables. **www.royal-riviera.com**

SAINT-JEAN-CAP-FERRAT Grand Hôtel du cap Ferrat €€€€€

71, bd du Général-de-Gaulle, 06230 ***Tél.*** *04 93 76 50 50* ***Fax*** *04 93 76 04 52* ***Chambres*** *53* ***Carte routière*** *F3*

Situé à la pointe sud du cap Ferrat, dans un merveilleux jardin tropical, cet hôtel est l'un des plus luxueux du monde. Ses chambres majestueuses sont décorées dans le style méditerranéen. Un funiculaire mène à la piscine olympique d'eau de mer où Charlie Chaplin apprit à ses enfants à nager. **www.grand-hotel-cap-ferrat.com**

Légende des prix *voir p. 194* **Légende des symboles** *voir le rabat arrière de couverture*

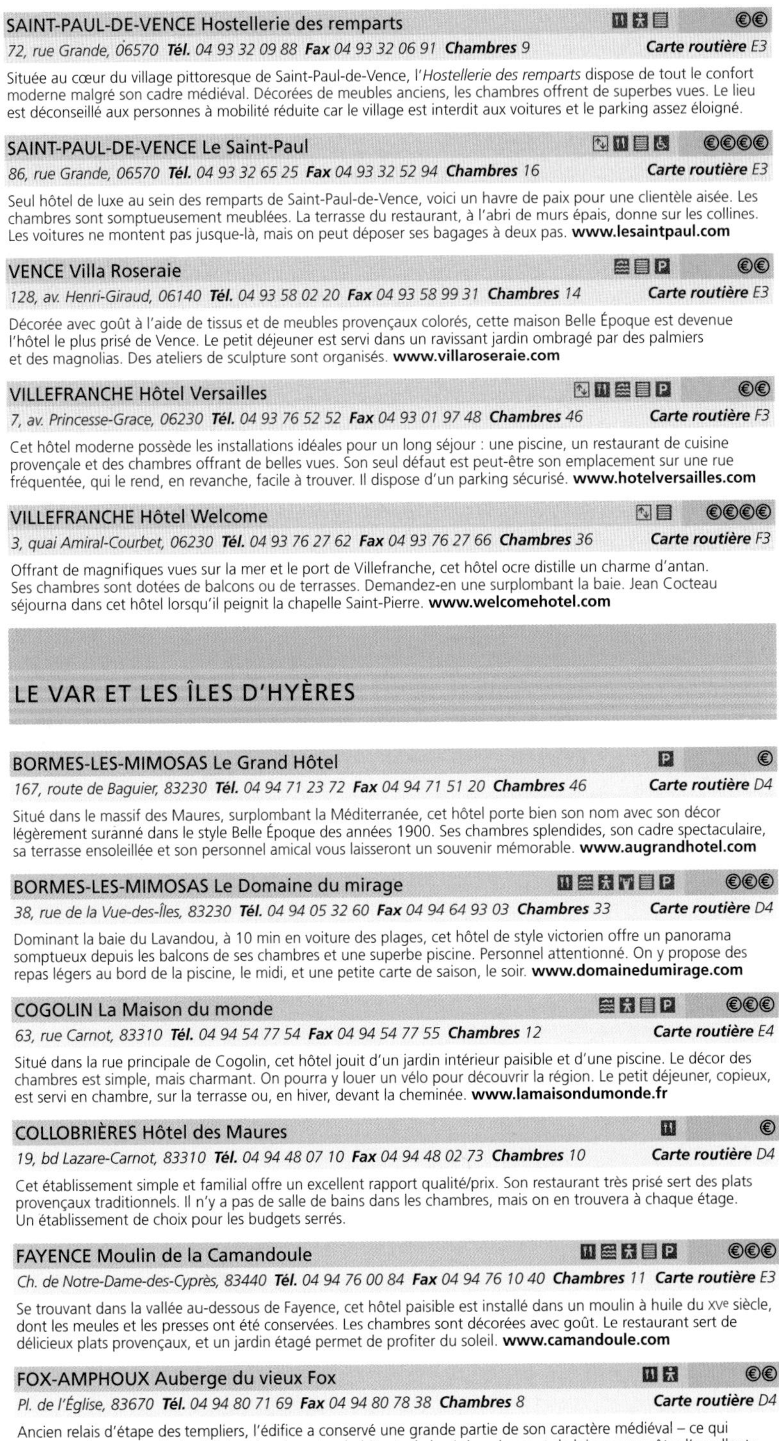

SAINT-PAUL-DE-VENCE Hostellerie des remparts €€

72, rue Grande, 06570 **Tél.** *04 93 32 09 88* **Fax** *04 93 32 06 91* **Chambres** *9* **Carte routière** *E3*

Située au cœur du village pittoresque de Saint-Paul-de-Vence, l'*Hostellerie des remparts* dispose de tout le confort moderne malgré son cadre médiéval. Décorées de meubles anciens, les chambres offrent de superbes vues. Le lieu est déconseillé aux personnes à mobilité réduite car le village est interdit aux voitures et le parking assez éloigné.

SAINT-PAUL-DE-VENCE Le Saint-Paul €€€€

86, rue Grande, 06570 **Tél.** *04 93 32 65 25* **Fax** *04 93 32 52 94* **Chambres** *16* **Carte routière** *E3*

Seul hôtel de luxe au sein des remparts de Saint-Paul-de-Vence, voici un havre de paix pour une clientèle aisée. Les chambres sont somptueusement meublées. La terrasse du restaurant, à l'abri de murs épais, donne sur les collines. Les voitures ne montent pas jusque-là, mais on peut déposer ses bagages à deux pas. **www.lesaintpaul.com**

VENCE Villa Roseraie €€

128, av. Henri-Giraud, 06140 **Tél.** *04 93 58 02 20* **Fax** *04 93 58 99 31* **Chambres** *14* **Carte routière** *E3*

Décorée avec goût à l'aide de tissus et de meubles provençaux colorés, cette maison Belle Époque est devenue l'hôtel le plus prisé de Vence. Le petit déjeuner est servi dans un ravissant jardin ombragé par des palmiers et des magnolias. Des ateliers de sculpture sont organisés. **www.villaroseraie.com**

VILLEFRANCHE Hôtel Versailles €€

7, av. Princesse-Grace, 06230 **Tél.** *04 93 76 52 52* **Fax** *04 93 01 97 48* **Chambres** *46* **Carte routière** *F3*

Cet hôtel moderne possède les installations idéales pour un long séjour : une piscine, un restaurant de cuisine provençale et des chambres offrant de belles vues. Son seul défaut est peut-être son emplacement sur une rue fréquentée, qui le rend, en revanche, facile à trouver. Il dispose d'un parking sécurisé. **www.hotelversailles.com**

VILLEFRANCHE Hôtel Welcome €€€€

3, quai Amiral-Courbet, 06230 **Tél.** *04 93 76 27 62* **Fax** *04 93 76 27 66* **Chambres** *36* **Carte routière** *F3*

Offrant de magnifiques vues sur la mer et le port de Villefranche, cet hôtel ocre distille un charme d'antan. Ses chambres sont dotées de balcons ou de terrasses. Demandez-en une surplombant la baie. Jean Cocteau séjourna dans cet hôtel lorsqu'il peignit la chapelle Saint-Pierre. **www.welcomehotel.com**

LE VAR ET LES ÎLES D'HYÈRES

BORMES-LES-MIMOSAS Le Grand Hôtel €

167, route de Baguier, 83230 **Tél.** *04 94 71 23 72* **Fax** *04 94 71 51 20* **Chambres** *46* **Carte routière** *D4*

Situé dans le massif des Maures, surplombant la Méditerranée, cet hôtel porte bien son nom avec son décor légèrement suranné dans le style Belle Époque des années 1900. Ses chambres splendides, son cadre spectaculaire, sa terrasse ensoleillée et son personnel amical vous laisseront un souvenir mémorable. **www.augrandhotel.com**

BORMES-LES-MIMOSAS Le Domaine du mirage €€€

38, rue de la Vue-des-Îles, 83230 **Tél.** *04 94 05 32 60* **Fax** *04 94 64 93 03* **Chambres** *33* **Carte routière** *D4*

Dominant la baie du Lavandou, à 10 min en voiture des plages, cet hôtel de style victorien offre un panorama somptueux depuis les balcons de ses chambres et une superbe piscine. Personnel attentionné. On y propose des repas légers au bord de la piscine, le midi, et une petite carte de saison, le soir. **www.domainedumirage.com**

COGOLIN La Maison du monde €€€

63, rue Carnot, 83310 **Tél.** *04 94 54 77 54* **Fax** *04 94 54 77 55* **Chambres** *12* **Carte routière** *E4*

Situé dans la rue principale de Cogolin, cet hôtel jouit d'un jardin intérieur paisible et d'une piscine. Le décor des chambres est simple, mais charmant. On pourra y louer un vélo pour découvrir la région. Le petit déjeuner, copieux, est servi en chambre, sur la terrasse ou, en hiver, devant la cheminée. **www.lamaisondumonde.fr**

COLLOBRIÈRES Hôtel des Maures €

19, bd Lazare-Carnot, 83310 **Tél.** *04 94 48 07 10* **Fax** *04 94 48 02 73* **Chambres** *10* **Carte routière** *D4*

Cet établissement simple et familial offre un excellent rapport qualité/prix. Son restaurant très prisé sert des plats provençaux traditionnels. Il n'y a pas de salle de bains dans les chambres, mais on en trouvera à chaque étage. Un établissement de choix pour les budgets serrés.

FAYENCE Moulin de la Camandoule €€€

Ch. de Notre-Dame-des-Cyprès, 83440 **Tél.** *04 94 76 00 84* **Fax** *04 94 76 10 40* **Chambres** *11* **Carte routière** *E3*

Se trouvant dans la vallée au-dessous de Fayence, cet hôtel paisible est installé dans un moulin à huile du XVe siècle, dont les meules et les presses ont été conservées. Les chambres sont décorées avec goût. Le restaurant sert de délicieux plats provençaux, et un jardin étagé permet de profiter du soleil. **www.camandoule.com**

FOX-AMPHOUX Auberge du vieux Fox €€

Pl. de l'Église, 83670 **Tél.** *04 94 80 71 69* **Fax** *04 94 80 78 38* **Chambres** *8* **Carte routière** *D4*

Ancien relais d'étape des templiers, l'édifice a conservé une grande partie de son caractère médiéval – ce qui compense largement l'exiguïté des chambres. Les habitants de la région viennent de loin pour goûter l'excellente cuisine du restaurant, servie dans une salle rustique. Vous pouvez admirer la vue sous les parasols de la terrasse.

FRÉJUS Hôtel Arena €€

145, rue du Général-de-Gaulle, 83600 **Tél.** *04 94 17 09 40* **Fax** *04 94 52 01 52* **Chambres** *36* **Carte routière** *E4*

Avec son décor coloré évoquant la mer, son mobilier en bois, ses mosaïques et son restaurant, cet hôtel est authentiquement provençal. Les chambres donnent sur de jolis patios, et le jardin est planté de lauriers-roses, de palmiers et de géraniums. Le restaurant propose une cuisine provençale exceptionnelle. **www.arena-hotel.com**

GRIMAUD Hostellerie du côteau fleuri €€

Pl. des Pénitents, 83310 **Tél.** *04 94 43 20 17* **Fax** *04 94 43 33 42* **Chambres** *14* **Carte routière** *E4*

Cette auberge de pierres grises, à flanc de coteau, offre une vue grandiose sur le massif des Maures et le vignoble de Grimaud. Le restaurant s'enorgueillit de son immense cheminée. En été, les repas sont pris sur une terrasse fleurie. Le chef apprête à la perfection le poisson et d'autres ingrédients de la région. **www.coteaufleuri.fr**

HYÈRES Hôtel du Soleil €

Rue du Rempart, 83400 **Tél.** *04 94 65 16 26* **Fax** *04 94 35 46 00* **Chambres** *22* **Carte routière** *D4*

Perchée sur une colline au-dessus de la jolie ville médiévale, cette ravissante maison ancienne recouverte de lierre possède des chambres toutes meublées de manière traditionnelle, certaines donnant sur la mer, d'autres sur les avant-toits. La terrasse ensoleillée possède des tables ombragées. **www.hotel-du-soleil.fr**

ÎLE DE PORQUEROLLES Auberge des glycines €€€

22, pl. d'Armes, 83400 **Tél.** *04 94 58 30 36* **Fax** *04 94 58 35 22* **Chambres** *11* **Carte routière** *D5*

Situé au cœur du village, cet hôtel est un merveilleux refuge. Les chambres sont décorées de rideaux majestueux et de meubles anciens, tout comme la salle à manger dotée d'une immense cheminée. Le petit déjeuner et le dîner peuvent être pris sur le patio ombragé. Un séjour en demi-pension est proposé. **www.auberge-glycines.com**

ÎLE DE PORT-CROS Le Manoir d'Hélène €€€€

Port-Cros, 83400 **Tél.** *04 94 05 90 52* **Fax** *04 94 05 90 89* **Chambres** *22* **Carte routière** *D5*

Un hôtel situé sur cette île paradisiaque est une rareté. Celui-ci est un manoir du XIXe siècle, simple mais charmant, doté d'une piscine. L'accueil y est chaleureux et la cuisine, délicieuse, est servie au milieu des eucalyptus. La demi-pension est obligatoire, mais la cuisine est si bonne que ce n'est pas un problème.

LA CADIÈRE-D'AZUR Hostellerie Bérard €€

6, av. Gabriel-Péri, 83740 **Tél.** *04 94 90 11 43* **Fax** *04 94 90 01 94* **Chambres** *38* **Carte routière** *C4*

Ce couvent du XIe siècle abrite une agréable auberge dotée d'une piscine extérieure chauffée, d'une terrasse, de jolis jardins et d'un restaurant réputé. Les anciennes cellules des moines sont confortables et spacieuses, malgré leur aspect austère. L'hôtel propose des cours de cuisine, d'œnologie et d'aquarelle. **www.hotel-berard.com**

LA CELLE Abbaye de La Celle €€€€

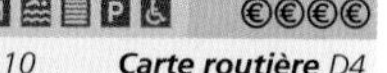

Pl. du Général-de-Gaulle, 83170 **Tél.** *04 98 05 14 14* **Fax** *04 98 05 14 15* **Chambres** *10* **Carte routière** *D4*

Cette ancienne abbaye bénédictine a été reprise par Alain Ducasse, qui a confié les clefs des cuisines à Benoît Witz. Le personnel, tout de blanc vêtu, veille à ce que chaque instant soit un moment de détente – une tâche aisée devant la beauté des jardins et de la piscine. Certaines chambres ont un jardin privé. **www.abbaye-celle.com**

LE LAVANDOU Le Rabelais €

2, rue Rabelais, 83980 **Tél.** *04 94 71 00 56* **Fax** *04 94 71 82 55* **Chambres** *20* **Carte routière** *D4*

Cet hôtel du bord de mer compte des chambres simples, bien décorées et baignées de soleil, même si certaines sont un peu exiguës. La terrasse agréable où le petit déjeuner est servi en été permet d'observer l'activité du port. La plage est proche. **www.le-rabelais.fr**

LES ARCS-SUR-ARGENS Le Logis du guetteur €€€

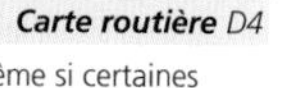
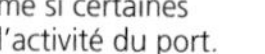

Pl. du Château, 83460 **Tél.** *04 94 99 51 10* **Fax** *04 94 99 51 29* **Chambres** *13* **Carte routière** *D4*

Cet hôtel fait partie du château du XIe siècle qui surplombe le village. Ses murs en pierre et ses portes en bois sont anciens, mais ses chambres disposent de tout le confort moderne. Une cuisine gastronomique est servie près de la cheminée ou de la piscine. Les remparts permettent d'admirer un superbe panorama. **www.logisduguetteur.com**

PORT-GRIMAUD Le Suffren €€€

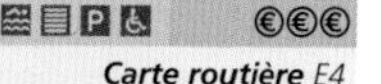

16, pl. du Marché, 83310 **Tél.** *04 94 55 15 05* **Fax** *04 94 55 15 06* **Chambres** *19* **Carte routière** *E4*

Situé dans un village discret, ce charmant hôtel offre un très bon rapport qualité/prix malgré sa proximité avec Saint-Tropez. Donnant sur le port ou sur la place du Marché, les chambres s'ornent ici de couleurs vives. L'hôtel dispose aussi de 6 studios et de 3 deux-pièces. Un bon choix en famille. **www.hotelleriedusoleil.com**

SAINT-TROPEZ Lou Cagnard €

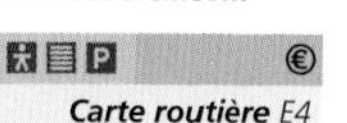

18, av. Paul-Roussel, 83990 **Tél.** *04 94 97 04 24* **Fax** *04 94 97 09 44* **Chambres** *19* **Carte routière** *E4*

Bien que récemment rénovées, les chambres de cet hôtel occupant une vieille maison ne sont pas climatisées et celles donnant sur la rue sont un peu bruyantes. Réservez à l'avance pour en avoir une surplombant les mûriers du petit jardin. L'hôtel est tout près de la célèbre place des Lices. **www.hotel-lou-cagnard.com**

SAINT-TROPEZ Château de la Messardière €€€€

Route de Tahiti, 83990 **Tél.** *04 94 56 76 00* **Fax** *04 94 56 76 01* **Chambres** *80* **Carte routière** *E4*

Le plus grand hôtel de luxe de Saint-Tropez, un peu difficile à trouver, n'en mérite pas moins l'effort. Ses jardins sont un véritable havre de paix, la cuisine est exceptionnelle et le service absolument irréprochable. Une navette vous conduira en centre-ville. **www.messardiere.com**

Légende des prix *voir p. 194* **Légende des symboles** *voir le rabat arrière de couverture*

SAINT-TROPEZ Pastis Hotel Saint-Tropez €€€€

6, av. du Général-Leclerc, 83990 ***Tél.*** *04 98 12 56 50* ***Fax*** *04 94 96 99 82* ***Chambres*** *9* ***Carte routière*** *E4*

Saint-Tropez est connue pour sa jet-set, mais cet hôtel, qui joue la carte de l'art contemporain et allie judicieusement un mobilier moderne et ancien, s'adresse à une clientèle plus discrète, qui n'aura pas besoin de s'habiller de manière chic ou branchée. La piscine chauffée est encadrée de palmiers centenaires. **www.pastis-st-tropez.com**

SAINT-TROPEZ Le Byblos 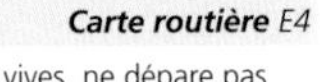 €€€€€

Av. Paul-Signac, 83990 ***Tél.*** *04 94 56 68 00* ***Fax*** *04 94 56 68 01* ***Chambres*** *97* ***Carte routière*** *E4*

Lieu glamour pour les plus fortunés, ce complexe luxueux, constitué de maisons de couleurs vives, ne dépare pas dans la station balnéaire la plus branchée de Méditerranée. Somptueuses, les chambres vous donnent l'impression d'être une vedette hollywoodienne. Salon de beauté et Spa à disposition. **www.byblos.com**

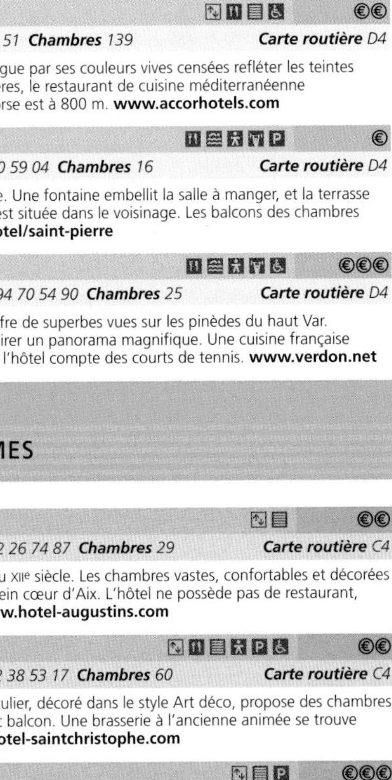

SEILLANS Hôtel des Deux Rocs €

1, pl. Font-d'Amont, 83440 ***Tél.*** *04 94 76 87 32* ***Fax*** *04 94 76 88 68* ***Chambres*** *14* ***Carte routière*** *E3*

Cette vaste demeure provençale du XVIIe siècle se distingue par son atmosphère familiale et sa bonne cuisine méditerranéenne. Certaines chambres sont plus petites et plus sombres que d'autres : choisissez celles en façade, plus grandes et plus belles. En été, les repas sont servis autour de la fontaine. **www.hoteldeuxrocs.com**

TOULON All Seasons €€

Pl. Besagne, 83000 ***Tél.*** *04 98 00 81 00* ***Fax*** *04 94 41 57 51* ***Chambres*** *139* ***Carte routière*** *D4*

Jouxtant le palais des Congrès et le port, cet hôtel se distingue par ses couleurs vives censées refléter les teintes chaudes de la Méditerranée. Avec ses palmiers et ses verrières, le restaurant de cuisine méditerranéenne traditionnelle est un lieu unique. L'embarcadère pour la Corse est à 800 m. **www.accorhotels.com**

TOURTOUR L'Auberge Saint-Pierre €

Route d'Ampus, 83690 ***Tél.*** *04 94 50 00 50* ***Fax*** *04 94 70 59 04* ***Chambres*** *16* ***Carte routière*** *D4*

Cette ferme du XVIe siècle est un paisible lieu de villégiature. Une fontaine embellit la salle à manger, et la terrasse offre des vues splendides sur le haut Var. Une vraie ferme est située dans le voisinage. Les balcons des chambres donnent sur la campagne. **www.guideprovence.com/hotel/saint-pierre**

TOURTOUR La Bastide de Tourtour €€€

Montée Saint-Denis, 83690 ***Tél.*** *04 98 10 54 20* ***Fax*** *04 94 70 54 90* ***Chambres*** *25* ***Carte routière*** *D4*

Située juste à la sortie du village, cette ancienne bastide offre de superbes vues sur les pinèdes du haut Var. Certaines chambres, dotées de balcons, permettent d'admirer un panorama magnifique. Une cuisine française est servie sous les voûtes du restaurant. Outre une piscine, l'hôtel compte des courts de tennis. **www.verdon.net**

LES BOUCHES-DU-RHÔNE ET NÎMES

AIX-EN-PROVENCE Hôtel des Augustins €€

3, rue de la Masse, 13100 ***Tél.*** *04 42 27 28 59* ***Fax*** *04 42 26 74 87* ***Chambres*** *29* ***Carte routière*** *C4*

La réception de l'hôtel occupe la chapelle de ce couvent du XIIe siècle. Les chambres vastes, confortables et décorées dans le style provençal, en font un vrai havre de paix en plein cœur d'Aix. L'hôtel ne possède pas de restaurant, mais ces derniers ne manquent pas dans le voisinage. **www.hotel-augustins.com**

AIX-EN-PROVENCE Le Saint-Christophe €€

2, av. Victor-Hugo, 13100 ***Tél.*** *04 42 26 01 24* ***Fax*** *04 42 38 53 17* ***Chambres*** *60* ***Carte routière*** *C4*

D'un excellent rapport qualité/prix, ce superbe hôtel particulier, décoré dans le style Art déco, propose des chambres tout confort. Réservez à l'avance pour en obtenir une avec balcon. Une brasserie à l'ancienne animée se trouve au rez-de-chaussée et propose d'excellents plats. **www.hotel-saintchristophe.com**

AIX-EN-PROVENCE Hôtel Cézanne €€€

40, av. Victor-Hugo, 13100 ***Tél.*** *04 42 91 11 11* ***Fax*** *04 42 91 11 10* ***Chambres*** *56* ***Carte routière*** *C4*

Les hôtels-boutiques sont rares en Provence, mais le décorateur Charles Montemarco a réinterprété ici l'œuvre de Cézanne, en osant des teintes chaudes qui rehaussent de beaux objets d'art. Tout est conçu pour un confort extrême, des lits *king-size* au copieux petit déjeuner servi jusqu'à midi. **www.hotelaix.com**

ARLES Hôtel de l'Amphithéâtre €

5-7, rue Diderot, 13200 ***Tél.*** *04 90 96 10 30* ***Fax*** *04 90 93 98 69* ***Chambres*** *28* ***Carte routière*** *B3*

Voici un bon hôtel qui ne manque pas de caractère, parfaitement situé près des arènes. Le beau décor provençal compense l'exiguïté de certaines chambres. Les parties communes sont agréables et le personnel avenant. Les clients profitent d'une réduction sur le parking voisin. Un bon choix en famille. **www.hotelamphitheatre.fr**

ARLES Hôtel Calendal €€

5, rue Porte-de-Laure, 13200 ***Tél.*** *04 90 96 11 89* ***Fax*** *04 90 96 05 84* ***Chambres*** *38* ***Carte routière*** *B3*

Situé dans le centre historique, près des arènes, cet hôtel est une bonne affaire. Ses chambres, plus ou moins grandes, sont décorées avec goût et certaines donnent sur les arènes ou le théâtre romain. Le petit déjeuner est servi dans le jardin à l'ombre de palmiers. **www.lecalendal.com**

ARLES Hôtel d'Arlatan €€

26, rue du Sauvage, 13200 ***Tél.*** *04 90 93 56 66* ***Fax*** *04 90 49 68 45* ***Chambres*** *47* ***Carte routière*** *B3*

Ayant appartenu au XVIe siècle aux comtes d'Arlatan, l'édifice est l'un des plus beaux hôtels historiques de la région. Le sol vitré du salon dévoile des fondations romaines du IVe siècle. En été, le petit déjeuner est servi dans un jardin clos ou sur la terrasse en pierre. Des meubles et bibelots anciens ornent les chambres. **www.hotel-arlatan.fr**

ARLES L'Hôtel particulier €€€€

4, rue de la Monnaie, 13200 ***Tél.*** *04 90 52 51 40* ***Fax*** *04 90 96 16 70* ***Chambres*** *13* ***Carte routière*** *B3*

Quand vous aurez trouvé ce petit joyau, vous ne voudrez plus le quitter. Comme son nom l'indique, *l'Hôtel particulier* a des allures de résidence privée aristocratique, sans parler des jardins, de la piscine, du hammam et du Spa. Les chambres s'ornent d'un élégant mobilier. Le service est irréprochable. **www.hotel-particulier.com**

CASSIS Le Clos des arômes €

10, rue de l'Abbé-Paul-Mouton, 13260 ***Tél.*** *04 42 01 71 84* ***Fax*** *04 42 01 31 76* ***Chambres*** *14* ***Carte routière*** *C4*

Cet hôtel paisible occupe une maison rénovée avec goût, au milieu d'un jardin regorgeant de fleurs et de plantes. D'un excellent rapport qualité/prix et situé au centre de Cassis, il est très recherché : réservez longtemps à l'avance, surtout pour juillet et août. **www.le-clos-des-aromes.com**

CASSIS Les Jardins de Cassis €€

Rue Auguste-Favier, 13260 ***Tél.*** *04 42 01 84 85* ***Fax*** *04 42 01 32 38* ***Chambres*** *36* ***Carte routière*** *C4*

Cet hôtel, le plus plaisant du port de Cassis, propose des chambres bien agencées réparties dans de petits édifices couleur pastel. La piscine se trouve au milieu d'un jardin rempli de citronniers et de bougainvilliers. Le restaurant (ouv. de juin à sept.) sert un déjeuner méditerranéen au bord de la piscine. **www.hotel-lesjardinsde-cassis.com**

FONTVIEILLE Auberge La Régalido €€

Rue Frédéric-Mistral, 13990 ***Tél.*** *04 90 54 60 22* ***Fax*** *04 90 54 64 29* ***Chambres*** *15* ***Carte routière*** *B3*

Ancien moulin à huile situé au centre de Fontvieille, *La Régalido* est aujourd'hui un hôtel luxueux et accueillant, comprenant des chambres décorées avec goût et un superbe jardin orné de palmiers et de figuiers. La belle terrasse du restaurant permet de déguster ce qui se fait de mieux en matière de cuisine provençale. **www.laregalido.com**

LES-BAUX-DE-PROVENCE Hostellerie de la reine Jeanne €

Grand-Rue, 13520 ***Tél.*** *04 90 54 32 06* ***Fax*** *04 90 54 32 33* ***Chambres*** *10* ***Carte routière*** *B3*

Située au centre d'un des plus extraordinaires villages de Provence, cette vieille maison abrite de belles chambres meublées simplement. Affichant des tarifs abordables, l'hôtel offre des vues magnifiques sur le village et la vallée, mais il n'est pas idéal pour les enfants en bas âge. Se garer reste un problème. **www.la-reinejeanne.com**

LES-BAUX-DE-PROVENCE Auberge de la Benvengudo €€€

Vallon de l'Arcoule, 13520 ***Tél.*** *04 90 54 32 54* ***Fax*** *04 90 54 42 58* ***Chambres*** *23* ***Carte routière*** *B3*

Cette belle maison de campagne recouverte de lierre est l'un des hôtels les plus charmants des Baux. Comptant des chambres confortables, somptueusement décorées, un grand jardin, une piscine et un court de tennis, il est idéal pour ceux qui découvrent la région en voiture. Le restaurant sert une cuisine régionale. **www.benvengudo.com**

MARSEILLE Hôtel Saint-Ferréol €€

19, rue Pisançon, 13001 ***Tél.*** *04 91 33 12 21* ***Fax*** *04 91 54 29 97* ***Chambres*** *18* ***Carte routière*** *C4*

Proche du Vieux-Port et de l'opéra, ce petit hôtel moderne présente un certain charme. Les chambres sont plutôt petites, mais bien équipées et agencées. La plupart possèdent des doubles vitrages (Marseille est une ville très bruyante) et certaines disposent même de bains à remous. **www.hotel-stferreol.com**

MARSEILLE Sofitel Marseille Vieux-Port €€€

36, bd Charles-Livon, 13007 ***Tél.*** *04 91 15 59 00* ***Fax*** *04 91 15 59 50* ***Chambres*** *134* ***Carte routière*** *C4*

Bois sombres et lignes fuselées font le décor minimaliste de cet hôtel de luxe, remarquable pour sa vue sur le Vieux-Port. Demandez si possible une des 28 chambres avec terrasse. Les principaux sites touristiques sont à deux pas. Le restaurant panoramique du dernier étage ménage lui aussi une vue somptueuse. **www.accorhotels.com**

MARSEILLE Villa Massalia €€€

17, pl. Louis-Bonnefon, 13008 ***Tél.*** *04 91 72 90 00* ***Fax*** *04 91 72 90 01* ***Chambres*** *140* ***Carte routière*** *C4*

S'inspirant librement de l'architecture du château Borély (XVIIIe siècle), la *Villa Massalia* est décorée dans des tons reposants avec du mobilier contemporain. L'hôtel compte une salle de restaurant aux accents de Chine et un bar. Il se situe dans un quartier résidentiel, près du parc Borély et des plages. **http://marseille.concorde-hotels.com**

MAUSSANE-LES-ALPILLES L'Oustaloun €€

Pl. de l'Église, 13520 ***Tél.*** *04 90 54 32 19* ***Fax*** *04 90 54 45 57* ***Chambres*** *8* ***Carte routière*** *B3*

Cette petite ville est moins bondée en été que les hauts lieux touristiques. *L'Oustaloun* est une minuscule auberge se dressant sur la place principale. Occupant une maison restaurée du XVIe siècle, elle offre des chambres au charme simple. Les voûtes de la salle à manger offrent une fraîcheur appréciée en été. **www.loustaloun.com**

NÎMES Hôtel Kyriad Nîmes Centre €

10, rue Roussy, 30000 ***Tél.*** *04 66 76 16 20* ***Fax*** *04 66 67 65 99* ***Chambres*** *28* ***Carte routière*** *A3*

Occupant une vieille maison dans une rue calme du centre, près de la cathédrale, cet hôtel se distingue par son décor coloré inspiré de la tauromachie. Les chambres sont toutes différentes ; celles situées au dernier étage sont dotées de patios surplombant les toits de la ville. **www.hotel-kyriad-nimes.com**

Légende des prix *voir p. 194* **Légende des symboles** *voir le rabat arrière de couverture*

NÎMES L'Orangerie — €€
755, rue Tour-de-l'Évêque, 30000 **Tél.** *04 66 84 50 57* **Fax** *04 66 29 44 55* **Chambres** *37* **Carte routière** *A3*

Situé dans un parc agréable, cet hôtel moderne a l'avantage de posséder une piscine. Certaines chambres, aux couleurs vives, disposent de balcons, tandis que d'autres sont dotées de bains à remous. Très prisé, le restaurant propose des produits locaux préparés avec soin et servis sur une belle terrasse. **www.orangerie.fr**

NÎMES New Hotel La Baume — €€
21, rue Nationale, 30000 **Tél.** *04 66 76 28 42* **Fax** *04 66 76 28 45* **Chambres** *34* **Carte routière** *A3*

Au cœur de la vieille ville de Nîmes, cet hôtel se distingue par son escalier central spectaculaire et sa cour carrée qui date du XVIIe siècle, époque à laquelle le bâtiment était une demeure privée. Spacieuses, les chambres allient décor moderne et décor traditionnel avec un goût certain. **www.new-hotel.com/labaume**

NÎMES Imperator — €€€
Quai de la Fontaine, 30900 **Tél.** *04 66 21 90 30* **Fax** *04 66 67 70 25* **Chambres** *60* **Carte routière** *A3*

Cet hôtel charmant date des années 1930, époque à laquelle il accueillait des hôtes comme Ernest Hemingway et Ava Gardner. Offrant toutes les prestations d'un établissement quatre-étoiles du prestigieux groupe Concorde, il abrite un restaurant remarquable, un confortable piano-bar et une belle cour. **www.concorde-hotels.com**

SAINTES-MARIES-DE-LA-MER Hôtel de Cacharel — €€
Route de Cacharel, 13460 **Tél.** *04 90 97 95 44* **Fax** *04 90 97 87 97* **Chambres** *16* **Carte routière** *B4*

Cet hôtel, aujourd'hui apprécié des amateurs d'équitation car il propose des promenades à cheval, était autrefois une propriété camarguaise habitée par des gardians. Bien qu'il ne dispose pas de restaurant, il offre à la demande des plats de viande et de fromage. Il comporte également une piscine. **www.hotel-cacharel.com**

SAINTES-MARIES-DE-LA-MER Mas de la Fouque — €€€€
Le Petit Sauvage, route du Petit-Rhône, 13460 **Tél.** *04 90 97 81 02* **Chambres** *19* **Carte routière** *B4*

Cet hôtel est le plus luxueux de Camargue. Les chambres disposent de terrasses surplombant un étang, et la salle à manger donne sur un parc. Le domaine englobe des courts de tennis, un mini-golf, et une écurie abritant les fameux chevaux blancs de la région. L'héliport permet de faire une arrivée remarquée. **www.masdelafouque.com**

SALON-DE-PROVENCE Abbaye de Sainte-Croix — €€€€
Route du Val-de-Cuech, 13300 **Tél.** *04 90 56 24 55* **Fax** *04 90 56 31 12* **Chambres** *21* **Carte routière** *B3*

Cet hôtel pittoresque occupe une abbaye du XIIe siècle. Les anciennes cellules des moines sont rustiques. Il est possible de profiter du panorama fascinant depuis la terrasse ombragée entourant la piscine. Le restaurant se targue d'offrir une cuisine locale. Des cours de cuisine sont proposés. **www.relaischateaux.com/saintecroix**

SAINT-RÉMY-DE-PROVENCE L'Amandière — €
Av. Théodore-Aubanel, 13210 **Tél.** *04 90 92 41 00* **Fax** *04 90 92 48 38* **Chambres** *26* **Carte routière** *B3*

Tout est rustique dans cette paisible retraite, depuis le décor des chambres jusqu'à la maçonnerie traditionnelle de l'édifice et les jardins entourant la piscine. Non loin de là, le canal des Alpilles est un lieu propice aux balades et aux pique-niques. **www.hotel-amandiere.com**

SAINT-RÉMY-DE-PROVENCE Hôtel Sous les figuiers — €€
3, av. Taillandier, 13210 **Tél.** *04 32 60 15 40* **Fax** *04 32 60 15 39* **Chambres** *13* **Carte routière** *B3*

À 2 min à pied du centre-ville, cet hôtel tire son nom des figuiers centenaires du jardin. La plupart des chambres possèdent des terrasses les surplombant. Vous trouverez des figues sous plusieurs formes à la table du petit déjeuner. Des ateliers de peinture sont proposés. **www.hotel-charme-provence.com**

SAINT-RÉMY-DE-PROVENCE Le Mas des Carassins — €€
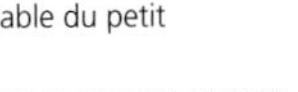
1, chemin Gaulois, 13210 **Tél.** *04 90 92 15 48* **Fax** *04 90 92 63 47* **Chambres** *14* **Carte routière** *B3*

Cette authentique et pittoresque ferme provençale, située à l'extérieur de la ville, se dresse au milieu des champs de lavande et des oliveraies. Rénovée avec soin, elle garde son côté traditionnel. La piscine est agréable en été. Le restaurant est ouvert trois fois par semaine pour les clients seulement. **www.masdescarassins.com**

SAINT-RÉMY-DE-PROVENCE Les Ateliers de l'image — €€€
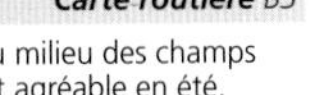
36, bd Victor-Hugo, 13210 **Tél.** *04 90 92 51 50* **Fax** *04 90 92 43 52* **Chambres** *32* **Carte routière** *B3*

La photographie est à l'honneur dans cet ancien music-hall transformé en hôtel. Les chambres et les vestibules sont décorés de photographies, et un laboratoire permet aux hôtes qui le souhaitent de développer les leurs. Le restaurant sert des mets français classiques, ainsi que des plats japonais. **www.hotelphoto.com**

SAINT-RÉMY-DE-PROVENCE Domaine de Valmouriane — €€€€

Petite route des Baux, 13210 **Tél.** *04 90 92 44 62* **Fax** *04 90 92 37 32* **Chambres** *11* **Carte routière** *B3*

L'hôtel occupe une magnifique et luxueuse ferme du XVIIIe siècle entourée d'une pinède et de vignobles. La cuisine locale se savoure sous les voûtes du restaurant. On trouvera une cheminée dans le bar et une terrasse ombragée autour de la piscine. Divers soins et massages sont proposés. **www.valmouriane.com**

VILLENEUVE-LÈS-AVIGNON Hôtel de l'Atelier — €
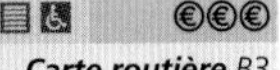
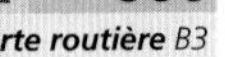
5, rue de la Foire, 30400 **Tél.** *04 90 25 01 84* **Fax** *04 90 25 80 06* **Chambres** *23* **Carte routière** *B3*

Cette maison du XVIe siècle est désormais un hôtel paisible. Ses chambres et ses salles aux poutres apparentes sont ornées de meubles anciens et d'œuvres d'art. Une superbe cheminée de pierre trône dans le salon. Il est possible de profiter de la terrasse sur la toit embaumant les fleurs. **www.hoteldelatelier.com**

VILLENEUVE-LÈS-AVIGNON Hostellerie La Magnaneraie €€€

37 rue du Champ-de-Bataille, 30400 ***Tél.*** *04 90 25 11 11* ***Fax*** *04 90 25 46 37* ***Chambres*** *29* ***Carte routière*** *B3*

Ce bâtiment, qui servait au XVe siècle à l'élevage des vers à soie, est aujourd'hui un hôtel raffiné et paisible, dont les chambres, confortables, sont décorées avec soin. Les murs du restaurant sont ornés de fresques, et il est également possible de déjeuner dans les superbes jardins. Grande piscine. **www.hostellerie-la-magnaneraie.com**

LE VAUCLUSE

AVIGNON Hôtel Bristol €€

44, cours Jean-Jaurès, 84000 ***Tél.*** *04 90 16 48 48* ***Fax*** *04 90 86 22 72* ***Chambres*** *67* ***Carte routière*** *B3*

À première vue, l'endroit n'a rien de remarquable, mais son emplacement, à 5 min à pied de la gare et dans une jolie rue commerçante, en fait une adresse recherchée. Les chambres sont assez dépouillées et de taille variable, mais le personnel se mettra en quatre pour vous. **www.bristol-hotel-avignon.com**

AVIGNON Hôtel de l'Horloge €€

1-3, rue Félicien-David, 84000 ***Tél.*** *04 90 16 42 00* ***Fax*** *04 90 82 17 32* ***Chambres*** *66* ***Carte routière*** *B3*

Donnant sur la place de l'Horloge, cet hôtel établi dans un bâtiment du XIXe siècle offre un bon rapport qualité/prix. Les chambres sont toutes de style contemporain ; cinq d'entre elles possèdent une terrasse. Accès Wi-Fi gratuit dans les parties communes. Le personnel est particulièrement serviable. **www.hotels-ocre-azur.com**

AVIGNON Hôtel d'Europe €€€€

14, pl. Crillon, 84000 ***Tél.*** *04 90 14 76 76* ***Fax*** *04 90 14 76 71* ***Chambres*** *44* ***Carte routière*** *B3*

Napoléon aurait séjourné dans cet hôtel du XVIe siècle, l'un des plus beaux d'Avignon. Les chambres du dernier étage dominent le palais des Papes, merveilleusement illuminé la nuit. Le restaurant sert des mets et des vins exceptionnels. Le murmure d'une fontaine dans le jardin renforce cette atmosphère paisible. **www.heurope.com**

AVIGNON La Mirande €€€€€

4, pl. de la Mirande, 84000 ***Tél.*** *04 90 14 20 20* ***Fax*** *04 90 86 26 85* ***Chambres*** *19* ***Carte routière*** *B3*

À l'ombre du palais des Papes, cet hôtel est sans doute le meilleur pour un long séjour. Cette ancienne maison d'un cardinal a été rénovée dans le style du XVIIIe siècle. Le restaurant, l'un des meilleurs de la région, est de style baroque. Une terrasse est entourée d'arbres et de plantes aromatiques. **www.la-mirande.fr**

GORDES Le Mas des romarins €€

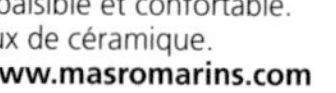

Route de Sénanque, 84220 ***Tél.*** *04 90 72 12 13* ***Fax*** *04 90 72 13 13* ***Chambres*** *13* ***Carte routière*** *C3*

Cette maison de campagne du XVIIIe siècle a été rénovée pour abriter cet hôtel trois-étoiles paisible et confortable. Le décor traditionnel inclut des cheminées en pierre et des salles de bains ornées de carreaux de céramique. Le petit déjeuner est pris sur la jolie terrasse. La piscine est bordée de parterres de fleurs. **www.masromarins.com**

LE BARROUX Les Géraniums €

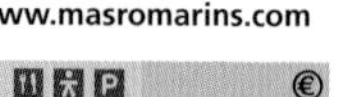

Pl. de la Croix, 84330 ***Tél.*** *04 90 62 41 08* ***Fax*** *04 90 62 56 48* ***Chambres*** *22* ***Carte routière*** *B2*

Cette vieille maison de l'un des fameux villages perchés de la région offre des chambres rustiques, mais confortables. Elles sont un peu plus grandes dans l'annexe moderne. Le restaurant, orné de boiseries d'époque et doté d'une charmante terrasse, propose des plats provençaux traditionnels. **www.hotel-lesgeraniums.com**

LE BARROUX Hostellerie François-Joseph €€

Chemin des Rabassières, 84330 ***Tél.*** *04 90 62 52 78* ***Fax*** *04 90 62 33 54* ***Chambres*** *18* ***Carte routière*** *B2*

Deux fermes situées dans un jardin offrant une vue spectaculaire sur la campagne abritent maintenant des chambres et des appartements avec cuisine. Le terrain inclut aussi deux maisons entourées de jardins privés. Le petit déjeuner est servi dans la véranda ou le patio. Fermé de novembre à mars. **www.hotel-francois-joseph.com**

LOURMARIN Le Mas des Guilles €€

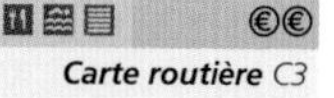

Route de Vaugines, 84160 ***Tél.*** *04 90 68 30 55* ***Fax*** *04 90 68 37 41* ***Chambres*** *28* ***Carte routière*** *C3*

Niché dans un parc de 20 ha, ce mas provençal aux chambres de style classique semble un secret bien gardé. Ce n'est certes pas le grand luxe, mais vous vous sentirez chez vous dans ce cadre charmant, tout en profitant des courts de tennis et de la piscine. Certaines chambres offrent de très belles vues. **www.guilles.com**

LOURMARIN Auberge de la Fenière €€€

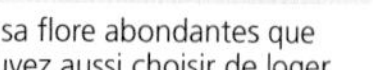

Route de Cadenet, 84160 ***Tél.*** *04 90 68 11 79* ***Fax*** *04 90 68 18 60* ***Chambres*** *9* ***Carte routière*** *C3*

C'est un coin de paradis dans la région du Grand Luberon, réputé tant pour sa faune et sa flore abondantes que pour ses superbes vues. Le décor des chambres est dédié à l'art et à l'artisanat. Vous pouvez aussi choisir de loger dans les roulottes gitanes dans le parc. Des soins corporels sont proposés. **www.aubergelafeniere.com**

LOURMARIN Le Moulin de Lourmarin €€€€€

Rue du Temple, 84160 ***Tél.*** *04 90 68 06 69* ***Fax*** *04 90 68 31 76* ***Chambres*** *19* ***Carte routière*** *C3*

La meule de cet ancien moulin à huile a été conservée. L'hôtel abrite aussi un restaurant (2 étoiles au *Michelin*), qui propose quatre succulents menus *(p. 217)*. Les murs des chambres, en pierre, ont 300 ans. Un hôtel de luxe idéal pour passer une nuit romantique et déguster un repas d'exception. **www.moulindelourmarin.com**

Légende des prix *voir p. 194* **Légende des symboles** *voir le rabat arrière de couverture*

PERNES-LES-FONTAINES Mas de la Bonoty €

Chemin de la Bonoty, 84210 **Tél.** *04 90 61 61 09* **Fax** *04 90 61 35 14* **Chambres** *8* **Carte routière** *B3*

Cette ferme rénovée du XVIIe siècle est entourée de champs de lavande parfumés et d'oliveraies. Les chambres, au décor rustique, disposent de tout le confort moderne. La salle à manger se distingue par ses superbes murs de pierre d'époque et ses poutres apparentes. Les vues sur le mont Ventoux sont splendides. **www.bonoty.com**

ROUSSILLON Le Mas de Garrigon €€€

Route de Saint-Saturnin-les-Apt, 84220 **Tél.** *04 90 05 63 22* **Fax** *04 90 05 70 01* **Chambres** *9* **Carte routière** *C3*

Cette ferme tranquille, au milieu d'une pinède, a été aménagée pour satisfaire les goûts les plus raffinés. Chaque soir, il est possible d'écouter de la musique classique dans les salons. Le décor des chambres aux couleurs vives évoque des œuvres d'artistes et d'écrivains ayant célébré la Provence. **www.masdegarrigon-provence.com**

SÉGURET Le Domaine de Cabasse €€

Route de Sablet, 84110 **Tél.** *04 90 46 91 12* **Fax** *04 90 46 94 01* **Chambres** *13* **Carte routière** *B2*

Ce domaine viticole proposant des dégustations de côtes-du-rhône attire les amateurs de vin. Les chambres, confortables et propres, sont toutes dotées d'un balcon. La piscine renforce l'ambiance de détente. Le restaurant, très prisé, propose des mets locaux et une excellente carte de vins. **www.domaine-de-cabasse.fr**

SÉGURET La Table du Comtat €€€

Le Village, 84110 **Tél.** *04 90 46 91 49* **Fax** *04 90 46 94 27* **Chambres** *8* **Carte routière** *B2*

Perchée au sommet du village médiéval, cette maison de pierre date du XIVe siècle et offre de belles vues sur la plaine, notamment depuis la terrasse de son restaurant renommé. Amical et serviable, le personnel vous renseigne sur les activités possibles, comme la randonnée et les promenades à vélo. **www.table-comtat.fr**

VAISON-LA-ROMAINE (LE CRESTET) Le Mas d'Hélène €€

Quartier Chante-Coucou, 84110 **Tél.** *04 90 36 39 91* **Fax** *04 90 28 73 40* **Chambres** *12* **Carte routière** *B2*

À proximité des Dentelles de Montmirail, au cœur d'un parc de 3 ha donnant sur le mont Ventoux, cet hôtel conjugue avec succès style provençal et installations modernes. Le jardin est particulièrement propice à la détente. La cuisine créative mérite que l'on opte pour la pension complète. **www.lemasdhelene.com**

LES ALPES-DE-HAUTE-PROVENCE

CASTELLANE Nouvel Hôtel du Commerce €

Pl. de l'Église, 04120 **Tél.** *04 92 83 61 00* **Fax** *04 92 83 72 82* **Chambres** *35* **Carte routière** *D3*

C'est l'endroit rêvé pour découvrir cette ville pittoresque à l'entrée des gorges du Verdon. Joliment décorées, bien équipées et très propres, les chambres donnent sur la place du Marché ou sur le rocher escarpé qui domine Castellane. L'été, la jolie véranda de la salle à manger est aérée. **www.hotel-fradet.com**

CHÂTEAU-ARNOUX La Bonne Étape €€€€

Chemin du Lac, 04160 **Tél.** *04 92 64 00 09* **Fax** *04 92 64 37 36* **Chambres** *18* **Carte routière** *D2*

Cet édifice du XVIIIe siècle est tenu par une famille très fière des services qu'elle offre. Les chambres, ornées d'antiquités, ont chacune leur caractère. Le restaurant a une réputation bien méritée pour l'excellence de sa cuisine française et son cadre élégant. Il est possible d'y suivre des cours de cuisine. **www.bonneetape.com**

FORCALQUIER Hostellerie des deux lions €

11, pl. du Bourguet, 04300 **Tél.** *04 92 75 25 30* **Fax** *04 92 75 06 41* **Chambres** *12* **Carte routière** *C3*

En raison de son emplacement central à l'angle de la place principale, cet édifice sert de relais depuis le XVIIe siècle. Les chambres sont spacieuses et bien décorées ; celles qui sont en façade disposent de doubles vitrages, car le quartier est un peu bruyant. Le restaurant propose des plats provençaux traditionnels.

MOUSTIERS-SAINTE-MARIE La Bonne Auberge €

Route de Castellane, 04360 **Tél.** *04 92 74 66 18* **Fax** *04 92 74 65 11* **Chambres** *19* **Carte routière** *D3*

Cet hôtel est d'un excellent rapport qualité/prix étant donné son cadre et son confort. À deux pas des restaurants du village, il permet également de rallier facilement les splendides gorges du Verdon. Les chambres sont claires et simples, et la piscine est un atout non négligeable. Cusine savoureuse. **www.bonne-auberge-moustiers.com**

MOUSTIERS-SAINTE-MARIE La Bastide de Moustiers €€€€€

Chemin de Quinson, 04360 **Tél.** *04 92 70 47 47* **Fax** *04 92 70 47 48* **Chambres** *12* **Carte routière** *D3*

Occupant un édifice du XVIIe siècle, ce vénérable hôtel offre des prestations du dernier cri. Ses bâtiments provençaux, entourés d'un superbe jardin, jouissent de vues sublimes sur les montagnes environnantes. Étoilé au *Michelin*, le restaurant possède une carte des vins bien fournie. **www.bastide-moustiers.com**

REILLANNE Auberge de Reillanne €

D214, Le Pigeonnier, 04110 **Tél.** *04 92 76 45 95* **Fax** *04 92 76 45 95* **Chambres** *6* **Carte routière** *C3*

Cette grande et charmante bastide du Luberon est entourée d'un vaste jardin. Les salons et les autres pièces communes sont bordés d'étagères remplies de livres, tandis que les chambres, confortables et rustiques, sont ornées de meubles campagnards. Le restaurant propose une bonne cuisine française. **www.auberge-de-reillanne.com**

RESTAURANTS, CAFÉS ET BARS

Aromates, huile d'olive, légumes et fruits frais gorgés de soleil, poissons de roche, agneaux de la Crau ou de Sisteron… Les richesses spécifiques de la Provence donnent leur tonalité à ses spécialités culinaires et nourrissent leur diversité. Les grandes villes du littoral abritent ainsi les restaurants de poisson les plus réputés, tandis que les villages du Var ou du nord du Vaucluse offrent un terrain d'exploration aux amateurs de cuisine de terroir. Dans les vallées de haute Provence, les plats traditionnels, plus rustiques, se composent souvent de gibier. Toutefois, la vocation touristique de la Provence fait que toutes les gastronomies de France et du monde s'y côtoient, parfois sur les mêmes cartes, et que de nombreux établissements proposent en-cas et casse-croûte *(p. 218-219)*. Les restaurants présentés aux pages 210-217 ont été sélectionnés, dans une large gamme de prix, pour la qualité de la cuisine, du décor et de l'ambiance.

Plateau de fruits de mer

LES TYPES DE RESTAURANTS

Dans la campagne, même les restaurants des hôtels proposent une cuisine de qualité, à défaut d'être très inventive, pour un prix modique. Mieux vaut toutefois goûter à la cuisine d'une ferme-auberge : les plats, simples mais délicieux, sont peu onéreux et souvent préparés avec des produits frais. Dans les domaines viticoles, le repas sera arrosé d'un vin de la propriété.

Dans les grandes villes, de nombreux restaurants entretiennent les traditions culinaires locales. Beaucoup d'autres – restaurants chinois ou antillais, fast-foods, pizzérias ou établissements spécialisés dans les cuisines d'autres régions françaises – permettent de satisfaire toutes les envies.

Un certain nombre de restaurants provençaux occupent un bâtiment historique ; d'autres présentent un décor soigné ou offrent une vue dégagée – ce qui ajoute au plaisir donné par leur cuisine celui de la beauté du cadre. Une terrasse ou un jardin permettra l'été de dîner en jouissant du coucher de soleil.

Pour les gastronomes, la Provence et la Côte d'Azur comptent certaines des plus grandes tables de France.

Les zones balnéaires ont vu se multiplier des restaurants typiquement touristiques, sans âme et de qualité médiocre. Cette tendance s'est inversée ce dernières années, tandis que la concurrence empêchait les prix de grimper.

Sur la route, l'enseigne des *Routiers* reste la garantie de pouvoir prendre un repas à prix modique dans une ambiance décontractée. Le nombre de camions garés sur le parking est un bon indice de la qualité de l'établissement, qu'il porte ou non l'enseigne.

Au soleil sur la terrasse du Café de Paris à Saint-Tropez *(p. 219)*

Les Deux Garçons à Aix *(p. 219)*

LES PRIX

Le prix d'un repas sera sensiblement moins cher en Provence intérieure que sur la côte. Toutefois, la concurrence a empêché les prix de s'envoler. On pourra faire un très bon dîner pour environ 30-40 € par personne et goûter une cuisine gastronomique pour 70 €. Le déjeuner est souvent d'un très bon rapport qualité/prix : comptez environ 15 à 20 €, avec un verre de vin.

Le paiement par carte bancaire est aujourd'hui répandu à peu près partout dans les villes provençales. Des autocollants sur la porte ou près de l'entrée de chaque établissement indiquent les cartes acceptées, les cartes Visa et Mastercard l'étant plus fréquemment que l'American Express et la Diner's Club. À la campagne, toutefois, mieux vaut se munir d'argent liquide ou d'un chéquier.

RÉSERVATIONS

Mieux vaut réserver votre table à l'avance, même en zone rurale, surtout s'il s'agit d'un établissement réputé pour sa qualité ou comptant peu de places. Cela vous permettra, en outre, de vous assurer qu'il est bien ouvert, sachant qu'un grand nombre de restaurants ferment le lundi.

La courtoisie demande que vous annuliez votre réservation si vous changez d'avis, et la prudence conseille de ne pas arriver trop en retard sans prévenir, votre table risquant d'être attribuée à d'autres clients.

BIENSÉANCE

Les Provençaux attachent d'autant moins d'importance au formalisme vestimentaire que le climat en été s'y prête mal. Toutefois, à part dans les troquets du littoral, ils ne vous accueilleront pas si vous vous présentez en maillot de bain ; en revanche, le short est généralement partout admis, sauf dans les restaurants les plus chic.

CHOISIR UNE BOISSON

L'apéritif est un moment particulièrement apprécié en Provence, auquel les habitants font rarement défaut, même

Petit déjeuner à deux

lorsqu'il n'est pas suivi d'un repas. Tous les établissements proposent liqueurs, whisky, Martini ou kir, mais l'apéritif par excellence demeure le pastis, fabriqué dans la région de Marseille. Les différentes marques ne se valent pas, et la qualité des arômes dépend du dosage des

Le restaurant de La Colombe d'or à Saint-Paul-de-Vence *(p. 212)*

herbes aromatiques entrant dans la préparation.

La Provence est aussi une importante région viticole *(voir p. 208-209)* et possède plusieurs zones d'appellation contrôlée : côtes-de-provence ou côtes-du-rhône, par exemple. Toutefois, la majorité des restaurants vous proposeront également des vins provenant d'autres vignobles de France.

Les crus en bouteille, y compris locaux, ne sont pas moins chers que dans n'importe quel autre restaurant en France. En général, le vin en pichet est de bonne qualité.

À défaut, la cuvée recommandée par le patron offre souvent aussi un bon rapport qualité/prix.

VÉGÉTARIENS

Les restaurants strictement végétariens sont rares, mais on trouve partout des salades, des potages, des omelettes, des soupes ou des crudités. Certains restaurants vous prépareront des plats à base de légumes si vous le leur demandez.

ENFANTS

Menus « enfants » à prix réduit et chaises hautes sont de plus en plus fréquents. Certains restaurants possèdent même dans leur jardin des balançoires ou des jeux.

SERVICE

Le service est toujours compris dans les prix indiqués, mais il est d'usage de laisser un pourboire, d'environ 5 % de la note.

Sachez que l'attente d'un plat à l'autre peut être longue et que la durée d'un repas peut souvent dépasser 2 h.

ACCÈS HANDICAPÉS

L'accès de nombreux restaurants est difficile en fauteuil roulant, même pour atteindre la terrasse ou le jardin en été. Mieux vaut vérifier par téléphone avant de se déplacer.

FUMEURS

Comme partout en France, il est désormais interdit de fumer dans les lieux publics. Il est toutefois parfois possible de fumer en terrasse.

PIQUE-NIQUES

Pique-niquer est la meilleure façon de profiter des produits frais des marchés. Les aires de pique-nique le long des routes principales sont bien équipées, mais vous pourrez aussi profiter des abords des routes de campagne.

Les saveurs de Provence

La cuisine provençale est réputée pour l'abondance de ses fruits et légumes colorés – tomates, aubergines, poivrons, courgettes, cerises, melons, raisin, citrons et figues – qui font la richesse et la beauté des marchés locaux. C'est donc non sans raison qu'elle est souvent qualifiée de « cuisine du soleil ». La gastronomie locale utilise en outre des produits frais particulièrement sains, comme des poissons et des fruits de mer, des viandes maigres provenant des alpages, ou encore du fromage de chèvre. Le tout réhaussé par la saveur subtile des aromates, l'ail, les herbes de Provence et l'irremplaçable huile d'olive.

Olives et huile d'olive

Melons de Cavaillon sur un marché provençal

LÉGUMES

Les légumes jouent un rôle essentiel dans la cuisine provençale. Ils sont souvent servis crus, avec de l'*aïoli* (mayonnaise aillée) ou de la *tapenade* (purée d'anchois, d'olives et de câpres), ou sous forme de *tian* provençal, tranchés en rondelles et cuits dans un plat. Nice compte, parmi ses spécialités, les *petits farcis*, où courgettes, champignons et tomates sont remplis d'une préparation de viande hachée, de riz et d'herbes. Confectionnée avec des haricots, des légumes et une sauce au basilic, aux pignons et à l'ail, la *soupe au pistou* est un grand classique. Très parfumée, la *ratatouille* est un ragoût de légumes qui ont mijoté dans l'huile d'olive avec de l'ail et des herbes. La salade niçoise et le mesclun, mélange de roquette, mâche, pissenlit et cerfeuil, sont très populaires.

POISSONS

Les poissons méditerranéens les plus courants sont le loup, la rascasse, le rouget, la dorade, le saint-pierre, la lotte et les calmars, ainsi que les sardines et les anchois du côté de Nice. On les déguste en général grillés aux herbes, comme le loup au fenouil,

Quelques poissons et fruits de mer pêchés en Provence

LES SPÉCIALITÉS PROVENÇALES

La bouillabaisse – dont Marseille prétend détenir la recette authentique – est l'un des plats provençaux les plus renommés. Des poissons de la région (notamment la rascasse) cuisent dans un bouillon à la tomate et au safran. Ce dernier est généralement servi en premier, suivi par les croûtons nappés de rouille (une mayonnaise épicée), puis par les morceaux de poisson. Cette ancienne soupe de pêcheurs est aujourd'hui devenue un mets de luxe. Il existe une version plus simple : la bourride, plat de poisson à l'ail. Habituellement préparée avec du bœuf, mais parfois aussi avec du thon ou des calmars, la daube (ragoût au vin rouge) est une autre spécialité locale. La ratatouille et la salade niçoise sont, elles, des mets classiques à la carte de très nombreux restaurants.

Figues fraîches

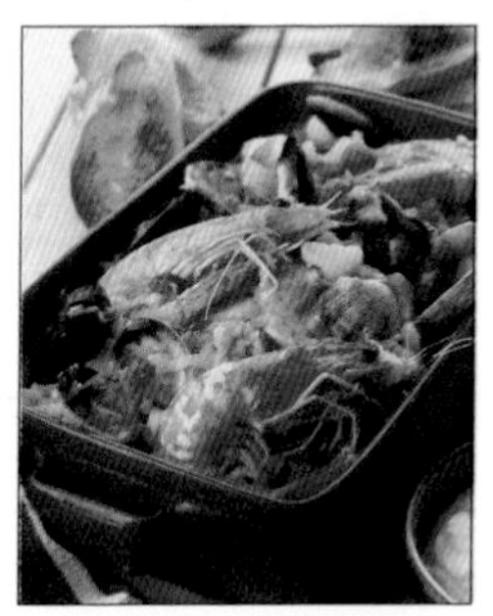

Bouillabaisse *Ce classique plat provençal inclut souvent des poissons tels que la lotte, du vivaneau et du congre.*

Épices séchées et herbes de Provence sur un marché de Nice

mais on les utilise aussi pour la soupe de poisson ou la fameuse bouillabaisse de Marseille. Les moules, les petits crabes et les oursins constituent les principaux fruits de mer, tandis que du côté des poissons d'eau douce se distinguent la truite des torrents alpins et les anguilles camarguaises. Autres spécialités : les poulpes à la provençale cuits au vin blanc avec des tomates et des herbes ; et la brandade de morue, spécialité nîmoise à base de crème, de pommes de terre et d'huile d'olive.

VIANDES ET GIBIERS

L'agneau est la viande la plus prisée, surtout celui de Sisteron, qui est élevé dans les alpages et dont la chair est délicatement parfumée. Le bœuf est souvent servi en daube, après avoir longuement mijoté. Le bœuf gardian est en fait un ragoût de taureau de Camargue servi avec du riz rouge au subtil goût de noisette. Côté gibier, on chasse essentiellement le lapin de garenne, le lièvre et le sanglier, très répandu. Les caillettes (boulettes de porc haché et de foie aux épinards et aux baies de genièvre) et le saucisson d'Arles, au porc et au bœuf, sont des délices de la charcuterie provençale.

Tranches du fameux et délicieux saucisson d'Arles

FRUITS ET MIEL

Les desserts élaborés sont rares – citons la brioche des Rois et la tarte tropézienne – car les fruits abondent : cerises du Luberon, melons de Cavaillon ou encore citrons de Menton donnent tous lieu à de belles fêtes. Les fruits confits d'Apt existent depuis le Moyen Âge. Les miels de Provence sont parfumés à la châtaigne, à la lavande et au romarin.

AU MENU

Beignets de fleurs de courgettes Fleurs de courgettes trempées dans de la pâte et mises à frire.

Fougasse Pain plat à l'huile d'olive souvent fourré.

Ratatouille Ragoût de tomates, d'aubergines, de courgettes et de poivrons.

Salade niçoise Mélange de laitue, olives, haricots verts, œufs durs, tomates et anchois.

Socca Galette de farine de pois chiches (spécialité niçoise).

Tarte tropézienne Gâteau léger et fourré à la crème pâtissière (spécialité de Saint-Tropez).

Artichauts à la barigoule *Les petits artichauts violets sont cuits dans du vin avec du petit salé et des légumes.*

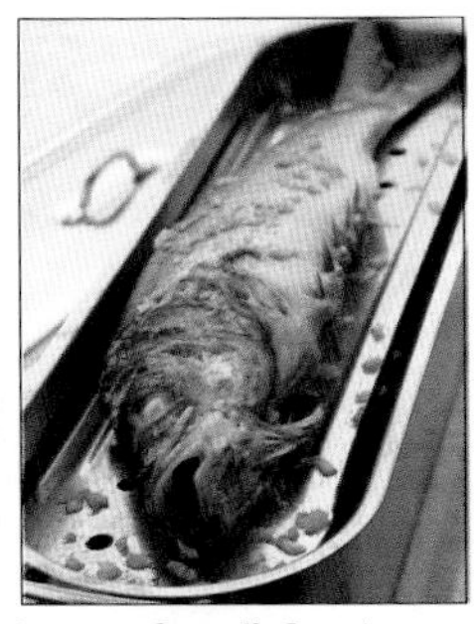

Loup au fenouil *Ce poisson classique est garni de fenouil et cuit au vin blanc, ou grillé avec des brins de fenouil.*

Bœuf en daube *Le bœuf marine dans du vin rouge avec ail et oignon, puis mijote avec de la tomate.*

Les vins de Provence

La Provence ne donne peut-être pas les plus grands crus, mais aucune autre région française n'offre une telle variété dans sa production viticole. Elle se divise en deux grandes régions viticoles réputées depuis l'arrivée des Phocéens à Marseille vers 600 av. J.-C. : le prestigieux vignoble des côtes-du-rhône, qui s'étend autour du massif des Dentelles de Montmirail, avec des crus renommés comme ceux de Châteauneuf-du-Pape, de Gigondas et de Vacqueyras ; et les vins de Provence, souvent légers et fruités, répartis dans un vignoble morcelé en cépages très variés : côtes-de-provence, cassis, bellet, bandol, côteaux-d'aix et côteaux-varois. De bonnes surprises attendent les aventuriers prêts à se perdre dans les vignobles.

Bouteilles de côtes-de-provence (à gauche) et de côtes-du-rhône

LES VINS BLANCS

Le grenache blanc, souvent mélangé à d'autres cépages, donne un goût riche et légèrement acide. Les crus que nous vous recommandons accompagnent bien les plats de poisson ou de fruits de mer.

BLANCS RECOMMANDÉS

- ***Clos Sainte-Magdeleine***
  Cassis
- ***Château Val Joanis***
  Côtes-du-luberon
- ***Domaine Saint-André-de-Figuière***
  Côtes-de-provence
- ***Domaine Gavoty***
  Côtes-de-provence

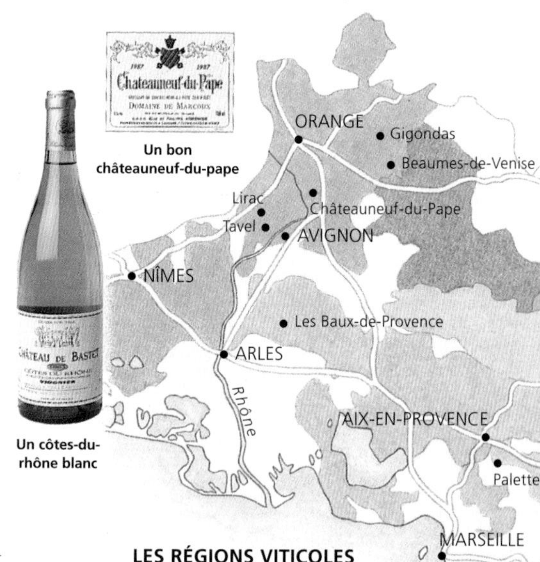

Un bon châteauneuf-du-pape

Un côtes-du-rhône blanc

LES ROSÉS

La réputation des rosés de Provence, appelés « gris » pour les plus pâles, n'est plus à faire. Les viticulteurs continuent d'affiner leur production avec des cépages comme la syrah, qui donne plus de corps aux vins comme l'excellent Tavel, destinés à accompagner des mets aillés et épicés.

ROSÉS RECOMMANDÉS

- ***Château Romassan***
  Bandol
- ***Commanderie de Bargemone***
  Côtes-de-provence
- ***Commanderie de Peyrassol***
  Côtes-de-provence
- ***Domaine La Forcadière***
  Tavel
- ***Domaine Gavoty***
  Côtes-de-provence

Un gris de Bandol

LES RÉGIONS VITICOLES

N'appréciant ni l'altitude ni les marais camarguais, les vignes marquent un faible pour les coteaux (côtes). Le village des Arcs constitue un bon point de départ pour découvrir les côtes-de-provence *(p. 108-109)*.

Vignes en terrasses au-dessus de Cassis

LES VINS ROUGES

Puissants et corsés, le châteauneuf-du-pape et les meilleurs crus des côtes-du-rhône accompagnent à merveille les viandes rouges. Si l'appellation « bandol » produit également d'excellents vins de garde, les rouges de Provence sont en général plutôt légers et fruités. Grâce à la particularité de chaque terroir et à la personnalité de chaque producteur, ces vins présentent des caractères très variés.

Un rouge des baux-de-provence

Un joyau des côtes-du-luberon

Un châteauneuf-du-pape épicé

ROUGES RECOMMANDÉS

- ***Château de Beaucastel***
  Châteauneuf-du-pape
- ***Château du Trignon***
  Sablet, côtes-du-rhône
- ***Château Val Joanis***
  Côtes-du-luberon
- ***Domaine de Pibarnon***
  Bandol
- ***Domaine des Alysses***
  Coteaux-varois
- ***Domaine Font de Michelle***
  Châteauneuf-du-pape
- ***Domaine Tempier***
  Bandol

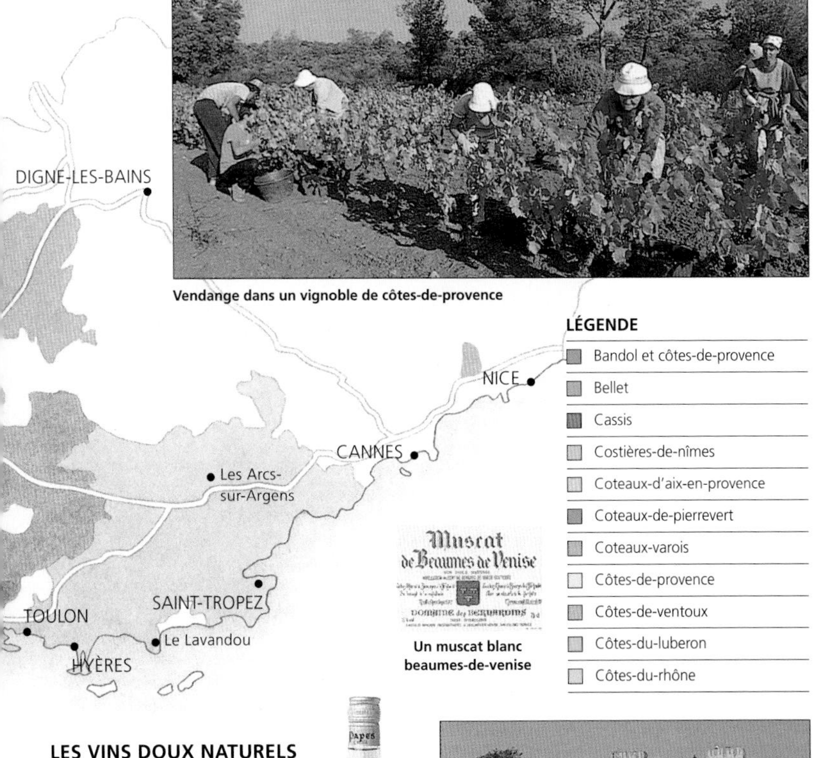

Vendange dans un vignoble de côtes-de-provence

Un muscat blanc beaumes-de-venise

LES VINS DOUX NATURELS

C'est dans le Vaucluse que l'on appréciera les vins doux, comme le muscat de Beaumes-de-Venise et le rasteau. Délicieux en apéritif ou pour accompagner un dessert, ces vins tirent pour la plupart leur parfum de l'arôme musqué qui a valu son nom au cépage muscat. Plus inhabituel, le rasteau est un rouge vinifié à partir de grenache.

Une bouteille typique de muscat

Le sol caillouteux de la vallée du Rhône

Choisir un restaurant

Les restaurants de ces pages ont été retenus pour la qualité de leur cuisine, leur décor et leur ambiance. Ils sont répertoriés par ordre alphabétique, en fonction de leur région et de leur catégorie de prix, du meilleur marché au plus onéreux. Pour en savoir plus sur *Les saveurs de Provence*, reportez-vous aux pages 206-207, et sur les *Cafés, bars et en-cas* aux pages 218-219.

CATÉGORIES DE PRIX
Pour un dîner avec entrée, plat, dessert et une demi-bouteille de vin, taxes et service compris.

€ moins de 30 €
€€ 30-45 €
€€€ 45-60 €
€€€€ 60-90 €
€€€€€ plus de 90 €

LA CÔTE D'AZUR ET LES ALPES-MARITIMES

ANTIBES L'Auberge provençale — €€€€
61, pl. Nationale, 06600 **Tél.** 04 93 34 13 24 **Fax** 04 93 34 89 88 — **Carte routière** E3

La cuisine traditionnelle est à l'honneur dans les deux salles de ce restaurant. L'été, des tables sont dressées dans un charmant jardin fleuri. Parmi les habitués de cette perle cachée, on remarque un chef récompensé de 1 étoile au *Michelin*. Goûtez la lotte au chorizo ou choisissez le menu (19 €). Réservez à l'avance pour les plats végétariens.

BAR-SUR-LOUP L'École des filles — €
380, av. Amiral-de-Grasse, 06620 **Tél.** 04 93 09 40 20 **Fax** 04 93 42 43 97 — **Carte routière** E3

Occupant, comme son nom l'indique, l'ancienne école du village, ce restaurant à la cuisine et au décor typiquement provençaux est particulièrement apprécié des gens du coin. Aux beaux jours, il est possible de profiter de la superbe terrasse ensoleillée. Fermé dim. soir et lun.

BIOT Les Terraillers — €€€€€
11, route du Chemin-Neuf, 06410 **Tél.** 04 93 65 01 59 **Fax** 04 93 65 13 78 — **Carte routière** E3

Ce restaurant sophistiqué sert des plats copieux, parfumés aux truffes et aux herbes des collines voisines. Ne manquez pas son escalope de foie gras, ni son agneau, tout deux délectables. Vous pourrez goûter certains des meilleurs « vins de pays » provençaux. Fermé mer. et jeu.

CAGNES-SUR-MER Fleur de sel — €

85, montée de la Bourgade, 06800 **Tél.** 04 93 20 33 33 **Fax** 04 93 20 33 33 — **Carte routière** E3
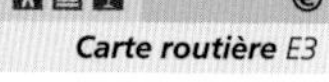

Ce charmant restaurant situé au cœur du Haut-de-Cagnes propose une cuisine sans prétention à prix abordables (surtout si vous choisissez un menu). Le cadre est rustique mais accueillant, et l'on profitera d'une bonne carte de vins. Fermé le mer.

CAGNES-SUR-MER Le Cagnard — €€€€€
45, rue Sous-Barri, Haut-de-Cagnes, 06800 **Tél.** 04 93 20 73 21 **Fax** 04 93 22 06 39 — **Carte routière** E3

Installé dans une demeure du XIVe siècle, ce remarquable restaurant appartenant aux *Relais et Châteaux* offre un menu épicurien alliant truffes, langoustines, pigeons et d'autres mets raffinés, servis avec quelques-uns des meilleurs vins de Provence et du Gard. Fermé lun., mar. et jeu. midi.

CANNES Le Pastis — €€
28, rue du Commandant-André, 06400 **Tél.** 04 92 98 95 40 — **Carte routière** E4

Le *Pastis* est l'endroit idéal pour manger sur le pouce à toute heure de la journée. La carte affiche surtout des plats méditerranéens, telle la daube à la niçoise, aux côtés de mets classiques comme la salade César ou le steak tartare. À deux pas de la grande rue commerçante et de la plage.

CANNES La Cave — €€€
9, bd de la République, 06400 **Tél.** 04 93 99 79 87 — **Carte routière** E4

Cela fait des années que *La Cave* enchante les papilles des visiteurs et des habitants de Cannes avec son large choix de spécialités provençales, toutes à base de produits frais locaux. La cave à vins compte 350 références, dont une excellente sélection de producteurs locaux. Fermé sam. midi et dim.

CANNES Ondine — €€€

15, la Croisette, 06400 **Tél.** 04 93 94 23 15 — **Carte routière** E4
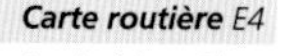

Si les restaurants de plage ont rarement des prétentions gastronomiques, l'*Ondine* fait exception. Le chef Jean-Pierre Silva, qui choisit lui-même les produits du jour sur le marché, met résolument le poisson en vedette. Goûtez la salade de crabe ou le turbot aux légumes de printemps. La carte des vins est tout aussi séduisante.

CANNES 38, The Restaurant — €€€
38, rue des Serbes, 06400 **Tél.** 04 92 99 79 60 **Fax** 04 923 99 26 10 — **Carte routière** E4

Ce restaurant branché a la réputation de proposer l'une des meilleures cuisines de Cannes, servie avec courtoisie et à des prix étonnamment abordables. Les saveurs provençales et les fruits de mer méditerranéens sont à l'honneur. Importante carte des vins. Fermé dim. et lun.

Légende des symboles *voir le rabat arrière de couverture*

CANNES La Palme d'or €€€€€

73, la Croisette, 06400 ***Tél.*** *04 92 98 74 14* ***Fax*** *04 93 39 03 38* ***Carte routière*** *E4*

Ce restaurant de l'hôtel *Martinez* a beau être prisé des vedettes, les enfants y sont admis et le port de la cravate n'y est pas obligatoire (évitez tout de même les tenues négligées). La cuisine est excellente, surtout les fruits de mer, et la carte des vins impressionnante. Réservez longtemps à l'avance. Fermé dim. et lun.

ÈZE Le Troubadour €€€

4, rue du Brec, 06360 ***Tél.*** *04 93 41 19 03* ***Carte routière*** *F3*

Il faut faire un peu d'exercice pour atteindre ce restaurant accessible seulement à pied, où l'on pourra déjeuner et dîner à l'abri de la chaleur estivale, entre les murs médiévaux de trois petites salles. Les menus et la carte proposent des plats provençaux classiques. Fermé dim., lun., fin-juin-mi-juil., mi-nov.-mi-déc.

GRASSE La Bastide Saint-Antoine €€€€€

48, av. Henri-Dunant, 06130 ***Tél.*** *04 93 70 94 94* ***Fax*** *04 93 70 94 95* ***Carte routière*** *E3*

Le restaurant de Jacques Chibois se trouve dans son ravissant hôtel du quartier Saint-Antoine, près du centre. Le menu ravira les amateurs d'une cuisine française créative, avec du canard, des truffes et des légumes préparés avec originalité. L'excellente carte des vins met à l'honneur les crus provençaux.

JUAN-LES-PINS Les Pêcheurs €€€€

10, bd du Maréchal-Juin, 06160 ***Tél.*** *04 92 93 13 30* ***Fax*** *04 92 93 15 04* ***Carte routière*** *E4*

Ce lieu merveilleux, véritable « bateau de croisière gastronomique », offre un beau panorama sur le cap d'Antibes. Laissez-vous tenter par du loup grillé aux citrons confits, accompagné de sa marinade de légumes provençaux au basilic. Fermé le midi de mai à oct., fermé mar. et mer. en juil. et août.

LA TURBIE Café de la Fontaine €€

4, av. du Général-de-Gaulle, 06320 ***Tél.*** *04 93 28 52 79* ***Carte routière*** *F3*

Ce bistrot de village sans prétention n'en accueille pas moins les grands chefs de la Côte d'Azur leur jour de repos. Des produits frais préparés avec simplicité : telle est la carte gagnante du célèbre chef Bruno Cirino. Goûtez les raviolis farcis aux asperges, l'agneau rôti à l'ail et, en été, la tarte aux fraises – un vrai délice.

MENTON Auberge Pierrot-Pierrette  €€

Pl. de l'Église, hameau de Monti, 06500 ***Tél.*** *04 93 35 79 76* ***Fax*** *04 93 35 79 76* ***Carte routière*** *F3*

Sur une colline à 5 km de Menton, ce restaurant allie cadre rustique et ambiance conviviale, avec une terrasse qui domine un merveilleux panorama. Les plats sont toujours frais et les menus changent au gré des saisons. Parmi les mets classiques, mention spéciale pour les écrevisses et le canard à l'orange. Fermé le lun.

MENTON Le Mirazur €€€€€

30, av. Aristide-Briand, 06500 ***Tél.*** *04 92 41 86 86* ***Carte routière*** *F3*

Argentin de naissance et italien par ses racines, Mauro Colagreco a posé ses valises à Menton, dans ce restaurant contemporain possédant un superbe jardin tropical. Tel un peintre, ce jeune chef très prometteur orne ses assiettes de petites touches faites d'herbes sauvages et de fleurs qu'il va cueillir dans la montagne. Menu à 35 € le midi.

MONACO Maya Bay €€€€

24, av. Princesse-Grace, 98000 ***Tél.*** *00 377 97 70 74 67* ***Carte routière*** *F3*

La coupe punk et l'eyeliner noir du chef Olivier Streiff sont un hommage au groupe des Doors. Sa cuisine est tout aussi osée, à l'instar de la canette aux bananes, fruits séchés, confit de pomme et baies de genièvres grillées. La salle à manger aux allures tropicales se double d'un bar à sushis séparé. Fréquenté par la famille princière.

MONACO Bar, Bœuf & Co 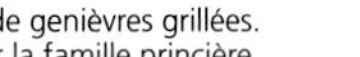 €€€€€

Av. Princesse-Grace, 98000 ***Tél.*** *00 377 98 06 71 71* ***Fax*** *00 377 98 06 57 85* ***Carte routière*** *F3*

La décoration moderne de ce nouveau restaurant d'Alain Ducasse est l'œuvre du célèbre designer Philippe Starck. L'établissement propose, comme son nom l'indique, du bar et du bœuf. Une influence extrême-orientale se fait sentir dans certains plats. Fermé le midi de mi-mai à mi-sept.

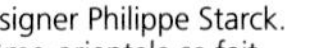

MONACO Le Louis XV 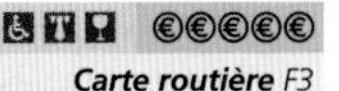 €€€€€

Pl. du Casino, 98000 ***Tél.*** *00 377 98 06 88 64* ***Fax*** *00 377 98 06 59 07* ***Carte routière*** *F3*

C'est le célèbre chef Alain Ducasse qui est aujourd'hui aux fourneaux. Edward VII y venait régulièrement, et c'est lors d'une de ses visites que la crêpe Suzette (crêpe à l'orange flambée), nommée ainsi en l'honneur de sa maîtresse, est née. Les mets sont divins et la carte des vins exceptionnelle. Fermé mar. et mer.

MOUGINS Resto des arts  €

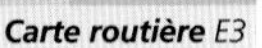

2, rue du Maréchal-Foch, 06250 ***Tél.*** *04 93 75 60 03* ***Carte routière*** *E3*

Ce restaurant à l'ambiance familiale sert une cuisine provençale plutôt simple, mais excellente. Les menus sont d'un bon rapport qualité/prix, surtout à midi, mais des plats à la carte sont aussi proposés. La daube provençale et les petits farcis figurent au nombre des spécialités. Fermé lun. et mar., de fin-fév. à mi-mars et en déc.

MOUGINS Le Moulin de Mougins €€€€€

D3, Notre-Dame-de-Vie, 06250 ***Tél.*** *04 93 75 78 24* ***Fax*** *04 93 90 18 55* ***Carte routière*** *E3*

Situé à 2,5 km de Mougins, ce restaurant d'Alain Llorca compte 2 étoiles au *Michelin*. Réservez, surtout pendant la haute saison, car la cuisine délicieuse, notamment les fruits de mer, attire du monde. Excellente carte de vins de Provence. La terrasse du jardin est ornée de sculptures modernes. Fermé lun., fermé aussi mar. et mer. hors saison.

NICE L'Acchiardo €
38, rue Droite, 06000 ***Tél.*** *04 93 85 51 16* **Carte routière** *F3*

Au cœur de la vieille ville, ce bar-restaurant toujours bondé est l'un des plus authentiques de Nice. Sa cuisine est exquise et sa soupe de poisson réputée. Le vin est servi à même le tonneau. Seuls les règlements en liquide sont acceptés. Fermé sam. soir, dim. et en août.

NICE Bistrot d'Antoine  €€
27, rue de la Préfecture, 06300 ***Tél.*** *04 93 85 29 57* **Carte routière** *F3*

Armand Crespo, qui s'est fait un nom au *Lou Cigalou* de Valbonne, est le maître-d'œuvre de la résurrection de ce bistrot niçois. Les fruits et les légumes sont frais, mais on vient surtout ici pour la viande grillée : essayez le magret de canard ou les rognons de veau. Les vins, bien choisis, restent abordables.

NICE Le Chantecler 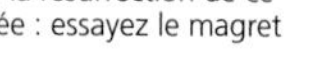 €€€
37, promenade des Anglais, 06000 ***Tél.*** *04 93 16 64 00* ***Fax*** *04 93 88 35 68* **Carte routière** *F3*

Gratifié de 1 étoile par le guide *Michelin*, ce bel établissement du XIXe siècle rattaché à l'hôtel *Negresco* a su rester à la hauteur de sa réputation. Décoré d'œuvres d'art et de tapisseries, il propose plusieurs menus, notamment le « Chantecler », qui comprend quatre plats d'exception. Fermé lun. et mar., et en janv.

PEILLON Auberge de la Madone – L'Authentique €€€
Peillon-Village, 06440 ***Tél.*** *04 93 79 91 17* ***Fax*** *04 93 79 99 36* **Carte routière** *F3*

Les restaurants proposant des plats végétariens sont assez inhabituels en France, mais celui-ci, avec son étoile au *Michelin*, ne désemplit pas. Laissez-vous tenter par son « tourton des pénitents » (tourte de légumes aux amandes). Sa terrasse entourée d'oliviers offre une vue superbe sur la vallée. Fermé le mer.

ROQUEBRUNE-CAP-MARTIN Les Deux Frères  €€€
1, pl. des Deux-Frères, 06190 ***Tél.*** *04 93 28 99 00* ***Fax*** *04 93 28 99 10* **Carte routière** *F3*

Occupant une ancienne école communale, ce restaurant sert une cuisine provençale où l'agneau et le canard sont à l'honneur. L'été, les tables installées sur la place permettent aux clients d'observer les passants tout en admirant la vue sur Monaco et la Méditerranée. Fermé lun., mar. midi, dim. soir, et de mi-nov. à mi-déc.

SAINT-JEAN-CAP-FERRAT Le Pirate 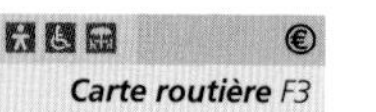 €
Nouveau-Port, 06230 ***Tél.*** *04 93 76 12 97* **Carte routière** *F3*

Surplombant le port pittoresque de Saint-Jean-Cap-Ferrat, ce restaurant familial est spécialisé dans le poisson et les fruits de mer. Essayez la soupe de poisson, le dos de loup rôti ou la bouillabaisse royale au homard. Les menus sont d'un excellent rapport qualité/prix. Fermé le lun., fermé le jeu. midi en juil. et août, fermé le soir de nov. à mars.

SAINT-MARTIN-VÉSUBIE La Bonne Auberge 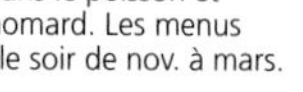 €
98, allée de Verdun, 06450 ***Tél.*** *04 93 03 20 49* ***Fax*** *04 93 03 20 69* **Carte routière** *E2*

Dans le cadre exceptionnel de la vallée de la Vésubie, cette vieille auberge en pierre possède une jolie terrasse ombragée. Un grand choix de spécialités et de vins de la région est offert à des prix convenables. Le lieu est apprécié à l'heure du déjeuner : il est donc conseillé de réserver.

SAINT-PAUL-DE-VENCE La Colombe d'or  €€€
Pl. du Général-de-Gaulle, 06570 ***Tél.*** *04 93 32 80 02* ***Fax*** *04 93 32 77 78* **Carte routière** *E3*

Voici l'un des établissements les plus mythiques de la région : il est encore fréquenté par les personnes riches et célèbres, comme il l'était à l'époque où les impressionnistes payaient leur repas d'une toile. Ses murs sont ornés de véritables tableaux de Picasso et Matisse. La cuisine allie tradition et créativité. Fermé de nov. à mi-déc.

TOUET-SUR-VAR Chez Paul €€
Av. du Général-de-Gaulle, 06710 ***Tél.*** *04 93 05 71 03* ***Fax*** *04 93 05 71 11* **Carte routière** *E3*

Située au cœur de la superbe vallée du Var, cette auberge familiale se distingue par son intérieur douillet, chauffé en hiver par une grande cheminée. L'été, il est possible de savourer sa cuisine traditionnelle à l'extérieur. Bon choix de vins à prix sages. Faites attention aux heures de fermeture qui varient pendant l'année.

VENCE Auberge des seigneurs €€€
Pl. du Frêne, 06140 ***Tél.*** *04 93 58 04 24* ***Fax*** *04 93 24 08 01* **Carte routière** *E3*

Cette auberge située dans l'aile du château des Villeneuve a été fréquentée par des artistes, des aristocrates et des têtes couronnées. Sa salle à manger est ornée d'œuvres de peintres locaux. L'agneau à la broche et le poisson frais grillé sont succulents. La carte des vins affiche des prix modérés. Fermé dim. midi et lun.

VILLEFRANCHE-SUR-MER Le Carpaccio  €€€
17, promenade des Marinières, 06230 ***Tél.*** *04 93 01 72 97* ***Fax*** *04 93 01 97 34* **Carte routière** *F3*

En été, réservez à l'avance pour avoir une table sur la terrasse et profiter de la vue spectaculaire sur la baie de Saint-Jean-Cap-Ferrat. La spécialité de la maison, comme le nom du restaurant l'indique, est le carpaccio de bœuf, mais vous pourrez aussi apprécier les fruits de mer et les pizzas au feu de bois.

VILLEFRANCHE-SUR-MER L'Oursin bleu 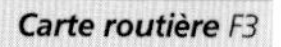 €€€
11, quai Courbet, 06230 ***Tél.*** *04 93 01 90 12* ***Fax*** *04 93 01 80 45* **Carte routière** *F3*

Comme l'annonce l'aquarium de l'entrée et les objets liés à la mer dans la salle du restaurant, le poisson est ici à l'honneur. Donnant sur le quai animé du port, la terrasse constitue un cadre ravissant avec ses tables et ses parasols. Le lieu est idéal pour un déjeuner estival. Fermé le mar. et en janv.

Légende des prix *voir p. 210* **Légende des symboles** *voir le rabat arrière de couverture*

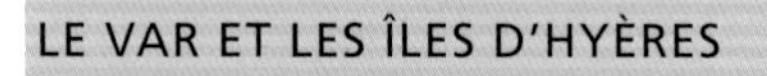

LE VAR ET LES ÎLES D'HYÈRES

COGOLIN Le Grain de sel €€

6, rue du 11-Novembre, 83110 ***Tél.*** *04 94 54 46 86* **Carte routière** *E4*

Ce restaurant-bistrot convivial, qui arbore une belle terrasse en bois derrière la mairie, appartient à Philippe Audibert, l'ancien chef du *Byblos*, à Saint-Tropez. Dans sa cuisine ouverte, on le voit préparer des classiques provençaux, telles la daube de poulpes et la pintade fermière rôtie. Les plats du jour changent régulièrement.

COLLOBRIÈRES La Petite Fontaine €€€

6, pl. de la République, 83610 ***Tél.*** *04 94 48 00 12* ***Fax*** *04 94 48 03 03* **Carte routière** *D4*

Situé dans le centre du pittoresque village de Collobrières, ce restaurant propose de la fricassée de poulet à l'ail, du lapin aux herbes fraîches et du canard aux champignons sauvages. Les vins de la coopérative locale sont servis au verre ou à la carafe. Fermé lun., dim. soir, en fév. et 2e sem. de sept.

FAYENCE Le Castellaras €€€

Route de Seillans, 83440 ***Tél.*** *04 94 76 13 80* ***Fax*** *04 94 84 17 50* **Carte routière** *E3*

À 4 km du centre de Fayence, le *Castellaras* propose des plats qui justifient le trajet : filet d'agneau à la sauce à l'estragon, scampi marinés à l'huile d'olive, au citron et à l'estragon, polenta à l'huile de truffe, etc. Belle carte de côtes-de-provence. Fermé lun. et mar. (sauf en juil.et août), et en janv.

FAYENCE Le Moulin de la Camandoule €€€€

Ch. de Notre-Dame-des-Cyprès, 83440 ***Tél.*** *04 94 76 00 84* ***Fax*** *04 94 76 10 40* **Carte routière** *E3*

Installé dans un ancien moulin d'huile d'olive, cet hôtel-restaurant bénéficie d'un emplacement enchanteur. Le chef Philippe Choisy propose une carte provençale à base de produits frais et de saison, où tous les plats se révèlent de très bonne qualité. Profitez du déjeuner le midi en terrasse. Fermé mer. et jeu.

ÎLE DE PORQUEROLLES Le Mas du langoustier €€€€€

À l'O. de l'île de Porquerolles, 83400 ***Tél.*** *04 94 58 30 09* ***Fax*** *04 94 58 36 02* **Carte routière** *D5*

L'établissement jouit d'une situation magnifique, à la pointe ouest de l'île, où une voiture vous conduit depuis le port. Le menu propose du saint-pierre rôti avec des œufs d'oursins, des rougets grillés, mais aussi des champignons sauvages et du foie gras, le tout agrémenté de délicieux vins provençaux. Fermé d'oct. à avr.

LA CADIÈRE-D'AZUR Hostellerie Bérard & Spa €€€

6, rue Gabriel-Péri, 83740 ***Tél.*** *04 94 90 11 43* ***Fax*** *04 94 90 01 94* **Carte routière** *D4*

Installé dans un couvent du XIe siècle, l'établissement jouit d'une superbe vue sur les vignobles de Bandol. Le propriétaire, le chef René Bérard, apprête à la perfection poissons et crustacés, comme l'atteste son sublime velouté de moules au safran. Excellents vins de Bandol. Fermé lun. midi et sam. midi.

LA GARDE-FREINET Longo Maï €€

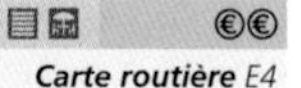

D558, 83680 ***Tél.*** *04 94 55 59 60* ***Fax*** *04 94 55 58 18* **Carte routière** *E4*

Soit on se réchauffe près de la cheminée lors des froides soirées d'hiver, soit on profite des tables ornées de fleurs de la terrasse aux beaux jours. La carte propose des mets provençaux traditionnels, avec de très bons choix de plats à base de viande et de poisson et un excellent pâté maison. Fermé le lun.

SAINT-TROPEZ Le Bistrot Saint-Tropez €€€

3, pl. des Lices, 83990 ***Tél.*** *04 94 97 11 33* **Carte routière** *E4*

L'intérieur de cette brasserie branchée se caractérise par des éclairages bas et des miroirs dorés. La terrasse donne sur la célèbre place des Lices. La cuisine est internationale, mais comprend aussi des plats français classiques comme les œufs brouillés aux truffes et les côtelettes d'agneau aux câpres.

SAINT-TROPEZ Le Caprice des deux €€€

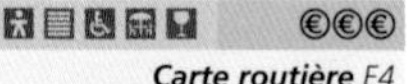

40, rue du Portail-Neuf, 83990 ***Tél.*** *04 94 97 76 78* **Carte routière** *E4*

Difficile de trouver un restaurant aussi constant que ce *Caprice*, caché dans une rue piétonne. Le menu à 57 € n'est pas donné, mais permet de se régaler d'une terrine de foie gras à la confiture d'oignons ou de brochettes de noix de Saint-Jacques et risotto aux truffes. Simples et gaies, les deux salles s'ornent de vieilles réclames.

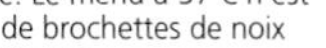

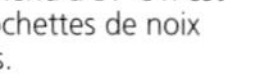

SAINT-TROPEZ La Pinède €€€€€

Plage de la Bouillabaisse, 83990 ***Tél.*** *04 94 55 91 00* **Carte routière** *E4*

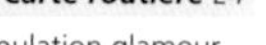

Luxueux sans être tape-à-l'œil, cet hôtel-restaurant et sa plage privée sont fréquentés par une population glamour. Le jeune chef Arnaud Donckele transforme les meilleurs produits de saison en mets raffinés. Au début de l'automne, sa préparation du gibier vaut le détour. Fermé de mi-oct. à mi-avr.

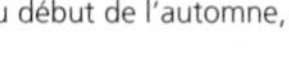

TOULON L'Arbre rouge €

25, rue de la Comédie, 83000 ***Tél.*** *04 94 92 28 58* **Carte routière** *D4*

À l'écart de l'agitation, ce petit restaurant n'est pas facile à repérer. La cuisine provençale traditionnelle comprend des sardines farcies au pistou frais et des crevettes royales en persillade. Le service est attentif et chaleureux, et l'atmosphère idéale pour un repas romantique. Fermé jeu. et ven. soir, sam. toute la journée et dim. midi.

LES BOUCHES-DU-RHÔNE ET NÎMES

AIGUES-MORTES Les Enganettes €

12, rue Marceau, 30220 ***Tél.*** *04 66 53 69 11* **Carte routière** *A4*

Les tables placées sur le trottoir ou dans la cour intérieure abritée permettent de savourer de nombreux plats aux influences méditerranéenne, camarguaise, espagnole, italienne et marocaine. Les menus et la carte sont d'un bon rapport qualité/prix. Des soirées musicales avec concerts de piano sont proposées.

AIGUES-MORTES La Salicorne €€€

9, rue d'Alsace-Lorraine, 30220 ***Tél.*** *04 66 53 62 67* **Carte routière** *A4*

Jean-Claude Achard et sa femme Lydie sillonnent le monde en quête de nouvelles saveurs que ce dernier incorpore à la carte originale de ce restaurant aux murs de pierre. Le carré d'agneau aux épices ou la blanquette de lotte à l'oseille et au lard fumé illustrent son éclectisme. La carte des vins est elle aussi très bien pensée.

AIX-EN-PROVENCE Brasserie Léopold €€

2, av. Victor-Hugo, 13090 ***Tél.*** *04 42 26 01 24* ***Fax*** *04 42 38 53 17* **Carte routière** *C4*

Située au rez-de-chaussée du confortable hôtel *Saint-Christophe*, à deux pas de la fontaine de la Rotonde, cette brasserie classique est un lieu parfait pour déguster un repas complet, une collation ou simplement boire un verre. Les plats sont régionaux ou traditionnels, avec quelques concessions à la cuisine moderne.

AIX-EN-PROVENCE La Bastide du cours €€€

43, cours Mirabeau, 13090 ***Tél.*** *04 42 91 57 56* ***Fax*** *04 42 91 57 51* **Carte routière** *C4*

Cet élégant hôtel-restaurant offre deux possibilités de dîner : soit sur la belle terrasse, soit dans une salle à manger chaleureuse située au 1er étage. La cuisine créative revisite les plats traditionnels de la région : souris d'agneau mitonnée 12 h ou sushis de poissons locaux, par exemple. Menus à prix raisonnables. Fermé lun. soir et mar.

AIX-EN-PROVENCE Mas d'Entremont €€€€

315, route nationale 7, Célony, 13090 ***Tél.*** *04 42 17 42 42* ***Fax*** *04 42 21 15 83* **Carte routière** *C4*

La cuisine typiquement provençale comprend de nombreux plats de poissons et de viandes, arrosés de bons vins de la région. On profite, l'été, des tables installées sur la terrasse surplombant les jardins, ou on se réfugie dans la salle à manger dotée de grandes fenêtres panoramiques quand il fait plus frais. Fermé dim. soir et lun. midi.

AIX-EN-PROVENCE Le Clos de la violette €€€€€

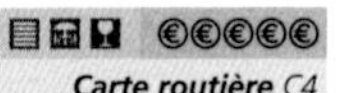

10, av. de la Violette, 13100 ***Tél.*** *04 42 23 30 71* ***Fax*** *04 42 21 93 03* **Carte routière** *C4*

Située dans un élégant hôtel particulier entouré d'un jardin, voici l'une des adresses les plus prestigieuses et les plus romantiques des environs, pour laquelle une tenue de soirée est de rigueur. La cuisine régionale est très créative. Excellente carte de vins provençaux ou locaux. Fermé dim. et lun.

ARLES La Gueule du loup €

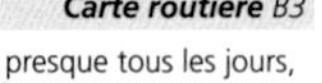

39, rue des Arènes, 13200 ***Tél.*** *04 90 96 96 69* ***Fax*** *04 90 96 96 69* **Carte routière** *B3*

Une adresse beaucoup plus accueillante que son nom ne le laisse supposer. Le menu change presque tous les jours, le service est rapide et les vins variés. Les plats provençaux, sans être particulièrement sophistiqués, sont savoureux et d'un excellent rapport qualité/prix. Fermé dim. midi et lun. midi.

ARLES Cilantro €€€

31, rue Porte-de-Laure, 13200 ***Tél.*** *04 90 18 25 05* **Carte routière** *B3*

Jérôme Laurent a choisi d'éviter les clichés provençaux dans ce restaurant raffiné aux parquets de bois exotique, qui se double d'un jardin d'hiver. Citons, entre autres spécialités, le pigeon des costières en croûte de cacao et fèves de tonka, aux accents de vanille et d'amande, et une liste de desserts tout aussi inspirés.

ARLES L'Atelier de Jean-Luc Rabanel €€€€

7, rue des Carmes, 13200 ***Tél.*** *04 90 91 07 69* **Carte routière** *B3*

Ne manquez pas ce restaurant si vous êtes en appétit : Jean-Luc Rabanel propose un menu « Création totale » en sept étapes le midi et un menu « Émotion totale » en treize étapes le soir, à base de produits bios de son jardin. Réservez à l'avance ou rabattez-vous sur son café, plus décontracté, juste à côté.

ARLES Lou Marques €€€€

9, bd des Lices, 13200 ***Tél.*** *04 90 52 52 52* ***Fax*** *04 90 52 52 53* **Carte routière** *B3*

Avec sa jolie terrasse et ses plats provençaux classiques, ce restaurant du prestigieux hôtel *Jules César* a la réputation d'être l'un des meilleurs de la ville. Le décor est empreint de dignité, car l'hôtel et le restaurant occupent un ancien couvent. Fermé sam. et dim. de nov. à avr.

LES BAUX-DE-PROVENCE La Riboto de Taven €€€

Chemin du Val-d'Enfer, 13520 ***Tél.*** *04 90 54 34 23* **Carte routière** *B3*

Adossée aux rochers du vallon de la Fontaine, cette auberge de campagne bénéficie d'une vue spectaculaire. Le restaurant accueille d'ordinaire les clients de l'hôtel mais est ouvert au public sur réservation. Dirigé par la même famille depuis plusieurs générations, on y sert des recettes provençales traditionnelles transmises de père en fils.

Légende des prix *voir p. 210* **Légende des symboles** *voir le rabat arrière de couverture*

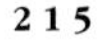

LES-BAUX-DE-PROVENCE L'Oustau de Baumanière €€€€€

D27, val d'Enfer, 13520 ***Tél.*** *04 90 54 33 07* ***Fax*** *04 90 54 40 46* ***Carte routière*** *B3*

Situé dans un cadre charmant et offrant de magnifiques vues sur la vallée, ce restaurant s'enorgueillit de 2 étoiles au guide *Michelin*. Le chef Jean-André Charial marie avec brio traditions provençales et nouvelle cuisine, faisant de chaque repas une expérience mémorable. Carte des vins sublime. Fermé en janv. et fév.

MARSEILLE Le Boucher €€

10, rue de Village, 13006 ***Tél.*** *04 91 48 79 65* ***Carte routière*** *C4*

Ce qui ressemble de l'extérieur à une simple boucherie abrite en réalité un secret bien gardé par les amateurs de viande. Ils pourront, par exemple, attaquer une côte de bœuf de 1,2 kg à deux ou essayer une spécialité marseillaise : les pieds et paquets – de petits carrés de tripes de mouton farcis à la viande, accompagnés de pieds de cochon.

MARSEILLE Les Arcenaulx €€

25, cours d'Estienne-d'Orves, 13001 ***Tél.*** *04 91 59 80 30* ***Carte routière*** *C4*

Situé dans le quartier animé de la rive sud du Vieux-Port, ce restaurant, qui fait aussi salon de thé, galerie et librairie, occupe un ancien arcenal de galères du XVIIe siècle. C'est un lieu idéal pour commencer ou terminer la soirée, en dégustant du lapin, des sardines et du pâté au gingembre. Fermé dim.

MARSEILLE Toinou €€

3, cours Saint-Louis, 13001 ***Tél.*** *04 91 33 14 94* ***Carte routière*** *C4*

Installé dans un quartier animé, *Toinou* est une référence en matière de fruits de mer à Marseille. Les clients préfèrent désormais s'installer dans la salle à manger, simple et sobre, de cet ancien comptoir de vente à emporter. Le délicieux « Toinou spécial » servi pour deux personnes vous permettra de goûter un peu de tout.

MARSEILLE L'Épuisette €€€€

Vallon des Auffes, 13007 ***Tél.*** *04 91 52 17 82* ***Fax*** *04 91 59 18 80* ***Carte routière*** *C4*

L'Épuisette est appréciée pour ses poissons et ses fruits de mer, notamment son saint-pierre grillé, ses raviolis au homard et son risotto aux truffes. Les vins de Cassis et les côteaux-d'aix sont bien choisis. Réservez longtemps à l'avance. Fermé dim., lun. et en août.

MARSEILLE Le Miramar €€€€

12, quai du Port, 13002 Marseille ***Tél.*** *04 91 91 10 40* ***Fax*** *04 91 56 64 31* ***Carte routière*** *C4*

Ce restaurant situé sur le Vieux-Port est l'un des meilleurs endroits pour savourer de bons fruits de mer et goûter la bouillabaisse du chef Christian Buffa. L'endroit est couru : il convient donc de réserver au moins 48 h à l'avance. En été, profitez d'une table sur la terrasse du quai. Fermé dim. et lun.

MARSEILLE Le 29 place aux Huiles €€€€

29, pl. aux Huiles, 13001 ***Tél.*** *04 91 33 26 44* ***Carte routière*** *C4*

La carte de ce restaurant très raffiné situé sur le Vieux-Port varie avec les produits de saison, mais n'oublie ni la clientèle soucieuse de sa ligne, ni les amateurs de viande, ni les accros à la cuisine *fusion* asiatique. Goûtez la terrine de foie gras au chutney de canneberges ou les *tempura* de crevettes.

MARSEILLE Le Petit Nice Passédat €€€€€

160, corniche Kennedy, anse de Maldormé, 13007 ***Tél.*** *04 91 59 25 92* ***Fax*** *04 91 59 28 08* ***Carte routière*** *C4*

Occupant une jolie villa de style Belle Époque, ce restaurant prestigieux (3 étoiles au *Michelin*) est magnifiquement situé et offre une vue somptueuse sur la Méditerranée. Les plats de fruits de mer sont exquis : terrine de homard, homard à la sauce aux noisettes, crabe au gingembre… Fermé dim. et lun.

MARTIGUES Le Miroir €€€

4, rue Marcel-Galdy, 13500 ***Tél.*** *04 42 80 50 45* ***Carte routière*** *B4*

Très bien situé au bord du canal appelé « le Miroir aux Oiseaux », ce joli restaurant romantique s'est fait une spécialité dans les produits de la mer : loup, daurade, lotte, sans oublier la soupe de poisson et la célèbre bouillabaisse. Ne manquez pas non plus la *poutargue*, sorte de caviar local.

NÎMES Au Flan coco €

31, rue du Mûrier, 30000 ***Tél.*** *04 66 21 84 81* ***Carte routière*** *A3*

Une bonne cuisine régionale qu'une équipe de traiteurs prépare sous vos yeux avec des ingrédients frais. Le magasin qui jouxte ce lieu informel et bon marché appartient à la même enseigne et vend d'excellents plats préparés, parfaits pour les pique-niques. En été, quelques tables sur le trottoir. Fermé dim., lun. et mar. soir.

NÎMES L'Enclos de la fontaine €€

Quai de la Fontaine, 30000 ***Tél.*** *04 66 21 90 30* ***Fax*** *04 66 67 70 25* ***Carte routière*** *A3*

Ce restaurant moderne situé dans l'hôtel *Imperator* est l'un des meilleurs de Nîmes, mais reste malgré tout très abordable. La carte, classique, propose quelques plats innovants comme le veau aux beignets de figues fraîches. Réservez à l'avance pour avoir une table dans la cour en été.

NÎMES Aux Plaisirs des halles €€€

4, rue Littré, 30000 ***Tél.*** *04 66 36 01 02* ***Fax*** *04 66 36 08 00* ***Carte routière*** *A3*

L'été, le patio de ce restaurant au décor moderne se révèle un lieu agréable pour dîner. Si la cuisine est classique, l'établissement se distingue surtout par son exceptionnelle carte de vins du Languedoc, de Corbières, du Minervois, de Provence et de l'Hérault. Fermé dim., lun. et deux sem. de fin oct. à début nov.

SAINT-RÉMY-DE-PROVENCE Le Jardin de Frédéric €€

8, bd Gambetta, 13210 ***Tél.*** *04 90 92 27 76* **Carte routière** *B3*

Installé dans une jolie maison verte, ce restaurant propose des plats originaux et abordables : agneau de Sisteron accompagné d'une sauce à l'ail, loup au basilic, soufflé de morue au safran, sans oublier de délicieux desserts. En été, des tables sont installées à l'extérieur. Fermé lun. (toute la journée en basse saison, le midi en haute saison).

SAINT-RÉMY-DE-PROVENCE Alain Assaud €€€

13, bd Marceau, 13210 ***Tél.*** *04 90 92 37 11* **Carte routière** *B3*

Alain Assaud fait partie de ces chefs provençaux qui résistent aux courants modernes. Murs de pierre, poutres en bois et buffet d'antan composent ici un cadre rustique idéal pour son répertoire classique, où la fraîcheur et la qualité des produits priment : aubergines farcies, morue pochée aux petits légumes et son aïoli, etc.

LE VAUCLUSE

AVIGNON La Fourchette €€

17, rue Racine, 84000 ***Tél.*** *04 90 85 20 93* ***Fax*** *04 90 85 57 60* **Carte routière** *B3*

Ce petit restaurant original, aux murs ornés d'anciennes fourchettes et d'affiches du Festival de théâtre, est prisé des Avignonnais. Le menu est traditionnel, mais certains plats, comme la poitrine de canard à l'ail accompagnée d'une crêpe de légumes ou le loup grillé, ont une petite touche moderne. Pensez à réserver. Fermé sam. et dim.

AVIGNON Le Petit Bedon 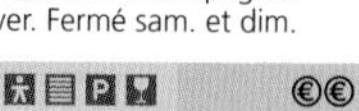 €€

70, rue Joseph-Vernet, 84000 ***Tél.*** *04 90 82 33 98* ***Fax*** *04 90 85 58 64* **Carte routière** *B3*

Situé juste derrière les remparts, ce restaurant est réputé pour ses légumes pochés au pistou et à la tapenade, sa bourride de loup et sa purée de courgettes à l'ail. L'atmosphère est conviviale et la carte des vins, principalement de Provence, bien fournie. Fermé dim., fermé lun. de nov. à mars (lun. midi d'avr. à oct.).

AVIGNON Christian Étienne 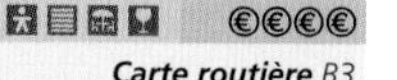 €€€€

10, rue Mons, 84000 ***Tél.*** *04 90 86 16 50* ***Fax*** *04 90 86 67 09* **Carte routière** *B3*

L'emplacement de ce restaurant, au cœur de la partie médiévale d'Avignon, près du palais des Papes, est imbattable. Les plats, préparés avec des produits de la région, sont irréprochables et la carte des vins inclut des grands crus de Provence et de la vallée du Rhône. Fermé dim. et lun. (sauf en juil.).

AVIGNON La Vieille Fontaine €€€€

12, pl. Crillon, 84000 ***Tél.*** *04 90 14 76 76* **Carte routière** *B3*

Logé dans l'*Hôtel de l'Europe*, une bâtisse du XVIe siècle transformée en hôtel de luxe (p. 202), ce restaurant se déploie autour de la fontaine qui orne le centre de sa cour. Le chef Bruno d'Angelis, qui utilise des épices et de nouvelles techniques de cuisson, propose des plats préparés avec les meilleurs produits de saison.

AVIGNON La Mirande €€€€€

4, pl. de la Mirande, 84000 ***Tél.*** *04 90 14 20 20* ***Fax*** *04 90 86 26 85* **Carte routière** *B3*

Installée dans l'ancien palais d'un cardinal, sous les murs éclairés du palais des Papes, *La Mirande* est l'une des meilleures tables d'Avignon. Le menu est éblouissant, la carte des vins aussi, et le personnel amical. Réservez à l'avance, surtout si vous voulez dîner sous les oliviers de la terrasse. Fermé mar. et mer.

CARPENTRAS Chez Serge 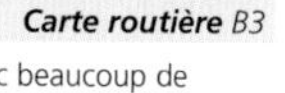 €€

90, rue Cottier, 84200 ***Tél.*** *04 90 63 21 24* ***Fax*** *04 90 11 70 68* **Carte routière** *B3*

Une belle découverte dans cette petite ville tranquille. La cuisine est raffinée et imaginative, avec beaucoup de poisson frais et de champignons sauvages. La longue carte des vins inclut des bouteilles d'Italie et de Californie. Les propriétaires organisent aussi des soirées de dégustation de vins régionaux. Fermé le dim. de sept. à juin.

CAVAILLON Restaurant Prévot 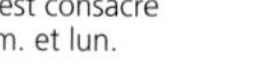 €€€€

353, av. de Verdun, 84300 ***Tél.*** *04 90 71 32 43* ***Fax*** *04 90 71 97 05* **Carte routière** *B3*

Voici un temple de la gastronomie à Cavaillon, ville où se tient le grand marché des primeurs de la région. Le chef Jean-Jacques Prévot adore les melons : ceux-ci décorent son restaurant et tout un menu est consacré aux cucurbitacées. Goûtez absolument les pétoncles au melon. Excellent choix de vins. Fermé dim. et lun.

CHÂTEAUNEUF-DU-PAPE La Mère Germaine 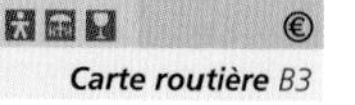 €

3, rue du Commandant-Lemaître, 84230 ***Tél.*** *04 90 83 54 37* ***Fax*** *04 90 83 50 27* **Carte routière** *B3*

Avec ses vignobles qui l'entourent, ce restaurant se distingue par une carte des vins exceptionnelle. La cuisine est provençale, les portions généreuses et l'ensemble d'un bon rapport qualité/prix. Le personnel est aimable et efficace. Idéal le midi pour profiter de la jolie vue.

CHÂTEAUNEUF-DU-PAPE La Sommellerie €€€

Route de Roquemaure, 84230 ***Tél.*** *04 90 83 50 00* **Carte routière** *B3*

Compte tenu de sa situation au cœur de cette prestigieuse région viticole du nord d'Avignon, il n'est pas étonnant que cet hôtel-restaurant, qui occupe une bergerie du XVIIe siècle, propose des menus où les vins – dont le côtes-du-rhône – sont à l'honneur. La cuisine n'est pas en reste, comme le prouve le menu autour du homard à 62 €.

Légende des prix *voir p. 210* **Légende des symboles** *voir le rabat arrière de couverture*

GIGONDAS Les Florêts  €€

Route des Dentelles, 84190 ***Tél.*** *04 90 65 85 01* ***Fax*** *04 90 65 83 80* **Carte routière** *B2*

La terrasse de cet hôtel-restaurant offre une vue merveilleuse sur les Dentelles de Montmirail. Pensez à réserver, car les places, y compris à l'intérieur, sont limitées. Les meilleurs crus des côtes-du-rhône accompagnent une cuisine régionale bien présentée. Fermé mar., mer. et en janv. et fév.

LOURMARIN Le Comptoir d'Édouard €€€€

Rue du Temple, 84160 ***Tél.*** *04 90 68 06 69* **Carte routière** *C3*

Les rênes de cet établissement chic installé dans l'hôtel *Le Moulin de Lourmarin* (p. 202) sont tenues par Édouard Lubet, l'un des chefs les plus respectés de Provence. Comptez 40 à 60 € pour un menu à prix fixe affichant des plats tels que le perdreau en cocotte, aux raisins et aux cerfeuils, ou le foie de canard fumé au thym.

SÉGURET Le Mesclun €€

Rue des Poternes, 84110 ***Tél.*** *04 90 46 93 43* **Carte routière** *B2*

Situé au bout du charmant village de Séguret, avec une jolie vue sur la vallée du Rhône, *Le Mesclun* affiche une cuisine étonnamment raffinée, inspirée de l'Asie, du Mexique et des Caraïbes. Le choix ne manque pas. Le menu à 14 € s'achève par une assiette gourmande autour du chocolat dont raffolent les enfants.

SÉGURET La Table du Comtat  €€€

Le Village, 84110 ***Tél.*** *04 90 46 91 49* ***Fax*** *04 90 46 94 27* **Carte routière** *B2*

La vue sur les Dentelles et sur la campagne environnante est fantastique depuis la terrasse. Les mets proposés sont également exquis : truffes, foie gras poêlé, canard rôti, gigot de sanglier... Sa cave compte d'excellents côtes-du-rhône. Fermé mar. midi.

SÉRIGNAN-DU-COMTAT Le Pré du moulin  €€€€

Route de Sainte-Cécile-les-Vignes, 84830 ***Tél.*** *04 90 70 14 55* ***Fax*** *04 90 70 05 62* **Carte routière** *B2*

Le chef Pascal Alonzo sait préparer de vrais délices, tels ses raviolis à la truffe et aux artichauts ou son agneau rôti de Remuzat. Situé sur la route des vins, l'établissement propose de grands côtes-du-rhône et d'excellents gigondas. Fermé lun. et dim. soir.

LES ALPES-DE-HAUTE-PROVENCE

CASTELLANE Auberge du Teillon €

Route Napoléon, La Garde, 04120 ***Tél.*** *04 92 83 60 88* **Carte routière** *D3*

Cette auberge des proches environs de Castellane propose un menu sans prétention qui change au gré des saisons. Les plats traditionnels sont préparés avec des ingrédients frais. Les spécialités incluent du saumon de Norvège et du foie gras maison. Fermé dim. soir, lun. (lun. midi en juil. et août) et de nov. à mars.

CHÂTEAU-ARNOUX La Bonne Étape  €€€€

Chemin du Lac, 04160 ***Tél.*** *04 92 64 00 09* ***Fax*** *04 92 64 37 36* **Carte routière** *D3*

Cette charmante auberge est peut-être la seule raison de faire halte dans cette ville plutôt terne. On y sert un grand choix de plats à base de produits locaux frais, notamment de l'agneau. La très longue carte des vins inclut des crus de presque toutes les régions de France. La salle est ornée de peintures et de tapisseries. Fermé lun. et mar.

DIGNE-LES-BAINS Villa Gaïa €€

24, route de Nice, 04000 ***Tél.*** *04 92 31 21 60* **Carte routière** *D2*

À quelques kilomètres du centre-ville, cet hôtel-restaurant propose une cuisine aussi simple que savoureuse. Certains plats sont préparés avec les légumes du jardin, d'autres avec des produits régionaux tels que l'agneau de Sisteron, le miel, le gibier, l'huile d'olive et le fromage de Banon, enveloppé dans une feuille de châtaignier.

MANOSQUE Les Voûtes de Mont d'Or  €€

43, bd des Tilleuls, 04100 ***Tél.*** *04 92 72 32 28* ***Fax*** *04 92 72 32 28* **Carte routière** *C3*

Une cuisine à la fois simple et raffinée, aux accents méditerranéens et servie dans une vaste salle à manger au décor magnifique. Il n'y a pas de mur de séparation entre le restaurant et la cuisine, si bien que l'on peut voir le chef à l'œuvre. Excellent rapport qualité/prix et accueil chaleureux. Fermé dim. soir et lun.

MANOSQUE Hostellerie de la Fuste     €€€

Route de Valensole, 04210 ***Tél.*** *04 92 72 05 95* ***Fax*** *04 92 72 92 93* **Carte routière** *C3*

À 6,5 km de Manosque en direction de Valensole, cette belle auberge possède une terrasse dont les platanes sont vieux de 300 ans. La cuisine est à base de produits de la région et de légumes du jardin. Le poisson et la viande prédominent, et les fromages et les desserts sont excellents. Fermé dim. soir et lun. midi.

MOUSTIERS-SAINTE-MARIE La Treille muscate €

Pl. de l'Église, 04360 ***Tél.*** *04 92 74 64 31* ***Fax*** *04 92 74 63 75* **Carte routière** *D3*

Dans ce charmant bistrot, situé sur la place principale de l'un des plus beaux villages de la région, vous dégusterez des mets délicieux, comme les légumes au pistou. La terrasse surplombe un torrent. Les bons menus et la carte des vins en font un lieu idéal pour un déjeuner en plein air. Fermé le mer.

Cafés, bars et en-cas

Comme la plupart des Méditerranéens, les Provençaux sont particulièrement chaleureux et aiment se retrouver pour échanger des nouvelles ou discuter du temps, soit directement dans la rue, soit à la terrasse d'un café quand vient une petite soif, soit au comptoir quand le climat se gâte. Dans la plupart des villages, les bars-tabacs sont généralement ouverts de bonne heure, mais ils ont également tendance à fermer tôt le soir. La plupart des cafés servent des sandwichs et, parfois, surtout dans les villes, des plats simples : salades, planches de charcuterie, plats du jour ou croque-monsieur. Pour manger sur le pouce, en particulier dans les zones balnéaires, de nombreux stands, roulottes ou camions proposent, en outre, pans-bagnats, pizzas et autres casse-croûte.

LES CAFÉS

Le café provençal est un lieu particulièrement social où l'on peut prendre son temps, et même profiter entre amis d'une partie de cartes ou d'échecs, comme le font un grand nombre d'habitués. Il ouvre souvent dès l'aube en été pour accueillir les clients qui partent travailler tôt. Comme la plupart des habitués ne prennent qu'un expresso, beaucoup de cafés ne proposent ni croissants, ni tartines au petit déjeuner, mais l'on trouvera toujours une boulangerie ouverte à proximité.

L'apéritif, avant midi, est le temps fort suivant de la journée. Il s'accompagne parfois de tartines de tapenade *(p. 206)* ou d'anchoïade. Ce rituel a lieu le jour du marché, mais aussi le dimanche, qui est un jour animé contrairement à d'autres régions de France. Les cafés ouvrent d'ailleurs ce jour-là à peine plus tard que d'habitude.

L'après-midi est plus calme ; il fait si chaud en été qu'on sommeille en terrasse. Avec la fraîcheur du soir, les cafés retrouvent une certaine animation et les tables se couvrent de verres de bière, de pastis ou de soda.

Dans les villages, la plupart des cafés ont tendance à fermer après 20 h. Dans les grandes villes, certains restent ouverts très tard la nuit et accueillent une population jeune ou étudiante.

LES BRASSERIES

Une visite du Midi ne saurait être complète sans se risquer au moins une fois dans le bar d'un palace de la Côte d'Azur. La **Brasserie Carlton** à Cannes, le bar du Negresco à Nice, le **Somerset Maugham** du Grand Hôtel de Saint-Jean-Cap-Ferrat ou le **Café de Paris** de Monte-Carlo conservent en effet un exotisme qui leur est propre.

Dans certains endroits touristiques – par exemple le cours Mirabeau d'Aix-en-Provence, le port de Saint-Tropez, la promenade des Anglais à Nice ou la Croisette à Cannes –, la terrasse du café ou de la brasserie joue un autre rôle social : elle est la vitrine où l'on vient voir et se montrer et où les visiteurs et les habitants rivalisent souvent d'élégance.

LES BARS ET PUBS

Dans les villes universitaires, notamment à Aix, Nice ou Marseille, il existe beaucoup de bars à bières et des pubs inspirés des pubs anglais. Certains, comme **De Klomp** et le **Wayne's Bar** à Nice, le **Pub Z** à Avignon ou le **Red Lion** à Marseille, accueillent des concerts les soirs de week-ends.

De plus en plus répandu, le « bistrot », au décor inspiré de celui des bars à vins parisiens, ne possède généralement pas la licence IV autorisant la vente des boissons fortement alcoolisées et propose donc surtout vins et café. Il sert aux heures de repas quelques plats simples et bon marché : plats du jour, sandwichs, planches de fromage et de charcuterie...

LES MARCHÉS

En raison de l'abondance des produits frais dans cette région agricole, un pique-nique en Provence commence invariablement au marché *(voir aussi p. 220)*. C'est là que l'on pourra acheter les ingrédients du pan-bagnat, une spécialité niçoise qui s'est aujourd'hui généralisée en Provence : pain rond, oignons frais, tomates, poivrons, salade, œufs, olives, ail et anchois, et même de l'huile d'olive artisanale. On pourra également y acheter des fromages de chèvre ou de brebis, principalement produits dans les alpages des Alpes-de-Haute-Provence.

Les marchés ont lieu la plupart du temps une fois par semaine, sauf dans les grandes villes. Le marché de la place Richelme à Aix-en-Provence est particulièrement réputé, de même que celui du village de Sénas, dans les Bouches-du-Rhône, en raison de la proximité de Cavaillon, le principal marché primeur de la région.

LES BOULANGERIES

L'autre endroit dont la visite s'impose avant un pique-nique, ou juste en cas de petit creux, est la boulangerie. Outre les baguettes, viennoiseries et pâtisseries traditionnelles, celles de Provence proposent bien souvent des sandwichs garnis de produits locaux, notamment des pans-bagnats, mais aussi quelques spécialités salées, comme la pissaladière, une pâte à pizza recouverte d'oignons confits, d'olives noires et parfois d'anchois, ou la fougasse, pain plat fourré au gré de la fantaisie de son créateur (lardons, olives noires, etc.). Pains aux noix ou aux olives sont également fréquents.

Pour l'Épiphanie, la galette des Rois provençale est différente de celle du Nord de la France puisqu'elle n'est pas fourrée à la frangipane ; c'est une brioche en forme de couronne garnie de fruits confits. Goûtez aussi, lors des fêtes de Noël, à la pompe, gâteau brioché très simple qui se mange « à l'huile » ou « au beurre ».

Dans le vieux Nice, ne manquez pas la boulangerie **Le Four à bois**, où les recettes se transmettent de génération en génération. Nice est aussi connue pour la socca, fine galette de farine de pois chiches vendue dans certains établissements des rues proches de la place Garibaldi, comme chez **René Socca**.

LES TRAITEURS ET CHARCUTERIES

En ville comme à la campagne, de nombreuses charcuteries proposent d'excellents produits typiques, comme la caillette (sorte de terrine de porc) ou les pâtés, souvent très parfumés. Elles vous permettront, de plus, de compléter vos sandwichs d'un poulet rôti ou de barquettes de salades. Parmi les meilleurs, **Au Flan coco** à Nîmes et **Bataille** à Marseille.

À Arles, **Dorel et Milhau** vous permettra de découvrir tout l'éventail de la production camarguaise, notamment le vrai saucisson d'âne (aujourd'hui souvent fait avec du porc).

LES PÂTISSERIES

Un bon repas ne saurait se terminer sans une touche sucrée. La Provence ne possède pas une très grande tradition pâtissière, malgré la tarte tropézienne, devenue un classique. Vous pourrez goûter l'une des meilleures chez **Mika**, à Saint-Tropez.

Il existe d'autres enseignes de qualité dans la région, particulièrement à Aix-en-Provence avec le pâtissier **Béchard** et le chocolatier **Puyricard**, du nom d'un petit village des environs, ou encore à Nice avec la maison **Auer**, très réputée. Ces boutiques ont d'autres spécialités gourmandes : calissons, fruits confits, etc.

ADRESSES

CAFÉS ET BRASSERIES

Aix-en-Provence
Les Deux Garçons
53, cours Mirabeau.
Tél. *04 42 26 00 51.*

Cannes
Brasserie Carlton
58, la Croisette.
Tél. *04 93 06 40 06.*

Èze
Château Eza
Rue de la Pise.
Tél. *04 93 41 12 24.*

Marseille
Les Colonies
26, rue Lulli.
Tél. *04 91 54 11 17.*

Monaco
Café de Paris
Le Casino
Pl. du Casino.
Tél. *00 377 92 16 20 20.*

Nice
Grand Café de Turin
5, pl. Garibaldi.
Tél. *04 93 62 29 52.*

Nîmes
Café Olive
22, bd Victor-Hugo.
Tél. *04 66 67 89 10.*

Saint-Paul-de-Vence
Café de la Place
Pl. du Général-de-Gaulle.
Tél. *04 93 32 80 03.*

Saint-Tropez
Café des arts
Pl. des Lices.
Tél. *04 94 97 02 25.*

Café de Paris
15, quai de Suffren.
Tél. *04 94 97 00 56.*

Sénéquier
Quai Jean-Jaurès.
Tél. *04 94 97 00 90.*

BARS ET PUBS

Aix-en-Provence
Le Verdun
20, pl. de Verdun.
Tél. *04 42 27 03 24.*

Arles
L'Entrevue
Pl. Nina-Berberova.
Tél. *04 90 93 37 28.*

Avignon
Pub Z
58, rue de la Bonneterie.
Tél. *04 90 85 42 84.*

Cannes
Le Zanzibar
85, rue Félix-Faure.
Tél. *04 93 39 30 75.*

Juan-les-Pins
Pam-Pam
137, bd du Prés.-Wilson.
Tél. *04 93 61 11 05.*

Marseille
Bar de la marine
15, quai de Rive-Neuve.
Tél. *04 91 54 95 42.*

La Part des anges
33, rue Sainte.
Tél. *04 91 33 55 70.*

The Red Lion
231, av. Pierre-Mendès-France
Tél. *04 91 25 17 17.*

Monaco
Flashman's
7, av. Princesse-Alice.
Tél. *00 377 93 30 09 03.*

Nice
De Klomp
6, rue Mascoinat.
Tél. *04 93 92 42 85.*

Les Trois Diables
2, cours Saleya.
Tél. *04 93 62 47 00..*

Wayne's Bar
15, rue de la Préfecture.
Tél. *04 93 13 46 99.*

Nîmes
La Petite Bourse
2, bd Victor-Hugo.
Tél. *04 66 67 44 31.*

Saint-Jean-Cap-Ferrat
Somerset Maugham
Grand Hôtel du cap Ferrat,
71 bd du Général-de-Gaulle.
Tél. *04 93 76 50 50.*

Villefranche
Cosmo Bar
11, pl. Amélie-Pollonais.
Tél. *04 93 01 84 05.*

PIQUE-NIQUES ET EN-CAS

Aix-en-Provence
Béchard
12, cours Mirabeau.
Tél. *04 42 26 06 78.*

Chocolaterie Puyricard
47, rue Rifle-Rafle.
Tél. *04 42 21 13 26.*

Arles
Dorel et Milhau
11, rue Réattu.
Tél. *04 90 96 16 05.*

Marseille
Bataille
18, rue Fontange.
Tél. *04 91 47 06 23.*

Le Four des navettes
136, rue Sainte.
Tél. *04 91 33 32 12.*

Nice
Le Four à bois
35, rue Droite.
Tél. *04 93 80 50 67.*

Maison Auer
7, rue Saint-François-de-Paule.
Tél. *04 93 85 77 98.*

Nîmes
Au Flan coco
31, rue du Mûrier-d'Espagne.
Tél. *04 66 21 84 81.*

Saint-Tropez
Mika
36, rue Clemenceau.
Tél. *04 94 97 71 42.*

BOUTIQUES ET MARCHÉS

Tradition et vocation touristique font de la Provence une contrée de rêve pour les souvenirs : même le plus petit village compte souvent un artisan d'art. Les spécialités régionales vendues dans les épiceries fines attisent la tentation, et leur présentation dans de délicats emballages justifierait parfois, presque à elle seule, leur achat. En zone rurale, le marché hebdomadaire est une occasion à ne pas manquer. Vêtements, antiquités et poteries y côtoient tomates, poivrons et melons. Grâce aux musiciens de rue qu'ils attirent, les plus beaux marchés deviennent de véritables fêtes. Les villes ont généralement des marchés quotidiens, proposant parfois seulement des produits alimentaires, mais les grandes agglomérations sont équipées de centres commerciaux et de nombreuses boutiques, entre autres certaines des plus luxueuses de France hors de Paris.

Huile d'olive de Provence

Boucherie et quincaillerie dans un village de Provence

HORAIRES D'OUVERTURE

Dans les grandes villes, les magasins restent souvent ouverts à midi et ne ferment qu'un jour par semaine. Sur la côte et dans les zones touristiques, ils n'observent en général même pas cette fermeture hebdomadaire pendant l'été et restent pour certains ouverts le soir. Une coupure en début d'après-midi, à l'heure la plus chaude, demeure en revanche fréquente. À la campagne, la situation varie selon l'influence du tourisme. On trouvera de nombreux supermarchés ouverts le dimanche matin en juillet et en août, mais, presque toujours, même en haute saison, les magasins ferment au moins le dimanche après-midi.

LES MAGASINS

Les grandes agglomérations possèdent des hypermarchés et des zones commerciales, et rares sont les bourgs de plus de 5 000 habitants à ne pas avoir de supermarché. En ville existent aussi de petites épiceries en libre-service qui s'ajoutent aux commerces de proximité tels que boucheries, boulangeries et marchands de fruits et légumes.

Sur la côte, hors des zones habitées en hiver, les estivants peuvent en général subvenir à tous leurs besoins dans des boutiques vendant pêle-mêle journaux et articles de plage et d'alimentation.

On trouvera, dans les principales agglomérations, les grands magasins les plus connus : Galeries Lafayette, Printemps, Fnac, Virgin, etc.

LES MARCHÉS

Le marché n'est pas en Provence une affaire aussi matinale que dans d'autres régions de France. Ne vous y précipitez pas dès l'aube : les commerçants ne finissent souvent de s'installer que vers 8 h 30. Ce qui laisse largement le temps de faire ses courses et de s'approprier les plus beaux produits avant l'heure de pointe, vers 11 h.

En ville, marché général et marché alimentaire sont parfois séparés. Dans les villages et les bourgs, les éventaires se mélangent, et vous trouverez aussi bien prêt-à-porter, artisanat, quincaillerie et tissus, que fruits et légumes, aromates, fromages, viande, charcuterie et poisson. Il y aura toujours des fleurs et souvent des plantes en pot. Bien que populaires, les marchés n'affichent pas toujours des prix très compétitifs, surtout dans les zones touristiques.

Parmi les innombrables marchés de Provence, la réputation de celui de la place Richelme d'Aix-en-Provence *(p. 148)* et celui du cours Saleya à Nice *(p. 84)* n'est plus à faire. Toutefois, c'est probablement celui du cours Lafayette à Toulon *(p. 112)* qui a le plus gardé sa truculence méridionale.

Parmi les marchés spécialisés, nombreux dans la région, se distinguent les marchés aux santons (à Marseille ou aux Baux-de-Provence) et, de novembre à février, le marché aux truffes d'Aups *(p. 105)*.

Fleurs et plantes devant un café dans le Luberon

Épices et aromates sur le marché de Saint-Rémy-de-Provence

LES SPÉCIALITÉS RÉGIONALES

L'engouement pour les tissus imprimés provençaux de marques comme **Mistral** et **Souleiado** dépasse largement le cadre de leur région d'origine, mais peu de magasins offrent ailleurs un aussi large choix. La majorité des boutiques vendant ces tissus proposent aussi d'autres spécialités : huile d'olive artisanale, savon de Marseille – qu'on achètera en priorité à Salon-de-Provence dans la **savonnerie Marius Fabre** –, sachets de lavande ou d'herbes de Provence, miel et fleurs séchées.

De nombreuses villes sont célèbres pour leur spécialité : Grasse est la capitale des parfums, Aix-en-Provence tire sa gloire des calissons, Carpentras des berlingots et Apt des fruits confits.

LE VIN

La Provence est une région viticole aujourd'hui reconnue *(p. 208-209)* et produit des vins et liqueurs très variés. La vallée du Rhône méridionale est le terroir le plus réputé (Châteauneuf-du-Pape, Gigondas, Vacqueyras, etc.), mais on découvrira des vins étonnants au gré des dégustations (particulièrement autour de Cassis et Bandol).

Coopératives et domaines offrent presque toujours la possibilité de déguster ; les domaines, aux prix en moyenne plus élevés que les coopératives, sont souvent tenus par des passionnés. Outre des bouteilles, tous vendent du vin en vrac (en bonbonnes ou cubitainers) d'un coût très intéressant. Ils se chargent aussi des expéditions.

ARTISANAT D'ART

L'essor du tourisme et les artistes venus de l'extérieur ont relancé en Provence l'artisanat traditionnel. Les potiers de Vallauris ont ainsi profité de la notoriété de Picasso *(p. 72-73)* alors que renaissait la faïence de Moustiers *(p. 186)*, où les fours s'étaient éteints pendant 50 ans.

De nombreuses villes ont aujourd'hui leur propre spécialité : Biot est ainsi célèbre pour sa verrerie *(p. 74)*, Cogolin est réputé pour ses pipes et ses tapis, Aubagne et Marseille pour leurs santons, Barjols pour ses galoubets et ses tambourins et Salernes pour ses « tomettes » de terre cuite.

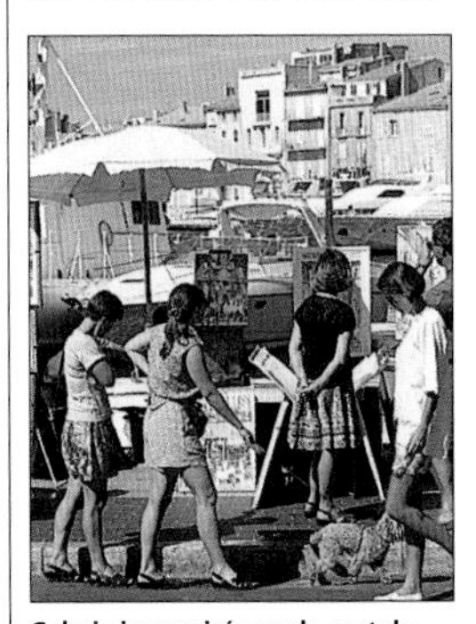

Galerie improvisée sur le port de Saint-Tropez

ADRESSES

SPÉCIALITÉS RÉGIONALES

Grasse

Huilerie Sainte-Anne
138, route de Draguignan.
Tél. *04 93 70 21 42.*

Parfumerie Fragonard
20, bd Fragonard.
Tél. *04 92 42 34 34.*
www.fragonard.com

Parfumerie Galimard
73, route de Cannes.
Tél. *04 93 09 20 00.*
www.galimard.com

Nice

Alziari
318, bd de la Madeleine et 14, rue Saint-François-de-Paule.
Tél. *04 93 62 94 03.*
Olives et huiles d'olive.

Nîmes

Les Textiles Mistral
2, bd. des Arènes.
Tél. *04 66 21 69 57.*
Plusieurs succursales.

Salon-de-Provence

Savonnerie Marius Fabre
148, av. Paul-Bourret.
Tél. *04 90 53 82 75.*
Atelier de savon et musée.
www.marius-fabre.fr

Tarascon

Souleiado
39, rue Proudhon.
Tél. *04 90 91 76 05.*
Atelier de tissus et musée. Plusieurs succursales, dont une grande enseigne à Avignon.
www.souleiado.com

ARTISANAT D'ART

Apt

Atelier du vieil Apt
61, pl. Carnot.
Tél. *04 90 04 03 96.*
Boutique de faïence.

Aubagne

Santons Di Landro
582, av. des Paluds.
Tél. *04 42 70 95 65.*

Biot

Verrerie de Biot
Chemin des Combes.
Tél. *04 93 65 03 00.*

Cogolin

Fabrique de pipes Courrieu
58, av. Georges-Clemenceau.
Tél. *04 94 54 63 82.*
www.courrieupipes.fr

Manufacture des tapis de Cogolin
6, bd Louis-Blanc.
Tél. *04 94 55 70 65.*

Marseille

Ateliers de santons Marcel Carbonel
47, rue Neuve-Sainte-Catherine.
Tél. *04 91 54 26 58.*
www.santonsmarcel carbonel.com

Moustiers-Sainte-Marie

Segriès Faïence
Route Riez.
Tél. *04 92 74 66 69.*

Vallauris

Poterie Roger Collet
Montée Sainte-Anne.
Tél. *04 93 64 65 84.*

Qu'acheter en Provence

De même que les boutiques de prêt-à-porter de Cannes ou de Saint-Tropez ne proposent pas une mode profondément différente de celle de Paris, les produits traditionnels de Provence sont aujourd'hui commercialisés à peu près partout en France. Achetés dans le cadre dont ils sont issus, ils acquièrent néanmoins une dimension sentimentale supplémentaire, et leurs couleurs et leurs parfums réveilleront pendant les jours de pluie le souvenir de vacances ensoleillées. Un souvenir d'autant plus vif que vous aurez su en être le témoin le plus authentique.

La lavande, symbole de pureté et de fraîcheur

LES PARFUMS DE PROVENCE

Les parfums du Midi évoquent chaleur et soleil. Savon de Marseille à l'huile d'olive, bains moussants aux extraits aromatiques ou sachets de lavande séchée vous permettront de les emporter avec vous.

Savons de Marseille

Une spécialité de Vallauris

Bain moussant au tilleul

Sachets de lavande séchée

Bain moussant à la mauve

Verrerie

Le verre bullé de Biot (p. 74) *a acquis une réputation mondiale. Vous pourrez sur place assister à sa fabrication et choisir parmi les plus belles pièces.*

Poterie

Grès, terre rouge ou faïence : les formes varient selon les traditions locales. À Vallauris ou Moustiers, le pire côtoie souvent le meilleur.

Santons en terre cuite

De nombreuses boutiques offrent un vaste choix de ces petits personnages hauts en couleur souvent présentés dans des crèches.

Bois d'olivier

D'un grain très fin et riche en texture, le bois d'olivier est un matériau de choix pour la fabrication d'ustensiles de cuisine.

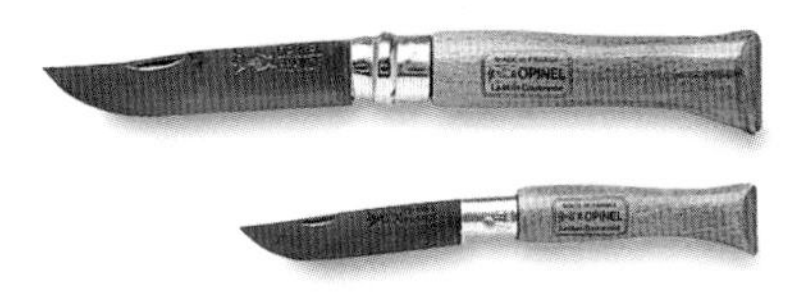

Couteaux

La chasse reste une tradition vivace et de nombreux couteliers et armuriers offrent un large choix de tailles et de modèles, dont celui-ci qui est un Opinel fabriqué à Cognin en Savoie.

Tissus provençaux

Ces imprimés colorés vendus au mètre ou déjà prêts à l'emploi utilisent des motifs vieux pour certains de plusieurs siècles.

LES SAVEURS DE PROVENCE

Petits producteurs et entreprises artisanales entretiennent un savoir-faire traditionnel dans la fabrication de spécialités culinaires dont la diffusion reste souvent locale. Un cadeau toujours apprécié des amis gourmands.

Marrons glacés des Maures

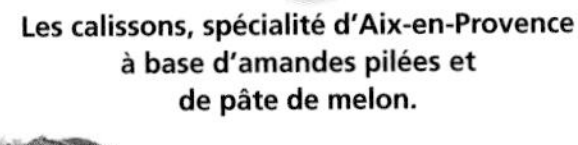

Les calissons, spécialité d'Aix-en-Provence à base d'amandes pilées et de pâte de melon.

Le banon : un fromage de chèvre mûri dans des feuilles de châtaignier

Thon à l'huile d'olive

Bidon d'huile d'olive parfumée au basilic

Huile d'olive

Brandade de morue : une spécialité nîmoise

Pâte d'amandes à l'orange

Confiture au miel de lavande

SE DISTRAIRE EN PROVENCE

La Provence est le centre de la vie culturelle française en été et d'innombrables festivals offrent aux visiteurs toutes les formes de spectacles : cinéma à Cannes, théâtre à Avignon, opéra à Aix-en-Provence, danse à Marseille, jazz à Juan-les-Pins, sans oublier les discothèques des stations balnéaires. L'atmosphère festive de la région ne s'éteint pas en hiver, et il ne s'écoule pas un mois sans grandes manifestations *(p. 30-35 et p. 228-229)*, qu'il s'agisse de fêtes traditionnelles, de concerts ou de rencontres sportives. Après l'été cependant, les villes de la côte perdent un peu l'animation qui régnait jusqu'à l'aube, même si les casinos restent ouverts toute l'année. Enfin, seul un déluge peut empêcher les Provençaux de se livrer à leur passe-temps favori : la pétanque.

Au Festival d'Avignon

RENSEIGNEMENTS PRATIQUES

Les programmes des manifestations de la région sont disponibles dans les offices de tourisme. La plupart des grandes villes publient un hebdomadaire qui présente les meilleurs événements de la semaine. Les quotidiens *La Provence* et *Nice Matin* vous renseigneront également sur les grands festivals et les rencontres sportives à venir.

ACHETER SON BILLET

Il est presque toujours possible d'acheter son billet au guichet avant le spectacle. Toutefois, dans le cas des événements majeurs, il est préférable de réserver sur place ou en ville, dans l'une des succursales de la **FNAC** ou de **Virgin Megastore**. Ouverts tous les jours de 11 h à 19 h, les guichets des salles de spectacle acceptent également les réservations par téléphone avec paiement par carte bancaire. Enfin, si vous n'avez pas réservé, vous pourrez, à vos risques et périls, trouver un revendeur devant la salle le soir même, mais paierez beaucoup plus cher pour un billet parfois contrefait.

OPÉRA ET MUSIQUE CLASSIQUE

Musiciens et chanteurs profitent en été de l'acoustique des églises ou des monuments historiques, tels que le théâtre romain d'Orange *(p. 162)* ou l'abbaye du Thoronet *(p. 108)*. L'**opéra de Nice**, un des meilleurs de France, joue souvent à guichets fermés et les plus grands chefs d'orchestre mondiaux viennent diriger l'**Orchestre de Monte-Carlo**. Tous les étés, Toulon accueille de nombreux festivals de musique classique. La Roque-d'Anthéron, près d'Aix, accueille l'un des festivals de piano les plus prestigieux de France, tandis qu'Aix dédie son célèbre festival d'été à l'art lyrique.

MUSIQUE CONTEMPORAINE

À Toulon, c'est au **Zénith-Oméga** que se produisent les vedettes attirant des milliers de spectateurs. À Marseille, les artistes populaires se rendent au **Dôme** ou, pour les plus grandes stars, comme les Rolling Stones en 2003, au **Stade Vélodrome**. L'**Espace Julien** et **Le Moulin** proposent une programmation plus confidentielle mais de qualité. Le **palais Nikaia** à Nice est sans conteste la principale salle des Alpes-Maritimes et présente des artistes très populaires.

Violoncelle

Il existe bien d'autres salles de concert plus petites dans les grandes villes et sur la côte, mais rien ne remplace la fête de la Musique, le 21 juin, pour découvrir de nouveaux talents.

Concert de Léonard Cohen à l'occasion du Festival de jazz de Nice

JAZZ

Les boîtes spécialisées sont nombreuses, mais rien ne vaut les festivals pour écouter les plus grands noms du jazz et du blues. Miles Davis, B. B. King, Nina Simone ou encore Ray Charles se sont produits dans les arènes de Cimiez *(p. 84)* pour le **Nice Jazz Festival** et dans la pinède de Juan-les-Pins pour **Jazz à Juan**, où la beauté du cadre transcende leur talent.

THÉÂTRE

Un théâtre de renom pourra être synonyme de tenue de soirée, champagne à l'entracte et réservation pour un souper dans un restaurant voisin. Pour un tarif moins élevé, une salle plus modeste offrira un sentiment d'intimité sans avoir à se mettre sur son trente et un.

Le **théâtre de la Criée** de Marseille et le **théâtre de Nice** sont deux des plus grands centres dramatiques de France, mais des compagnies plus petites proposent aussi des créations de qualité souvent novatrices.

En juillet, à côté des productions prestigieuses de l'incontournable **Festival d'Avignon** *(p. 229)*, dans ce que l'on nomme « le In », des centaines de troupes théâtrales indépendantes présentent leur travail dans le festival « Off ». **Avignon Festival & Compagnies** centralise pour elles informations et vente de billets. Le **théâtre des Carmes**, à Avignon, a acquis une réputation nationale.

MANIFESTATIONS SPORTIVES

Le climat de la Provence se prête bien aux sports de plein air. En tennis, le **Masters 1000 de Monte-Carlo** attire les meilleurs joueurs mondiaux, tandis que l'**Open 13** à Marseille figure parmi les 64 principaux tournois du circuit. Si le **Grand Prix de Formule 1 de Monaco** *(p. 32)* est en mai, l'événement marquant de juillet est le passage du **Tour de France**. En hiver, parieurs et spectateurs encouragent leurs favoris lors des courses qui se déroulent de décembre à mars sur l'hippodrome de **Cagnes-sur-Mer**. Si vous êtes à la recherche d'une manifestation typique, ne manquez pas le **Mondial de pétanque**, organisé par le journal *La Marseillaise* à Marseille en juillet. Concernant le football, l'**Olympique de Marseille** est l'un des clubs français les plus prestigieux et les plus adulés. Assister à un match parmi son public au Stade Vélodrome reste une expérience unique. L'**AS Monaco** figure aussi parmi l'élite. Quant à l'équipe de rugby de Toulon, le **Rugby-Club toulonnais**, elle a su s'imposer parmi les meilleures du pays.

Match de tennis au Masters 1000 de Monte-Carlo

L'étincelant casino Belle Époque de Monte-Carlo

DANSE

Avec des compagnies comme celles du **Ballet national de Marseille**, dirigée par le chorégraphe Frédéric Flamand et installée à l'École nationale supérieure de danse, cet art est à l'honneur à Marseille. Aix-en-Provence accueille depuis 1996 le **Centre chorégraphique national** dirigé par Angelin Preljocaj.

COURSES CAMARGUAISES ET CORRIDAS

Dans des villes comme Arles, Nîmes ou les Saintes-Maries-de-la-Mer, la saison tauromachique demeure le temps fort de l'année. Ponctuée d'*abrivados* – lâchers de taureaux dans les rues qui permettent aux gardians de démontrer leur adresse à réunir et diriger un troupeau –, la feria comprend pour l'essentiel des courses à la cocarde, aussi appelées « courses camarguaises ». Jeux d'adresse, elles consistent pour les participants, ou raseteurs, tout de blanc vêtus, à s'emparer d'un nœud de laine rouge, la cocarde, accroché entre les cornes du taureau. Elles ne s'achèvent pas par la mort de l'animal. Les corridas espagnoles deviennent toutefois de plus en plus fréquentes, notamment dans de grandes arènes comme celles d'Arles ou de Nîmes. Affiches et programmes précisent cependant toujours s'il y aura mise à mort.

Affiche pour la feria de Nîmes par Francis Bacon

CASINOS

Il faut être majeur pour jouer (18 ans en France, mais 21 ans à Monaco), y compris si l'on ne souhaite que glisser des pièces dans les machines à sous. Pour pénétrer dans le prestigieux **casino de Monte-Carlo**, il faut en outre acquitter un droit d'entrée.

Parmi les casinos à l'architecture ou l'atmosphère intéressantes figurent entre autres le **casino Ruhl** à Nice, le **Pasino** à Aix et le **casino Croisette** à Cannes.

CINÉMAS

Les Français étant de fervents amateurs du 7e art, ce ne sont pas les salles de cinéma qui manquent dans la région, qu'il s'agisse des grandes enseignes (UGC ou Pathé-Gaumont) ou des salles indépendantes. Contrairement à Paris, rares sont celles qui proposent des films en version originale. L'immense prestige du **Festival de Cannes** *(p. 68)* n'empêche pas les cinémas de fermer les uns après les autres dans les villages. Toutefois, grâce aux studios de la Belle-de-Mai, Marseille s'est instituée comme une nouvelle capitale du cinéma en France, et 15 % des tournages ont aujourd'hui lieu dans la région. On trouvera encore, dans de grandes villes comme Aix-en-Provence, quelques cinémas d'art et d'essai.

DISCOTHÈQUES ET BOÎTES DE NUIT

En été, les villes de la côte vivent toute la nuit et offrent aux noctambules un large choix de clubs où s'amuser et faire des rencontres.
À côté des plus chic, comme le **Jimmy'z** à Monaco ou **Les Caves du roy** à Saint-Tropez, de nombreux établissements tels le **Whisky à gogo** de Juan-les-Pins, **La Maronaise** à Marseille et **Le Blitz** de Cannes s'adressent à une clientèle plus jeune.

POUR LES ENFANTS

En Provence et en Côte d'Azur, la mer et la plage sont bien sûr au programme pour les enfants, mais mieux vaut privilégier les petites stations. Vous pourrez aussi les emmener au zoo, à l'aquarium ou dans un parc aquatique comme **Marineland** et **Aqualand**, à moins qu'ils ne préfèrent l'escalade, la bicyclette ou la tyrolienne dans les parcs d'aventure tels que **Canyon Forest** à Villeneuve-Loubet ou **Coudou Parc** à Six-Fours-les-Plages. À Antibes, **Céramic Créa** propose aux graines d'artistes de décorer leurs propres céramiques.

Dans les grandes villes, l'office de tourisme vous renseignera sur les activités proposées par les musées et les théâtres. Vous trouverez aussi un peu partout des aires de jeux bien équipées. Pour les plus grands, VTT, canoë-kayak, tennis, équitation et pêche seront privilégiés.

ADRESSES

VENTE DE BILLETS

FNAC
Aix-en-Provence, Avignon, Cannes, Marseille, Nice, Nîme, Toulon, Monaco.
Tél. *0892 68 36 22.*
www.fnacspectacles.com

Virgin Megastore
Avignon, Marseille, Nice, Toulon.
www.virginmega.fr

OPÉRA ET MUSIQUE CLASSIQUE

Aix-en-Provence
Aix en musique
3, pl. John-Rewald.
Tél. *04 42 21 69 69.*
www.aixenmusique.fr

Festival d'art lyrique
pl. des Martyrs-de-la-Résistance.
Tél. *0820 922 923.*
www.festival-aix.com

La Roque-d'Anthéron
Festival de piano
Tél. *04 42 50 51 15.*
www.festival-piano.com

Marseille
Opéra municipal
2, rue Molière.
Tél. *04 91 55 14 19.*

Monaco
Orchestre de Monte-Carlo
Bd Louis-II.
Tél. *00 377 93 10 85 00.*
www.opmc.fr

Orange
Les Chorégies
Pl. Sylvain.
Tél. *04 90 34 24 24.*
www.choregies.asso.fr

Nice
Opéra de Nice
4, rue St-François-de-Paule.
Tél. *04 92 17 40 00.*

Abbaye du Thoronet
Rencontres de musique médiévale
Tél. *04 94 73 56 28.*
www.musique-medievale.fr

Toulon
Opéra de Toulon
Bd de Strasbourg.
Tél. *04 94 93 03 76.*

MUSIQUE CONTEMPORAINE ET JAZZ

Aix-en-Provence
Hot Brass Club
Chemin d'Éguilles, Célony.
Tél. *04 42 21 05 57.*

Le Scat-Club
11, rue de la Verrerie.
Tél. *04 42 23 00 23.*

Juan-les-Pins
Festival Jazz à Juan
Tél. *04 92 90 54 26.*
www.antibes-juanlespins.com

Marseille
Espace Julien
39, cours Julien.
Tél. *04 91 24 34 10.*
www.espace-julien.com

Le Pelle-Mêle
8, pl. aux Huiles.
Tél. *04 91 54 85 26.*

L'Intermédiaire
63, pl. Jean-Jaurès.
Tél. *04 91 47 01 25.*

Le Moulin
47, bd Perrin.
Tél. *04 91 06 33 94.*

Nice
Palais Nikaia
N202 (route de Grenoble).
Tél. *04 92 29 31 29.*
www.nikaia.fr

Nice Jazz Festival
Tél. *08 92 68 36 22.*
www.nicejazzfestival.com

Toulon
Zénith-Oméga
Bd Commandant-Nicolas.
Tél. *04 94 22 66 77.*
www.zenith-omega-toulon.com

THÉÂTRE ET DANSE

Aix-en-Provence
Centre chorégraphique national
530, av. Mozart.
Tél. *0811 020 111.*
www.preljocaj.org

Avignon
Festival d'Avignon
Bureau du festival : cloître Saint-Louis, 20, rue du Portail-Boquier.
Tél. *04 90 27 66 50.*
www.festival-avignon.com

ADRESSES

Avignon Festival & Compagnies (le Off)
5, rue Ninon-Vallin.
Tél. *04 90 85 13 08.*
www.avignonleoff.com

Théâtre des Carmes
6, pl. des Carmes.
Tél. *04 90 82 20 47.*

Marseille

Théâtre national de la Criée
30, quai de Rive-Neuve.
Tél. *04 91 54 70 54.*
www.theatre-lacriee.com

Théâtre des Bernardines
17, bd Garibaldi.
Tél. *04 91 24 30 40.*
www.theatre-bernardines.org

Théâtre du Merlan
Av. Raimu.
Tél. *04 91 11 19 20.*
www.merlan.org

Ballet national de Marseille
20, bd de Gabès.
Tél. *04 91 32 72 72.*
www.ballet-de-marseille.com

Nice

Théâtre national
Promenade des Arts.
Tél. *04 93 13 90 90.*
www.tnn.fr

COURSES CAMARGUAISES ET CORRIDAS

Arles

Arènes
Rond-point des Arènes.
Tél. *08 91 70 03 70.*
www.arenes-arles.com

Nîmes

Arènes
Bd des Arènes ; infos au 4, rue de la Violette.
Tél. *0891 70 14 01.*
www.arenesdenimes.com

Fédération française des courses camarguaises
485, rue Aimé-Orand.
Tél. *04 66 26 05 35.*
www.ffcc.info

Les Saintes-Maries-de-la-Mer

Arènes
Av. de la Plage.
Tél. *04 90 97 85 86.*

MANIFESTATIONS SPORTIVES

Cagnes-sur-Mer

Hippodrome
www.hippodrome-cotedazur.com

Marseille

Open 13 de tennis
www.open13.fr

Mondial de pétanque – La Marseillaise
www.lamarseillaise.fr

Stade Vélodrome – Olympique de Marseille
3, bd Michelet.
www.om.net

Monaco

AS Monaco
www.asm-fc.com

Grand Prix de Formule 1
www.grand-prix-monaco.com

Masters 1 000 de tennis
http://montecarlo.masters-series.com

Tour de France

www.letour.fr

CASINOS

Aix-en-Provence

Pasino
21, av. de l'Europe.
Tél. *04 42 59 69 00.*

Cannes

Casino Croisette
Jetée Albert-Édouard.
Tél. *04 92 98 78 00.*

Monaco

Casino de Monte-Carlo
Pl. du Casino.
Tél. *00 377 98 06 21 21.*

Nice

Casino Ruhl
1, promenade des Anglais.
Tél. *04 97 03 12 22.*

CINÉMAS

Festival de Cannes

www.festival-cannes.com

Aix-en-Provence

Le Mazarin
6, rue Laroque.
Tél. *0892 68 72 70.*

Avignon

Cinéma Utopia
4, rue Escaliers-Ste-Anne.
Tél. *04 90 82 65 36.*

Marseille

Les Variétés
37, rue Vincent-Scotto.
Tél. *08 92 68 05 97.*

Monaco

Le Sporting d'hiver
Place du Casino.
Tél. *00 377 93 80 81 08.*

Nice

Cinémathèque
3, esplanade Kennedy.
Tél. *04 92 04 06 66.*

Mercury Cinéma
16, pl. Garibaldi.
Tél. *08 92 68 81 06.*

Nîmes

Le Sémaphore
25 A, rue Porte-de-France.
Tél. *04 66 67 88 04.*

DISCOTHÈQUES ET BOÎTES DE NUIT

Aix-en-Provence

Le Mistral
3, rue Frédéric-Mistral.
Tél. *04 42 38 16 49.*

Avignon

Les Ambassadeurs-Club
27, rue Bancasse.
Tél. *04 90 86 31 55.*

Cannes

Le Blitz
22, rue Macé.
Tél. *04 93 39 05 25.*

Discothèque Le 7
7, rue Rouguière.
Tél. *04 93 39 10 36.*

Jimmy'z
Dans le casino Croisette.
Tél. *04 92 98 78 78.*

Hyères

Le Fou du roy
Casino des Palmiers, 1, av. Amboise-Thomas.
Tél. *04 94 12 80 80.*

Le Rêve
9, av. de la Badine.
Tél. *04 94 58 00 07.*

Juan-les-Pins

Le Village
1, bd de la Pinède.
Tél. *04 92 93 90 00.*

Whisky à gogo
Rue Jacques-Leonetti.
Tél. *04 93 61 26 40.*

Marseille

La Maronaise
Les Goudes.
Tél. *04 91 72 79 39.*

Le Trolleybus
24, quai de Rive-Neuve.
Tél. *04 91 54 30 45.*

Monaco

Jimmy'z
26, av. Princesse-Grace.
Tél. *00 377 92 16 22 77.*

Le Tiffany's
3, av. Spéluges.
Tél. *00 377 93 50 53 13.*

Nice

Le Grand Escurial
29, rue Alphonse-Karr.
Tél. *04 93 82 37 66.*

Saint-Raphaël

La Réserve
Promenade René-Coty.
Tél. *04 94 95 02 20.*

Saint-Tropez

Les Caves du roy
Av. Paul-Signac.
Tél. *04 94 56 68 00.*

Papagayo
Résidence du Port.
Tél. *04 94 97 95 95.*

POUR LES ENFANTS

Aqualand

N98, Fréjus.
Tél. *04 94 51 82 51.*
www.aqualand.fr

Canyon Forest

Parc des rives du Loup, Villeneuve-Loubet.
Tél. *04 92 02 88 88.*
www.canyon-forest.com

Céramic Créa

94, bd Beau-Rivage, Antibes.
Tél. *04 89 75 12 68.*
www.ceramic-crea.com

Coudou Parc

34, rue de la République, Six-Fours-les-Plages.
Tél. *06 63 77 02 06.*
www.coudouparc.com

Marineland

N7, Antibes.
Tel *04 93 33 49 49.*
www.marineland.fr

Musée océanographique et aquarium

Av. Saint-Martin, Monte-Carlo, Monaco.
Tél. *00 377 93 15 36 00.*

Zoo de Fréjus

Le Capitou, Fréjus.
Tél. *04 98 11 37 37.*

Fêtes et festivals de Provence

Les fêtes traditionnelles n'ont en général pas perdu leur authenticité. Certaines entretiennent des rites païens, beaucoup s'enracinent dans la foi chrétienne, toutes témoignent d'un plaisir très méditerranéen à investir rues et places. Les professionnels du monde du spectacle en ont profité pour créer de grands festivals. Voici, pour chaque département, l'une des plus marquantes manifestations qui s'y déroulent.

Char du Carnaval de Nice, l'un des plus prestigieux du Sud de la France

LA CÔTE D'AZUR ET LES ALPES-MARITIMES

Célébration de la fin de l'hiver et de l'espoir de renaissance apporté par le retour du printemps, le carnaval est une des rares fêtes païennes que le christianisme n'a jamais réussi à assimiler. Le plus important de France, le **Carnaval de Nice** *(p. 80-85)*, était déjà en 1284 un événement auquel participait le comte de Provence.

Au XVIe siècle, son ampleur exigeait la nomination d'« abbés des fous » chargés de préparer les réjouissances, notamment les quatre bals réservés chacun à une classe sociale (nobles, marchands, artisans et pêcheurs).

Le XIXe siècle vit la manifestation perdre de son éclat et même disparaître vers 1850.

C'est un peintre, Alexis Mossa, qui la ressuscitera en 1873 à la tête du comité des fêtes créé à cet effet. Il donnera au carnaval la forme qu'il a conservée aujourd'hui : celle d'un défilé de chars et de « grosses têtes » burlesques escortant Sa Majesté Carnaval Ier.

Ce cortège commence à parader le week-end dans les rues de la cité trois semaines avant Mardi gras, jour où le souverain de carton-pâte est immolé sur un bûcher dans le cadre d'un grand feu d'artifice. Illuminations, cavalcades, batailles de fleurs et de confettis, bals et soirées costumées complètent la fête dont le thème est chaque année différent.

Masques dans les rues de Nice

LE VAR ET LES ÎLES D'HYÈRES

Accompagnant nombre de célébrations, comme celle du Nouvel An par exemple, les pétarades dérivent en général de rites païens où ces détonations avaient pour fonction de faire fuir les mauvais esprits. Les décharges de mousquets et de tromblons qui ponctuent les **Bravades de Saint-Tropez** *(p. 118-119)* rappellent plus prosaïquement le passé militaire de la petite ville portuaire.

La 1re de ces bravades se tient du 16 au 18 mai et remonterait au XIIIe siècle. Elle coïncide avec la fête patronale, celle de saint Torpes, soldat romain converti au christianisme, martyrisé en 68 sous Néron. Déposé dans une barque avec un chien et un coq affamés, son corps s'échoua, miraculeusement intact, à l'emplacement où s'étend aujourd'hui la célèbre localité.

La cérémonie débute par la nomination du « capitaine de ville », puis la statue du saint est portée en procession dans les rues pavoisées de rouge et de blanc – et dans le vacarme de force salves d'armes anciennes –, jusqu'à la mer où mousquetaires et marins saluent les navires de la flotte venus spécialement pour l'occasion.

Tout aussi bruyante, la 2nde bravade célèbre le 15 juin la victoire remportée en 1637 par les Tropéziens contre 21 galères espagnoles.

Saint Torpes porté en procession pour la Bravade de Saint-Tropez

LES BOUCHES-DU-RHÔNE ET NÎMES

Selon la tradition, c'est sur le site des Saintes-Maries-de-la-Mer *(p. 138)*, en Camargue, qu'accosta la barque qui dérivait depuis la Judée avec à son bord Marie Jacobé, la sœur de la Vierge, Marie Salomé, mère des apôtres

Procession des saintes Maries aux Saintes-Maries-de-la-Mer

Jacques et Jean, Marie Madeleine, la pécheresse, Lazare, le ressuscité, sa sœur Marthe et enfin le futur évêque d'Aix : Maximin. Bien que les légendes varient quant au rôle que joua Sarah dans ce voyage (certaines l'y font participer en tant que servante), selon la version la plus répandue, elle accueillit les exilés sur la plage.

Quoi qu'il en soit, elle est devenue la sainte patronne des gitans, la Vierge noire, et le **pèlerinage des Gitans**, le 24 mai aux Saintes-Maries, attire chaque année des caravanes venues de toute l'Europe. Ce jour-là, sa statue, couverte de bijoux, est portée en procession de la crypte de l'église fortifiée de la ville jusqu'au rivage, en souvenir du jour où elle accueillit les saintes Marie. Le lendemain, fête de sainte Marie Jacobé, une 2e procession réunit gitans, gardians à cheval et Arlésiennes en costume traditionnel pour accompagner la barque des saintes jusqu'à la mer, où l'évêque d'Arles la bénit tandis que les cavaliers se jettent dans les vagues.

Des réjouissances plus profanes suivent ces cérémonies religieuses : courses de chevaux et de taureaux, musique et danses se déroulent alors dans les rues et sur les plages.

Moins connue et donc beaucoup moins touristique, la fête de sainte Marie Salomé, l'avant-dernier dimanche d'octobre, obéit au même rituel.

LE VAUCLUSE

Séduit par le décor féerique de la cour d'honneur du palais des Papes d'Avignon *(p. 166-168)*, Jean Vilar, fondateur du Théâtre national populaire de Chaillot, propose en 1947 d'y organiser des représentations théâtrales. Simple « Semaine d'art » à ses débuts, le **Festival d'Avignon** dure aujourd'hui près d'un mois en juillet et attire chaque année plus de 250 000 visiteurs. La plupart des monuments de la ville sont investis pour présenter théâtre, danse, cinéma, musique et expositions.

À côté des différentes manifestations officielles, plus de 500 compagnies viennent à leurs risques et périls montrer leur travail dans le cadre du « festival Off ».

Le spectacle est partout : dans des théâtres, des cinémas, des couvents, des hangars, des gymnases, des cours de lycée… et sur la place de l'Horloge, passage obligatoire des parades données par les comédiens pour allécher le spectateur.

Une immense fête très fréquentée – mieux vaut réserver son hébergement.

LES ALPES-DE-HAUTE-PROVENCE

Agréable ville thermale de moins de 20 000 habitants, Digne-les-Bains *(p. 180)* est une des capitales provençales de la lavande. L'odorante fleur mauve, si typique de la Provence, pousse en effet en abondance sur les sols calcaires des Préalpes. En août, pour fêter la récolte, une grande manifestation rend honneur à cette importante production agricole de la région : le **corso de la Lavande**. Pendant quatre jours, défilés et réjouissances se succèdent sur le boulevard Gassendi, où des étals proposent tout l'éventail des produits tirés de cette plante, du miel à la parfumerie.

Lavande de Digne

Les chars défilent le dernier jour, précédés par un véhicule municipal. Les rues sont aspergées d'eau de lavande.

Représentation théâtrale en plein air devant le palais des Papes

SÉJOURS À THÈME ET ACTIVITÉS DE PLEIN AIR

Entre bains de soleil ou bains de mer, ski ou sports extrêmes, parapente ou escalade, les activités ne manquent pas en Provence et sur la Côte d'Azur. Les sports aquatiques sont très populaires sur la côte – il est d'ailleurs possible de louer des voiliers, des dériveurs et des planches à voile dans la plupart des stations balnéaires – mais se pratiquent également à l'intérieur des terres, en particulier le canoë-kayak et le rafting sur le Verdon ou le Gard. Les îles d'Hyères sont l'un des plus beaux sites de plongée sous-marine de France. Enfin, sachez que les occasions de faire des randonnées, du vélo, du VTT et de l'équitation abondent. La Fédération française de la randonnée publie des guides qui indiquent les circuits proposés et donnent des informations sur les gîtes et les moyens de transport existants.

Planche à voile en Provence

ART ET ARTISANAT

L'**Union Rempart** organise pendant l'été des chantiers de bénévoles ouverts à tous pour restaurer des sites historiques.

Il est possible de s'initier à la sculpture, à la céramique, à la taille de la pierre en passant un week-end dans l'arrière-pays provençal. La **Provence verte** fournit la liste de toutes ces activités.

Plusieurs agences de voyages proposent des stages de peinture, de dessin ou de photographie. Adressez-vous à **Maison de la France**.

COURS DE CUISINE ET DÉGUSTATIONS

De nombreux cours de cuisine, régionale ou classique, sont ouverts à tous. La plupart proposent en complément la visite d'un marché destinée à faire connaître au grand public les endroits où l'on trouve les meilleurs produits.

À la Cadière-d'Azur, l'**Hostellerie Bérard** propose d'excellents cours sous forme d'ateliers de groupe.

L'huile d'olive constitue la base de la cuisine provençale. De nombreux producteurs, comme **Château Virant** à Lançon-Provence, vous feront visiter leurs moulins.

Quant aux amateurs de figues, ils pourront se rendre aux **Figuières du mas de Luquet**, une exploitation familiale, pour rencontrer des spécialistes de ce fruit.

CHAMPS DE LAVANDE ET VIGNOBLES

La lavande est essentiellement cultivée dans le haut Var, dans le Luberon, autour du mont Ventoux et dans la Drôme provençale. À Coustellet, le **musée de la Lavande** organise des visites guidées des champs de lavande.

Les occasions de déguster de bons vins abondent dans la région. Dans la vallée du Rhône, faites une halte à Châteauneuf-du-Pape ou dans les Dentelles de Montmirail, réputées pour leur gigondas. Aux environs d'Aix-en-Provence, découvrez les coteaux d'Aix. Cassis et Bandol méritent aussi une visite. Renseignez-vous auprès du **conseil interprofessionnel des vins de Provence** ou d'**Inter Rhône** pour les vins de la vallée du Rhône.

L'un des nombreux champs de lavande à Châteauneuf-du-Pape

Cours de cuisine à l'Hostellerie Bérard

INITIATION À LA PARFUMERIE ET À L'AROMATHÉRAPIE

À Grasse, les amateurs de parfums apprendront à créer leur propre eau de toilette avec l'aide d'un « maître parfumeur ». Il leur suffira de s'adresser au Studio des fragrances de **Galimard**. L'Atelier de tarinologie de **Molinard** propose également des cours. L'autre grand parfumeur, **Fragonard**, organise des ateliers d'aroma-synergie. Les participants apprennent les vertus et les bienfaits des plantes et des huiles essentielles. Les cours sont dispensés par des aromathérapeutes et phytothérapeutes.

SPORTS EXTRÊMES

Avec son climat chaud et ses courants ascendants favorables au planeur, la Provence offre de multiples occasions de découvrir le parapente ou le deltaplane. Contactez la **Fédération française de vol libre** qui vous fournira la liste des clubs.

Une partie de pétanque, passe-temps favori en Provence

Vous pourrez également pratiquer le vol à voile en vous informant auprès de la **Fédération française de vol à voile**. Les plus aventureux pourront essayer l'escalade de cascades de glace proposée par **Ôéroc** à Valberg. Enfin, des stages et des baptêmes de kitesurf sont proposés dans toute la région.

ORNITHOLOGIE

La Camargue est une des régions favorites des ornithologues amateurs. Le centre d'information du **parc naturel régional de Camargue** fournit toutes les informations nécessaires à cette activité. Il organise aussi des circuits dans le parc et des séances d'observation avec des jumelles. Contactez l'office de tourisme d'Arles (*p. 144-146*) ou l'office de tourisme des Saintes-Maries-de-la-Mer (*p. 137*).

Guêpier, espèce répandue en Provence

PÉTANQUE

Activité conviviale accessible à tout âge avec un matériel peu onéreux, la pétanque est très populaire en Provence. Pour la plupart des gens, c'est un divertissement pratiqué en vacances. Mais c'est aussi un véritable sport, qui demande beaucoup d'entraînement et qui peut donner lieu à d'intenses compétitions.

SPORTS EN EAUX VIVES

Le canoë est très répandu sur l'immense lac de Sainte-Croix, à la sortie des gorges du Verdon, les plus grandes d'Europe. Ces dernières sont aussi devenues le paradis des sports d'aventure. La descente la plus célèbre est celle qui débute au pont de Carejuan et qui habituellement nécessite deux jours.
La Sorgue, près de Fontaine-de-Vaucluse, propose un cadre plus calme pour la pratique de cette activité. Renseignez-vous auprès de la **Fédération française de canoë-kayak**. La-Palud-sur-Verdon est le lieu idéal pour s'adonner aux joies du rafting, du kayak sur des rapides et de l'hydrospeed. L'**office de tourisme de Castellane** vous fournira les renseignements nécessaires. L'arrière-pays niçois, notamment la vallée de la Roya, offre un cadre privilégié pour exercer ces activités nautiques, ainsi que le canyoning.

PÊCHE

La pêche est très répandue dans les rivières et les lacs où elle est autorisée. Les offices de tourisme, ainsi que les magasins de pêche vous aideront à obtenir une licence. Vous pouvez essayer cette activité en Méditerranée, où vous pêcherez du loup, du mulet, des sardines et des crustacés comme la langouste et le homard. La pêche de nuit connaît un succès croissant.

GOLF ET TENNIS

Il existe une grande variété de parcours de golf dans la région : en altitude, face à la mer ou même au bord des falaises. Il y en a près de 30, principalement dans les Bouches-du-Rhône et le Var, dont vingt de 18 trous. Parmi les meilleurs, on trouve ceux de la Frégate et de Saint-Cyr, le golf de l'Estérel de Saint-Raphaël et le golf de Châteaublanc, près d'Avignon. La plupart proposent des cours assurés par des spécialistes.

Le « Golf Pass Provence » donne accès à 16 parcours dans toute la région. Pour les passionnés comme pour les golfeurs occasionnels, c'est un excellent moyen d'essayer les parcours disponibles. Le **Comité régional du tourisme** et la **Fédération française de golf** vous donneront toutes les informations nécessaires.

Vous trouverez aussi, dans la plupart des stations balnéaires et dans les villes, des courts de tennis ouverts au public. Dans cette partie de la France, ils sont souvent en terre battue. Vous trouverez la liste des clubs auprès de la **Fédération française de tennis**.

Enfin, le Masters 1000 de tennis de Monte-Carlo se tient chaque année en avril.

Une expérience grisante : faire du kayak dans les gorges du Verdon

ÉQUITATION

La Camargue est réputée pour ses robustes chevaux blancs, qui seraient les descendants des chevaux préhistoriques (*voir p. 136*). Toutefois, la région tout entière est appréciée par les amoureux du cheval pour les belles randonnées équestres que l'on peut suivre. Adressez-vous au **Comité régional d'équitation** pour connaître les adresses des prestataires.

NATURISME

Le plus grand et le plus ancien site de naturistes de la région se trouve sur l'île du Levant, la plus orientale des îles d'Hyères. Il occupe la moitié de la bande de sable de 8 km. Pour plus d'informations, contactez la **Fédération française de naturisme**.

SKI

Les plus importantes stations de ski de Provence sont dans les Alpes-Maritimes. Auron, Isola 2000 et Valberg (*voir p. 96*) sont à seulement 1 h 30 de la côte – ce qui permet de combiner les plaisirs de la mer et de la montagne en une seule journée. Les stations de Pra-Loup, d'Alos, de Super-Sauze et de Chabanon sont un peu plus au nord, dans les Alpes-de-Haute-Provence. Renseignez-vous auprès de la **Fédération française de ski** à Annecy ou auprès de la **Fédération française de la montagne et de l'escalade**.

SPAS

Dans le cadre magnifique du village perché de Gordes, au nord du Luberon, le Spa Daniel Jouvance, **La Bastide de Gordes**, est le lieu idéal pour se ressourcer.

Dans le village pittoresque de Mougins, entre Cannes et Grasse, **Le Mas Candille** est un hôtel élégant doté d'un Spa Shiseido de style japonais.

Si vous souhaitez profiter des équipements les plus luxueux, rien de tel qu'un après-midi au **Thalazur**, situé à Antibes.

RANDONNÉE, ESCALADE ET CYCLISME

En Provence, les grandes randonnées de plusieurs jours (GR) et les petites randonnées d'une journée (PR) ne manquent pas. Certaines peuvent aussi être effectuées à VTT ou à cheval.

Les parcs de Camargue, du Verdon, des Alpilles et du Mercantour possèdent ainsi de nombreux sentiers et parcours, tandis que le sentier du littoral varois permet d'effectuer une belle randonnée de 23 km, qui vous mènera de Saint-Tropez à Cavalaire.

Cependant, le parcours le plus spectaculaire est probablement celui du GR9, qui vous fait traverser les montagnes du Luberon et les monts de Vaucluse. Le parc naturel régional du Luberon dispose d'une vingtaine d'autres sentiers plus courts pour les randonneurs à vélo ou à pied. La **Maison du parc**, à Apt, fournit des informations, des cartes et une liste des hébergements disponibles. N'hésitez pas aussi à contacter les comités départementaux de tourisme *(p. 237)* ou la **Fédération française de randonnée pédestre**.

Les amateurs d'escalade pourront se lancer à l'assaut des falaises de Buoux, dans le Luberon, ou de l'une des 933 ascensions des gorges du Verdon. Les calanques de Marseille ou de Cassis proposent d'autres lieux d'escalade pittoresques qui surplombent la mer. Il est également possible de s'atteler à l'ascension plus simple des Dentelles de Montmirail. Cette dernière région s'enorgueillant de posséder d'excellents vins comme ceux de Gigondas ou de Vacqueyras, vous pourrez vous offrir une petite dégustation après l'effort.

Dans le haut Var, Figanières est réputée pour ses pistes de VTT, tandis que les Alpes-de-Haute-Provence proposent environ 1 500 km de pistes balisées. Renseignez-vous auprès de la **Fédération française de cyclisme**.

VOILE ET PLONGÉE

La plupart des stations balnéaires disposent de tous les équipements nécessaires pour satisfaire les navigateurs amateurs ou chevronnés. L'île de Porquerolles compte d'excellentes écoles de voile.

Le vent des Bouches-du-Rhône et du Var est favorable à la pratique de la planche à voile. Vous pouvez opter pour la Camargue, où le mistral souffle souvent. En juillet, la régate de planches à voile de Saint-Tropez est une manifestation très attendue. Renseignez-vous à l'école nationale de voile ou à la **Fédération française de voile**.

L'eau étincelante, les nombreuses épaves et la richesse de la vie sous-marine font de la plongée un sport répandu en Provence, notamment à Marseille, ainsi que dans les îles d'Hyères et à Cavalaire. Dans le **parc national de Port-Cros**, on peut suivre un « sentier sous-marin ». À Saint-Raphaël, plusieurs épaves datant de la Seconde Guerre mondiale gisent non loin des côtes. La **Fédération française d'études et de sports sous-marins** et **Les Amis des calanques** vous fourniront des renseignements.

La partie la plus pittoresque du Rhône est celle qui traverse Avignon et Arles et qui se poursuit en Camargue. Plusieurs compagnies organisent des croisières pour découvrir cette terre de chevaux sauvages, de taureaux et de flamants roses. Renseignez-vous auprès des centres d'information touristique d'Avignon, d'Arles, des Saintes-Maries-de-la-Mer ou de Port-Saint-Louis. Il est également possible de visiter les calanques en bateau depuis les ports de Marseille et Cassis.

Même si l'on peut y accéder par la mer, l'accès à de nombreuses plages reste payant, notamment dans les Alpes-Maritimes. Toutefois, celles-ci mettent souvent à disposition des catamarans, des canots pneumatiques, des skis nautiques et des équipements de surf.

ADRESSES

ART ET ARTISANAT

Maison de la France
23, pl. de Catalogne,
75014 Paris.
Tél. *01 42 96 70 00.*
www.franceguide.com

Provence verte
Maison du tourisme,
83170 Brignoles.
Tél. *04 94 72 04 21.*
www.la-provence-verte.net

Union Rempart
1, rue des Guillemites,
75004 Paris.
Tél. *01 42 71 96 55.*
www.rempart.com

COURS DE CUISINE ET DÉGUSTATION

Château Virant
Route de Saint-Chamas,
13680 Lançon-Provence.
Tél. *04 90 42 44 47.*
www.chateau-virant.com

Hostellerie Bérard
83740 La Cadière-d'Azur.
Tél. *04 94 90 11 43.*
www.hotel-berard.com

Les Figuières du mas de Luquet
Ch. du Mas-de-la-Musique,
13690 Graveson.
Tél. *04 90 95 72 03.*
www.lesfiguieres.com

CHAMPS DE LAVANDE ET VIGNOBLES

Conseil interprofessionnel des vins de Provence
Maison des Vins, N7,
Les Arcs-sur-Argens.
Tél. *04 94 99 50 10.*
www.vinsdeprovence.com

Inter Rhône – Comité interprofessionnel des vins de la vallée du Rhône
6, rue des Trois-Faucons,
84024 Avignon.
Tél. *04 90 27 24 00.*
www.vins-rhone.com

Musée de la Lavande
Route de Gordes, 84220
Coustellet.
Tél. *04 90 76 91 23.*
www.museedela
lavande.com

INITIATION À LA PARFUMERIE ET À L'AROMATHÉRAPIE

Fragonard
20, bd Fragonard,
06130 Grasse.
Tél. *04 92 42 34 34.*
www.fragonard.com

Galimard
73, route de Cannes,
06130 Grasse.
Tél. *04 93 09 20 00.*
www.galimard.com

Molinard
60, bd Victor-Hugo,
06130 Grasse.
Tél. *04 93 36 01 62.*
www.molinard.com

SPORTS EXTRÊMES

Fédération française de vol libre
4, rue de Suisse,
06000 Nice.
Tél. *04 97 03 82 82.*
www.ffvl.fr

Fédération française de vol à voile
29, rue de Sèvres,
75006 Paris.
Tél. *01 45 44 04 78.*
www.ffvv.org

Ôéroc
Maison des guides,
06470 Valberg.
Tél. *04 93 02 32 15.*
www.ffvv.org

ORNITHOLOGIE

Parc naturel régional de Camargue
Mas du Pont-de-Rousty,
13200 Arles.
Tél. *04 90 97 10 82.*
www.parc-camargue.fr

SPORTS EN EAUX VIVES

Fédération française de canoë-kayak
87, quai de la Marne,
94340 Joinville-le-Pont.
Tél. *01 45 11 08 50.*
www.ffck.org

Office de tourisme de Castellane
Rue Nationale,
04120 Castellane.
Tél. *04 92 83 61 14.*
www.castellane.org

GOLF ET TENNIS

Fédération française de golf
68, rue Anatole-France,
92300 Levallois-Perret.
Tél. *01 41 49 77 00.*
www.ffgolf.org

Fédération française de tennis
2 av. Gordon-Bennett,
75016 Paris
Tél. *01 47 43 48 00.*
www.fft.fr

Comité régional de tourisme
10, pl. de la Joliette,
13002 Marseille.
Tél. *04 91 56 47 00.*
www.crt-paca.fr

ÉQUITATION

Comité régional d'équitation
298, av. du Club-Hippique,
13090 Aix-en-Provence.
Tél. *04 42 20 88 02.*

NATURISME

Fédération française de naturisme
5, rue Regnault,
93500 Pantin.
Tél. *08 92 69 32 82.*
www.ffn-naturisme.com

SKI

Fédération française de la montagne et de l'escalade
8, quai de la Marne,
75019 Paris.
Tél. *01 40 18 75 50.*
www.ffme.fr

Fédération française de ski
50, rue des Marquisats,
74000 Annecy.
Tél. *04 50 51 40 34.*
www.ffs.fr

SPAS

La Bastide de Gordes
84220 Gordes. ***Tél.*** *04 90 72 12 12.* **www**.bastide-de-gordes.com

Le Mas Candille
Bd Clément-Rebuffet,
06250 Mougins.
Tél. *04 92 28 43 43.*
www.lemascandille.com

Thalazur
770, ch. des Moyennes-Bréguières, 06600 Antibes.
Tél. *04 92 91 82 00.*
www.thalazur.fr

RANDONNÉE, ESCALADE ET CYCLISME

Fédération française de cyclisme
5, rue de Rome,
93561 Rosny-sous-bois.
Tél. *01 49 35 69 00.*
www.ffc.fr

Fédération française de randonnée pédestre
64, rue du Dessous-des-Berges, 75013 Paris.
Tél. *01 44 89 93 93.*
www.ffrandonnee.fr

Maison du parc naturel régional du Luberon
60, pl. Jean-Jaurès,
84400 Apt.
Tél. *04 90 04 42 00.*
www.parcduluberon.com

Maison du parc national du Mercantour
06430 Tende.
Tél. *04 93 04 73 71.*
www.mercantour.eu

VOILE ET PLONGÉE

Fédération française d'études et de sports sous-marins
24, quai de Rive-Neuve,
13007 Marseille.
Tél. *04 91 33 99 31.*
www.ffessm.fr

Maison du parc national marin de Port-Cros
83400 Île de Port-Cros
Tél. *04 94 01 40 70.*
www.portcrosparc
national.fr

Fédération française de voile
17, rue Henri-Bocquillon,
75015 Paris.
Tél. *01 40 60 37 00.*
www.ffvoile.org

Les Amis des calanques
Port de La Ciotat
www.visite-calanques.fr

RENSEIGNEMENTS PRATIQUES

LA PROVENCE MODE D'EMPLOI

La haute saison se situe en Provence entre la mi-juin et la fin août – période où le tourisme bat son plein, notamment sur la côte. La région offre cependant de quoi s'occuper toute l'année : pistes de ski en hiver, plages en été, musées d'Art moderne, vestiges romains, manifestations folkloriques, festivals de musique classique, sans parler, bien sûr, des vins et de la cuisine parfumée. Les offices de tourisme fournissent des informations sur la région et sur les différentes formules d'hébergement *(voir p. 190-193)*. Les boutiques et les banques étant généralement fermées entre 12 h et 15 h, profitez de ce moment pour apprécier un bon déjeuner, et n'oubliez pas le dicton local : « Doucement le matin et pas trop vite l'après-midi ».

Logo de la Fédération nationale des offices de tourisme

Une terrasse à l'ombre des platanes

QUAND PARTIR

La Provence et la Côte d'Azur sont des régions estivales par excellence grâce à leurs plages, leurs ports et leurs festivals de renom. Elles connaissent leur pic d'affluence entre la 1re semaine de juillet et le 15 août. Passé cette période, le ciel se fait parfois plus lourd et des orages peuvent survenir. Les commerçants envisagent souvent de faire leur chiffre de l'année pendant la haute saison, si bien que les prix montent dans les endroits les plus fréquentés. Pour éviter la foule de la côte, particulièrement nombreuse entre Toulon et la frontière italienne, repliez-vous en haute Provence, dans les collines du Var ou dans le Vaucluse. La côte autour de Marseille et celle de la Camargue offrent une très bonne alternative pour continuer à profiter des joies de la baignade. La chaleur monte rapidemment en pleine journée – ce qui peut s'avérer gênant pour de longs trajets.

Mai, juin et septembre sont les mois qui se prêtent le mieux à la découverte de la Provence : il y fait beau et les touristes sont moins nombreux ; l'eau est un peu fraîche mais les plages ont moins bondées. Les mois d'hiver offrent encore de belles journées ensoleillées, mais il faut se méfier de la fraîcheur du mistral qui balaye la région.

Programmés hors saison, le Carnaval de Nice et la fête du Citron de Menton attirent les foules. Le ski se pratique en général de mi-novembre à avril *(p. 96)*.

QU'EMPORTER DANS SES BAGAGES

À l'exception des médicaments délivrés sur ordonnance, vous trouverez tout ce dont vous avez besoin sur place. En été, emportez des tenues décontractées et pensez à la crème solaire, à la lotion anti-moustiques et à la casquette. Une paire de jumelles s'avère utile pour les sorties dans la nature. Prenez soin de porter une tenue correcte dans les églises et de respecter le code vestimentaire de certains restaurants. Des vêtements chauds restent de rigueur l'hiver, même sur la côte.

VISAS ET PERMIS DE SÉJOUR

Les ressortissants de l'Union européenne et du Canada doivent être munis d'une carte d'identité ou un passeport en cours de validité. Le visa n'est pas nécessaire, sauf pour un séjour excédant les trois mois.

DOUANES

Les ressortissants canadiens peuvent récupérer la TVA au-delà de 175 € d'achat (sauf nourriture, tabac, médicaments et véhicules) dans le même magasin le même jour. Ils doivent demander un bordereau de vente à l'exportation et le remettre à la douane dans un délai de trois mois.

Les ressortissants canadiens peuvent apporter en France les quantités suivantes : 2 litres d'alcool d'une teneur inférieure à 22° et 1 litre d'alcool supérieur à 22°, 50 cl de parfum, 500 g de café, 100 g de thé et 200 cigarettes maximum. En règle générale, les biens personnels importés (voiture, bicyclette, etc.) ne sont pas soumis aux droits de douanes. Disponible au

Office de tourisme de Monieux, Vaucluse

Centre des renseignements des douanes, la brochure *Voyagez en toute liberté* fournit tous les détails nécessaires.

INFORMATIONS TOURISTIQUES

Les villes, les stations balnéaires et les villages les plus touristiques possèdent chacun un office de tourisme (ou un syndicat d'initiative). Dans les plus petites bourgades, ce sont souvent les mairies qui suppléent à cette fonction. Hors saison, il arrive que certains offices de tourisme de petites cités soient fermés ; il faut alors obligatoirement s'adresser à la mairie.

Tous ces centres proposent des cartes gratuites de leur commune, des brochures et des dépliants sur les curiosités du pays, les manifestations et les spectacles locaux. Ils fourmillent également de renseignements sur les hôtels et les autres options d'hébergement, sur les restaurants, et donneront de bons conseils sur les sports et activités de plein air. Les visiteurs qui envisagent un séjour dans plusieurs localités de la région peuvent s'adresser aux différents Comités départementaux de tourisme ou au Comité régional de tourisme, qui centraliseront les demandes.

HORAIRES D'OUVERTURE

Les musées sont généralement ouverts de 9 h à 12 h et de 14 h à 17 h 30, mais ces plages horaires, variables selon les saisons, se prolongent souvent de mai à septembre. La plupart des musées sont fermés un jour par semaine, le lundi ou le mardi, mais certains grands sites sont ouverts tous les jours en pleine saison. Attention : nombre d'entre eux ferment pendant tout le mois de novembre ! Hors saison, mieux vaut s'assurer des horaires et des jours d'ouverture en téléphonant au préalable.

Dans les grandes villes et les cités les plus touristiques, les magasins sont ouverts sans interruption de 10 h ou 11 h (9 h pour les magasins d'alimentation) jusqu'à 18 h ou 19 h. Dans les communes plus petites, ils sont en pause entre 12 h et 14 h (ou 15 h). À l'exception des zones touristiques, les magasins sont fermés le dimanche. Les restaurants sont quant à eux souvent fermés le lundi. Sur la côte et dans les stations d'altitude, l'activité commerciale dépend de l'afflux touristique : il est fréquent que des boutiques et des sites ne soient ouverts que la partie de l'année qui correspond au pic de visiteurs.

La magnifique façade colorée du musée Matisse à Nice

La fréquence des transports peut aussi varier, avec un service réduit hors saison.

ADRESSES

COMITÉ RÉGIONAL DE TOURISME

Les Docks – Atrium 10.5,
10, pl. de la Joliette,
BP 46214,
13567 Marseille.
Tél. *04 91 56 47 00.*
www.decouverte-paca.fr

COMITÉS DÉPARTEMENTAUX DE TOURISME

Alpes-de-Haute-Provence
8, bd Bad-Mergentheim,
04000 Digne-les-Bains.
Tél. *04 92 31 57 29.*
www.alpes-haute-provence.com

Alpes-Maritimes – Riviera Côte d'Azur
400, promenade des Anglais, 06000 Nice.
Tél. *04 93 37 78 78.*
www.guideriviera.fr

Bouches-du-Rhône
13, rue Roux-de-Brignoles,
13006 Marseille.
Tél. *04 91 13 84 13.*
www.visitprovence.com

Var
1, bd du Maréchal-Foch,
83300 Draguignan.
Tél. *04 94 50 55 50.*
www.visitvar.fr

Vaucluse
12, rue Collège-de-la-Croix,
84000 Avignon.
Tél. *04 90 80 47 00.*
www.provenceguide.com

PRINCIPAUX OFFICES DE TOURISME

Aix-en-Provence
2, pl. du Gal.-de-Gaulle.
Tél. *04 42 16 11 61.*
www.aixenprovencetourism.com

Arles
Bd des Lices.
Tél. *04 90 18 41 20.*
www.tourisme.ville-arles.fr

Avignon
41, cours Jean-Jaurès.
Tél. *04 32 74 32 74.*
www.ot-avignon.fr

Cannes
Palais des Festivals, La Croisette. ***Tél.*** *04 92 99 84 22.* **www.**cannes.fr

Marseille
4, La Canebière. ***Tél.*** *04 91 13 89 00.* **www.**marseille-tourisme.com

Monaco
2A, bd des Moulins. ***Tél.*** *00377 92 16 61 16.* **www.**monaco-tourisme.com

Nice
5, promenade des Anglais.
Tél. *08 92 70 74 07.*
www.nicetourisme.com

Saint-Tropez
Quai Jean-Jaurès.
Tél. *08 92 68 48 28.*
www.ot-saint-tropez.com

DOUANES

23, rue de l'Université,
75007 Paris.
Tél. *08 11 20 44 44.*
www.douane.gouv.fr

À L'ÉTRANGER

Belgique
Av. de la Toison-d'Or, 21,
1050 Bruxelles.
Tél. *0902 88 025.*

Canada
1800 av. McGill College,
suite 1010, Montréal,
Québec, H3A 3J6.
Tél. *(514) 288-2026.*

Suisse
Rennweg 42, Case postale
3376, 8021 Zurich.
Tél. *044 217 46 00.*

Le superbe beffroi de l'hôtel de ville d'Aix-en-Provence

DROITS D'ENTRÉE

Les droits d'entrée des musées varient de 3 à 12 €. Les musées nationaux sont gratuits le 1er dimanche du mois, et presque tous les musées municipaux pratiquent la gratuité ou un tarif réduit le dimanche.

La carte *Musée Côte d'Azur*, qui permet un accès illimité dans plus de 50 musées de la Côte d'Azur, est en vente dans les établissements participant à l'opération, les magasins FNAC *(p. 226)* et dans certains offices de tourisme *(p. 237)*. Le *Riviera Pass* permet également l'accès aux principaux sites et monuments des environs de Nice et donne droit à des réductions. Pour plus de détails, consultez le site : www.frenchrivierapass.com/fr.

En principe, la visite des églises est gratuite, à l'exception de certains cloîtres et chapelles qui demandent une somme modique.

POURBOIRES

Dans la plupart des restaurants, le service de 10 à 15 % est inclus dans l'addition ; le pourboire n'est donc pas obligatoire. Dans les cafés et les bars, en revanche, il est convenu de laisser une petite pièce. Il en va de même pour les chauffeurs de taxi, bien que le service soit intégré au prix de la course.

Pour les portiers d'hôtel, les coiffeurs et les guides touristiques, un pourboire d'environ 1 ou 2 € sera le bienvenu.

VOYAGEURS HANDICAPÉS

Les rues étroites des villages font de la Provence une région mal aisée pour les personnes à mobilité réduite. En revanche, les places de parking réservées aux handicapés (n'oubliez pas votre permis de stationnement international) ne manquent pas. Les pharmacies proposent également la location de fauteuils roulants et d'autres équipements. L'accès aux fauteuils roulants est assez limité, sauf dans les bâtiments récents dotés de rampes d'accès et d'autres facilités.

La SNCF dispose de rames spécialement aménagées pour les handicapés en fauteuil roulant *(p. 247)*. Les chauffeurs de taxi ont l'obligation d'accepter les personnes à mobilité réduite et les chiens d'aveugles.

VOYAGEURS AVEC DES ENFANTS

De nombreux hôtels disposent de chambres familiales, et l'on peut la plupart du temps obtenir un lit pour bébé ou un lit supplémentaire, gratuitement ou avec un petit supplément. Si vous louez une voiture, réservez le siège « bébé » à l'avance et demandez à l'installer. Les enfants bénéficient de réductions dans le train. Renseignez-vous auprès de la SNCF.

VOYAGEURS HOMOSEXUELS

Qu'il s'agisse des bars, des boîtes de nuit ou des plages, la Provence ne manque pas de lieux visant une clientèle homosexuelle. Consultez la liste des hôtels et les activités ciblées sur les sites Internet mentionnés page ci-contre.

VOYAGEURS À PETIT BUDGET

Carte internationale d'étudiant (ISIC)

La Provence est l'une des régions les plus chères de France, surtout durant la période estivale. Il faut toutefois savoir que les prix sont bien plus raisonnables hors saison, et que se loger dans les terres revient moins cher que résider en bord de mer. Les offices de tourisme fournissent la liste des auberges de jeunesse et des campings.

Les transports en commun, notamment l'autocar *(p. 252)*, sont plus économiques que la location d'une voiture et fonctionnent très bien, en particulier sur la côte. Dans les villes, l'achat des billets de transport au carnet est plus économique.

On pourra également économiser sur le droit d'entrée des musées, souvent gratuits un jour par semaine ; certains proposent en outre une réduction pour les familles nombreuses.

Quant à ceux qui veulent économiser au maximum, la Provence est une terre de choix : les montagnes et les paysages méditerranéens, une baignade en mer ou une randonnée dans les parcs nationaux sont des plaisirs gratuits accessibles à tous.

ÉTUDIANTS

Les détenteurs d'une carte internationale d'étudiant (ISIC) en cours de validité bénéficient d'une réduction de 25 à 50 % dans les musées, théâtres et cinémas, ainsi que dans de nombreux monuments publics.

L'université d'Aix-Marseille est la plus importante de la région, suivie de celles d'Avignon et de Nice. Dans chaque ville universitaire, on trouvera des renseignements sur la vie étudiante et une liste des offres de logements bon marché auprès du **Bureau Information Jeunesse (BIJ)** et du **Centre régional Information Jeunesse (CRIJ)**. Pour connaître les adresses du Centre national des œuvres universitaires et scolaires (CNOUS), ainsi que de la Fédération unie des auberges de jeunesse (FUAJ), reportez-vous à la page 193.

DÉCALAGE HORAIRE

La Provence est en avance de 1 h sur le temps GMT. Elle se situe dans le même fuseau horaire que la Belgique, la Suisse et le Luxembourg, et pratique l'heure d'été. La France est en avance de 6 h par rapport au Québec.

Façade et bulbes de l'église orthodoxe russe de Nice.

ADAPTATEURS ÉLECTRIQUES

Le voltage en France est de 220 volts. Les étrangers possédant des appareils électriques fonctionnant sur 110 volts doivent utiliser un transformateur. Les prises à deux fiches rondes sont les plus courantes ; certains appareils ménagers sont dotés d'une grosse fiche de terre. Les adaptateurs universels sont en vente dans les aéroports et dans tous les grands magasins.

TOURISME VERT

La conscience écologique s'est énormément développée en France ces dernières années. De plus en plus de voyageurs ressentent le besoin de se tourner vers des hébergements plus proches du terroir et plus en adéquation avec des modes de développement durables.

Echoway est l'une des principales associations encourageant l'écotourisme et le « voyager responsable » : il propose, pour les passionnés du voyage, des informations et des conseils sur les lieux respectueux de la nature.

Le tourisme rural existe depuis longtemps en Provence, et l'on trouvera des adresses de fermes d'accueil dans le guide des **Gîtes de France**. D'autres associations plus confidentielles mais résolument écologiques, comme **Accueil Paysan**, proposent également un réseau de petites exploitations pratiquant l'agriculture durable. La Provence compte enfin des centaines de campings parfaitement équipés *(p. 192-193)*.

Vous trouverez des renseignements sur l'écotourisme, l'agrotourisme et le tourisme vert, ainsi que sur les activités et les initiatives locales, auprès des offices de tourisme locaux ou départementaux.

De nombreuses villes accueillent un marché bio une fois par semaine, où sont proposés des produits exclusivement issus de l'agriculture biologique. Dans les autres villes, les étals bios sont disséminés sur les marchés. Les jours de marché sont indiqués dans ce guide tout au long des pages consacrées aux visites.

ADRESSES

VOYAGEURS HANDICAPÉS

Association Horus (pour les aveugles)
13, av. Ernest-Lairolle, 06100 Nice.
Tél. *04 92 09 03 48.*
www.horus-asso.org

APF Évasion
17, bd Auguste Blanqui,
75013 Paris.
Tél. *01 40 78 69 00.*
Fax. *01 45 89 40 57.*
www.apf-evasion.org

GIHP
Groupement pour l'insertion des personnes handicapées physiques.
10, rue Georges-de-Porto-Riche,
75014 Paris.
Tél. *01 43 95 66 36.*
www.gihpnational.org

SNCF
www.voyages-sncf.com/guide/voyageurs_handicapes

VOYAGEURS HOMOSEXUELS

La France gaie et lesbienne
www.france.qrd.org

Gay Provence
www.gayprovence.org

International Gay & Lesbian Travel Association
www.iglta.org

ÉTUDIANTS

Aix-en-Provence
BIJ, 37 bis, bd Aristide-Briand.
Tél. *04 42 91 98 01.*

Marseille
CRIJ, 96, La Canebière.
Tél. *04 91 24 33 50.*
www.crijpa.com

Nice
CRIJ, 19, rue Gioffredo.
Tél. *04 93 80 93 93.*
www.crijca.fr

TOURISME VERT

Accueil Paysan
www.accueil-paysan.com

Echoway
www.echoway.org

Gîtes de France
www.gites-de-france.com

Santé et sécurité

La Provence est une région globalement sûre, mais il vaut mieux prendre quelques précautions dans les grandes villes et sur la Côte d'Azur, en particulier à Nice, où, contrairement aux idées reçues, le taux de criminalité est plus élevé qu'à Marseille. Le vol de voitures étant monnaie courante sur la côte, ne laissez aucun objet de valeur à l'intérieur de votre véhicule. Méfiez-vous des groupes d'enfants à l'air innocent, qui sont en réalité d'habiles pickpockets, et prenez vos précautions dans les endroits bondés. Les zones rurales ne présentent généralement aucun danger.

SÉCURITÉ DES BIENS

Les pickpockets sont assez nombreux dans les stations balnéaires, les zones touristiques et les grandes villes. À Nice, l'arrachage de sacs à main est en hausse, mais les agressions sont en revanche rares. Ne laissez jamais vos biens personnels sans surveillance. Préférez les chèques de voyage (Travellers' Cheques, *p. 242*) aux espèces : ils vous seront remboursés en cas de vol.

Évitez de garder sur vous des objets de valeur visibles pendant les visites.

Si possible, ne garez pas votre voiture dans un endroit isolé et privilégiez les parkings à plusieurs niveaux. En extérieur, même si les emplacements sont très chers, garez-vous sur les places autorisées, car la fourrière est très active.

Il n'est pas conseillé de dormir sur les plages, parfois fréquentées la nuit par des voleurs ou des délinquants.

Voiture de police

Voiture de pompiers

Ambulance

Gendarme **Pompier**

En cas de vol, rendez-vous à la gendarmerie ou au poste de police le plus proche. Il faut parfois du temps pour dresser le procès-verbal, mais il vous sera sûrement demandé par votre assurance. Pour les étrangers, en cas de vol de passeport, contactez la police ou votre consulat.

SÉCURITÉ DES PERSONNES

Certaines lignes ferroviaires, telles Marseille-Barcelone ou Marseille-Vintimille, ont mauvaise réputation. Restez vigilants, fermez votre compartiment et cachez vos objets de valeur, en particulier si vous voyagez de nuit.

Les routes et autoroutes sont généralement sûres, mais des touristes ont déjà été victimes de pirates en été, qui vous poussent à vous garer sur le bas-côté. Ces cas sont très rares, mais en cas de problèmes, gardez votre calme et essayez d'atteindre la prochaine sortie : presque tous les péages se doublent en effet d'un poste de police.

FEMMES VOYAGEANT SEULES

La Provence et la Côte d'Azur sont des régions tout à fait recommandables pour les femmes voyageant seules. Elles doivent simplement prendre les précautions d'usage : porter leur sac en bandoulière, être prudentes à la nuit tombée, éviter les endroits isolés, verrouiller la portière de la voiture, et se montrer vigilantes dans les wagons-lits.

La liste des gynécologues et des médecins généralistes est disponible dans les *Pages jaunes*. Toujours de bon conseil, les pharmaciens peuvent délivrer la pilule du lendemain sans ordonnance.

EN PLEIN AIR

Les feux de forêt constituent un risque majeur. Vents violents et bois sec ne faisant pas bon ménage, ne jetez pas votre mégot par la fenêtre. Les feux de camp sont interdits.

La mer Méditerranée est sans danger pour les nageurs, à l'exception de courants forts au large du cap d'Antibes et de la Camargue. Les plages publiques sont généralement surveillées et les endroits où la baignade est autorisée sont balisés. Certaines communes ont adopté le principe du drapeau bleu européen, qui est gage de propreté. Il y a peu d'animaux dangereux en mer : les principaux risques viennent des oursins et des méduses. Si vous faites de la voile, consultez le dernier point météo avant chaque départ et munissez-vous d'une radio ou d'un téléphone portable.

En montagne, le temps change sans prévenir. L'hiver, prévenez les autorités locales de l'itinéraire que vous comptez emprunter. En été, emportez des vêtements chauds et des provisions en cas d'orage soudain. Le mal d'altitude est fréquent dans les Alpes du Sud : adoptez un rythme régulier entrecoupé de pauses.

Dans les montagnes de la Côte d'Azur, ne vous laissez pas impressionner par la couleuvre de Montpellier : malgré sa taille, c'est une grande timide qui a toutes les chances de s'enfuir. Les vipères, dangereuses, préfèrent se cacher dans les chaudes pierres sèches des collines provençales. Les moustiques sont eux aussi des habitués de la région. Des anti-moustiques sont en vente dans les supermarchés ou les pharmacies. Appliquée immédiatement, l'essence de lavande locale est un excellent anti-moustiques et un bon antiseptique contre les piqûres d'insectes. Il arrive aussi que les araignées et les scorpions (peu dangereux) se logent dans les chaussures et les vêtements : prenez l'habitude de les inspecter avant de les enfiler. Attention à la chaleur, surtout pour les enfants, et consultez un médecin ou un pharmacien en cas d'insolation.

Danger d'incendie

Pendant la saison de la chasse (de septembre à février, notamment le dimanche), portez des couleurs vives en randonnée. Les réserves de chasse sont bien signalées par un panneau.

SOINS MÉDICAUX ET ASSURANCE

Les pharmaciens peuvent établir un diagnostic et délivrer des médicaments pour un problème mineur. Il y a toujours une pharmacie de garde ouverte la nuit et le week-end. En cas d'accident ou de maladie grave, rendez-vous directement aux urgences de l'hôpital le plus proche. Pour les urgences à la campagne, composez le 18, les pompiers étant aussi des auxiliaires médicaux très compétents. Dans les grandes villes, un service de médecins de garde est assuré 24 h/24.

Pour les étrangers, assurez-vous que votre police d'assurance est valable en France et sachez qu'il vous faudra un avenant pour les sports d'hiver. Les résidents européens détenteurs de la *Carte européenne d'assurance médicale* sont remboursés des soins médicaux, sous présentation de la feuille de soins signée du médecin.

ADRESSES

NUMÉROS D'URGENCE

Sapeurs-pompiers
Tél. *18.*

Police
Tél. *17.*

Ambulance (SAMU)
Tél. *15.*

S.O.S. Médecins
Tél. *36 24.*

Centre anti-poison
Hôpital Salvator, 249, bd Sainte-Marguerite, 13009 Marseille.
Tél. *04 91 75 25 25.*

SOS Viols
Tél. *0800 05 95 95.*

Sida Info Service
Tél. *0800 84 08 00.*

HÔPITAUX D'URGENCE

Avignon
305, rue Raoul-Follereau.
Tél. *04 32 75 31 90.*

Digne-les-Bains
Quai Saint-Christophe.
Tél. *04 92 30 15 15.*

Marseille
Hôpital La Conception,
147, bd Baille.
Tél. *04 91 38 30 00.*

Nice
Hôpital Saint-Roch,
5, rue Pierre-Dévoluy.
Tél. *04 92 03 33 33.*

Toulon
Hôpital Font-Pré,
1208, av. du Colonel-Picot.
Tél. *04 94 61 60 03.*

CONSULATS

Belgique
75, cours Pierre-Puget,
13006 Marseille.
Tél. *04 91 37 07 17.*
5, rue Gabriel-Fauré 06000 Nice.
Tél. *04 93 87 79 56.*

Canada
Palais Franklin,
2, pl. Franklin, 06000 Nice.
Tél. *04 93 92 93 22.*

Luxembourg
448, av. du Prado,
13008 Marseille.
Tél. *04 91 23 67 20.*

Suisse
7, rue d'Arcole, 13006 Marseille.
Tél. *04 96 10 14 10.*

Banques et monnaies

On trouve des distributeurs de billets un peu partout en Provence, et les cartes bancaires sont acceptées dans la plupart des boutiques et restaurants, même dans les zones reculées. Pour les visiteurs de la zone euro, le change sera inutile puisque l'euro a cours légal en France comme dans les autres pays de la zone.

BANQUES ET CHANGE

Les visiteurs étrangers n'auront pas de difficultés à changer leurs devises en Provence et pourront retirer sans problème de l'argent dans les distributeurs. L'importation de devises n'est soumise à aucune limitation. Dans les grandes villes, les banques et les bureaux de change sont généralement ouverts du lundi au vendredi – et le samedi matin – de 8 h 30 à 12 h et de 13 h 30 à 16 h 30. Ils sont généralement fermés les jours fériés.

MOYENS DE PAIEMENT

Émis par American Express, Thomas Cook ou par votre propre banque, les chèques de voyage (Travellers' Cheques) sont un moyen sûr de transporter de grosses sommes, puisqu'ils sont remboursés sur-le-champ en cas de vol.

Aujourd'hui, un très grand nombre de boutiques, hôtels et restaurants de la région acceptent les chèques-vacances émis par l'ANCV.

L'usage de la carte bancaire implique en France de devoir taper son code. Les distributeurs se vident rapidement avant le week-end. Les cartes bancaires les plus courantes en France sont la carte Bleue Visa et l'Eurocard/Mastercard. De nombreux commerçants refusent la carte American Express à cause d'une commission prohibitive.

ADRESSES

CHÈQUES DE VOYAGE

Avignon
Thomas Cook,
35, rue de la République.
Tél. *04 90 80 66 80.*

Marseille
Thomas Cook, 20, La Canebière.
Tél. *04 96 11 26 26.*

Nice
American Express, Aéroport Nice Côte d'Azur, terminal 1, porte A2.
Tél. *04 93 21 59 79.*

EN CAS DE PERTE OU DE VOL

Contactez en priorité le numéro communiqué par votre banque.

American Express
Tél. *01 47 77 72 00 (cartes).*
Tél. *0800 832 820 (chèques de voyage).*

Visa
Tél. *0892 705 705.*

Eurocard/Mastercard
Tél. *0800 90 13 87.*

Diners Club
Tél. *0810 314 159.*

Billets de banque et pièces de monnaie
Les billets se déclinent en coupures de 5 €, 10 €, 20 €, 50 €, 100 €, 200 € et 500 €, chacun d'une couleur distincte. Il existe huit différentes pièces : celles de 1 € et de 2 € sont de couleur argent et or, celles de 50 centimes, 20 centimes et 10 centimes sont de couleur or, celles de 5 centimes, 2 centimes et 1 centimes sont de couleur bronze.

5 euros

10 euros

20 euros

50 euros

100 euros

200 euros

500 euros

2 euros

1 euro

50 centimes

20 centimes

10 centimes

5 centimes

2 centimes

1 centime

Communications et médias

Logo des cabines publiques

Le principal opérateur téléphonique en France demeure France Télécom. Les services postaux sont dirigés par La Poste : le logo bleu sur fond jaune signale le bureau de poste. Quant à Internet, il est désormais facile de s'y connecter via les cybercafés, les hôtels et le réseau Wi-Fi.

TÉLÉPHONES PUBLICS

Les cabines téléphoniques publiques sont largement répandues en Provence. Elles acceptent les cartes bancaires et les télécartes, vendues pour 50 ou 120 unités dans les bureaux de poste, les bureaux de tabac et chez certains marchands de journaux.

Le service *Pays direct* permet de téléphoner chez soi via un opérateur et de régler l'appel par carte de crédit ou en PCV. On pourra passer les appels longue distance depuis la plupart des bureaux de poste.

TÉLÉPHONES MOBILES

La plupart des téléphones mobiles achetés dans un autre pays européen fonctionnent en France, mais il faut parfois demander une extension de réseau.

Les appels internationaux émis depuis un mobile sont onéreux. La solution est de remplacer sa carte SIM par une carte française avec un nouveau numéro. Attention : les codes de recharge ont une période de validité limitée !

INTERNET

Les points d'accès à Internet sont désormais monnaie courante, sans parler des nombreux hôtels proposant le Wi-Fi. Dans les grandes villes, on trouvera la liste des cybercafés à l'office de tourisme. Les grands ports de Provence disposent eux aussi du réseau Wi-Fi.

POSTE

Les timbres s'achètent à l'unité ou par carnet dans les bureaux de poste ou les bureaux de tabac.

Les bureaux de poste sont généralement ouverts de 9 h à 12 h et de 14 h à 17 h en semaine, et de 9 h à 12 h le samedi. Les boîte aux lettres, visibles grâce à leur couleur jaune distinctive, ont parfois deux ouvertures : une pour un envoi dans le département, une pour un envoi national ou international. Les postes offrent un service de « poste restante » (www.laposte.fr) pour recevoir du courrier.

JOURNAUX ET MAGAZINES

Dans les aéroports et les grandes villes, les journaux et magazines internationaux sont en vente le jour de leur parution ou le lendemain. Principal quotidien de la région, *La Provence* est disponible partout et constitue le 5e quotidien régional de France. *La Marseillaise*, *Nice Matin*, *Vaucluse Matin* et *Var Matin* sont les autres plus importants journaux régionaux. Le mensuel *Provence-Magazine* informe sur la vie culturelle et les manifestations à venir.

TÉLÉVISION ET RADIO

On reçoit gratuitement les six chaînes nationales (dont Canal +, cryptée) et la chaîne monégasque TMC. La chaîne LCM est disponible seulement dans les environs de Marseille. Grâce au décodeur TNT dont sont équipés la majorité des hôtels, douze nouvelles chaînes gratuites sont disponibles depuis 2005.

Les chaînes américaines CNN et Skynews sont accessibles dans les principaux hôtels. Une radio anglophone, Radio Riviera, occupe la fréquence 106,3 sur la Côte d'Azur.

La couleur caractéristique des boîtes aux lettres date des années 1960

ADRESSES

TÉLÉPHONE

Renseignements
Tél. 118 712, 118 000, 118 218, 118 007, etc.

Pays direct
www.paysdirect.com

Indicatif de la France
Tél. 0033 + numéro d'appel en enlevant le premier 0.

Indicatif des téléphones fixes en Provence
Tél. 04 + 6 numéros.

Indicatif des téléphones mobiles
Tél. 06 + 6 numéros.

QUELQUES CYBERCAFÉS

Avignon
Cybert Media,
22, rue du Portail-Matheron.
Tél. 04 32 74 18 98.

Cannes
Dream Cyber Café,
6, rue du Commandant-Vidal.
Tél. 04 93 38 26 79.

Digne-les-Bains
Cyber Games Café,
48, rue de l'Ubac.
Tél. 04 92 32 00 19.

Marseille
Info-Café,
1, quai de Rive-Neuve.
Tél. 04 91 33 74 98.

Nice
Cyberpoint,
10, av. Félix-Faure.
Tél. 04 93 92 70 63.

Saint-Tropez
Kreatik Café,
19, av. du Général-Leclerc.
Tél. 04 94 97 40 61.

SE DÉPLACER EN PROVENCE

La Provence bénéficie d'un excellent réseau d'autoroutes, même si elles sont fréquemment surchargées en plein été. L'aéroport de Nice, très moderne, connaît le trafic le plus important après Paris, avec chaque année 10 millions de visiteurs venus du monde entier. L'aéroport de Marseille accueille des vols directs quotidiens au départ des principales villes de France et d'Europe, et quelques long-courriers de grandes villes du monde. Pour circuler dans le pays, le TGV est une solution rapide *(p. 246)*. La solution auto/train est plus lente, mais économise la fatigue de la conduite et le coût des péages.

Boeing 737 d'Air France

ARRIVER EN AVION

Les deux grands aéroports de la région, Marseille-Provence et Nice-Côte d'Azur (le 2e de France après Paris), sont modernes et confortables. Les principaux loueurs de voitures y possèdent une agence.

Situé à Marignane, à 25 km au nord-ouest de la ville, l'aéroport de **Marseille-Provence** accueille des vols nationaux et internationaux et dispose d'une aérogare pour les compagnies à bas prix, le MP2. La course en taxi de l'aéroport au centre de Marseille coûte environ 40 € (50 € la nuit et le dimanche). Un car assure également la liaison avec la gare de Marseille Saint-Charles, toutes les 20 min.

L'aéroport **Nice-Côte d'Azur**, à 7 km au sud-ouest du centre-ville, possède deux terminaux : le terminal 1 (à l'est) accueille essentiellement des vols internationaux, le terminal 2 (à l'ouest) est réservé aux vols domestiques. Un taxi jusqu'au centre-ville coûte environ 25 €. Deux navettes desservent ces deux terminaux : la n° 98 au départ de la gare routière toutes les 20 min, la n° 99 au départ de la gare SNCF toutes les 30 min. Il existe une navette avec Cannes toutes les 30 min et avec Monaco et Menton toutes les heures.

Quatre autres aéroports en Provence, ou à proximité, reçoivent quelques vols internationaux : Avignon, Montpellier, Nîmes et Toulon.

LIAISONS AÉRIENNES

Après Paris, la Provence est la région française la plus accessible en avion. Presque toutes les grandes villes européennes proposent des vols directs quotidiens vers cette destination. Les tarifs peuvent être extrêmement variables, la haute saison étant les vacances de Pâques et les mois d'été. Il pourra être plus économique de se tourner vers les compagnies *low costs* (voir plus loin).

Air France assure plusieurs vols quotidiens vers Marseille, Toulon ou Nice depuis Paris, et une multitude d'autres liaisons transversales depuis d'autres villes françaises.

Les deux principaux aéroports reçoivent des vols réguliers depuis la Belgique, la Suisse et le Canada : **Twin Jet** assure une liaison Bâle-Marseille, **Swiss** assure une liaison Zurich-Nice, **Brussels Airlines** propose des vols Bruxelles-Marseille et Bruxelles-Nice, et **Air Transat** dessert les deux aéroports depuis Montréal. Il existe en outre une liaison quotidienne Luxembourg-Nice assurée par **Luxair**. Pour les autres destinations internationales, il faudra vraisemblablement faire un transit par Paris.

Le grand terminal international de l'aéroport Nice-Côte d'Azur.

Hall des départs à l'aéroport de Marseille-Provence

LOW COSTS

Ryanair propose des vols vers Marseille depuis Biarritz, Brest, Lille, Mulhouse, Nantes, Paris-Beauvais et Tours, et divers vols européens, notamment depuis Bruxelles et Bâle. Elle offre également une liaison Bruxelles-Nîmes. **EasyJet** assure des liaisons entre Nice et Paris, ainsi qu'avec Bâle, Bruxelles et Genève. **Fly Baboo** assure des liaisons Nice-Genève et Saint-Tropez-Genève, tandis que **Jetair Fly** propose un vol Bruxelles-Toulon.

FORMULES AVION + TRAIN ET AVION + VOITURE

Air France et la SNCF proposent des tarifs groupés à destination des étrangers, à savoir un vol jusqu'à Paris, puis le train jusqu'en Provence. Cette formule est intéressante à destination d'Avignon, Arles, Nice et Marseille *(voir aussi p. 250)*.

De nombreuses agences vendent des séjours personnalisés, comprenant le vol, la location de voiture et l'hébergement.

VOYAGER « ÉCOLO »

Contrairement à d'autres pays, il est facile de voyager en France en évitant les longs trajets en avion ou en voiture gourmands en énergie, grâce à la qualité des transports publics, en particulier du réseau ferroviaire SNCF.

La France a instauré un programme d'éco-mobilité incitant les usagers à délaisser leur voiture au profit de meilleures correspondances entre les trains et les bus, les vélos, et d'autres moyens de transport. La mise en place d'un service de vélos en libre-service à Marseille, Nice et Aix-en-Provence *(p. 253)* fait partie de ce programme. On trouve aussi de nombreux loueurs de vélos en ville. Chaque office de tourisme vous fournira la liste des loueurs et des itinéraires à découvrir. On peut aussi emporter son vélo sur les trains de la SNCF *(p. 248)*. Si vous n'êtes ni cycliste, ni randonneur, il sera plus difficile de se passer de la voiture, car les autocars sont lents et peu fréquents.

ADRESSES

AÉROPORTS

Marseille-Provence
Marignane, 25 km N.-O. Navette : 8,5 € ; taxi : 40 €.
Tél. *04 42 14 14 14.*
www.marseille.aeroport.fr

Nice-Côte d'Azur
7 km S.-O. Navette : 4 € ; taxi 25 €. ***Tél.*** *0820 42 33 33.* **www.**nice.aeroport.fr

Avignon-Caumont
10 km S.-E. Taxi : 24 €.
Tél. *04 90 81 51 51.*
www.avignon.aeroport.fr

Montpellier-Méditerranée
Mauguio, 10 km S.-E. Navette : 5 € ; taxi : 20 €.
Tél. *04 67 20 85 00.*
www. montpellier. aeroport.fr

Nîmes-Arles
Saint-Gilles, 13 km S.-E. de Nîmes. Taxi : 25 €.
Tél. *04 66 70 49 49.*
www.nimes.aeroport.fr

Toulon-Hyères
Hyères, 23 km E. Bus : 1,4 € ; taxi : 40 €.
Tél. *0825 01 83 87.*
www.toulon-hyeres. aeroport.fr

COMPAGNIES AÉRIENNES

Air France
Tél. *36 54.*
www.airfrance.fr

Air Transat
Tél. *0825 120 248.*
www.airtransat.fr

Brussels Airlines
Tél. *0892 64 00 30.*
www.brusselsairlines.com

EasyJet
www.easyjet.com/fr

Fly Baboo
Tél. *0800 445 445 45.*
www.flybaboo.com/fr

Jetair Fly
Tél. *0032 70 22 00 00.*
www.jetairfly.com/FR

Luxair
Tél. *00800 2456 4242.*
www.luxair.lu

Ryanair
www.ryanair.com/site/FR

Swiss
Tél. *0892 23 25 01.*
www.swiss.com/web/fr

TwinJet
Tél. *0892 707 737.*
www.twinjet.fr

AGENCES DE VOYAGES

Voyages-SNCF
www.voyages-sncf.com

Club Méditerranée
Tél. *0820 020 008.*
www.clubmed.fr

Expedia
Tél. *0892 301 300.*
www.expedia.fr

Fnac Voyages
Tél. *0892 701 201.*
www.fnacvoyages.com

FRAM
Tél. *0826 463 727.*
www.fram.fr

Go Voyages
Tél. *0899 651 951.*
www.govoyages.com

Havas Voyages
Tél. *01 48 51 86 19.*
www.havas-voyages.fr

Jet Tours
Tél. *0820 830 880.*
www.jettours.com

Lastminute
Tél. *04 66 92 30 29.*
www.fr.lastminute.com

Look Voyages
Tél. *01 45 15 31 70.*
www.look-voyages.fr

Nouvelles Frontières
Tél. *0825 000 825.* **www.** nouvelles-frontieres.fr

Selectour
Tél. *0892 233 002.*
www.selectour.com

Circuler en train

Logo de la SNCF

Le train est sans aucun doute le moyen le plus rapide et le plus efficace pour se rendre en Provence. La SNCF, la compagnie ferroviaire française, est l'une des mieux équipées et des plus confortables du monde. Le trajet Paris-Marseille, via Avignon et Aix, ne dure que 3 h en TGV – ce qui en fait un transport presque aussi rapide que l'avion, en sachant qu'il vous dépose au centre de la ville.

Intérieur de la gare TGV d'Avignon

LES GRANDES GARES

Les grandes gares de la région sont celles de Marseille Saint-Charles, Nîmes et Nice. Vous y trouverez restaurants, boutiques, accès Wi-Fi et casiers de consigne. Avignon et Aix-en-Provence disposent aussi d'une gare TGV.

LE TGV

Le TGV est le moyen idéal pour se rendre en Provence depuis Paris. Les trains partent de la gare de Lyon et s'arrêtent à Avignon (en 2 h 30), Aix-en-Provence (en 2 h 50) et Marseille (en 3 h). Le TGV relie aussi Nice et Monaco, mais le réseau n'est pas encore adapté pour la grande vitesse, si bien que la durée du trajet est presque aussi longue entre Marseille et Nice qu'entre Paris et Marseille. Depuis Paris, le train-couchettes Corail Lunéa est une option reposante et économique pour éviter de supporter les 5 h 30 que dure ce trajet. Au départ d'Avignon, le TGV dessert aussi Nîmes et Montpellier. Il relie ensuite Toulouse et Bordeaux, mais à vitesse normale. Les grandes lignes au départ de Bruxelles vers la Provence passent par Lille et Paris ; celles depuis Genève transitent par une des villes de la vallée du Rhône.

RÉSERVATIONS

On trouvera des guichets de réservations (parfois automatisés) dans les gares. La réservation (souvent incluse dans le prix) est obligatoire sur le TGV, les trains Corail et les trains-couchettes. Elle peut être effectuée 90 jours à l'avance et jusqu'à 5 min avant le départ. Vous pouvez acheter un billet par Internet en vous le faisant envoyer par la poste ou en venant le retirer au guichet.

Depuis les pays étrangers, on peut réserver un billet pour la France et les lignes intérieures via **InterRail** et **www.voyages.sncf.com**. **Eurail** renseigne aussi sur les tarifs et les horaires. Il est difficile de changer en France une réservation prise à l'étranger. Il faut parfois prendre un nouveau billet quitte à vous faire rembourser à votre retour.

Le voyageur qui achète son billet peut aussi réserver une voiture (Train+Auto, *voir p. 248*), un vélo (Train+Vélo) ou un hôtel (Train+Hôtel).

TARIFS

Les tarifs évoluent en fonction de la classe choisie, de la période, de la date et de l'heure du départ. Il est fortement recommandé de s'y

LE TGV

Le TGV (train à grande vitesse) est le fleuron du réseau SNCF. Équipés de wagons-restaurants et particulièrement confortables, ces trains circulent à plus de 300 km/h sur des voies spécialement conçues à cet effet. Inauguré en 1981 entre Paris et Lyon, puis prolongé jusqu'à Marseille en 2001, le TGV Méditerranée devrait être encore prolongé jusqu'à Toulon et Nice d'ici 2025, mettant cette dernière à 3 h 40 de Paris contre plus de 5 h 30 aujourd'hui.

Un trajet Paris-Marseille s'effectue aujourd'hui en trois heures

prendre le plus tôt possible pour des départs en juillet et en août, pour les vacances scolaires de Noël et de Pâques, ainsi que pour les week-ends prolongés, notamment au mois de mai.

Une réduction de 25 % est appliquée sur les formules *Découverte*. La SNCF a également mis en place les tarifs *Prems*, qui offrent des réductions pour des réservations très anticipées, ainsi que des IDTGV, des rames à bas prix, où la réservation ne s'effectue que par Internet et où il faut imprimer son billet.

Si l'on envisage plusieurs voyages par an sur le réseau ferroviaire français, il peut s'avérer judicieux d'acheter une carte de fidélité, qui donne droit à des réductions allant jusqu'à 50 %.

Pour ce qui concerne les étrangers, la carte InterRail donne droit à un kilométrage illimité dans tous les pays d'Europe à l'exception de celui où elle a été émise. L'Eurail Pass concerne les résidents non-européens ; depuis le Canada, France Rail Pass est une autre option.

Voyages-sncf.com propose ses meilleurs prix sur les billets de train, d'avion, hôtels, location de voitures, séjours clé en main ou Alacarte®. Vous avez également accès à des services exclusifs : l'envoi gratuit des billets à domicile, Alerte Résa qui signale l'ouverture des réservations, le calendrier des meilleurs prix, les offres de dernière minute et promotions. www.voyages-sncf.com

LIGNES FERROVIAIRES EN PROVENCE

Les lignes ferroviaires de la région sont très fréquentées, surtout en haute saison, si bien qu'il est préférable de réserver son billet très à l'avance, surtout pour Nice et Marseille. Dans le haut Var et en haute Provence, le réseau est bien moins dense que sur la côte ou dans la vallée du Rhône, mais la SNCF assure un service d'autocars relativement efficace.

Les trains **Corail** sont des express longue distance, aux voitures modernes. Les trains Corail Téoz circulent le jour, les trains-couchettes Corail-Lunéo la nuit. Les trains Corail-Intercité sont plus rapides et comptent moins d'arrêt. La réservation est obligatoire sur tous ces trains.

Les **TER** (train express régionaux) s'arrêtent en principe à tous les arrêts. La réservation n'est pas obligatoire, et les billets ne sont pas vendus à l'avance. Vous trouverez des renseignements sur le réseau TER dans les gares et sur le site TER.

Panorama vu du train des Pignes

TRAINS TOURISTIQUES

Une dizaine de lignes pittoresques de Provence constituent à elles seules une attraction touristique. Parmi elles, la ligne du **train des Pignes** *(p. 181)* est peut-être la plus célèbre.

L'itinéraire Nice-Cunéo, via Peille, Sospel et Tende, offre un magnifique spectacle à travers les montagnes.

Ouverte en été, la ligne Alpazur, entre Nice et Grenoble, s'anime d'un train touristique à vapeur sur le tronçon Puget-Théniers.

Citons aussi le train des Alpilles, entre Arles et Fontvieille, le train de la côte Bleue, le train des Merveilles dans le Mercantour, etc.

ADRESSES

INFORMATIONS ET RÉSERVATIONS SNCF

Depuis la France
Tél. *36 35 (numéro national).*
www.sncf.com
www.voyage-sncf.com

Depuis l'étranger
Tél. 00 33 892 35 35 35.

Trains Corail
www.coraillunea.com
www.corailteoz.com

TER
www.ter-sncf.com

Auto-Train
Cinq gares sont équipées pour transporter des voitures dans des wagons : Avignon, Fréjus-Saint-Raphaël, Marseille, Nice, Toulon.

Service clientèle
En cas de réclamation :
Espace Voltaire, gare Saint-Charles, 13001 Marseille.
Tél. *04 95 04 10 00.*

RÉSERVER ET CIRCULER DEPUIS L'ÉTRANGER

Eurail
www.eurail.com

InterRail
www.interailnet.com

France Rail Pass
www.francerailpass.com

QUELQUES LIAISONS

Les durées sont indiquées pour des trajets directs. Les gares TGV sont parfois situées loin de la ville.

Aix (TGV)-Marseille : 11 min.
Aix centre-Marseille : 30 min.
Arles-Marseille : 45 min.
Avignon-Marseille : 35 min.
Avignon-Cannes : 2 h 20.
Avignon-Nice : 2 h 50.
Cannes-Nice : 30 min.
Nîmes-Marseille : 1 h.
Nice-Marseille : 2 h 30.
Marseille-Cannes : 2 h.
Marseille-Saint-Raphaël : 1 h 30.
Marseille-Toulon : 40 min.
Toulon-Nice : 1 h 45.

TRAINS TOURISTIQUES

Train des Pignes
Chemins de fer de Provence.
Tél *04 97 03 80 80.*
www.trainprovence.com

TER – trains touristiques
www.trainstouristiques-ter.com

EMPORTER SA BICYCLETTE

Il est possible d'emporter sa bicyclette sur presque tous les trains, y compris le TGV, à condition de réserver à l'avance. Dans certains cas rares, les deux-roues circulent sur un autre train et n'arrivent parfois que quatre jours plus tard. Sur les dépliants indiquant les horaires des TER, un pictogramme indique les trains acceptant les vélos. La formule Train+Vélo permet de réserver une bicyclette à l'arrivée. Attention : ce service n'est pas valable sur toutes les lignes!

HORAIRES ET AMENDES

Les horaires de la SNCF changent en mai et en septembre. Les dépliants indiquant les horaires des principaux itinéraires (TGV et TER), sont distribués gratuitement dans les gares ou consultables sur Internet.

Les trains français sont connus pour leur ponctualité. Tous les billets (sauf les billets IDTGV imprimés sur votre ordinateur) doivent être compostés avant de monter dans le train sous peine d'amende. Les composteurs, de couleur jaune, sont situés à l'entrée des voies et inscrivent sur le billet la date et l'heure du départ. En cas d'oubli, prévenez immédiatement un contrôleur dans les rames.

FORMULE AUTO-TRAIN

La formule Auto-Train, qui fonctionne depuis Paris à destination d'Avignon, Fréjus-Saint-Raphaël, Marseille, Nice et Toulon, vous permet d'acheminer votre véhicule par le train tandis que vous empruntez le mode de transport de votre choix. Les réservations doivent être effectuées au moins cinq jours à l'avance.

ANIMAUX

La présence d'un animal dans un train est tolérée mais ne peut pas être imposée aux autres voyageurs. Il est notamment recommandé de museler les chiens.

Les animaux de moins de 6 kg transportés dans un panier voyagent gratuitement. Pour les autres, il faut acquitter le prix d'un billet demi-tarif de 2nde classe.

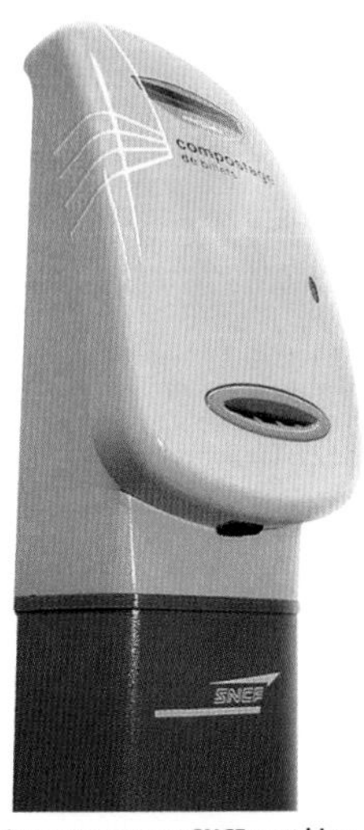

Les composteurs SNCF sont bien visibles grâce à leur couleur jaune

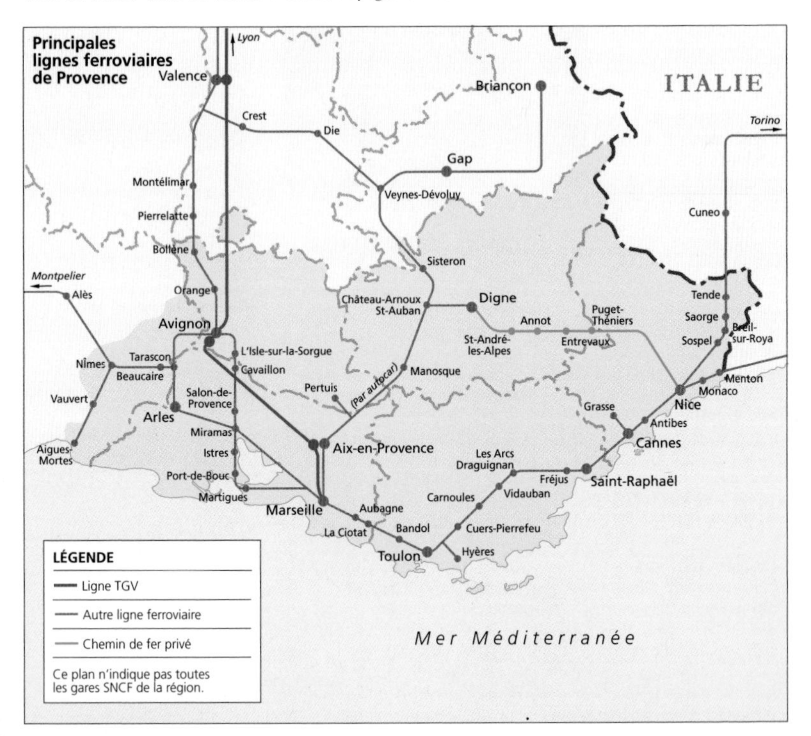

Circuler en bateau

Le littoral méditerranéen est bien équipé en matière de transport maritime. Chaque ville ou presque abrite un port où louer un bateau de plaisance. Pour se rendre dans les îles (îles d'Hyères, de Lérins, des Embiez, etc.), les ferrys et les sociétés privées ne manquent pas. Les autres grandes voies navigables de la Provence sont le Rhône et la Durance, sans parler des superbes marécages de Camargue. L'été, à partir de Sainte-Maxime et de Saint-Raphaël, un service de navettes assure la liaison avec Saint-Tropez, inaccessible en train et impraticable pour cause d'embouteillages.

LIGNES VERS LA CORSE

Au départ de Marseille et de Nice, les ferrys de la **SNCM** assurent toute l'année la liaison avec Bastia, Ajaccio et L'Île-Rousse. L'été, un service supplémentaire, souvent nocturne, relie Marseille à Propriano, et Toulon à Ajaccio, Bastia et Propriano.

LIGNES VERS LES ÎLES ET SITES DE LA RÉGION

La compagnie **Planaria** gère la liaison entre Cannes et les îles de Lérins. Pour les îles des Embiez, les départs se font de Bandol ou du port du Brusc. Pour Porquerolles et Port-Cros, les liaisons sont assurées par **TLV** et **TVM** depuis Hyères ou le port de la Tour-Fondue. D'autres excursions d'une journée vers ces îles partent du quai Stalingrad à Toulon. Pour les calanques, une dizaine de compagnies sont disponibles au départ du Vieux-Port de Marseille et de Cassis. Pour les autres croisières de la région, renseignez-vous dans les offices de tourisme.

CROISIÈRES FLUVIALES

Pour découvrir les canaux de Camargue, **Crown Blue Line** loue des bateaux à la semaine ; il est également possible de profiter d'une croisière d'une journée sur une péniche, notamment la **Pescalune**. Certaines compagnies organisent des croisières de luxe sur le Rhône entre Avignon et Lyon. Au départ d'Avignon, **Mireio** propose des croisières-déjeuners, dîners ou panoramiques.

Voiliers et bateaux de pêche dans le port de Saint-Tropez

Yacht privé dans la baie de Cannes

Voilier dans une petite crique de la côte provençale

VOILE

Plus de 70 ports de plaisance jalonnent la côte provençale. Les frais de mouillage varient, mais sont particulièrement élevés sur la Côte d'Azur. La **Fédération française de voile** vous renseignera sur les clubs de voile et la location de voiliers.

ADRESSES

LIGNES VERS LA CORSE

SNCM
Agences à Marseille et Nice.
Tél. *3260 (numéro national).*
www.sncm.fr

COMPAGNIES

Crown Blue Line
30800 Saint-Gilles. ***Tél.*** *04 68 94 52 72.* **www**.crownblueline.fr

Mireio
84000 Avignon. ***Tél*** *04 90 85 62 25.* **www**.mireio.net

Péniche Pescalune
30220 Aigues-Mortes.
Tél. *04 66 53 79 47.* **www**.pescalune-aiguesmortes.com

Planaria
06400 Cannes.
Tél. *04 92 98 71 38.*

TLV-TVM
83400 Hyères. ***Tél.*** *04 94 58 21 81.* **www**.tlv-tvm.com

VOILE

Fédération française de voile
Tél. *01 40 60 37 00.*
www.ffvoile.org

La route

La France possède un excellent réseau d'autoroutes qui fait le bonheur des automobilistes se rendant en Provence, malgré un coût de péage élevé. La région s'enorgueillit de routes panoramiques qui se classent parmi les plus belles au monde, telles que la Grande Corniche au-dessus de Nice ou les petites routes du Luberon ou du Verdon. Attention, les routes sont surchargées en été, en particulier sur la Côte d'Azur.

SE RENDRE EN PROVENCE

La Provence compte plusieurs grandes autoroutes très pratiques. Surnommée « l'autoroute du Soleil », l'A7 descend la vallée du Rhône jusqu'à Marseille. Elle a remplacé la mythique nationale 7, empruntée par des générations de vacanciers jusqu'aux années 1960. L'A8, qui relie l'Espagne à l'Italie, est l'une des plus chères de France, mais elle permet de se rendre de Nice à Aix-en-Provence en moins de 2 h. L'A9 part d'Orange en direction de Barcelone, et l'A54 relie Aix-en-Provence à Nîmes en passant par la Camargue. L'A51 remonte la vallée de la Durance depuis Aix jusqu'à Gap.

L'A7, l'A8 et l'A9 sont parmi les plus fréquentées de France en haute saison. Si vous avez le temps, mieux vaut quitter l'A7 à Montélimar et traverser le Luberon via Nyons et Vaison-la-Romaine. Pour aller sur la Côte d'Azur, sortez à Avignon et traversez le Luberon et le Var. Plus difficile, la « route Napoléon » (N85) part de Grenoble et traverse les Alpes du Sud jusqu'à Digne et Grasse, d'où l'on rejoindra soit Cannes en profitant du panorama de la D3, soit Nice et le pays niçois par la route de Nice.

LOCATION DE VOITURES

Les loueurs de voitures ne pratiquent pas tous les mêmes prix ; il est donc préférable de se renseigner à l'avance. La formule Avion+Voiture est une bonne option pour les petits groupes. La SNCF propose également des tarifs Train+Location de voiture à l'arrivée des grandes gares *(voir p. 246-248)*.

ASSURANCE ET DÉPANNAGE

Les polices d'assurance européennes incluent automatiquement une assurance au tiers, dont l'extension varie en fonction des compagnies. Il est conseillé aux résidents non européens qui entrent en France avec leur véhicule de contracter une assurance complémentaire auprès d'un service international tel **Europ Assistance**.

Les conducteurs doivent être munis de leur permis de conduire, leurs papiers d'identité, les papiers du véhicule et leur justificatif d'assurance. Un autocollant du pays d'immatriculation du véhicule doit être apposé près de la plaque minéralogique.

Nous vous conseillons en outre de prévoir une

LE PÉAGE AUTOROUTIER

Le ticket délivré à la borne d'entrée de l'autoroute indique le point de départ du trajet. Le paiement s'effectue au péage de sortie proportionnellement à la distance parcourue et à la catégorie du véhicule.

Les panneaux de péage
Bleu et blanc, les panneaux indiquent le nom du prochain péage, la distance qui reste à parcourir jusqu'à ce poste, et dans certains cas, les tarifs pour les voitures, les motos, les camions et les caravanes.

Paiement au guichet
Tendez votre ticket au préposé qui vous indiquera le montant à régler, lequel s'affichera également devant vous. Le paiement peut s'effectuer en espèces, par carte bancaire ou par chèque. Un reçu est délivré sur demande.

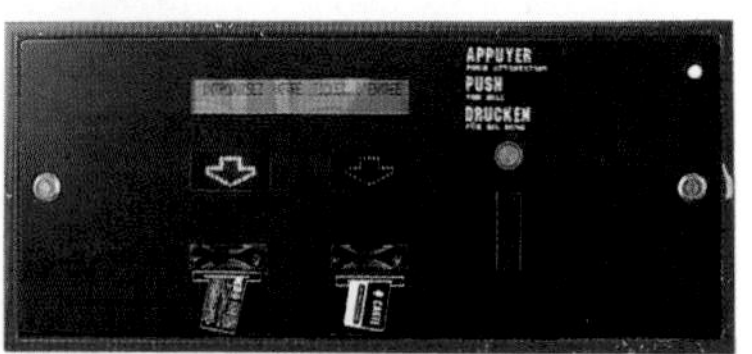

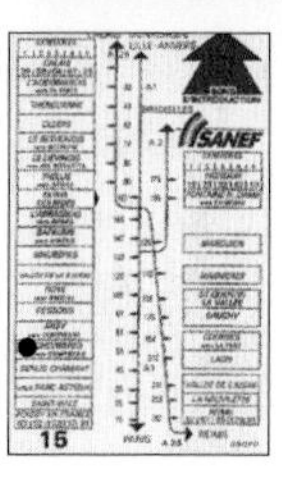

Paiement au péage automatique
Insérez votre ticket dans la machine qui affiche alors le coût du trajet en euros. Le paiement s'effectue en espèces ou par carte bancaire. La machine rend la monnaie, et délivre un reçu sur demande.

assurance-dépannage, soit par votre contrat, soit auprès d'une société de dépannage locale comme **Dépannage Côte d'Azur**.

CODE DE LA ROUTE ET RÈGLES

La ceinture de sécurité est obligatoire à l'avant comme à l'arrière. Les enfants de moins de 10 ans ont interdiction d'être assis à l'avant, à l'exception des bébés (le siège doit être placé dos à la route).

Depuis 2008, tous les véhicules doivent détenir un gilet de sécurité fluorescent, accessible dans l'habitacle, ainsi qu'un triangle de signalisation. En cas de panne, il est obligatoire de revêtir le gilet depuis l'intérieur du véhicule, puis de sortir poser le triangle à une vingtaine de mètres afin de prévenir les autres automobilistes. Ces équipements sont en vente dans les stations d'essence et en grandes surfaces. Sur les autoroutes, les bornes d'appel d'urgence sont placées tous les 2 km.

VITESSES AUTORISÉES

Autoroutes : 130 km/h, 110 km/h par temps de pluie ou de brouillard.

Routes à deux fois deux voies : 110 km/h, 90 à 100 km/h par temps de pluie ou de brouillard.

Autres routes : 90 km/h, 80 km/h par temps de pluie ou de brouillard.

Agglomérations : 50 km/h maximum. Des panneaux signalent si la limitation de vitesse est inférieure.

La France a mis en place un réseau très dense de radars obligeant à respecter les limitations de vitesse. Ils sont signalés par un panneau une centaine de mètres avant.

Les excès de vitesse sont passibles d'une amende réglable sur-le-champ. Les conducteurs présentant un taux d'alcoolémie supérieur à 0,5 g/litre de sang encourent une lourde amende, la confiscation du permis de conduire et, dans certains cas, la prison.

Route panoramique dans le grand canyon des gorges du Verdon

ROUTES PANORAMIQUES

L'un des grands plaisirs du tourisme en Provence est de délaisser les grands axes au profit des petites routes de campagne. Les nationales et départementales suppléent efficacement aux autoroutes. Le panneau **Bison futé**, qui indique les itinéraires de délestage pour éviter les embouteillages, est particulièrement précieux aux périodes de pointe (les week-ends les plus chargés sont ceux de la mi-juillet et du début et de la fin août).

À l'exception des routes du littoral, régulièrement embouteillées, la Provence est une merveilleuse région pour conduire. Parmi les routes panoramiques, la célèbre route de la Corniche, entre Nice et Menton, offre un spectacle splendide, de même que les routes du massif des Maures *(p. 116-117)*, dans l'arrière-pays. L'office de tourisme local vous fournira les cartes et les informations nécessaires.

LES CARTES

Vous trouverez à la fin de ce guide une carte des principaux axes routiers de la région. La carte Michelin n° 245 offre une vision globale de la Provence à l'échelle 1/200 000. Les cartes de l'IGN sont plus détaillées. Pour les villes, on trouvera facilement un plan gratuit à l'office de tourisme, mais une carte Michelin plus précise pourra s'avérer utile.

ADRESSES

LOCATION DE VOITURES

Ada
www.ada.fr

Avis
www.avis.fr

Budget
www.budget.fr

Europcar
www.europcar.fr

Hertz
www.hertz.fr

Rent a Car
www.rentacar.fr

ASSURANCE ET DÉPANNAGE

Dépannage Côte d'Azur
Tél. *04 93 29 87 87.*

Europ Assistance
Tél. *01 41 85 94 85.*
www.europ-assistance.fr

ÉTAT DES ROUTES ET INFORMATION TRAFIC

CNIR (Centre national d'information routière)
Tél. *0 826 022 022.*
www.bison-fute.equipement.gouv.fr

Escota
Réseau d'autoroutes Estérel, Côte d'Azur, Provence et Alpes.
Tél. *0 892 70 70 30.*
www.escota.fr

Infotrafic
www.infotrafic.com

COVOITURAGE

Allostop
Tél. *0 825 803 666.*
www.allostop.net

Covoiturage
www.covoiturage.fr

COMPAGNIES D'AUTOCARS

Eurolines Travel
Tél. *08 92 89 90 91.*
www.eurolines.fr

CARTES ROUTIÈRES

IGN
Tél. *01 43 98 85 00.*
www.ign.fr

Michelin
www.michelin-boutique.com

La Provence est un paradis pour les amateurs de VTT

LE STATIONNEMENT

Dans les villes, notamment sur la côte, le stationnement est strictement réglementé. Respectez-le sous peine de voir votre véhicule remorqué à la fourrière et de régler une lourde contravention. Les horodateurs, chers dans cette région, sont répandus, et la durée du stationnement est souvent limitée. Quelques parkings sont gratuits entre 12 h et 14 h. Prévoyez de la monnaie pour le parcmètre ou procurez-vous une carte de stationnement en vente dans les bureaux de tabac.

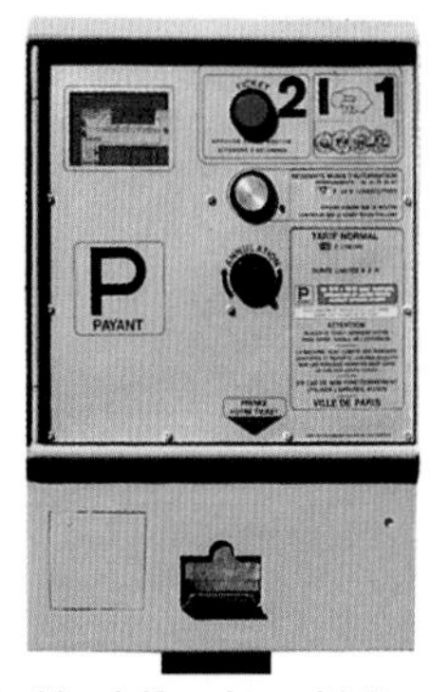

Le ticket de l'horodateur doit être exposé sous le pare-brise

LE CARBURANT

Le prix varie fortement selon les points de vente : il est plus élevé sur les autoroutes que dans les stations-service des supermarchés et hypermarchés. Les pompes automatiques n'acceptent pas toutes les cartes de paiement. Si l'essence sans plomb et le gazole sont en vente partout, le GPL se trouve plus facilement dans les stations d'autoroutes. N'hésitez pas à télécharger sur Internet (**www.cfbp.fr**) une carte des stations-service, notamment celles fournissant du GPL. Attention : les stations-service se font assez rares en zone rurale : faites le plein avant de partir.

LA BICYCLETTE

Adorée des Français, la « petite reine » est l'un des moyens les plus agréables de découvrir les campagnes de Provence. Il est possible de transporter sa bicyclette sur certains trains, signalés par un pictogramme sur les dépliants, ou de louer un vélo à l'arrivée de certaines gares, grâce à la formule Train+Vélo de la SNCF.

La Provence regorge de loueurs de deux-roues, notamment dans le Luberon et autour de la Camargue, où l'on pourra louer un VTT pour longer la digue à la mer, l'une des plus belles pistes cyclables de la région. La liste des loueurs est disponible dans les offices de tourisme.

Attention : le vol de bicyclettes étant assez fréquent sur la Côte d'Azur, pensez à souscrire une assurance au moment de la location. Enfin, quatre villes ont mis en place un système de bicyclettes en libre-service *(voir p. 253)*.

LES TAXIS

Le prix des taxis varie d'un endroit à l'autre de la région et s'avère plus élevé sur la Côte d'Azur, où il faut prévoir plus de 30 € pour un trajet de 20 min. Ailleurs, le prix de la course est de 2 € minimun pour la prise en charge et 0,60 € par kilomètre, auquel s'ajoute un supplément « bagage ». Les Provençaux n'ont pas pour habitude de héler les taxis ; rendez-vous en station ou réservez par téléphone.

AUTO-STOP ET COVOITURAGE

En dehors des autoroutes, il est toujours possible, bien qu'assez rare, de faire du stop. Par ailleurs, le covoiturage, économique et encouragé par l'État, se répand. **Allostop** *(p. 251)* propose des offres de covoiturage entre Paris et le Sud et de région à région.

L'AUTOCAR

Si l'autocar a désormais du mal à rivaliser avec les tarifs en baisse des compagnies aériennes, il reste la solution la plus écologique pour voyager entre les villes.

La société **Eurolines** *(p. 251)* relie toute l'année Paris et d'autres villes de France à Nîmes, Toulon, Marseille, Aix-en-Provence et Avignon.

Si les grandes villes possèdent une gare routière, ailleurs le réseau est plus limité. Pour remplacer des lignes ferroviaires déficitaires, la SNCF a mis en place un service d'autocars dans le nord de la région, notamment en haute Provence.

Des sociétés privées assurent également un service (aléatoire) entre les grandes villes, par l'autoroute et sur certaines routes secondaires, comme Toulon-Saint-Tropez.

Autocar de la compagnie Eurolines

Les transports urbains

Le stationnement étant cher et strictement réglementé et les embouteillages le lot quotidien en été, l'idéal est d'abandonner la voiture dans les villes. Marseille et Nice bénéficient d'un réseau de transports publics simple et efficace. Toutefois, à l'exception de ces deux métropoles, la Provence se compose de villes de taille moyenne et de villages où l'on pourra aisément circuler à pied. Par ailleurs, quatre villes ont mis en place un réseau de vélos analogue au Vélib' parisien.

EN MÉTRO

Le métro est le moyen le plus rapide de se déplacer à Marseille. La ligne 1 circule de l'hôpital de la Timone à l'est jusqu'à La Rose au nord-est en passant par le Vieux-Port. Partant de Bougainville, la ligne 2 suit un axe nord/sud et relie le Vieux-Port à Sainte-Marguerite, au sud. Les deux lignes se croisent à la gare Saint-Charles et à Castellane. Les billets sont en vente dans chaque station, dans les bus et dans les bureaux de tabac. Les rames circulent tous les jours de 5 h à 22 h 30.

EN TRAMWAY

En 2013, le réseau des tramways comptera trois lignes à Marseille. Deux lignes sont d'ores et déjà en fonction, reliant le centre au nord-ouest et à l'est de la ville et se croisant sur la Canebière et à la Blancarde. Les tickets sont valables pour tous les transports urbains dans un délai de 1 h.

À Nice, une partie du réseau des tramways est enfin opérationnelle. En forme de U, la ligne 1 relie les quartiers nord et est au centre-ville, en passant par la place Masséna et la gare ferroviaire. Les tickets sont en vente aux distributeurs automatiques ou dans les stations.

EN BUS

Contrairement aux autocars, souvent lents et aux horaires peu pratiques en Provence, le service de bus est fiable dans les villes. À Marseille, le réseau couvre toute la ville. Les bus grandes lignes et les navettes pour l'aéroport partent de la gare routière, située derrière la gare Saint-Charles. En achetant une carte, on peut profiter du bus panoramique du circuit « Marseille le Grand Tour », qui s'arrête à proximité de 16 sites touristiques.

Nice propose aussi un service de bus efficace, y compris la nuit. Le bus touristique Sunbus marque de nombreux arrêts. Les tickets sont en vente dans les bus ou les bureaux de tabac.

EN TAXI

Les Provençaux n'ont pas pour habitude de héler les taxis. Les stations sont situées généralement près des grandes places. Pour réserver, demandez les numéros des taxis locaux à votre hôtel ou à l'office de tourisme.

Tramway sur le boulevard Longchamp à Marseille

À Marseille, il y a toujours une station « Le Vélo » à proximité

À BICYCLETTE

On trouvera des loueurs un peu partout, notamment à Arles et Nîmes qui offrent un beau réseau de pistes cyclables. Avignon, Marseille, Nice et Aix-en-Provence ont mis en place un système de vélos en libre-service. L'office de tourisme vous fournira la liste des stations ou des loueurs privés.

À PIED

À l'exception de Nice et Marseille, les principaux sites touristiques seront toujours à une courte distance à pied, même dans des villes de taille moyenne comme Nîmes, Avignon ou Aix-en-Provence.

Point de vue sécurité, même à Marseille, il y a très peu de risques d'agression.

ADRESSES

TRANSPORTS EN COMMUN

Aix-en-Provence
Tél. 04 42 26 37 28.
www.aixenbus.com

Avignon
www.tcra.fr

Marseille
Tél. 04 91 91 92 10.
www.rtm.fr

Nice
Tél. 08 1006 1006.
www.lignedazur.com

TAXIS

Nice
Tél. 04 93 13 78 78.

Marseille
Tél. 04 91 02 20 20.

Index

Les numéros de page en gras renvoient aux principales entrées.

A

D

N

O

P

S

Remerciements

L'éditeur tient à remercier les organismes, les institutions et les particuliers suivants dont la contribution a permis la préparation de cet ouvrage.

Auteur principal

Écrivain et journaliste, Roger Williams a longtemps travaillé pour le magazine *Sunday Times*. Il a écrit deux romans, de nombreux guides de voyage sur des destinations aussi diverses que Barcelone et les pays baltes, et a contribué au premier guide des liaisons aériennes au sein de l'Union européenne. Il séjourne régulièrement en France et publie des articles sur la Provence depuis plus de trente ans.

Autres auteurs

Adele Evans, John Flower, Robin Gauldie, Jim Keeble, Anthony Rose, Martin Walters.

Photographie d'appoint

Demetrio Carrasco, Andy Crawford, Lisa Cupolo, Franz Curzon, Philip Freiberger, Nick Goodall, Steve Gorton, John Heseltine, Andrew Holligan, Richard McConnell, Neil Mersh, Ian O'Leary, Clive Streeter.

Illustrations d'appoint

Simon Calder, Paul Guest, Aziz Khan, Tristan Spaargaren, Ann Winterbotham, John Woodcock.

Recherche Cartographique

Jane Hugill, Samantha James, Jennifer Skelley, Martin Smith (Lovell Johns).

Collaboration artistique et éditoriale

ÉDITION : Georgina Matthews.
DIRECTION ÉDITORIALE : Douglas Amrine.
DIRECTION ARTISTIQUE : Gaye Allen.
PRODUCTION : Hilary Stephens.
RECHERCHE ICONOGRAPHIQUE : Susan Mennell.
MISE EN PAGE (PAO) : Salim Qurashi.
COORDINATION CARTOGRAPHIQUE : Simon Farbrother, David Pugh.
CARTES : Uma Bhattacharya, Kunal Singh, Jennifer Skelley, Samantha James (Lovell Johns Ltd, Oxford).
RECHERCHE : Philippa Richmond.

Azeem Alam, Vincent Allonier, Rosemary Bailey, Shahnaaz Bakshi, Laetitia Benloulou, Josie Bernard, Tessa Bindloss, Hilary Bird, Kevin Brown, Margaret Chang, Cooling Brown Partnership, Guy Dimond, Joy Fitzsimmonds, Lisa Fox-Mullen, Anna Freiberger, Rhiannon Furbear, Vinod Harish, Victoria Heyworth-Dunne, Jackie Grosvenor, Annette Jacobs, Stuart James, Laura Jones, Nancy Jones, Erika Lang, Delphine Lawrance, Francesca Machiavelli, James Mar¬low, Helen Partington, Sangita Patel, Katie Peacock, Alice Peebles, Carolyn Pyrah, Philippa Richmond, Ellen Root, Kavita Saha, Sands Publishing Solutions, Baishakhee Sengupta, Sailesh Sharma, Bhaswati Singh, Cather¬ine Skipper, Priyanka Thakur, Amanda Tomeh, Daphne Trotter, Janis Utton, Conrad Van Dyk, Dora Whitaker, Irina Zarb.

Avec le concours spécial de :

Louise Abbott ; Anna Brooke de la manade Gilbert Arnaud ; Brigitte Charles du bureau de l'office du tourisme monégasque de Londres ; Sabine Giraud de Terres du Sud, Vénasque ; Emma Heathe ; Nathalie Lavarenne du musée Matisse, Nice ; Ella Milroy ; Marianne Petrou ; Andrew Sanger ; David Tse.

Références photographiques

Bernard Beaujard, Vézénobres.

Autorisations de photographier

L'éditeur remercie les entreprises, les institutions et les organismes suivants d'avoir accordé leur autorisation de photographier : Fondation Maeght, Saint-Paul-de-Vence ; Hôtel Negresco, Nice ; Mr J.-F. Campana, mairie de Nice ; Mr Froumessol, mairie de Cagnes-sur-Mer ; villa Ephrussi-de-Rothschild, Saint-Jean-Cap-Ferrat ; musée Jean-Cocteau, Menton ; musée international de la Parfumerie, Grasse ; musée Matisse, Nice ; Musée national message biblique Marc-Chagall, Nice ; Musée océanographique, Monaco ; musée Picasso/château Grimaldi, Antibes ; salle des Mariages, hôtel de ville, Menton ; et tous les autres musées, églises, hôtels, restaurants, boutiques et établissements, trop nombreux pour être cités.

Crédits photographiques

h = en haut ; hg = en haut, à gauche ; hc = en haut, au centre ; hd = en haut, à droite ; cgh = au centre gauche, en haut ; ch = au centre, en haut ; cdh = au centre droit, en haut ; cg = au centre, à gauche ; c = au centre ; cd = au centre, à droite ; cgb = au centre gauche, en bas ; cb = au centre, en bas ; cdb = au centre droit, en bas ; bg = en bas, à gauche ; b = en bas ; bc = en bas, au centre ; bd = en bas, à droite ; bgh = en bas, à gauche (haut) ; bch = en bas, au centre (haut) ; bdh = en bas, à droite (haut) ; bgb = en bas, à gauche (bas) ; bcb = en bas, au centre (bas) ; bdb = en bas, à droite (bas) ; (d) = détail.

Malgré tout le soin que nous avons apporté à dresser la liste des auteurs des photographies publiées dans ce guide, nous demandons à ceux qui auraient été involontairement oubliés de bien vouloir nous en excuser. Cette erreur sera corrigée à la prochaine édition de l'ouvrage.

Les œuvres d'art ont été reproduites avec l'aimable autorisation des organismes suivants :

© ADAGP, Paris et DACS, Londres 2006 : 26hd, 27hd, 27b, 30hd, 74hg, 76h, 76cgh, 76bg, 77hg, 77cd, 78c, 78b, 85bg, 99hd, 107bd, 119cdb, 120ch, 120bc, 121cdh, 121cdb, 144ch.

©ARS, New York et DACS, Londres 2006 : 59hg, 76cgb.

© DACS, Londres 2006 : 132hg.

© Estate of Francis Bacon/DACS, Londres : 225bg.

© Succession Henri Matisse/DACS, Londres 2006 : 27cd, 82hd, 82bg, 83hc, 83cd, 83bd.

© Succession Miró/ADAGP, Paris et DACS, Londres 2006 : 77cdh.

© Succession Picasso/DACS, Londres 2006 : 26bd, 73cg, 73cd, 73cgb, 73bg, 73bd.

L'éditeur remercie les photographes, entreprises et organismes suivants pour avoir permis de reproduire leurs photographies :

ALAMY IMAGES : Neil Juggins 240cgb ; Justin Kase zeightz 240cg ; Justin Kase zfourz 54hg ; Barry Mason 247c ; Pictures Colour Library 246cgh, 251hc ; Pixonnet.com/Goran Strandsten 240bg ; Travelshots.com 238hg ; Dave Watts 231c ; Gregory Wrona 236bd.

ALVEY & TOWERS : 246b.

ANCIENT ART AND ARCHITECTURE COLLECTION : 39h, 39cb, 40bg, 43h.

ARCHIVES DE L'AUTOMOBILE CLUB DE MONACO : 52ch.

ARTEPHOT, Paris : Plassart 27c.

ASSOCIATED PRESS LTD. : 29cb.

LA BELLE AURORE : 32b, 37h.

HOSTELLERIE BÉRARD : 230cd.

BRIDGEMAN ART LIBRARY : Christie's, Londres 47cdb, 50-51 ; Giraudon 47h, 48bg ; Schloss Charlottenburg, Berlin 179h.

CAMPAGNE, CAMPAGNE !, Paris : Jolyot 92bd ; J.-L. Julien 31bg ; Meissonnier 159b ; Meschinet 138c ; Moirenc 245 ; Pambour 171h, 172h ; Picard 159h ; Pyszel 90h.

CEPHAS : Mick Rock 208bd, 209ch, 209bd.

JEAN-LOUP CHARMET, Paris : 28cg, 29cgh (© Antoine de Saint-Exupéry/Gallimard), 37b, 42bg, 46ch, 46cb, 49h, 49cgh, 50hg, 50hd, 52h, 53h, 132cg, 140h, 153h, 160cg.

BRUCE COLEMAN : Adrian Davies 114bg ; J. L. G. Grande 136bch ; George McCarthy 19hg ; Andrew J. Purcell 115cb, 115bg ; Hans Reinhard 137h, 171bg, 171bc, 171bd ; Dr Frieder Sauer 114c ; 136bdh.

COMMISSION EUROPÉENNE : 241.

CORBIS : Sophie Bassouls 29cd ; Owen Franken 231h ; John Hicks 11bd ; Chris Lisle 11hg ; Robert Harding World Imagery/Angelo Cavalli 205ch.

JOE CORNISH : 23hd, 188-189, 234-235.

JULIAN COTTON PICTURE LIBRARY : Jason Hawkes Aerial Collection 13hd, 56-57.

CULTURESPACES, Paris : 86h, 86ch ; Véran 87h.

PHOTO DASPET, Avignon : musée du Petit Palais, Avignon 44h, 45bc ; palais des Papes, Avignon 44cdb, 44b.

DIAF, Paris : J.-P. Garcin 33cb ; J.-C. Gérard 228h, 228b, 151b ; Camille Moirenc 162c ; Bernard Régent 26h ; Patrick Somelet 158b.

DIRECTION DES AFFAIRES CULTURELLES, Monaco : 91c.

MARY EVANS : 9 dessin, 28h, 28bg, 28bd, 28cdb, 45bd, 45h, 46b, 57 dessin, 189 dessin, 235 dessin.

JANE EWART : 22cb, 23c, 24hg, 25cb, 58hg, 76cb, 127b, 163ch, 163cb, 203b, 237b, 244b.

Explorer Archives, Paris : L. Bertrand 38cb ; Jean-Loup Charmet 67h, 124c, 147b ; Collection E.S. 42h, 46cb, 46bg ; Collection Sauvel 15h ; G. Garde 33ch ; J.-P. Hervey 64h ; Josette et Charles Lenars 39c ; J.-P. Lescourret 165c ; M.-C. Noailles 65b ; Peter Willi 40ch ; A. Wolf 43cgb.

Fnotsi : 236ch.
Fondation Auguste-Escoffier, Villeneuve-Loubet : 74c.
Fondation Maeght, Saint-Paul-de-Vence : Claude Germain 77h, 77c ; Collection Mr et Mme Adrien Maeght 77b.
Frank Lane Picture Agency : N. Clark 170b ; Fritz Polking 18hd ; M. B. Withers 136bgh.

Galerie Intemporel, Paris : Les Films Ariane, Paris 54-55.
Éditions Gaud, Moisenay : 70bg, 86b, 87bg, 87bd, 142h, 181c.
Getty Images : Peter Adams 220cgh ; AFP/Valery Hache 224bg ; Hemis/Bertrand Rieger 16c ; Hemis/Jose Nicolas 220bd ; Slow Images 154c ; The Image Bank/Peter Adams 16hg ; The Image Bank/Remi Benali 32cg ; WireImage/Tony Barson 55bd.
Giraudon, Paris : 27h, 27bg, 27bd, 28cd, 32h, 36, 40bd, 48ch, 48bd, 133b, 145b, 172c ; Lauros-Giraudon 38ch, 45cb, 46hd (d), 46-47, 49cgb, 51cgb, 53cgb (tous droits réservés), 73hg, 73hd, 110bg, 125b, 134h, 144h, 146h ; musée de la Vieille-Charité, Marseille 38hd ; musée de la Ville de Paris, musée du Petit Palais/Lauros-Giraudon 26bg ; musée des Beaux-Arts, Marseille 48-49, 49b, 152b ; Musée du Louvre, Paris 8-9 ; musée du Vieux Marseille, Marseille 48cb, 50ch.
Gîtes de France : 193ch.
Grand Hôtel du cap Ferrat : 191h.
Grottes de Saint-Cézaire-sur-Siagne : 65c.

Robert Harding Picture Library : 35b, 244h.
Hémispheres Images : Bertrand Gardel 253hd.
Hôtel du Cap – Eden Roc, cap d'Antibes : 191b.
Hulton-Deutsch Collection : 28c, 29bg, 52bd ; Keystone 94h.

Illustrated London News Picture Library : 50b.

Catherine Karnow, San Francisco : 110c.
The Kobal Collection : United Artists 71hg.

Daniel Madeleine : 183b.
Magnum Photos : Bruno Barbey 228c ; René Burri 55cgb ; Robert Capa 82c ; Elliott Erwitt 91bd.
Mairie de Nîmes : Jean-Charles Blais 132h (tous droits réservés) ; Francis Bacon 225b (tous droits réservés).
Mansell Collection : 39b, 42bd, 43b, 51cgh, 52bg.
Éditions Molipor, Monaco : 94b ; avec l'autorisation de la Société des Bains de Mer (SBM) 51cdb, 94c.
Musée de l'Annonciade, Saint-Tropez : E. Vila Mateu 119b, 120-121.
Musée d'Anthropologie, Monaco : J.-F. Buissière 38hg.
Musée archéologique, Vaison-la-Romaine : Christine Bézin 41cgb.
Musée d'Art moderne et d'Art contemporain (Mamac), Nice : 54bd, 85b.
Musée Fabre, Montpellier : Leenhardt 135b.
Musée de la Photographie, Mougins : 66b.
Musée Matisse, Nice : © Service photographique, Ville de Nice 82h, 82b, 83h, 83c, 83bd.

National Gallery, Londres (reproduit avec l'aimable autorisation de) : 26c.
Nature Photographers : Carlson 16ch ; Michael Gore 16b.
Network Photographers/Rapho : Mark Buscail 184h.

L'Œil et la Mémoire/Bibliothèque municipale d'Avignon : Atlas 24, folio 147 42cb.
Office de tourisme et des congrès, Marseille : Hauer 253.
Oxford Scientific Films : Mike Hill 136bgb ; Tom Leach 160bd ; Frank Schneidermeyer 136bdb.

John Parker : 21bg, 24b, 58hd, 108h, 157hd.
Photolibrary : S.G.M. 236cg.
Photo Resources : C.M Dixon 41cdb.
Pictures Colour Library : 185b.

PLANET EARTH PICTURES : Richard Coomber 136bcb ; John Neuschwander 114bd ; Peter Scoones 19b.
POPPERFOTO : 29h, 29cb, 72b.

RANGE : Bettmann 28cb, 29cdb et bd.
RETROGRAPH ARCHIVE, Londres : © Martin Breese 30hd, 69b.
ROGER-VIOLLET, Paris : 47cgh, 51h, 52cb, 163b.

S.A. AÉROPORTS DE LA CÔTE D'AZUR : J. Kelagopian 244bc.
SERVICE DE PRESSE, Cagnes-sur-Mer : 78c, 78b, 79b.
ROGER SMITH, Èze : 86cb, 87c.
SOCIÉTÉ NATIONALE DES CHEMINS DE FER (SNCF) : 55b, 246hg, 248hd.
FRANK SPOONER PICTURES : Robin 67b ; P. Siccoli 54cb ; Gamma/T. Pélisier 38b ; Gamma/Christian Vioujard 67cdh, 67cgb.
STA TRAVEL GROUP : 238c.
SYGMA : 75h ; 68b ; H. Conant 54bg ; J. Donoso 67cdb ; Keystone 52-53 ; 53cgh, 53b ; Leo Mirkine 55cg.
ÉDITIONS TALLENDIER, Paris : Bibliothèque nationale 42-43.
TERRES DU SUD, Venasque : Philippe Giraud 2, 44cgb, 45c, 45bg, 46hg, 46bd, 64b, 70bd, 81ch, 105b, 166h, 167cb, 168b.

TONY STONE IMAGES : Joe Cornish 14.
TRAVEL LIBRARY : Philip Enticknap 93h, 93bd.

WALLIS PHOTOTHÈQUE, Marseille : Clasen 55h, 67cgh ; Constant 182b ; Di Meglio 115ch ; Giani 96h, 225h ; Huet 185h ; L.C.I. 31bd, 176h ; Leroux 16b ; Poulet 96cg ; Royer 96cd, 96b ; Tarta 193b.
ROGER WILLIAMS : 101, 138b, 165h, 170c, 181b, 185ch.

Intérieur de la première de couverture : commande spéciale de photographies.

COUVERTURE :
Première de couverture : © Roy Rainford/ Robert Harding World Imagery/Corbis (visuel principal et dos) ; © Laurent Giraudou/hemis.fr (détourage).
Quatrième de couverture : © Jon Arnold/ hemis.fr (hg) ; © Gérard Labriet/ Photononstop (cg) ; © Daniel Thierry/ Photononstop (bg).

Toutes les autres photographies : © Dorling Kindersley.
Pour plus d'informations :
www.DKimages.com